BASTEI
LÜBBE

Bisher sind im BASTEI-LÜBBE Taschenbuchprogramm von und über STEPHEN KING nachstehende Bände erschienen:

Als Taschenbücher:

13001 Feuerkind
13008 Shining
13035 Cujo
13043 Trucks
13054 Christine
13088 Katzen-Auge
13114 Jahreszeiten Herbst & Winter
13115 Jahreszeiten Frühling & Sommer
13121 Carrie
13160 Nachtschicht

13150 Stephen King, James Herbert u. a. Popsy
72100 Stephen King und seine Filme

Als Paperback:

28100 Shining
28103 Feuerkind
28109 Cujo
28111 Carrie
28114 Nachtschicht
28118 Christine
28120 Frühling, Sommer, Herbst und Tod
28126 Das letzte Gefecht
28144 Das große Stephen King Film Buch
28146 Der Werwolf von Tarker Mills

STEPHEN KING

SHINING

Roman

Ins Deutsche übertragen
von Harro Christensen

BASTEI
LÜBBE

BASTEI-LÜBBE-TASCHENBUCH
Band 13008

Ursprünglich veröffentlicht als
Bastei-Lübbe-Paperback Band 28100

Erste Auflage: April 1985
Zweite Auflage: Juni 1985
Dritte Auflage: Oktober 1985
Vierte Auflage: Februar 1986
Fünfte Auflage: März 1986
Sechste Auflage: Juli 1986
Siebente Auflage: November 1986
Achte Auflage: Februar 1987
Neunte Auflage: August 1987
Zehnte Auflage: Januar 1988
Elfte Auflage: April 1988
Zwölfte Auflage: Oktober 1988
Dreizehnte Auflage: Januar 1989
Vierzehnte Auflage: Mai 1989
Fünfzehnte Auflage: August 1989
Sechzehnte Auflage: November 1989
Siebzehnte Auflage: Februar 1990
Achtzehnte Auflage: Mai 1990

Unser Titelfoto zeigt eine Szene
aus Stanley Kubriks Film »Shining«.

Deutsche Lizenzausgabe 1985
Bastei-Verlag Gustav H. Lübbe GmbH & Co., Bergisch Gladbach
Originaltitel: The Shining
Titelfoto: Warner Columbia
Umschlaggestaltung: Quadro Grafik, Bensberg
Satz: Fotosatz Froitzheim, Bonn
Druck und Verarbeitung:
Clausen & Bosse, Leck
Printed in Western Germany
ISBN 3-404-13008-1

Der Preis dieses Bandes versteht sich einschließlich
der gesetzlichen Mehrwertsteuer.

In diesem Gemach befand sich außerdem ... eine riesige Standuhr aus Ebenholz. Ihr Pendel schwang hin und her mit dumpfem, monotonem Klang; und wenn es Zeit war, die Stunde zu schlagen, kam aus den Messinglungen der Uhr ein klarer, lauter, sonorer und überaus harmonischer Schall, der sich aber doch so seltsam anhörte, daß sich die Orchestermusiker bei jedem Stundenschlag gezwungen fühlten, innezuhalten und dem Klang zu lauschen; und auch die Tänzer drehten sich nicht weiter; und Unruhe befiel kurz die ganze frohe Gesellschaft; und während die Schläge der Uhr noch dröhnten, merkte man, daß auch der Ausgelassenste blaß wurde und die Älteren und Abgeklärteren sich mit der Hand über die Stirn strichen, als träumten sie wirr oder meditierten. Aber als alles Echo verklungen war, ging leises Lachen durch die Menge ... als ob sie über ihre eigene Nervosität lachten, und flüsternd versprachen sie einander, das nächste Schlagen sollte sie nicht mehr verstören; und dann, nach Ablauf einer Stunde ... schlug die Uhr wieder, und dieselbe Bestürzung und Angst und Nachdenklichkeit wie vorher machte sich breit.

Aber trotz all dieser Dinge war es ein fröhliches, prächtiges Fest ...

E. A. Poe
»Die Maske des roten Todes«

Der Schlaf der Vernunft gebiert die Ungeheuer.
Goya

It'll shine when it shines.
Volksmund

Teil Eins
Vorbereitung

1

Einstellungsgespräch

Schmieriger kleiner Scheißkerl, dachte Jack Torrance.

Er maß ein Meter sechzig und bewegte sich mit der eilfertigen Gewandtheit, die offenbar allen kurzen Dicken eigen ist. Sein Haar war exakt gescheitelt, und sein dunkler Anzug wirkte nüchtern, aber irgendwie tröstlich. Ich bin der Mann, zu dem du mit deinen Problemen kommen kannst, verriet dieser Anzug dem zahlenden Kunden. Den kleinen Angestellten sagte er etwas ganz anderes: Entweder ihr spurt, oder... In seinem Aufschlag steckte eine rote Nelke, vielleicht, damit niemand Stuart Ullman auf der Straße mit dem örtlichen Beerdigungsunternehmer verwechseln konnte.

Während er Ullman zuhörte, gestand Jack sich ein, daß er unter diesen Umständen niemanden gut gefunden hätte, der ihm gegenüber am Schreibtisch saß.

Ullman hatte etwas gefragt, was ihm entgangen war. Das war schlimm; Ullman war genau der Typ, der sich solche Fehler merkte, sie im Gedächtnis behielt und später wieder gegen seinen Kontrahenten ausspielte.

»Wie bitte?«

»Ich fragte, ob Ihre Frau genau weiß, auf was Sie sich hier einlassen. Und dann ist da natürlich noch Ihr Sohn.« Er sah auf das Antragsformular, das er vor sich liegen hatte. »Daniel. Bekommt Ihre Frau bei diesem Gedanken nicht Angst?«

»Wendy ist eine außergewöhnliche Frau.«

»Ist auch Ihr Sohn außergewöhnlich?«

Jack lächelte ein breites PR-Lächeln. »Das bilden wir uns gern ein. Für seine fünf Jahre ist er ganz schön selbständig.«

Ullman erwiderte das Lächeln nicht. Er ließ Jacks Antragsformular in die Akte zurückgleiten. Die Akte legte er in die Schublade.

Der Schreibtisch war jetzt, abgesehen vom Telefon, der Schreibunterlage und einer Tensor-Lampe, völlig leer. Natürlich stand da auch noch der Ein- und Ausgangskorb. Aber der war ebenfalls leer.

Ullman stand auf und trat an den Aktenschrank in der Ecke. »Kommen Sie bitte hier herum, Mr. Torrance. Wir werden uns die Pläne der einzelnen Stockwerke vornehmen.«

Er brachte fünf große Bogen herbei und legte sie auf das polierte Nußbaumholz des Tisches. Jack sah ihm über die Schulter und roch sein aufdringliches Parfüm. *Alle meine Männer tragen Englischleder oder gar nichts,* fuhr es ihm ohne jeden Grund durch den Sinn, und er mußte sich auf die Zunge beißen, um nicht laut loszulachen. Durch die Wand hindurch hörte man schwach die Geräusche vom Küchenbetrieb des Overlook Hotels, denn die Lunchzeit ging gerade zu Ende.

»Das oberste Stockwerk«, sagte Ullman hastig. »Das Dachgeschoß. Dort oben steht nur Gerümpel. Das Overlook hat seit dem Zweiten Weltkrieg mehrere Male den Besitzer gewechselt, und es scheint, als ob die jeweiligen Manager alles, was sie nicht brauchen konnten, auf den Boden gestellt haben. Ich will, daß Sie dort Rattenfallen aufstellen und Gift legen. Einige der Stubenmädchen vom dritten Stock wollen dort raschelnde Geräusche gehört haben. Ich glaube das zwar nicht, aber jede Möglichkeit, daß sich im Overlook Hotel Ratten aufhalten, muß hundertprozentig ausgeschlossen werden.«

Jack, der davon überzeugt war, daß in jedem Hotel der Welt eine oder zwei Ratten wohnen, schwieg dazu.

»Sie würden Ihrem Sohn natürlich nie gestatten, den Dachboden zu betreten.«

»Nein«, sagte Jack und ließ wieder sein PR-Lächeln aufblitzen. Eine entwürdigende Situation. Dachte dieser schmierige kleine Scheißkerl tatsächlich, daß er seinem Sohn erlauben würde, auf einem Dachboden voller Rattenfallen, Schrottmöbel und wer weiß sonst was herumzustöbern?

Ullman wischte den Plan des Dachbodens zur Seite und schob ihn unter den Stapel.

»Das Overlook hat hundertzehn Gästequartiere«, sagte er in belehrendem Ton. »Dreißig davon, alles Suiten, befinden sich im dritten Stock. Zehn im Westflügel – einschließlich der Präsidentensuite –, zehn in der Mitte und zehn weitere im Ostflügel. Aus allen hat man eine herrliche Aussicht.«

Kannst du nicht wenigstens auf diese Anpreisungen verzichten?

Aber er schwieg. Er brauchte den Job.

Ullman legte den dritten Stock unter den Stapel, und sie sahen sich den zweiten Stock an.

»Vierzig Zimmer«, sagte Ullman, »dreißig Doppel- und zehn Einzelzimmer. Und im ersten Stock je zwanzig. Plus drei eingebaute Wäscheschränke auf jeder Etage und ein Lagerraum, der sich im zweiten Stock am äußersten östlichen, im ersten Stock am äußersten westlichen Ende des Hotels befindet. Noch Fragen?«

Jack schüttelte den Kopf.

»Und nun die Räumlichkeiten im Parterre. Hier in der Mitte liegt der Empfangsschalter, hinter dem sich die Büros befinden. Davor erstreckt sich das Foyer fünfundzwanzig Meter in beiden Richtungen. Hier drüben im Westflügel haben wir den Eßsaal und die Colorado Lounge. Die Festräume befinden sich im Ostflügel. Noch Fragen?«

»Was ist mit dem Kellergeschoß?« sagte Jack. »Im Winter ist das für den Hausmeister der wichtigste Bereich. Sozusagen das Herzstück des Betriebes.«

»Watson wird Ihnen das alles zeigen. Der Plan hängt im Kesselraum an der Wand.« Er legte auf eindrucksvolle Weise die Stirn in Falten, vielleicht um zu zeigen, daß er sich als Manager nun wirklich nicht um solche Lappalien kümmern konnte wie den Versorgungstrakt des Overlook Hotels. »Wäre ganz gut, wenn man auch dort unten ein paar Fallen aufstellte. Einen Augenblick, bitte ...«

Er kritzelte eine Notiz auf einen Block, den er aus der Innentasche seines Jacketts gezogen hatte (jedes Blatt trug die Aufschrift *Vom Schreibtisch Stuart Ullmans*), riß das beschriebene Blatt ab und warf es in den Ausgangskorb. Wie durch einen Zaubertrick war der Block plötzlich wieder in seinem Jackett verschwunden. Eben war er noch da, Jacky, mein Junge, und jetzt ist er weg. Der Kerl ist eine richtige Kanone.

Sie hatten ihre ursprünglichen Plätze wieder eingenommen, Ullmann hinter und Jack vor dem Schreibtisch, der Interviewer und der Interviewte, der Bittsteller und der Gönner wider Willen. Ullman faltete seine zierlichen kleinen Hände auf der Schreibunterlage und sah Jack direkt an: ein kleiner Mann mit beginnender Glatze, in einem Börsenanzug mit unauffälliger grauer Krawatte. Die Blume in seinem Revers hatte in einer Anstecknadel auf der anderen Seite ein Gegenstück, und auf dieser Nadel stand in Goldbuchstaben das Wort PERSONAL.

»Ich will ganz offen mit Ihnen reden, Mr. Torrance. Albert Shockley ist ein mächtiger Mann mit beträchtlichen Anteilen am Overlook, das in dieser Saison zum ersten Mal in seiner Geschichte Gewinn abgeworfen hat. Mr. Shockley sitzt auch im Aufsichtsrat, aber er ist kein Hotelfachmann, und er wäre der letzte, der das nicht zugäbe. Aber hinsichtlich der Besetzung der Hauswartstelle hat er deutliche Wünsche geäußert. Er will, daß Sie eingestellt werden. Das wird auch geschehen. Aber wenn mir die Hände nicht gebunden wären, hätte ich Sie nicht genommen.«

Jack hielt die Hände im Schoß verschränkt und rieb sich die schweißnassen Finger. *Schmieriger kleiner Scheißkerl, schmieriger kleiner –*

»Sie mögen mich vermutlich nicht besonders, Mr. Torrance. Das ist mir gleichgültig. Und es hat nichts mit meiner Überzeugung zu tun, daß Sie für diesen Job nicht geeignet sind. Während der Saison, die vom fünfzehnten Mai bis zum dreißigsten September dauert, beschäftigt das Overlook ganztägig hundertzehn Leute, sozusagen einen für jeden Raum. Ich glaube, nur wenige von ihnen mögen mich, und einige halten mich wahrscheinlich für ein Schwein. Diese Leute könnten recht haben, denn um dies Hotel zu leiten, wie es sich gehört, muß man ein Schwein sein.«

Er sah Jack an, als erwartete er einen Kommentar. Jack ließ wieder sein PR-Lächeln aufblitzen, wobei er geradezu beleidigend die Zähne zeigte.

Ullman sprach weiter. »Das Overlook wurde in den Jahren 1907 und 1908 gebaut. Die nächstgelegene Stadt ist Sidewinder, vierzig Meilen weiter östlich gelegen und über Straßen zu erreichen, die von Ende Oktober bis etwa April unpassierbar sind. Ein gewisser Robert Townley Watson ließ das Hotel errichten, der Großvater unseres jetzigen Monteurs. Hier haben schon Vanderbilts, Rockefellers, Astors und Du Ponts gewohnt. Die Präsidentensuite hat schon vier Präsidenten gesehen. Wilson, Harding, Roosevelt und Nixon.«

»Auf Harding und Nixon wäre ich nicht besonders stolz«, murmelte Jack.

Ullman runzelte die Stirn, sprach aber unbeirrt weiter. »Watson wuchs die ganze Sache über den Kopf, und 1915 verkaufte er das Hotel. Es wurde noch dreimal weiterverkauft: 1922, 1929 und 1936. Bis zum Zweiten Weltkrieg stand es leer. Dann kaufte und renovierte es Horace Derwent, Millionär, Erfinder, Pilot, Filmproduzent und Unternehmer.«

»Ich kenne den Namen«, sagte Jack.

»Ja. Er machte aus allem, was er anfaßte, Gold . . . nur nicht aus dem Overlook. Er steckte über eine Million Dollar hinein, bevor überhaupt nach dem Krieg der erste Gast erschien, und verwandelte eine heruntergekommene Ruine in ein Schmuckstück. Derwent war es auch, der die Roque-Anlage erstellen ließ, die ich Sie bei Ihrer Ankunft bewundern sah.«

»Roque?«

»Ein britischer Vorläufer unseres Croquet, Mr. Torrance. Croquet ist eine Verballhornung des Wortes Roque. Derwent soll das Spiel von seinem Privatsekretär gelernt haben und dann ganz verrückt danach gewesen sein. Unsere ist vielleicht die schönste Roque-Anlage in ganz Amerika.«

»Das will ich nicht bezweifeln«, sagte Jack feierlich. Eine Roque-Anlage, ein künstlicher Garten voller kleiner Wildtiere, und was kommt als nächstes? Vielleicht ein Kinderspielplatz hinter dem Geräteschuppen? Er hatte genug, aber er sah, daß der Mann noch nicht fertig war. Ullman wollte seinen Vortrag bis zum letzten Wort zu Ende führen.

»Als Derwent drei Millionen verloren hatte, verkaufte er an eine Gruppe kalifornischer Investoren. Sie machten mit dem Overlook die gleichen schlechten Erfahrungen. Eben keine Hotelfachleute. 1970 kaufte Mr. Shockley zusammen mit einigen Geschäftspartnern das Hotel und betraute mich mit seiner

Leitung. Auch wir blieben noch einige Jahre in den roten Zahlen, aber heute kann ich mit Befriedigung feststellen, daß die gegenwärtigen Eigentümer in ihrem Vertrauen in mich nie wankend wurden. Im vergangenen Jahr war die Bilanz ausgeglichen. Und in diesem Jahr macht das Overlook zum ersten Mal seit fast siebzig Jahren Gewinn.«

Jack glaubte gern, daß der Stolz dieses geschäftigen kleinen Kerls berechtigt war, aber sofort überlief ihn wieder eine Welle der Abneigung gegen ihn.

Er sagte: »Ich sehe keinen Zusammenhang zwischen der, zugegeben, farbigen Geschichte des Overlook und Ihrem Gefühl, daß ich für den Posten nicht geeignet bin, Mr. Ullman.«

»Ein Grund dafür, daß das Overlook so viel Geld verloren hat, ist die jeden Winter einsetzende Wertminderung. Sie verringert den Profit sehr viel mehr, als Sie vielleicht glauben, Mr. Torrance. Es gibt hier ungeheuer harte Winter. Um mit diesem Problem fertig zu werden, setze ich im Winter ganztägig einen Hausmeister ein, der die Kesselanlage bedient und die verschiedenen Teile des Hotels im täglichen Wechsel beheizt, der etwaige Schäden beseitigt und Reparaturen durchführt, damit die Elemente nicht die Oberhand gewinnen. Er muß auf jeden denkbaren Zwischenfall gefaßt sein. Während des ersten Winters hatten wir hier eine Familie statt eines einzelnen Mannes. Es gab eine Tragödie. Eine schreckliche Tragödie.«

Ullman sah Jack kalt und abschätzend an.

»Ich habe einen Fehler gemacht. Ich gebe es offen zu. Der Mann war Trinker.«

Jack spürte, wie sich sein Mund zu einem trägen, bissigen Grinsen verzog – das genaue Gegenstück zu dem zähnefletschenden PR-Grinsen von vorhin. »Daher weht also der Wind. Ich bin überrascht, daß Al Ihnen nicht gesagt hat, daß ich aus dem Gewerbe ausgeschieden bin.«

»Ja, Mr. Shockley sagte mir, daß Sie nicht mehr trinken. Er erzählte mir auch die Sache mit Ihrem letzten Job . . . vielleicht nennen wir ihn Ihre letzte Vertrauensstellung? Sie haben an einer Oberschule in Vermont Englisch unterrichtet. Bis Sie dann einmal die Beherrschung verloren. Mehr brauche ich darüber wohl nicht zu sagen. Aber ich glaube schon, daß der Fall Grady in diesen Zusammenhang gehört, und deshalb habe ich auch Ihre ... äh, Vorgeschichte angesprochen. Im Winter 1970–71 stellte ich diesen ... diesen unglückseligen Delbert Grady ein. Er bezog die Räumlichkeiten, in denen Sie mit Ihrer Frau und Ihrem Sohn wohnen werden. Er hatte eine Frau und zwei Töchter. Meine Bedenken gründeten hauptsächlich auf der Härte der Winter und der Tatsache, daß die Gradys fünf oder sechs Monate lang von der Außenwelt abgeschnitten sein würden.«

»Aber das stimmt doch in Wirklichkeit gar nicht. Es gibt hier doch Telefone und wahrscheinlich auch ein Funkgerät für Citizen Band. Und der Rocky Mountain-Nationalpark liegt in Hubschrauberentfernung. Im übrigen wird es auf einem Komplex von dieser Größe sicherlich ein oder zwei Schneepflüge geben.«

»Nicht daß ich wüßte«, sagte Ullman. »Allerdings hat das Hotel einen kombinierten Sender-Empfänger, den Mr. Watson Ihnen zeigen wird, zusammen mit einer Liste der korrekten Sendefrequenzen für den Fall, daß Sie Hilfe brauchen. Die Telefonleitungen zwischen hier und Sidewinder verlaufen noch über der Erde, und fast jeden Winter werden sie an irgendeiner Stelle unterbrochen. Das dauert dann gewöhnlich drei Wochen bis eineinhalb Monate. Außerdem steht im Geräteschuppen noch ein Schneemobil.« »Dann ist dieser Laden ja nicht völlig von der Außenwelt abgeschnitten.«

Mr. Ullmans Gesicht bekam einen leidenden Ausdruck. »Stellen Sie sich vor, Ihr Sohn oder Ihre Frau fallen die Treppe hinunter und erleiden einen Schädelbruch. Würden Sie dann immer noch denken, Sie seien nicht abgeschnitten?«

Jack verstand, was er meinte. Wenn man Höchstgeschwindigkeit fuhr, konnte man Sidewinder mit dem Schneemobil in etwa eineinhalb Stunden erreichen. Ein Hubschrauber vom Rettungsdienst des Nationalparks könnte in drei Stunden hier oben sein ... unter optimalen Bedingungen. In einem Schneesturm würde er nicht einmal abheben können. Dann könnte man ein Schneemobil auch nicht mit Höchstgeschwindigkeit fahren, wenn man es überhaupt wagen würde, einen Schwerverletzten Temperaturen von fünfundzwanzig Grad minus auszusetzen – oder vierzig Grad minus, wenn man den durch Wind bedingten zusätzlichen Kältefaktor berücksichtigte.

»In Gradys Fall«, sagte Ullman, »argumentierte ich etwa so, wie Mr. Shockley es Ihnen gegenüber getan zu haben scheint. Schon Einsamkeit kann schaden. Es war für den Mann besser, seine Familie bei sich zu haben. Falls etwas passierte, mußte es ja nicht gleich ein Schädelbruch, ein schwerer Unfall mit elektrischem Gerät oder eine ähnliche Katastrophe sein. Bei einer schweren Grippe, bei Lungenentzündung, einem gebrochenen Arm und selbst bei einer Blinddarmentzündung hätte man für Rettungsmaßnahmen immer noch genügend Zeit.

Was in Gradys Fall geschah, war wohl eher auf den Konsum von reichlich billigem Whiskey zurückzuführen, von dem Grady sich ohne mein Wissen einen gewaltigen Vorrat angelegt hatte. Eine weitere Ursache mag ein eigenartiger Zustand gewesen sein, den man früher Budenkoller nannte. Kennen Sie den Begriff?« Er lächelte herablassend, bereit, Jack aus seiner Ignoranz zu erlösen, und Jack war froh, rasch und präzise zu antworten.

»Es handelt sich um einen Slangausdruck für die klaustrophobische Reaktion, die sich einstellen kann, wenn Leute längere Zeit zusammen eingeschlossen sind. Das Gefühl der Klaustrophobie äußert sich in Abneigung gegenüber den Leuten, mit denen man zusammen eingesperrt ist. In extremen Fällen kann es zu Halluzinationen und Gewalttätigkeiten kommen – banale Dinge wie ein angebranntes Essen oder ein Streit darüber, wer das Geschirr spült, haben schon zu Mord und Totschlag geführt.«

Ullman war ziemlich verblüfft, was Jack ungeheuer wohltat. Er beschloß, noch ein wenig höher zu reizen, aber insgeheim versprach er Wendy, ruhig zu bleiben.

»Damit haben Sie tatsächlich einen Fehler gemacht. Ist Grady gewalttätig geworden?«

»Er hat sie umgebracht, Mr. Torrance, und anschließend Selbstmord begangen. Die kleinen Mädchen ermordete er mit einem Beil, seine Frau mit einer Schrotflinte, mit der er sich auch selbst erschoß. Er hatte ein gebrochenes Bein. Zweifellos war er so betrunken, daß er die Treppe hinunterstürzte.«

»War er Universitätsabsolvent?«

»Das war er allerdings nicht«, sagte Ullman ein wenig förmlich. »Ich dachte, daß ein, sagen wir mal, weniger phantasiebegabtes Individuum auf die Schwierigkeiten der Abgeschlossenheit weniger empfindlich reagieren würde –«

»Genau darin lag Ihr Fehler«, sagte Jack. »Ein Dummkopf neigt viel eher zur Klaustrophobie, und er neigt auch viel eher dazu, jemanden beim Kartenspiel zu erschießen oder ohne Überlegung einen Raubüberfall zu begehen. Er langweilt sich. Ihm bleibt nur Fernsehen oder Patiencelegen, bei dem er betrügt, wenn er nicht rechtzeitig alle Asse draußen hat. Er hat nichts zu tun, als seine Frau anzumisten, mit den Kindern herumzunörgeln und zu saufen. Er kann nicht einschlafen, weil nichts zu hören ist. Also trinkt er, bis er müde ist, und wacht mit einem Kater auf. Er ist gereizt. Jetzt fällt vielleicht noch das Telefon aus, und die TV-Antenne wird vom Dach geweht, und wieder kann er nur grübeln und bei Patience betrügen, und er wird immer gereizter. Am Ende . . . knallt er drauflos.«

»Während ein gebildeterer Mann wie Sie . . .?«

»Meine Frau und ich lesen viel. Ich arbeite an einem Stück, wie Al Shockley Ihnen wahrscheinlich berichtet hat. Danny hat seine Puzzles, seine Malbücher und sein Quarzradio. Ich werde ihm Lesen beibringen, und er soll auch Schneeschuhlaufen lernen. Das möchte meine Frau übrigens auch gern. Oh doch, ich denke schon, daß wir uns beschäftigen können und uns nicht gleich in die Haare geraten, wenn das Fernsehen im Eimer ist.« Er machte eine Pause. »Al hat recht, wenn er sagt, daß ich nicht mehr trinke. Früher tat ich es, und es wurde immer schlimmer. Aber in den letzten vierzehn Monaten habe ich noch nicht einmal ein Glas Bier getrunken. Ich beabsichtige nicht, Alkohol mitzubringen, und ich glaube nicht, daß man welchen beschaffen kann, wenn erst der Schnee fällt.«

»Damit haben Sie völlig recht«, sagte Ullman. »Aber wenn Sie zu dritt hier oben sind, vervielfachen sich natürlich die Möglichkeiten, aus denen Probleme entstehen. Das habe ich Mr. Shockley gesagt. Er ist bereit, die Verantwortung für Sie zu übernehmen. Jetzt habe ich es Ihnen gesagt, und Sie wollen offenbar auch die Verantwortung dafür übernehmen –«

»So ist es.«

»Gut. Ich muß es akzeptieren, da ich keine andere Wahl habe. Ich hätte dennoch lieber einen alleinstehenden Studenten, der sich ein Jahr frei nimmt. Nun, vielleicht kommen Sie ja klar. Jetzt überlasse ich Sie Mr. Watson, der Sie durch das Kellergeschoß führen und Ihnen das umliegende Gelände zeigen wird. Oder haben Sie noch Fragen?«

»Nein, keine.«

Ullman stand auf. »Hoffentlich habe ich Sie nicht verstimmt, Mr. Torrance. Was ich Ihnen sagte, war nicht persönlich gemeint. Ich will nur das Beste für das Overlook. Es ist ein großartiges Hotel, und das soll es bleiben.«

»Nein, nein. Ich bin nicht verstimmt.« Wieder ließ Jack sein PR-Grinsen aufblitzen, aber er war froh, daß Ullman ihm wenigstens nicht die Hand reichte. Er *war* verstimmt. Aus allen möglichen Gründen.

2

Boulder, Colorado

Sie schaute aus dem Fenster und sah ihn einfach nur am Bordstein sitzen. Er spielte weder mit seinen Autos noch mit dem Wagen, nicht einmal mit dem Segelflugzeug aus Balsaholz, an dem er soviel Spaß gehabt hatte, seit Jack es vor einer Woche mitgebracht hatte. Er saß ganz einfach da und hielt Ausschau nach ihrem abgenutzten alten VW, die Ellbogen auf den Schenkel und das Kinn in die Hände gestützt, ein fünfjähriges Kind, das auf seinen Daddy wartete.

Wendy fühlte sich plötzlich elend, fast zum Heulen elend.

Sie hängte das Geschirrtuch auf den Handtuchhalter über der Spüle, und auf dem Weg nach unten schloß sie die zwei oberen Knöpfe ihres Hauskleids. Jack und sein Stolz! *Nein, nein, Al, ich brauche keinen Vorschuß. Ich komme noch eine Weile aus.* Die Wände der Diele hatten Risse und waren mit bunter Kreide, Fettstiften und Sprühfarbe beschmiert. Die Treppen waren steil und abgesplittert. Das ganze Gebäude roch nach Verfall. Welch schrecklicher Ort war dies für Danny, nach dem schmucken kleinen Haus in Stovington. Die Leute über ihnen im dritten Stock waren nicht verheiratet. Das störte sie nicht weiter, wohl aber ihr ständiges boshaftes Gezanke. Manchmal bekam sie direkt

Angst. Der Kerl da oben hieß Tom, und wenn freitags die Kneipen geschlossen hatten und die beiden nach Hause gekommen waren, ging die Streiterei ernsthaft los – während der übrigen Woche fanden nur die Vorkämpfe statt. Die Freitagabendschlacht nannte Jack das, aber es war wirklich nicht komisch. Die Frau – sie hieß Elaine – fing zuletzt immer an zu weinen und wiederholte ständig: »Nein, Tom. Bitte nicht. Bitte nicht.« Und er brüllte sie an. Einmal war sogar Danny aufgewacht, und Danny hatte wirklich einen gesunden Schlaf. Am nächsten Morgen hatte Jack Tom beim Rausgehen erwischt und auf dem Gehweg eine Weile mit ihm gesprochen.

Tom fing an zu schreien, und Jack hatte noch etwas zu ihm gesagt, zu leise, als daß Wendy es hätte verstehen können. Tom hatte darauf nur mürrisch den Kopf geschüttelt und war weggegangen. Das war vor einer Woche gewesen, und ein paar Tage hatte relative Ruhe geherrscht, aber seit dem Wochenende war alles wieder normal – Verzeihung, unnormal. Es war nicht gut für den Jungen.

Wieder brach ihr ganzer Kummer über sie herein, aber sie war schon draußen und nahm sich zusammen. Sie raffte ihr Kleid und setzte sich neben ihn auf den Bordstein. »Was ist denn los, Doc?« fragte sie.

Er lächelte, aber es war nur mechanisch.

»Hallo, Mom.«

Der Segler lag zwischen den Turnschuhen, die er an den Füßen trug, und sie sah, daß eine der Tragflächen gesplittert war.

»Soll ich versuchen, ihn heilzumachen, Schatz?«

Danny schaute inzwischen wieder die Straße hoch. »Nein. Das macht Daddy schon.«

»Daddy ist vielleicht erst zum Abendbrot zurück, Doc. Der Weg in die Berge hinauf ist lang.«

»Glaubst du, daß das Auto kaputtgeht?«

»Nein. Das glaube ich nicht.« Aber jetzt hatte sie eine weitere Sorge. *Danke, Danny. Das fehlte mir noch.*

»Daddy hat aber Angst davor«, sagte Danny sachlich, fast gelangweilt. »Er sagte, die Benzinpumpe ist im Arsch.«

»Das sagt man aber nicht, Danny.«

»Benzinpumpe?« fragte er ehrlich überrascht.

Sie seufzte. »Nein, ›im Arsch‹. Das darfst du nicht wieder sagen.«

»Warum nicht?«

»Es ist vulgär.«

»Was heißt vulgär?«

»Wenn du zum Beispiel bei Tisch in der Nase bohrst oder beim Pinkeln die Badezimmertür offenläßt. Oder wenn du sowas wie ›im Arsch‹ sagst. Arsch ist ein vulgäres Wort. Nette Menschen gebrauchen es nicht.«

»Daddy gebraucht es. Als er sich den Motor ansah, sagte er, ›die Benzinpumpe ist im Arsch‹. Ist Daddy denn kein netter Mensch?«

»Doch, aber er ist außerdem erwachsen. Und er achtet sehr darauf, solche Sachen nicht vor Leuten zu sagen, die das nicht verstehen würden.«

»Du meinst solche wie Onkel Al?«

»Ganz richtig.«

»Darf ich es sagen, wenn ich erwachsen bin?«

»Dann wirst du es wohl sagen, ob es mir gefällt oder nicht.«

»Wie alt muß ich sein?«

»Wie wär's mit zwanzig, Doc?«

»Da muß ich noch lange warten.«

»Das stimmt, aber willst du es nicht versuchen?«

»Okay.«

Er nahm die Beobachtung der Straße wieder auf. Er straffte sich ein wenig, als ob er aufstehen wollte, aber der Käfer, der in Sicht kam, war viel neuer und von hellerem Rot. Er blieb sitzen. Sie überlegte, wie hart ihn wohl dieser Umzug nach Colorado angekommen war. Er redete nicht darüber, aber es quälte sie, ihn ständig allein zu sehen. In Vermont hatten drei von Jacks Kollegen Kinder in Dannys Alter gehabt – und dann war da noch die Vorschule gewesen –, aber in dieser Gegend hier gab es niemanden, mit dem er spielen konnte. In den meisten Apartments wohnten Studenten, und von den Ehepaaren hier in der Arapahoe Street hatten nur wenige Kinder. Sie hatte vielleicht ein Dutzend Kinder im schulpflichtigen Alter und drei Kleinkinder gesehen. Das war alles.

»Mommy, warum hat Daddy seinen Job verloren?«

Das riß sie aus ihrem Brüten, und sie mühte sich um eine

Antwort. Sie und Jack hatten darüber gesprochen, wie sie auf eine solche Frage reagieren sollten. Sie hatten überlegt, ob sie ausweichen oder unverblümt die Wahrheit sagen sollten. Aber Danny hatte nie gefragt. Bis jetzt nicht, wo sie in schlechter Verfassung und am allerwenigsten auf eine solche Frage vorbereitet war. Aber er sah sie an, las vielleicht die Verwirrung in ihrem Gesicht und machte sich darüber seine eigenen Gedanken. Für Kinder mußten Verhaltensweisen von Erwachsenen so unheilkündend sein wie gefährliche wilde Tiere im Schatten eines dunklen Waldes, dachte sie. Man sprang mit ihnen wie mit Marionetten um, und sie hatten kaum eine Ahnung, warum. Dieser Gedanke brachte sie wieder den Tränen nahe, und während sie dagegen ankämpfte, nahm sie den defekten Segler in die Hand und drehte ihn um.

»Daddy betreute das Debattier-Team, Danny. Erinnerst du dich daran?«

»Oh ja«, sagte er. »Die streiten sich aus Spaß.«

»Richtig.« Sie drehte das Segelflugzeug um und las die Markenbezeichnung (Speedoglide) und sah die blauen Sterne auf den Tragflächen, und schon erzählte sie ihrem Sohn die Wahrheit. »Da war ein Junge, er hieß George Hatfield. Daddy nahm ihn aus dem Team, weil er einfach nicht gut genug war. George meinte aber, daß Daddy ihn nicht aus dem Team genommen hatte, weil er nicht gut genug war, sondern weil Daddy ihn nicht mochte. Dann tat George etwas ganz Schlimmes. Vielleicht erinnerst du dich noch.«

»Hat er nicht bei unserem Auto die Reifen aufgeschnitten?«

»Das hat er gemacht. Nach der Schule, und dein Daddy hat ihn dabei erwischt.« Einen Augenblick zögerte sie jetzt, aber sie konnte nicht mehr ausweichen; sie konnte nur noch lügen oder die Wahrheit sagen.

»Dein Daddy . . . manchmal tut er Dinge, die er anschließend bereut. Manchmal kann er nicht vernünftig denken. Das geschieht nicht oft, manchmal aber eben doch.«

»Hat er George so wehgetan wie mir, als ich all seine Papiere dreckiggemacht hab'?«

Manchmal –

(Dannys Arm in Gips)

– tut er Dinge, die er anschließend bereut.

Wendy kniff die Augen zu, und ihre Tränen hatten keine Chance mehr.

»So ungefähr, Schatz. Daddy schlug George, damit er die Reifen in Ruhe ließ, und George stieß sich den Kopf. Dann durfte George dort nicht mehr hinkommen, und dein Daddy durfte dort nicht mehr unterrichten.« Sie wußte nicht mehr weiter und wartete voller Angst auf eine Flut von Fragen.

»Ach so«, sagte Danny und beobachtete weiter die Straße. Für ihn war das Thema anscheinend erledigt. Wenn es für sie doch auch so leicht erledigt wäre –

Sie stand auf. »Ich gehe nach oben, eine Tasse Tee trinken. Möchtest du nicht ein Glas Milch und ein paar Kekse?«

»Ich will auf Daddy warten.«

»Er wird vor fünf nicht zurück sein.«

»Vielleicht kommt er doch früher.«

»Vielleicht«, räumte sie ein. »Vielleicht kommt er früher.«

Sie war schon fast im Haus, als er nach ihr rief. »Mommy?«

»Was ist denn, Danny?«

»Willst du denn wirklich gern im Winter in diesem Hotel wohnen?«

Sie hätte fünftausend Antworten geben können, aber welche in diesem Augenblick? Wie hatte sie sich gestern gefühlt, wie gestern abend? Wie heute morgen? Die Antworten wären verschieden ausgefallen, hätten das ganze Spektrum umfaßt. Von hellrosa bis tiefschwarz.

Sie sagte: »Wenn dein Daddy es will, will ich es auch.« Sie schwieg eine Weile. »Und wie denkst du darüber?«

»Ach, ich will es auch. Hier hat man keinen, mit dem man spielen kann.«

»Du vermißt wohl deine Freunde?«

»Scott und Andy manchmal. Sonst keinen.«

Sie ging zu ihm zurück, küßte ihn und fuhr ihm mit der Hand durchs Haar. Es war kein Babyhaar mehr. Er war ein so ernster kleiner Junge, und manchmal fragte sie sich, wie er überhaupt mit Jack und ihr als Eltern leben konnte. Mit welchen Hoffnungen hatten sie ihr gemeinsames Leben begonnen. Und jetzt saßen sie in dieser schäbigen Wohnung in einer Stadt, die ihnen fremd war. Wieder sah sie Danny mit seinem Gipsverband vor sich. Irgendwer, der im Himmel für die Stellenbesetzung verantwortlich war, mußte einen Fehler gemacht haben. Und dieser Fehler, das war ihre Angst, würde nie wieder korrigiert werden. Danny würde ihn büßen müssen, und er konnte doch nichts dafür.

»Lauf nicht auf die Straße«, sagte sie und nahm ihn ganz fest in die Arme.

»Tu ich nicht, Mom.«

Sie ging nach oben und in die Küche. Sie setzte den Kessel auf und legte für Danny ein paar Kekse auf einen Teller. Vielleicht kam er ja doch noch, während sie sich ein wenig hinlegte.

Sie setzte sich an den Tisch, den großen Becher vor sich, und schaute aus dem Fenster zu ihm hinunter. Er saß immer noch am Bordstein in seinen Bluejeans und der viel zu großen Trainingsbluse mit der Aufschrift »Stovington Vorschule«, und der Segler lag neben ihm. Die Tränen, die immer schon kommen wollten, flossen jetzt. Sie beugte sich über den Becher mit duftendem, dampfendem Tee und weinte hemmungslos. Um die verlorene Vergangenheit und in entsetzlicher Angst vor der Zukunft.

3

Watson

Sie haben die Beherrschung verloren, hatte Ullman gesagt.

»Okay, hier ist Ihr Ofen«, sagte Watson und schaltete in dem dunklen, muffig riechenden Raum das Licht an. Er war ein fleischiger Mann mit flaumigen strohblonden Haaren und trug ein weißes Hemd zu einer olivfarbenen Hose. Er öffnete eine kleine viereckige Luke am Ofen.

»Dies ist die Zündflamme.« Aus einer Düse zischte ein gleichmäßiger weißblauer Feuerstrahl gleichmäßig nach oben, der zerstörerische Kräfte kanalisierte, aber das Schlüsselwort, dachte Jack, war *zerstörerisch* und nicht *kanalisieren*: wenn man die Hand hineinsteckte, wäre sie in drei Sekunden geröstet.

Die Beherrschung verloren

(Danny, ist alles in Ordnung?)

Der Ofen nahm den ganzen Raum ein. Es war der größte und älteste, den Jack je gesehen hatte.

»Die Zündflamme ist mit einer Sicherheitsvorrichtung gekoppelt. Kleine Sensoren messen die Temperatur. Sinkt sie bis unter einen bestimmten Wert, löst die Vorrichtung in Ihrer Wohnung einen Summer aus. Die Kessel befinden sich jenseits dieser Wand. Ich gehe mit Ihnen hinüber.« Er schlug die Luke zu und führte Jack um die riesige Eisenmasse des Ofens herum zu einer anderen Tür. Das Eisen strahlte eine enorme Hitze aus, und Jack dachte plötzlich an eine große schlafende Katze. Watson ließ sein Schlüsselbund rasseln und pfiff vor sich hin.

Sie haben die Beherrschung ver –

(Als er in sein Arbeitszimmer zurückkam und Danny dort stehen sah, grinsend und nur mit der Hose seines Trainingsanzugs bekleidet, hatte eine träge rote Wolke der Wut Jacks Verstand ausgeschaltet. Subjektiv war es ihm langsam vorgekommen, aber es mußte alles in weniger als einer Minute geschehen sein. Es schien nur langsam, wie einige Träume einem langsam abzulaufen scheinen. Die schlimmen. Jede Schublade und jeder Schrank in seinem Arbeitszimmer schienen während seiner Abwesenheit durchwühlt worden zu sein. Alle Schränke, alle Regale und das Bücherbord. Jede Schublade war bis zum Anschlag herausgezogen. Sein Manuskript, das Stück in drei Akten, das er aus einem kurzen Roman entwickelt hatte, den er schon während seines Studiums geschrieben hatte, lag über den ganzen Fußboden verstreut. Er hatte Bier getrunken und gerade Akt II korrigiert, als Wendy ihn ans Telefon rief, und Danny hatte den ganzen Inhalt der Dose über die Seiten geschüttet. Wahrscheinlich um das Bier schäumen zu sehen. *Um es schäumen zu sehen, um es schäumen zu sehen,* wiederholte er die Worte immer wieder in seinem Kopf wie einen falschen Ton auf einem verstimmten Klavier, der immer wieder angeschlagen wird. Er trat auf seinen dreijährigen Sohn zu, der mit vergnügtem Grinsen zu ihm aufsah, vergnügt über die Arbeit, die er soeben in Daddys Arbeitszimmer so erfolgreich abgeschlossen hatte; Danny begann zu sprechen, und in diesem Augenblick hatte er Dannys Hand gepackt und sie umgebogen, damit er den Drehbleistift und den Radierstift fallenließ, die er beide in der Hand hielt. Danny hatte ein bißchen geweint... nein... nein... die Wahrheit war... er hatte laut geschrien. Es war so schwer, sich durch den Nebel jener Wut hindurch zu erinnern, immer wieder dieser dauernd wiederholte Mißton. Irgendwo fragte Wendy, was denn sei. Ihre Stimme schwach, durch den inneren Nebel gedämpft. Er hatte Danny herumgewirbelt, um ihn zu schlagen, und seine großen Erwachsenenfinger gruben sich in das dünne Fleisch am Arm des Jungen, ballten sich um den Arm herum zur Faust, und das Knacken des brechenden Knochens war nicht laut gewesen, nicht laut, sondern es war *sehr* laut gewesen. UNGEHEUER laut, aber nicht laut. Gerade laut genug, um den roten Nebel wie ein Pfeil zu durchdringen – aber statt den Nebel aufzuhellen, brachte das Geräusch dunkle Wolken der Scham und der Reue, brachte Entsetzen und grauenhafte seelische Qual. Ein klares Geräusch, vor dem die Vergangenheit lag und dem die ganze Zukunft folgen sollte, ein Geräusch, als zerbräche man einen Bleistift oder ein Stückchen Feuerholz auf dem Knie. Nach dem Geräusch tiefes Schweigen, vielleicht im Hinblick auf die beginnende Zukunft, den Rest seines Lebens. Er sah, wie die Farbe aus Dannys Gesicht wich, bis es ganz käsig aussah, er sah seine schon großen Augen noch größer und glasig werden, und jetzt war Jack sicher, daß der Junge besinnungslos in die Bierpfützen auf den verstreuten Manuskripten fallen würde; seine Stimme klang schwach und trunken, als er stammelnd versuchte, alles zurückzunehmen, einen Weg um das gar nicht laute Geräusch des brechenden Knochens herum in die Vergangenheit zurück zu finden – als er sagte: *Danny, ist alles in Ordnung?* Dannys Kreischen als Antwort, dann Wendys entsetzter Aufschrei, als sie den seltsamen Winkel sah, in dem Dannys Arm zum Ellbogen stand. Sie stammelte: *Oh Gott, Danny, oh, du lieber, lieber Gott. Dein armer kleiner Arm;* und Jack stand da, dumm und wie betäubt, und versuchte zu begreifen, wie das geschehen konnte. Er stand da, und sein Blick traf den seiner Frau, und er sah, daß Wendy ihn haßte. Welche praktischen Auswirkungen dieser Haß haben könnte, kam ihm nicht in den Sinn; erst später wußte er, daß sie ihn am selben Abend hätte verlassen und in ein Motel ziehen können, um am nächsten Morgen zu einem Scheidungsanwalt zu gehen. Oder sie hätte die Polizei rufen können. Er sah nur, daß seine Frau ihn haßte, und das brachte ihn völlig aus dem Gleichgewicht. Es war ein grauenhaftes Gefühl. So mußte es sein, wenn der Tod kam. Dann rannte sie ans Telefon, und mit ihrem kreischenden Jungen auf dem Arm rief sie das Krankenhaus an, und Jack lief nicht hinterher, sondern blieb in den Trümmern seines Büros stehen, roch den Bierdunst und grübelte –)

Sie haben die Beherrschung verloren.

Hart rieb er sich mit der Hand über die Lippen und folgte Watson in den Kesselraum. Es war hier feucht, aber es war nicht so sehr die feuchte Hitze, die ihn auf der Stirn und an Bauch und Beinen unangenehm in Schweiß ausbrechen ließ. Es war die Erinnerung, die so total war, daß die seit jenem Abend verflossenen zwei Jahre wie Stunden erschienen. Ohne Verzögerung brachte die Erinnerung die Scham und den Ekel zurück, das Gefühl, wertlos zu sein, und bei diesem Gefühl hatte er immer das Verlangen nach einem Drink, und das Verlangen nach einem Drink brachte noch schwärzere Verzweiflung – würde es je eine Stunde, wohlgemerkt, keine Woche, nicht einmal einen Tag, sondern eine einzige wache Stunde für ihn geben, da das Verlangen nach einem Drink ihn einmal nicht auf diese Weise überfallen würde?

»Der Kessel«, verkündete Watson. Er zog ein großes, rotblaues Taschentuch aus der hinteren Tasche und schneuzte sich mit einem entschlossenen Trompeten. Nachdem er kurz hineingeblickt hatte, steckte er es wieder weg.

Der Kessel ruhte auf vier Betonblöcken. Er bestand aus einem langen zylindrischen Metallblock mit einem an vielen Stellen geflickten Kupfermantel und stand unter einer verwirrenden Vielfalt von Rohren und Leitungen, die zur hohen, spinnwebverhangenen Decke hinaufführten. Rechts von Jack führten zwei dicke Heizrohre aus dem Heizraum zum Kessel.

»Der Druckmesser ist hier.« Watson schlug mit der Hand dagegen. »Pfund pro Quadratzoll. Aber das kennen Sie ja. Jetzt steht das Ding auf hundert, und nachts werden die Räume ein wenig kühl. Wenige Gäste beschweren sich, is' auch scheißegal. Die sind sowieso verrückt, wenn sie im September herkommen. Übrigens, dies ist ein uraltes Ding. Hat mehr Flicken als Klamotten vom Sozialamt.« Sein Taschentuch fuhr heraus. Ein Trompetenstoß, ein rascher Blick. Das Tuch verschwand.

»Ich habe 'ne Scheißerkältung«, sagte Watson redselig. »Hab' ich jedes Jahr im September. Erst bastele ich an diesem alten Miststück herum, dann mähe ich draußen Gras oder harke die Roque-Anlage. Wenn dir kalt ist, erkältest du dich, sagte meine alte Mutter immer. Gott segne sie, sie ist schon sechs Jahre tot. Der Krebs hat sie erwischt. Wenn man Krebs hat, kann man gleich sein Testament machen. Sie müssen den Druck auf fünfzig, höchstens sechzig halten. Mr. Ullman will, daß einen Tag der Westflügel, am nächsten die mittleren Räume und am übernächsten der Ostflügel beheizt wird. Der Mann muß verrückt sein. Ich hasse diesen kleinen Scheißkerl. Den ganzen Tag nur Gekläffe. Er ist wie einer von diesen kleinen Kötern, die einen erst ins Bein beißen und dann den Teppich vollpissen. Wenn sein Gehirn aus Schießpulver bestünde, könnte er sich nicht mehr die Nase putzen. Was man hier alles so sieht. Manchmal bedauert man, daß man keine Kanone hat. Schauen Sie her. Wenn Sie die Leitungen öffnen oder schließen wollen, brauchen Sie bloß an den Ringen zu ziehen. Ich hab' sie alle für Sie markiert. Die blauen Anhänger sind alle für den Ostflügel. Rote Anhänger für die mittleren Räume. Gelb für den Westflügel. Wenn Sie den Westflügel heizen, denken Sie daran, daß er an der Wetterseite liegt. Wenn es losheult, werden diese Räume so kalt wie eine frigide Frau mit einem Eiswürfel zwischen den Beinen. Beim Westflügel sollten Sie auf achtzig gehen. Würde ich jedenfalls machen.«

»Die Thermostate oben –« fing Jack an.

Watson schüttelte so energisch den Kopf, daß sein Flaumhaar hochwirbelte. »Die sind gar nicht angeschlossen. Es sind nur Attrappen. Diese Leute aus Kalifornien. Die glauben, es ist was nicht in Ordnung, wenn sie in ihrem Scheißschlafzimmer keine Palmen pflanzen können. Die ganze Wärme kommt von hier. Sie müssen aber auf den Druck achten. Sehen Sie, wie er steigt?«

Er klopfte gegen die Scheibe des Druckmessers, der auf hundertzwei gestiegen war, während Watson seinen Monolog führte. Jack spürte, wie ihm ganz kurz ein Schauer über den Rücken lief, und er dachte: *Lief nicht eben jemand über mein Grab?* Watson verpaßte dem Druckrad ein paar Umdrehungen und öffnete das Kesselventil. Unter lautem Zischen fiel die Nadel auf zweihundertneunzig. Dann schloß Watson das Ventil, und widerwillig erstarb das Zischen.

»Steigt schon wieder«, meinte Watson. »Und wenn Sie das diesem fetten alten Specht Ullman sagen, holt er seine Konten raus und braucht drei Stunden dazu, Ihnen zu beweisen, daß er sich erst 1982 eine neue leisten kann. Eines Tages wird der ganze Kasten in die Luft fliegen, und ich hoffe nur, daß dieser Fettsack dann hier ist. Dann kann er die Reise mitmachen. Mein Gott, ich wünschte, ich wär' so nachsichtig wie meine Mutter. Die sah in jedem Menschen auch das Gute. Dagegen bin ich 'ne richtige Giftschlange. Scheiße, ich kann nun mal nichts für meine Natur. Denken Sie daran, daß Sie zweimal am Tag und einmal abends, bevor Sie sich hinhauen, hier runter müssen. Sie müssen den Druck prüfen. Sonst steigt er allmählich, und dann wachen Sie und Ihre Familie plötzlich auf dem Mond auf. Nur'n bißchen Druck ablassen, dann gibt's keinen Ärger.«

»Was ist der maximal zulässige Druck?«

»Oh, das Ding ist für zwei-fünfzig ausgelegt, aber der Kessel würde lange vorher hochgehen. Ich stelle mich jedenfalls nicht daneben, wenn die Nadel auf hundertachtzig steigt.«

»Schaltet er sich denn nicht automatisch aus?«

»Nein, es gibt keine Automatik. Als die Anlage gebaut wurde, brauchte man sowas noch nicht. Die Regierung mischt sich heutzutage in alles ein, nicht wahr? Das FBI öffnet die Post, die CIA hört Telefone ab, und was war mit diesem Nixon? War das nicht erbärmlich? Aber wenn Sie regelmäßig hier runterlaufen, um den Druck zu prüfen, ist alles in Ordnung. Und denken Sie daran, so zu heizen, wie der Kerl das haben will. Die Räume werden sowieso nicht wärmer als zehn Grad, außer wir hätten einen warmen Winter. Und Ihre eigene Bude können Sie so aufheizen, wie Sie nur wollen.«

»Und was ist mit dem Klempnerkram?«

»Okay, darauf wollte ich gerade zu sprechen kommen. Hier rüber, durch den Gang.«

Sie betraten einen langgestreckten Raum, der kein Ende zu nehmen schien. Watson zog an einer Schnur, und eine einzige Fünfundsiebzigwattbirne warf ihren fahlen Glanz dorthin, wo sie beide standen. Geradeaus lag der Aufzugschacht. Dicke, ölbeschmierte Kabel führten von oben herab und liefen über Rollen mit einem Durchmesser von über drei Metern. Unten stand der große, ebenfalls ölbeschmierte Elektromotor. Überall lagen gebündelt alte Zeitungen herum, einige in Kartons. Auf anderen Kartons stand *Akten* oder *Rechnungen* oder *Quittungen – aufbewahren*. Gestank von vergilbtem Papier und Moder. Einige Kartons fielen schon auseinander und gaben ihren Inhalt frei, vergilbte, dünne Blätter, die vielleicht zwanzig Jahre alt waren und nun auf dem Boden verstreut lagen. Fasziniert sah Jack sich alles an. In diesen verfaulten Kartons mochte die ganze Geschichte des Overlook Hotels enthalten sein.

»Der Aufzug ist ganz große Scheiße«, sagte Watson und wies mit dem Daumen hinüber. »Ich *weiß*, daß Ullman die staatlichen Prüfbeamten besticht. Er lädt sie zum Essen ein, damit er die Reparaturen sparen kann, der Scheißkerl.

Hier verlaufen die Hauptleitungen.« Vor ihnen stiegen fünf dicke, isolierte und mit Stahlband umwickelte Rohre zur Decke auf und verschwanden oben in den Schatten.

Watson zeigte auf ein mit Spinngewebe behangenes Regal neben dem Versorgungsschacht. Dort lagen eine Anzahl öliger Lumpen und ein Hefter mit Loseblättern. »Das sind schematische Darstellungen der gesamten technischen Einrichtungen«, sagte er. »Ich glaube nicht, daß es ein Leck geben kann – bisher hatten wir noch keins –, aber manchmal frieren die Rohre zu. Das kann nur verhindert werden, wenn man die Hähne nachts leicht aufdreht. Allerdings hat dieser verdammte Palast über vierhundert davon. Der fette Kerl da oben würde von hier nach Denver schreien, wenn er die Wasserrechnung sieht.«

»Ich würde sagen, das ist eine bemerkenswert scharfsinnige Analyse.«

Watson sah ihn bewundernd an. »Sagen Sie, Sie sind tatsächlich ein Studierter, was? Sie reden wie ein Buch. Das bewundere ich, wenn es nicht gerade einer von den Süßen ist. Davon gibt es viele. Wissen Sie, wer vor ein paar Jahren all die Aufstände an den Universitäten angezettelt hat? Die Homosexuellen und kein anderer. Sie sind frustriert, und dann brechen sie aus. Verdammte Scheiße, was ist bloß aus der Welt geworden? Wenn etwas einfriert, dann passiert es wahrscheinlich in diesem Schacht. Nicht genug Wärme. Dann müssen Sie dieses Ding gebrauchen.«

Er griff in eine zerbrochene Apfelsinenkiste und holte einen kleinen Gasbrenner heraus.

»Wenn Sie die vereiste Stelle finden, wickeln Sie einfach die Isolierung ab und halten die Flamme daran. Kapiert?«

»Ja. Aber was ist, wenn die Dinger weiter oben einfrieren?«

»Das passiert nicht, wenn Sie Ihre Arbeit vernünftig machen und ausreichend heizen. An die anderen Rohre kommen Sie sowieso nicht ran. Machen Sie sich keine Sorgen. Es passiert schon nichts. Scheußlich hier unten. Lauter Spinnweben. Mir wird ganz übel davon.«

»Ullman hat gesagt, daß der erste Hausmeister sich und seine Familie umgebracht hat.«

»Ja. Das war dieser Grady. Er war ein schlechter Schauspieler. Das wußte ich, als ich ihn das erste Mal sah. Er grinste immer so komisch. Damals fingen die hier gerade an, und Ullman, dieser Fettsack, hätte den Würger von Boston angeheuert, wenn er für weniger Geld gearbeitet hätte. Ein Ranger vom Nationalpark hat sie gefunden; das Telefon war tot. Sie lagen alle im Westflügel oben im dritten Stock. Steifgefroren. Ein Jammer um die kleinen Mädchen. Sie waren acht und sechs. Aufgeweckte Gören. Oh, es war eine schlimme Sauerei. Dieser Ullman, außerhalb der Saison bewirtschaftet er ein drittklassiges Hotel irgendwo in Florida, und er nahm gleich ein Flugzeug nach Denver. Dann hat er sich einen Schlitten gemietet, um von Sidewinder nach hier zu kommen, denn die Straßen waren dicht – einen *Schlitten,* können Sie sich das vorstellen? Er hat sich fast einen abgebrochen, um das Ganze aus den Zeitungen rauszuhalten. Hat er auch ziemlich geschafft, das muß man ihm lassen. In der *Denver Post* erschien eine kleine Notiz und dann natürlich die Todesanzeige in dem kleinen Käseblatt unten in Estes Park, aber das war so ziemlich alles. Gute Leistung, wenn man den Ruf des Hotels bedenkt. Ich hatte erwartet, daß irgendein Reporter alles wieder ausgräbt und die Sache mit Grady zum Anlaß nimmt, die Skandale wieder aufzuwärmen.«

»Welche Skandale?«

Watson zuckt die Achseln. »Alle großen Hotels haben ihre

Skandale«, sagte er. »Genauso wie jedes große Hotel ein Gespenst hat. Warum? Verdammt, die Leute kommen und gehen, und hin und wieder kommt es vor, daß einer in seinem Zimmer abkratzt. Herzschlag oder sowas. In diesen Hotels ist man abergläubisch. Kein dreizehntes Stockwerk, keine Zimmernummer dreizehn, und hinter der Tür, durch die man reinkommt, hängt niemals ein Spiegel. Wir haben erst im letzten Juli einen weiblichen Gast verloren. Darum mußte Ullman sich kümmern, und Sie können Ihren Arsch verwetten, er hat's mal wieder geschafft. Darum bezahlen sie ihm auch zweiundzwanzigtausend Dollar pro Saison, und so wenig ich den kleinen Scheißkerl ausstehen kann, er ist sein Geld wert. Es ist fast so, als ob einige Leute eigens herkommen, um sich auszukotzen, und Ullman muß dann den Dreck wegmachen. Diese Frau muß sechzig gewesen sein – mein Alter! –, und ihr Haar war so rot gefärbt wie 'ne Nuttenfunzel. Die Titten hingen ihr bis an den Bauchnabel, weil sie keinen BH trug, und sie hatte so viele Krampfadern, daß ihre Beine wie Landkarten aussahen. Hals und Arme hingen voll Juwelen. Sogar aus den Ohren kamen sie ihr heraus. Und dann der Junge, den sie bei sich hatte, höchstens siebzehn und Haare bis zum Arsch. Sie waren vielleicht zehn Tage hier, und jeden Abend dasselbe: Sie hocken sich von fünf bis sieben in die Colorado Lounge, und sie lutscht die Cocktails weg, als würden sie ab morgen verboten, während er sich die ganze Zeit an einer Flasche Selter festhält. Und sie scherzt mit ihm, und er lacht dazu wie ein Affe. Aber nach ein paar Tagen sah man, daß ihm das Grinsen immer schwerer fiel, und Gott weiß, was er sich alles ausdenken mußte, um sein Gerät abends für die Alte flottzukriegen. Ja, und dann gingen sie essen. Das heißt, nur er ging, und sie torkelte, besoffen wie ein Wasserhuhn. Und er kniff die Kellnerinnen in den Hintern und lachte ihnen zu, wenn sie gerade nicht hinsah. Verdammt, wir haben sogar gewettet, wie lange er es noch bei ihr aushält.«

Watson zuckte die Achseln.

»Dann kommt er eines abends um zehn runter und sagt, daß seine ›Frau indisponiert‹ ist – was nur bedeutete, daß sie, wie an jedem Abend ihres Aufenthalts, einfach nur stinkbesoffen war –, und er wollte ihr jetzt Medizin für den Magen besorgen.

Er fährt also in dem kleinen Porsche weg, mit dem sie gekommen waren, und das ist das letzte, was wir von ihm gesehen haben. Am nächsten Morgen kommt sie runter und hat ihren großen Auftritt, aber im Laufe des Tages wird sie immer blasser, und Ullman fragt sie diplomatisch, ob er vielleicht die State Police benachrichtigen soll, wegen Unfall oder sowas. Sie wird wild wie 'ne Katze. Nein-nein-nein, er ist ein hervorragender Fahrer, sie macht sich keine Sorgen, es ist alles in Ordnung, er wird zum Abendessen zurück sein. An diesem Nachmittag geht sie also schon um drei in die Colorado Lounge und ißt überhaupt nichts. Um etwa halb elf geht sie in ihr Zimmer, und seitdem hat niemand sie mehr lebendig gesehen.«

»Was ist denn passiert?«

»Der amtliche Leichenbeschauer sagte, sie hätte nach all dem Schnaps noch dreißig Schlaftabletten genommen. Am nächsten Tag kam ihr Mann, ein bedeutender Anwalt aus New York. Der hat dem Ullman auf vier verschiedene Arten die Hölle heißgemacht. Ich verklage Sie wegen diesem und jenem und wegen noch etwas, und wenn ich mit Ihnen fertig bin, haben Sie noch nicht mal mehr saubere Unterhosen. Aber Ullman ist nicht zu unterschätzen. Er hat ihn beruhigt. Wahrscheinlich hat er den großkotzigen Kerl gefragt, wie es ihm wohl gefallen würde, wenn die Sache mit seiner Frau in allen New Yorker Zeitungen breitgetreten würde: Frau eines New Yorker Prominentenanwalts tot aufgefunden, den Wanst voller Schlaftabletten. Nachdem sie mit einem Jungen Versteck-die-Wurst gespielt hatte, der leicht ihr Enkel hätte sein können.

Die Jungs von der State Police fanden den Porsche hinter einem die ganze Nacht geöffneten Imbißladen in Lyons, und Ullman schaffte es dank seiner Beziehungen, daß der Wagen sofort freigegeben wurde. Der Anwalt konnte ihn mitnehmen. Dann machten sich die beiden an den alten Archer Houghton ran, den amtlichen Leichenbeschauer, und brachten es fertig, daß er den Befund auf natürlichen Tod abänderte, Herzschlag. Seitdem fährt der alte Archer einen Chrysler. Den gönn' ich ihm. Ein Mann muß nehmen, was er kriegen kann. Besonders wenn er schon älter ist.«

Das Taschentuch. Trompeten. Kurzer Blick. Schon war es wieder weg.

»Und was passiert? Ungefähr eine Woche später schreit Delores Vikkery, eins von diesen saudummen Stubenmädchen, plötzlich laut auf, als sie das Zimmer macht, in dem die beiden gewohnt hatten, und fällt in Ohnmacht. Als sie wieder zu sich kommt, behauptet sie steif und fest, sie hätte die Tote nackt in der Badewanne liegen sehen. ›Ihr Gesicht war purpurrot und gedunsen‹, sagt sie, ›und sie hat mich angegrinst‹. Ullman hat ihr das Restgehalt ausgezahlt und sie zum Teufel gejagt. Ich schätze, daß vierzig bis fünfzig Leute in diesem Hotel gestorben sind, seit mein Großvater es 1910 eröffnete.«

Er sah Jack verschmitzt an.

»Wissen Sie, woran die meisten sterben? Herzinfarkt oder Schlaganfall, während sie die Dame bumsen, die sie sich mitgebracht haben. Das hat man in solchen Hotels oft, alte Typen, die noch ein letztes Mal was erleben wollen. Sie kommen dann hier rauf in die Berge und tun so, als ob sie zwanzig sind. Aber manchmal geht irgendwas kaputt, und nicht allen Bossen gelang es so gut wie Ullman, die Presse rauszuhalten. Und so bekam das Overlook einen gewissen Ruf. Und ich wette, sogar dieser Scheißkasten Biltmore in New York City hat einen gewissen Ruf, wenn man die richtigen Leute fragt.«

»Aber es hat vielleicht keine Gespenster?«

»Mr. Torrance, ich habe mein ganzes Leben lang hier gearbeitet. Ich habe hier als Kind gespielt. Da war ich noch nicht älter als Ihr Junge, den Sie mir auf dem Foto gezeigt haben. Und ich habe noch kein einziges Gespenst gesehen. Kommen Sie mit nach hinten. Ich will Ihnen den Geräteschuppen zeigen.«

»Gut.«

Als Watson nach oben griff, um das Licht auszumachen, sagte Jack: »Hier liegen aber eine Menge Papiere herum.«

»Da haben Sie recht. Einige sehen tausend Jahre alt aus. Zeitungen, alte Rechnungen und Versandbriefe und Gott weiß was sonst noch. Mein Vater konnte das Zeug noch wegschaffen, denn damals hatten wir noch den Holzverbrennungsofen, aber jetzt wächst uns das alles über den Kopf. Irgendwann muß ich einen Mann anheuern, der den Kram nach Sidewinder schafft, damit es dort verbrannt wird. Wenn Ullman das bezahlen will. Wahrscheinlich tut er das, wenn ich ihm lange genug was über Ratten vorjammere.«

»Es gibt hier also Ratten?«

»Ja. Es gibt hier bestimmt welche. Ich hab' die Fallen und das Gift, das Mr. Ullman auf dem Boden und hier unten ausgelegt haben will. Achten Sie nur auf Ihren Sohn, Mr. Torrance. Sie wollen doch nicht, daß ihm was passiert.«

»Nein, ganz bestimmt nicht.« Von Watson störte ihn diese Mahnung nicht weiter.

Sie gingen an die Treppe und blieben einen Augenblick stehen, denn Watson mußte sich wieder die Nase putzen.

»Da draußen finden Sie alle Werkzeuge, die Sie brauchen, und auch einige, die nicht zu gebrauchen sind. Da liegen auch die Dachziegel. Hat Ullman mit Ihnen darüber gesprochen?«

»Ja, er will, daß das westliche Dach neu gedeckt wird.«

»Der wird Sie schon umsonst machen lassen, was nur irgend geht. Und im Frühling wird er dann jammern, daß Sie die Arbeit nicht ordentlich gemacht haben. Das hab' ich ihm einmal direkt ins Gesicht gesagt. Ich sagte . . .«

Watsons Worte hörte er auf der Treppe nur noch als tröstliches Brummen.

Jack Torrance schaute über die Schulter zurück in die undurchdringliche, muffig riechende Dunkelheit. Wenn es je einen Ort gab, an dem es Gespenster geben müßte, dann war es dieser. Er dachte an Grady, vom weichen, unbarmherzigen Schnee eingeschlossen, bis er dann langsam durchdrehte und diese Scheußlichkeit beging. Ob sie wohl geschrien haben? überlegte er. Armer Kerl, dieser Grady. Wie muß ihm das alles zugesetzt haben, bis er erkannte, daß es für ihn keinen Frühling mehr geben würde. Er hätte den Job nicht übernehmen sollen. Und nie im Leben hätte er die Beherrschung verlieren dürfen.

Als er Watson durch die Tür ins Freie folgte, dröhnte wie mit Totenglocken das Echo jener Worte über ihn hinweg, begleitet von einem scharfen Knacken – als zerbräche ein Bleistift. Mein Gott, er konnte einen Drink gebrauchen. Vielleicht Tausende.

4

Schattenland

Danny wurde weich und ging um viertel nach vier rauf, um seine Milch zu trinken und seine Kekse zu essen. Genüßlich kaute er sie und schaute dabei aus dem Fenster. Dann ging er zu seiner Mutter, die sich hingelegt hatte, und küßte sie. Sie riet ihm, sich Sesamstraße anzusehen – die Zeit würde dann schneller vergehen –, aber er schüttelte entschlossen den Kopf, ging nach unten und setzte sich wieder an den Bordstein. Es war fünf, und obwohl er keine Uhr hatte und es mit dem Zeitablesen bei ihm ohnehin noch nicht recht klappte, merkte er an den länger werdenden Schatten, wie die Zeit verging. Und er sah, wie die Nachmittagssonne sich rotgolden verfärbte.

Er nahm sein Segelflugzeug in die Hand und fing an, leise vor sich hinzusingen.

Ein Kinderlied, das er zusammen mit den anderen im Jack-and-Jill-Kindergarten in Stovington gesungen hatte. Hier konnte er nicht in den Kindergarten gehen, denn das konnte Daddy nicht mehr bezahlen. Er wußte, daß seine Eltern sich darüber Sorgen machten, daß sie wußten, wie einsam er sich fühlte (und noch schmerzlicher, wenn sie es auch nicht erwähnten, empfanden sie, daß Danny ihnen die Schuld gab), aber eigentlich hatte er sowieso keine Lust mehr, in den Jack-and-Jill-Kindergarten zu gehen. Er war ja kein Baby mehr. Natürlich war er noch kein großer Junge, aber ein Baby? Nein. Größere Kinder gingen in eine richtige Schule und kriegten warmes Mittagessen. Bald fing auch für ihn die Schule an. Nächstes Jahr. Noch war er ein Mittelding zwischen einem Baby und einem richtigen Kind. Das war weiter nicht schlimm. Allerdings vermißte er Scott und Andy – am meisten Scott –, aber auch das war nicht so schlimm. Er mußte abwarten. Irgend etwas würde schon geschehen.

Er durchschaute seine Eltern besser, als ihnen lieb war. Sie wollten es nicht wahrhaben, aber eines Tages würden sie es glauben *müssen*. Er konnte warten.

Eigentlich schade, daß sie es nicht glaubten. Besonders jetzt.

Mommy lag oben im Bett und weinte, weil sie sich wegen Daddy Sorgen machte. Einige dieser Sorgen verstand Danny nicht – er wußte nur vage, daß es um Sicherheit ging, um Daddys Selbsteinschätzung, um Schuldgefühle, um Wut und um Angst vor der Zukunft –, aber hauptsächlich machte sie sich jetzt um zwei Dinge Sorgen: Hatte Daddy vielleicht unterwegs eine Panne gehabt (warum rief er dann nicht an?), oder hatte er wieder etwas ganz Schlimmes getan? Was dieses Schlimme war, wußte Danny genau, seit Scotty Aaronson, der ein halbes Jahr älter war, es ihm erklärt hatte. Scottys Vater tat dieses Schlimme auch. Einmal, so erzählte Scotty, hatte sein Daddy seine Mommy direkt ins Auge geboxt und sie niedergeschlagen. Dieses Schlimme war es auch, das zur SCHEIDUNG zwischen seinen Eltern führte, und als Danny ihn kennenlernte, lebte er bei seiner Mutter und besuchte seinen Daddy nur zum Wochenende. SCHEIDUNG war der größte Schrecken in Dannys Leben, und das Wort stand ihm immer als in roten Lettern gemaltes, von bösartig zischenden Schlangen umgebenes Zeichen vor Augen. Nach einer SCHEIDUNG lebten die Eltern nicht mehr zusammen. Sie stritten sich vor Gericht um das Kind, und man mußte bei einem von beiden bleiben und sah den anderen praktisch nie, und derjenige, bei dem man lebte, konnte jederzeit einen fremden Menschen heiraten. Das Entsetzliche an SCHEIDUNG war, daß er das Wort – oder den Begriff oder als was es auch immer in seiner Vorstellung herumgeisterte – immer in den Gedanken seiner Eltern spürte, manchmal verschwommen und undeutlich, manchmal dunkel und drohend wie Gewitterwolken. So war es gewesen, als Daddy ihn bestraft hatte, weil er im Arbeitszimmer die Papiere ruiniert hatte und der Doktor seinen Arm in Gips legen mußte. Die Erinnerung daran war verblaßt, aber die Erinnerung an die Gedanken über SCHEIDUNG war klar und erschreckend. Hauptsächlich seine Mutter hatte damals diese Gedanken gehabt, und er hatte in ständiger Angst geschwebt, daß sie das Wort aussprechen und damit verwirklichen würde. SCHEIDUNG. Dieser Begriff existierte ständig unterschwellig in den Gedanken seiner Eltern. Das nahm er so deutlich wahr, wie er den Rhythmus einfacher Musik begriff. Aber wie der Rhythmus in der Musik bildete dieser zentrale Gedanke nur einen

Teil einer komplexeren Gedankenwelt, die er noch nicht deuten konnte. Er nahm sie nur als Farben und Stimmungen wahr. Mommys Gedanken an SCHEIDUNG standen im Zusammenhang mit dem, was Daddy mit seinem Arm gemacht hatte, und mit den Ereignissen in Stovington, als Daddy seinen Job verlor. Dieser Junge. Dieser George Hatfield, der auf Daddy wütend war und Löcher in die Reifen stach. Daddys Gedanken an SCHEIDUNG waren komplizierter. Sie erschienen Danny dunkelviolett gefärbt und von fürchterlichen schwarzen Adern durchzogen. Daddy schien zu glauben, daß es ihnen besser gehen würde, wenn er ginge. Daß die Dinge dann nicht mehr wehtun würden. Daddy tat ihnen ständig weh, meistens, wenn er dieses Schlimme tat. Auch das nahm Danny fast immer gedanklich wahr: Daddys ständiges Verlangen, sich ins Dunkel zurückzuziehen, den Farbfernseher einzuschalten, aus einer Schale Erdnüsse zu essen und das Schlimme zu tun, bis seine Gedanken ruhig wurden und ihn in Frieden ließen.

Aber heute nachmittag brauchte sich Mommy keine Sorgen zu machen, und Danny wünschte, er könnte hingehen und es ihr sagen. Der Wagen war nicht liegengeblieben. Daddy war nicht irgendwohin gegangen, um das Schlimme zu tun. Er war schon fast zu Hause und tuckerte zwischen Lyons und Boulder die Straße entlang. Im Augenblick dachte er nicht einmal an das Schlimme. Er dachte an . . . an . . .

Danny schaute sich verstohlen zum Küchenfenster um. Wenn er angestrengt nachdachte, geschah manchmal etwas mit ihm. Die Dinge – die wirklichen Dinge – verschwanden, und er sah Dinge, die gar nicht da waren. Einmal, kurz nachdem sein Arm in Gips gelegt worden war, passierte es beim Abendessen. Sie redeten wenig miteinander. Aber sie dachten nach. Oh, ja. Der Gedanken an SCHEIDUNG hing wie eine schwarze, zum Bersten gefüllte Regenwolke über dem Küchentisch. Der Gedanke, dabei zu essen, ließ ihm speiübel werden. Und weil es ihm so verzweifelt wichtig erschienen war, hatte er sich voll konzentriert, und es war etwas passiert. Als er wieder zu sich kam, lag er mit Bohnen und Kartoffelbrei beschmiert auf dem Fußboden, und seine Mommy hielt ihn fest und weinte, und Daddy telefonierte. Voll Angst hatte er versucht, ihnen zu erklären, daß ihm nichts fehlte, daß so etwas ihm manchmal passierte, wenn er sich darauf konzentrierte, die Dinge besser als sonst zu begreifen. Er hatte auch versucht, die Sache mit Tony zu erklären, den sie seinen »unsichtbaren Spielgefährten« nannten.

Sein Vater hatte gesagt: »Er hat eine Ha luh Zi Nation. Er macht zwar keinen kranken Eindruck, aber ich möchte doch, daß der Arzt ihn sich ansieht.«

Als der Arzt weg war, hatte Danny Mommy versprechen müssen, es nie wieder zu tun, sie *nie wieder* so zu erschrecken. Er war selbst erschrocken. Denn als er seine Gedanken konzentriert hatte, waren sie in die seines Daddys eingedrungen, und bevor Tony erschienen war (wie immer weit weg und aus der Ferne rufend), und bevor die Küche und der blaue Teller mit dem geschnittenen Fleisch wie ausgelöscht waren, war er in den dunklen Gedanken seines Vaters auf ein unbegreifliches Wort gestoßen, das ihn noch viel mehr entsetzte als SCHEIDUNG, und das Wort hieß SELBSTMORD. Danny hatte dieses Wort in Daddys Gedanken nie wiedergefunden, und ganz bestimmt hatte er auch nicht danach gesucht. Es war ihm auch gleich, ob er je wissen würde, was das Wort bedeutete.

Aber er dachte gern konzentriert nach, weil dann manchmal Tony kam. Nicht immer. Manchmal verschwamm alles für eine Minute und wurde dann wieder klar – meistens jedenfalls –, und manchmal erschien dann ganz weit weg Tony und rief und winkte aus der Ferne zu ihm herüber ...

Seit ihrem Umzug nach Boulder hatte er das zweimal erlebt, und er wußte noch, wie es ihn überrascht und gefreut hatte, daß Tony ihm von Vermont nachgereist war. Danny hatte also doch nicht alle seine Freunde zurücklassen müssen.

Das erste Mal war er hinten im Hof gewesen, und es war nichts weiter passiert. Tony hatte nur kurz gewinkt, dann Dunkelheit, und ein paar Minuten später erkannte Danny wieder die Wirklichkeit und hatte nur noch eine vage Erinnerung wie nach einem verworrenen Traum. Das zweite Mal, vor zwei Wochen, war interessanter gewesen. Tony hatte aus einiger Entfernung gewinkt und gerufen: *»Danny ... komm, sieh nur ...«* Es war, als ob er aufstand und dann in ein tiefes Loch fiel wie Alice im Wunderland. Dann hatte er sich plötzlich mit Tony im Keller des Hauses befunden, und Tony hatte in den

Schatten auf den Koffer gezeigt, in dem Daddy seine wichtigen Papiere und besonders »DAS STÜCK« aufbewahrte.

»Siehst du?« hatte Tony in seinem leisen, singenden Tonfall gesagt. »Er steht unter der Treppe. Direkt unter der Treppe. Die Umzugsleute haben ihn direkt... unter... die Treppe gestellt.«

Danny war vorgetreten, um sich das Wunder näher anzusehen, und dann war er wieder gefallen, diesmal von der Schaukel, auf der er die ganze Zeit gesessen hatte. Zuerst hatte er gar keine Luft mehr bekommen können.

Drei oder vier Tage später war Daddy im Haus herumgerannt und hatte Mommy wütend erzählt, daß er den ganzen verdammten Keller abgesucht habe, und der Koffer sei nicht da, und er würde die verdammten Umzugsleute verklagen, die ihn irgendwo zwischen Vermont und Colorado verloren hatten. Wie solle er denn jetzt »DAS STÜCK« fertigschreiben, wenn so etwas passierte?

Danny sagte: »Nein, Daddy. Er steht unter der Treppe. Die Umzugsleute haben ihn unter die Treppe gestellt.«

Daddy hatte ihm einen merkwürdigen Blick zugeworfen und war nach unten gegangen, um nachzusehen. Der Koffer hatte genau an der Stelle gestanden, die Tony ihm gezeigt hatte. Daddy hatte ihn beiseite genommen und auf den Schoß gehoben und ihn gefragt, wer ihn in den Keller gelassen hätte. Sei es vielleicht Tom von oben gewesen? Der Keller sei gefährlich, sagte Daddy. Deshalb hielt der Hauswirt ihn immer verschlossen. Hatte jemand ihn offengelassen? Er freute sich zwar, die Papiere und sein STÜCK gefunden zu haben, aber wie leicht hätte Danny die Treppe hinunterfallen und sich das... Bein brechen können. Danny erzählte seinem Daddy ganz ernsthaft, daß er nicht im Keller gewesen sei. Die Tür sei immer verschlossen, und Mommy bestätigte das. Danny ginge nie in den Keller, weil es dort so feucht und dunkel und voller Spinnen sei. Er habe also nicht gelogen.

»Und wie konntest du es dann wissen, Doc?« fragte Daddy.

»Tony hat es mir gezeigt.«

Seine Mutter und sein Vater hatten sich über seinen Kopf hinweg nur angeschaut. Sie hatten Ähnliches schon erlebt, und weil es sie so verstörte, verdrängten sie es rasch. Aber er wußte, daß sie sich wegen der Sache mit Tony Sorgen machten, besonders Mommy, und er bemühte sich, in ihrer Gegenwart nicht so zu denken, daß Tony erscheinen konnte. Jetzt aber hatte sie in der Küche noch nichts zu tun und schlief wahrscheinlich. Er konnte sich also scharf konzentrieren, um herauszufinden, was Daddy gerade dachte.

Er legte die Stirn in Falten, und seine etwas schmutzigen Hände ballten sich auf seinen Jeans zu Fäusten. Er schloß die Augen nicht – das mußte nicht unbedingt sein –, aber er verengte sie zu Schlitzen und stellte sich Daddys Stimme vor, sonor und ruhig, manchmal etwas hektisch, wenn er fröhlich war, und manchmal, wenn er böse war, klang sie noch tiefer, und, wenn er nachdachte, wieder ganz ruhig. Wenn er über irgend etwas nachdachte. An etwas dachte. Dachte . . .

(denken)

Danny seufzte leise, und er sackte auf dem Bordstein zusammen, als hätte er gar keine Muskeln mehr. Er war voll bei Bewußtsein; er sah die Straße und den Jungen und das Mädchen auf dem gegenüberliegenden Gehweg, die Hand in Hand gingen, weil sie

(sich liebten?)

sich freuten, daß sie an diesem Tag zusammensein durften. Er sah, wie der Wind das gelbe Herbstlaub über das Pflaster fegte, gelbe, unregelmäßig geformte Blätter, die sich wirbelnd drehten. Er sah das Haus, an dem sie vorbeistoben, und bemerkte, daß es mit Schindeln gedeckt war.

(Schindeln. Ich denke, das wird kein Problem sein, wenn nur die Kehlbleche in Ordnung sind. Ich werde es schon schaffen. Dieser Watson. Das ist vielleicht ein Typ. Ich wollte, ich könnte ihn in »DAS STÜCK« *einbauen. Ich werde noch die ganze verdammte Menschheit hineinnehmen, wenn ich nicht aufpasse. Ja, Schindeln. Aber gibt es da draußen Nägel? Scheiße, das habe ich zu fragen vergessen. Sie sind natürlich leicht zu beschaffen. Im Eisenwarengeschäft in Sidewinder. Wespen. Die nisten sich um diese Jahreszeit ein. Vielleicht sollte ich ein Ungeziefervertilgungsmittel mitnehmen für den Fall, daß da welche sind, wenn ich die alten Schindeln rausreiße. Neue Schindeln. Alte)*

Daran dachte er also. Er hatte den Job bekommen und dachte an Schindeln. Danny wußte nicht, wer Watson war, aber alles andere war ihm ganz klar. Bestimmt bekam er ein Wespennest zu sehen. Das war so sicher wie die Tatsache, daß sein Name –

»Danny ... Danny ...«

Er schaute auf, und weit hinten stand Tony neben einem Stopschild an der Straße und winkte. Wie immer, wenn er seinen alten Freund sah, durchlief ihn ein warmes Gefühl der Freude, aber diesmal spürte er auch den Stachel der Angst, als ob Tony etwas Gefährliches hinter seinem Rücken verborgen hielt. Ein Glas mit Wespen, die böse stechen würden, wenn sie herausgelassen würden.

Trotzdem war es beschlossene Sache, daß sie gehen mußten.

Er sank am Bordstein noch mehr in sich zusammen. Seine Hände glitten ihm von den Schenkeln und hingen zwischen seinen Beinen herab. Das Kinn sank ihm auf die Brust. Dann empfand er ein dumpfes Ziehen, das aber nicht wehtat, als ein Teil von ihm aufstand und Tony in immer dichtere Dunkelheit hinein nachrannte.

»Dannyy –«

Jetzt war die Dunkelheit mit wirbelndem Weiß durchsetzt. Ein knarrendes, ächzendes Geräusch und wild wogende Schatten, die sich zu Fichten in nächtlichem Wald auflösten, von heulendem Sturm gepeitscht. Schneeflocken wirbelten und tanzten. Überall Schnee.

»Zu tief«, sagte Tony aus der Dunkelheit, und in seiner Stimme lag so viel Trauer, daß Danny entsetzt war. »Zu tief. Man kommt nicht mehr heraus.«

Andere Formen ragten drohend vor ihm auf. Riesig und rechtwinklig. Ein schräges Dach. Von sturmdurchtobter Dunkelheit getrübtes Weiß. Viele Fenster. Ein langgestrecktes Gebäude mit einem Schindeldach. Einige Schindeln waren grüner, neuer. Sein Daddy hatte sie eingesetzt. Mit Nägeln aus dem Eisenwarengeschäft in Sidewinder. Jetzt bedeckte Schnee die Schindeln. Der Schnee bedeckte alles.

Ein grünes, gespenstisches Licht leuchtete vor dem Gebäude auf, flackerte und verwandelte sich in einen riesigen Totenkopf über gekreuzten Knochen.

»Gift«, rief Tony aus der wabernden Dunkelheit. »Gift.«

Andere Zeichen flackerten vor Dannys Augen, einige in grünen Lettern, andere auf Tafeln, die schief in den Schneewehen steckten. BADEN VERBOTEN. GEFAHR! DRAHT STEHT

UNTER STROM. LEBENSGEFAHR. HOCHSPANNUNG. BETRETEN DES GRUNDSTÜCKS VERBOTEN. KEIN EINGANG. ZUWIDERHANDELNDE WERDEN OHNE WARNUNG ERSCHOSSEN. Er verstand keines der Schilder ganz – er konnte nicht lesen! –, aber er begriff den allgemeinen Sinn und erlebte alles wie einen Traum des Entsetzens, der nur dem Licht der Sonne weichen würde.

Dann verschwand alles. Er befand sich nun in einem mit seltsamen Möbeln vollgestellten Raum, einem dunklen Raum. Schnee prasselte gegen die Scheiben, als würde Sand geworfen. Danny hatte einen trockenen Mund, seine Augen waren wie heiße Murmeln, und sein Herz hämmerte. Draußen erhob sich hohler, dröhnender Lärm, als sei eine schaurige Tür geöffnet worden. Schritte waren zu hören. Gegenüber im Raum war ein Spiegel, und tief in seinem silbrigen Rund erschien in grüner Feuerschrift ein einziges Wort, und dieses Wort hieß: DROM.

Der Raum verschwand. Ein weiterer Raum. Er kannte ihn.

(würde ihn kennenlernen)

Ein umgestürzter Stuhl. Ein zerbrochenes Fenster, durch das der Schnee hereinwirbelte; er hatte schon den Teppichrand erreicht. Die Vorhänge waren zur Seite geweht und hingen schief von der zerbrochenen Aufhängung herab. Ein niedriger Schrank war umgekippt.

Wieder hohler, dröhnender Lärm, unablässig rhythmisch und fürchterlich. Zersplitterndes Glas. Zerstörung. Eine rauhe Stimme, die Stimme eines Verrückten, schrecklicher noch durch ihre Vertrautheit:

Komm raus! Komm raus, du kleines Miststück! Nimm deine Medizin!

Krachen, Krachen, Krachen. Splitterndes Holz. Wutgebrüll, ein Schrei der Befriedigung. DROM. Es kam näher.

Strömte durch den Raum. Von der Wand abgerissene Bilder. Ein Plattenspieler

(Mommys Plattenspieler?)

war auf den Fußboden gefallen. Ihre Platten, Grieg, Händel, die Beatles, Art Garfunkel, Bach, Liszt, überall verstreut. In gezackte Stücke zerbrochen. Aus einem anderen Raum, dem Badezimmer, fiel ein Lichtstrahl herein, kaltes, weißes Licht, und im Spiegel der Hausapotheke blitzte wie ein rotes Auge immer wieder ein Wort auf: DROM, DROM, DROM –

»Nein«, flüsterte Danny. »Nein, Tony, nein –«

Und über den weißen Rand der Badewanne ragte eine Hand heraus. Schlaff. Langsam floß an einem Finger, dem Mittelfinger, Blut (DROM) entlang und tröpfelte über den sorgfältig gepflegten Fingernagel auf die Fliesen –

Nein, oh nein, oh nein –

(Oh, bitte, Tony, du machst mir Angst)

DROM, DROM, DROM

(hör auf, Tony, hör auf)

Verschwunden.

In der Dunkelheit wurden die dröhnenden Geräusche lauter und immer lauter, und von überallher kam ihr Echo zurück.

Und nun hockte er in einem dunklen Flur, hockte auf einem blauen Teppich mit hineingewobenen verzerrten schwarzen Mustern und lauschte auf die näherkommenden dröhnenden Geräusche, und jetzt kam eine Gestalt um die Ecke und auf ihn zu, geduckt und nach Blut und Verderben riechend. Sie hatte einen Hammer in der Hand, den sie wild hin und herschwang (DROM), mit dem sie gegen die Wand schlug, die Seidentapete zerriß und gespenstische Putzwolken aufstieben ließ:

Komm her und nimm deine Medizin! Nimm sie wie ein Mann!

Die Gestalt drang auf ihn ein, der Hammer durchschnitt mit bösartigem Zischen die Luft, dann das gewaltige hohle Dröhnen, wenn er gegen die Wand krachte und den Staub aufwirbeln ließ, den man riechen konnte, der trocken war und im Hals kratzte. Winzige rote Augen glühten in der Dunkelheit. Das Ungeheuer war über ihm, hatte ihn entdeckt, wie er da so hockte, nur die nackte Wand im Rücken. Und die Falltür in der Decke war verschlossen.

Dunkelheit. Undurchdringlich.

»Tony, bitte, bring mich zurück, bitte, bitte –«

Und dann *war* er zurück, saß wieder am Bordstein in der Arapahoe Street, naß klebte ihm das Hemd am Rücken, und sein ganzer Körper war schweißgebadet. In seinen Ohren klang noch das laute kontrapunktische Dröhnen, und er roch seinen eigenen Urin, denn auf dem Höhepunkt des Entsetzens hatte er sich entleert. Er sah noch die schlaffe Hand über den Rand der Badewanne hinausragen, er sah einen Finger, den Mittelfinger, von dem Blut tropfte, und er sah jenes unerklärliche Wort, das soviel schrecklicher war als alle anderen: DROM.

Und jetzt Sonnenschein. Wirkliche Dinge. Außer Tony, der sechs Blocks entfernt nur noch als Punkt zu sehen war. Er stand an der Ecke, und seine Stimme klang schwach und hell und angenehm. »Sei vorsichtig, Doc...«

Im nächsten Augenblick war Tony verschwunden, und Dads klappriger roter VW kam um die Ecke und fuhr die Straße herauf und furzte dabei blauen Rauch nach hinten aus. Im gleichen Augenblick war Danny vom Bordstein aufgesprungen, winkte, sprang von einem Fuß auf den anderen und schrie: »Daddy! Heh, Dad! Hallo!«

Sein Daddy fuhr an den Bordstein, stellte den Motor ab und öffnete die Tür. Danny rannte hin und blieb mit weit aufgerissenen Augen wie angewurzelt stehen. Fast blieb ihm das Herz stehen.

Neben seinem Daddy lag auf dem Beifahrersitz ein Hammer mit kurzem Stiel, mit Blut und Haaren verklebt.

Dann war es nur ein Beutel mit Lebensmitteln.

»Danny... ist alles in Ordnung, Doc?«

»Ja, mir fehlt nichts.« Er ging zu seinem Daddy und barg seinen Kopf an Daddys lammfellgefütterter Drelljacke und drückte ihn ganz fest. Auch Jack drückte ihn und war ein wenig verwirrt.

»Heh, du darfst doch nicht so in der Sonne sitzen, Doc. Du triefst ja vor Schweiß.«

»Ich bin wohl ein wenig eingeschlafen. Ich hab' dich lieb, Daddy. Ich hab' so auf dich gewartet.«

»Ich hab' dich auch lieb, Dan. Ich hab' ein paar Sachen mitgebracht. Bist du groß genug, sie raufzutragen?«

»Klar!«

»Doc Torrance, der stärkste Mann der Welt«, sagte Jack und fuhr ihm durchs Haar. »Dessen Hobby es ist, an Straßenecken einzuschlafen.«

Dann gingen sie an die Tür, wo Mommy sie schon erwartete, und Danny stand auf der zweiten Stufe und sah, wie die beiden sich küßten. Sie freuten sich, einander wiederzusehen. Man erkannte bei ihnen Liebe, genauso wie man bei dem Jungen und dem Mädchen Liebe erkannte, die Hand in Hand über die Straße gegangen waren. Danny war froh.

Die Tüte mit den Lebensmitteln – nur eine Tüte mit Lebensmitteln – knisterte in seinem Arm. Alles war in Ordnung. Daddy war zu Hause. Mommy liebte ihn. Es gab keine schlimmen Dinge. Und nicht alles, was Tony ihm zeigte, mußte eintreffen.

Dennoch empfand er im tiefsten Herzen Angst, schreckliche Angst, und sie kreiste um jenes nicht zu entziffernde Wort, das er im Spiegel seines Geistes gesehen hatte.

5

Telefonzelle

Jack parkte den VW vor dem Rexall im Table-Mesa-Einkaufszentrum und stellte den Motor ab. Er überlegte, ob er nicht einfach eine neue Benzinpumpe einbauen lassen sollte, und wußte im gleichen Augenblick, daß er sich das nicht leisten konnte. Wenn der kleine Wagen nur noch bis November durchhielt, konnte er ohnehin seinen wohlverdienten Abschied nehmen. Im November lag der Schnee oben in den Bergen höher als das Dach des Käfers, vielleicht höher als drei aufeinandergestellte.

»Ich möchte, daß du im Wagen bleibst, Doc. Ich bring' dir einen Schokoladenriegel mit.«

»Warum darf ich nicht mit reinkommen?«

»Ich muß telefonieren. Es ist was Privates.«

»Hast du deshalb nicht von zu Hause telefoniert?«

»Rat mal.«

Trotz ihrer sich auflösenden Finanzen hatte Wendy auf einem Anschluß bestanden. Bei einem kleinen Kind, hatte sie gemeint, konnte man auf ein Telefon einfach nicht verzichten – zumal Danny gelegentlich Ohnmachtsanfälle hatte. Jack hatte also die dreißig Dollar Installationsgebühren hingeblättert, was schlimm genug war, und dann noch eine Kaution von neunzig Dollar, was wehtat, und abgesehen von zwei Fehlverbindungen war der Apparat bis jetzt stumm geblieben.

»Kann ich ein Baby Ruth haben, Daddy?«

»Ja. Bleib schön sitzen und spiel nicht mit der Gangschaltung.«

»Nein. Ich guck' mir die Karten an.«

»Das tu nur.«

Als Jack ausstieg, öffnete Danny das Handschuhfach und holte die fünf zerfledderten Straßenkarten heraus: Colorado, Nebraska, Utah, Wyoming, New Mexico. Es machte ihm einen Riesenspaß, Straßenkarten zu betrachten. Mit dem Finger fuhr er dann die Straßen entlang. Was ihn betraf, waren die Straßenkarten das beste an ihrem Umzug nach Westen.

Jack ging in den Drugstore und kaufte eine Zeitung, die Oktoberausgabe von *Writer's Digest* und Dannys Baby Ruth. Er gab dem Mädchen fünf Dollar und verlangte das Wechselgeld in Fünfundzwanzigern. Mit dem Silber in der Hand eilte er in die Telefonzelle neben dem Schlüsselautomaten. Von hier konnte er durch drei Glasscheiben Danny im Käfer sitzen sehen. Der Junge beugte konzentriert den Kopf über die Karten. Jack durchströmte eine Welle fast verzweifelter Liebe zu dem Jungen. Diese Emotion zeigte sich in seinem Gesicht als steinerne Härte.

Er hätte seinen obligatorischen Dank an Al auch von zu Hause aus abstatten können; er hätte bestimmt nichts gesagt, was Wendy mißbilligt haben könnte. Aber sein Stolz hatte es nicht zugelassen. In letzter Zeit tat er fast nur das, was sein Stolz ihm eingab. Außer Frau und Sohn, sechshundert Dollar auf dem Konto und einem müden 1968er Volkswagen war ihm nur noch sein Stolz geblieben. Das einzige, was ihm allein gehörte. Selbst das Konto hatten sie gemeinsam. Vor einem Jahr hatte er an einer der besten Oberschulen Neu-Englands Englisch unterrichtet. Er hatte Freunde gehabt – wenn auch nicht solche wie früher, als er noch trank – nein, ein paar Fakultätskollegen, die sein Auftreten vor der Klasse und seine private Hinwendung zur Schriftstellerei bewunderten. Vor sechs Monaten war noch alles bestens. Nach jedem Zahlungstermin war noch genügend Geld auf dem Konto. Als er noch trank, war nie auch nur ein Penny übriggeblieben, obwohl Al Shockley viele Runden für ihn ausgegeben hatte. Er und Wendy hatten schon vorsichtig daran gedacht, ein Haus zu suchen und in etwa einem Jahr eine Anzahlung zu leisten. Ein Bauernhaus auf dem Lande, das man im Laufe von sechs oder acht Jahren völlig renovieren konnte, zum Teufel, sie waren jung, sie hatten Zeit.

Dann hatte er die Beherrschung verloren.

George Hatfield.

Ein kleiner Hoffnungsschimmer hatte sich in Crommerts Büro in den Geruch alten Leders verwandelt. Das Ganze hätte eine Szene aus seinem eigenen Stück sein können: die alten Bilder der früheren Rektoren von Stovington an den Wänden, Stahlstiche von der Schule, wie sie 1879, im Jahr ihrer Errichtung, ausgesehen hatte, und aus dem Jahre 1895, als eine Schenkung der Vanderbilts die Erstellung eines zusätzlichen Gebäudes ermöglicht hatte, das flach und breit und efeuumrankt an der Westseite des Fußballfeldes lag. Dies war kein Bühnenbild, hatte er noch gedacht. Dies war die Wirklichkeit. Sein Leben. Wie hatte er es sich nur so versauen können?

»Dies ist eine schwerwiegende Angelegenheit, Jack. Eine sehr schwerwiegende. Der Vorstand hat mich beauftragt, Ihnen seine Entscheidung mitzuteilen.«

Der Vorstand verlangte, daß Jack kündigte, und das hatte Jack getan. Unter anderen Umständen wäre im Juni des Jahres seine Festanstellung erfolgt.

Die Nacht, die dem Gespräch in Crommerts Büro folgte, war die finsterste und entsetzlichste in Jacks Leben gewesen. Das Bedürfnis, die *Notwendigkeit*, sich zu betrinken, war noch nie so schlimm gewesen. Seine Hände zitterten. Er warf Gegenstände um. Und immer wieder wollte er Wendy und Danny es büßen lassen. Er war wie ein bösartiges Tier an einer fast durchgescheuerten Leine. Aus Angst, sie zu schlagen, hatte er voll Entsetzen das Haus verlassen. Zuletzt war er vor einer Bar gelandet, und er ging nur deshalb nicht hinein, weil er wußte, daß Wendy ihn dann zusammen mit Danny endgültig verlassen würde. Das wäre das Ende für ihn gewesen.

Statt die Bar zu betreten, in der dunkle Schatten Vergessen tranken, war er zu Al Shockleys Haus gegangen. Der Vorstand hatte sechs zu eins gegen ihn gestimmt. Nur Al hatte sich für ihn ausgesprochen.

Jetzt wählte er das Amt, und die Telefonistin erklärte ihm, er könne drei Minuten lang mit Al über zweitausend Meilen Entfernung sprechen, wenn er zwei Dollar einwerfe. Zeit ist relativ, Baby, dachte er und steckte acht Fünfundzwanziger ein. Schwach hörte er das elektronische Knacken und Piepen, während sich seine Verbindung nach Osten durchfraß.

Arthur Longley Shockley, der Stahlbaron, hatte seinem einzigen Sohn Albert ein Vermögen, riesige Beteiligungen und eine ganze Reihe von Direktoren- und Aufsichtsratsposten hinterlassen. Einer von diesen war der Sitz im Vorstand der Stovington Akademie gewesen, einer jetzt von seinem alten Herrn finanzierten Einrichtung, die diesem besonders ans Herz gewachsen war und die beide früher selbst besucht hatten. Al hatte seinen Wohnsitz in Barre, nahe genug, sich immer noch für die Belange der Schule zu interessieren.

Zudem war Al mehrere Jahre lang in Stovington Tennislehrer gewesen.

Jack und Al hatten sich ganz natürlich und bewußt angefreundet: bei den vielen Schulfesten und Fakultätsveranstaltungen, an denen sie gemeinsam teilnahmen, waren die beiden immer betrunkener gewesen als alle anderen. Shockley lebte von seiner Frau getrennt, und mit Jacks Ehe ging es langsam abwärts, obwohl er Wendy noch liebte und ihr feierlich (und oft) versprochen hatte, sich um ihret- und seines kleinen Sohnes willen zu ändern.

Nach manchen Fakultätspartys hatten Al und Jack noch Bars besucht, bis sie schlossen, und dann hatten sie in irgendeinem Getränkeladen einen Kasten Bier gekauft. Das tranken sie dann am Ende einer abgelegenen Straße. Es kam vor, daß Jack erst bei Anbruch der Dämmerung in ihr gemietetes Haus stolperte, um dann Wendy und Danny auf der Couch schlafend vorzufinden. Danny schlief immer an der Wand, und seine winzige Faust lag am Kinn seiner Mutter. Dann betrachtete er sie, und der Ekel, den er vor sich selbst empfand, kam ihm bitter hoch, viel stärker als der Geschmack von Bier, Zigaretten und Martini. Bei solchen Anlässen dachte er dann ganz kalt und sachlich an Schußwaffe oder Strick.

Wenn die Sauferei in der Woche stattgefunden hatte, pflegte er drei Stunden zu schlafen, stand dann auf, zog sich an, nahm vier Exedrin und ging, um dann gegen neun Uhr amerikanische Dichtung zu unterrichten. Guten Morgen, Jungs, heute erzählt euch das rotäugige Wunder, wie Longfellow bei einem großen Brand seine Frau verlor.

Er hatte nicht geglaubt, daß er Alkoholiker sei, dachte Jack, während er es bei Al klingeln ließ. Er hatte manche Stunde ausfallen lassen und oft unrasiert unterrichtet und noch nach dem Fusel der letzten Nacht gestunken. Aber Alkoholiker? Nicht ich. Ich kann jederzeit aufhören. Die Nächte, die Wendy und er getrennt geschlafen hatten. Ach was, mir geht's ausgezeichnet. Zerbeulte Stoßstangen. Natürlich kann ich noch fahren. Verstohlene Blicke. Die langsam dämmernde Erkenntnis, daß über ihn geredet wurde. Das Wissen, daß er bei der Arbeit an seinem Stück nur zerknülltes, meist unbeschriebenes Papier produzierte, das im Papierkorb landete. Er hatte in Stovington schon Aufmerksamkeit erregt. Vielleicht ein aufstrebender amerikanischer Schriftsteller? Gewiß jemand, der ausreichend qualifiziert war, die hohe Kunst des Schreibens zu lehren. Er hatte schon zwei Dutzend Kurzgeschichten veröffentlicht. Er arbeitete an einem Stück. Und irgendwo im Hinterstübchen meinte er schon, einen kompletten Roman auszuhecken. Jetzt aber produzierte er nichts, und sein Unterricht wurde immer zerfahrener.

Schließlich war das zu Ende gewesen. Es geschah eines Nachts, knapp einen Monat, nachdem er seinem Sohn den Arm gebrochen hatte. Das, so schien ihm, hatte seine Ehe zerstört. Wendy brauchte nur noch den Entschluß zu fassen... wenn ihre Mutter nicht ein so widerwärtiges Miststück gewesen wäre, hätte Wendy nur noch gewartet, bis Danny reisen konnte, und dann den nächsten Bus nach New Hampshire genommen. Es war vorbei.

Es war kurz nach Mitternacht passiert. Jack und Al hatten auf der U.S. 31 gerade Barre erreicht, Al am Steuer seines Jaguar. Abenteuerlich nahm er die Kurven, und oft geriet er über die doppelte gelbe Linie. Sie waren beide stinkbesoffen; in dieser Nacht hatten sie literweise Martini geschluckt. Als sie vor der Brücke mit über hundert Kilometern die letzte Kurve genommen hatten, war plötzlich ein Kinderfahrrad vor ihnen auf der Straße, und dann das scharfe, beleidigte Kreischen des Gummis, der von den Reifen des Jaguar wegfetzte, und Jack erinnerte sich noch, daß Als Gesicht wie ein runder weißer Mond über dem Steuer gehangen hatte. Dann das klirrende Krachen, als das Rad verbogen und zerbeult vor Jacks weit aufgerissenen Augen hochgeschleudert wurde und mit dem Lenker gegen die Windschutzscheibe knallte, daß sie zerbarst. Dann schlug das Rad mit gräßlichem Scheppern hinter ihnen auf. Die Reifen schienen über etwas hinwegzurumpeln. Der Jaguar stellte sich quer, und Al hing immer noch am Steuer, während Jack sich wie von weitem sagen hörte: »Mein Gott, Al. Wir haben ihn erwischt. Ich hab's gemerkt.«

Er hatte immer noch das Rufzeichen im Ohr. *Komm endlich, Al. Du mußt zu Hause sein. Ich will dies hinter mich bringen.*

Einen Meter vor dem Brückenpfeiler hatte Al den Wagen mit qualmenden Reifen zum Stehen gebracht. Zwei Reifen des Jaguar waren platt. Sie hatten eine achtzig Meter lange Zickzackspur verbrannten Gummis hinterlassen. Sie schauten einander kurz an und rannten dann in die kalte Dunkelheit zurück.

Das Fahrrad war völlig zerstört. Ein Rad fehlte. Und dann hatte Al es mit abgerissenen Speichen mitten auf der Straße liegen sehen. Zögernd hatte Al gesagt: »Ich glaube, wir haben es überfahren, Jacky, mein Junge.«

»Und wo ist das Kind?«

»Hast du ein Kind *gesehen?*«

Jack runzelte die Stirn. Es war alles so schnell gegangen. Die Kurve. Das Fahrrad im Scheinwerferlicht. Als Aufschrei. Dann die Kollision und das Schleudern.

Sie legten die Fahrradtrümmer an die Böschung. Al ging zum Jaguar zurück und schaltete die Warnlichter an. Zwei Stunden lang suchten sie mit einer Taschenlampe die Straßenseiten ab. Nichts. Obwohl es spät war, fuhren einige Wagen an dem geparkten Jaguar und den beiden Männern mit der Taschenlampe vorbei. Keiner hielt an. Später dachte Jack, daß die Vorsehung auf seltsame Weise die Polizei ferngehalten hatte, um ihnen beiden noch eine letzte Chance zu geben, denn keiner der Vorbeifahrenden hatte den Unfall gemeldet.

Um viertel nach zwei kehrten sie nüchtern, aber in erbärmlicher Verfassung zum Jaguar zurück. »Wenn niemand auf dem Rad gesessen hat, was hatte es denn mitten auf der Straße zu schaffen?« wollte Al wissen. »Es stand nicht am Straßenrand, sondern mitten *auf* der Straße.«

Jack konnte nur den Kopf schütteln.

»Der Teilnehmer meldet sich nicht«, sagte die Telefonistin. »Soll ich's weiter versuchen?«

»Klingeln Sie bitte noch ein paarmal durch, Fräulein.«

»Gern, Sir«, sagte sie diensteifrig.

Melde dich doch endlich, Al.

Al war über die Brücke ans nächste Telefon gegangen, hatte einen unverheirateten Freund angerufen und ihn gebeten, die beiden Winterreifen aus der Garage zu holen und sie zur 31 an die Brücke vor Barre zu schaffen. Das sei ihm fünfzig Dollar wert. Zwanzig Minuten später traf der Mann in Jeans und Pyjamajacke am Unfallort ein und schaute sich um.

»Habt ihr jemanden totgefahren?« fragte er.

Al war schon damit beschäftigt, den Wagen aufzubocken, während Jack die Radmuttern löste. »Zum Glück nicht«, sagte Al.

»Dann will ich mich auf den Weg machen. Du kannst mir das Geld morgen geben.«

»In Ordnung«, sagte Al, ohne aufzuschauen.

Rasch hatten sie die Reifen gewechselt und fuhren gemeinsam zu Al Shockleys Haus zurück. Al lenkte den Jaguar in die Garage und stellte den Motor ab.

Im Dunkeln sagte er ganz ruhig: »Ich trinke nicht mehr, Jacky, mein Junge. Das ist vorbei. Ich habe meinen lezten Martini gesoffen.«

Und jetzt, während er hier in der Telefonzelle schmorte, fiel Jack ein, daß er nie daran gezweifelt hatte, daß Al es durchhalten würde. Mit laut aufgedrehtem Radio war er in seinem VW nach Hause gefahren, und irgendeine Discogruppe sang beschwörend: Do it anyway ... you want to do it ... do it anyway you want ... Er hörte noch das Quietschen der Reifen und den Aufprall, und wenn er die Augen kurz schloß, sah er das einzelne zertrümmerte Rad vor sich, dessen abgerissene Speichen in den Himmel zeigten.

Als er in die Wohnung kam, schlief Wendy auf der Couch. Er schaute in Dannys Zimmer, und Danny lag in seinem Kinderbett auf dem Rücken und schlief ganz fest. Er trug noch den

Gips am Arm, und im schwach eindringenden Licht der Straßenlampen sah er auf dem Weiß die Striche und Kritzel, mit denen sich die Ärzte und Schwestern darauf verewigt hatten.

Es war ein Unfall. Er ist die Treppe hinuntergefallen.

(oh, du dreckiger Lügner)

Es war ein Unfall. Ich habe die Beherrschung verloren.

(du gottverdammter verkommener Säufer hast das Kind mißhandelt. Du *selbst* hast es getan)

Hören Sie doch, bitte, es war nur ein Unfall –

Aber dieses letzte Flehen wurde von anderen Bildern verdrängt. Eine Taschenlampe, die auf und ab hüpfte. Zwei Männer, die im trockenen Novemberlaub die Leiche eines Kindes suchten, die doch dort irgendwo liegen mußte. Und sie hätten auf die Polizei warten müssen. Es spielte keine Rolle, daß Al am Steuer gesessen hatte. Oft hatte er selbst den Wagen gefahren.

Er zog Dannys Decke zurecht, ging ins Schlafzimmer und nahm die spanische Llama Kaliber 38 vom obersten Schrankregal. Fast eine Stunde saß er mit der Waffe auf dem Bett, betrachtete sie, fasziniert von ihrer tödlichen Ausstrahlung.

Es dämmerte schon, als er sie wieder an ihren Platz legte.

An diesem Morgen hatte er Bruckner angerufen, den Leiter der Abteilung, und ihn gebeten, seine Klassen anders zu besetzen, er habe die Grippe. Bruckner war einverstanden, wenn er auch nicht so freundlich war wie sonst. Jack Torrance war im letzten Jahr äußerst grippeanfällig gewesen.

Wendy machte ihm Rühreier und Kaffee. Sie aßen schweigend. Das einzige Geräusch kam vom Hinterhof, wo Danny an einem Sandhaufen fröhlich mit seinen Autos spielte.

Sie machte sich an das Geschirrspülen. Den Rücken ihm zugewandt, sagte sie: »Jack, ich habe nachgedacht.«

»So?« Mit zitternden Händen zündete er sich eine Zigarette an. Komischerweise hatte er heute morgen keinen Kater. Nur das Zittern. Er blinzelte. In diesem winzigen Moment der Dunkelheit knallte das Fahrrad gegen die Windschutzscheibe und ließ das Glas bersten. Die Reifen kreischten. Das hüpfende Licht der Taschenlampe.

»Ich will mir dir reden über . . . über das, was für mich und Danny am besten ist. Vielleicht auch für dich. Ich weiß es nicht. Ich glaube, wir hätten viel früher darüber sprechen sollen.«

»Würdest du etwas für mich tun?« fragte er und sah, wie die Zigarette in seiner Hand zitterte. »Würdest du mir einen Gefallen tun?«

»Welchen?« Ihre Stimme klang müde und gleichgültig. Er starrte ihren Rücken an.

»Wir reden in einer Woche darüber. Wenn du dann noch willst.«

Jetzt wandte sie sich ihm zu, die Hände voll Schaum, das hübsche Gesicht blaß und desillusioniert.

»Jack, Versprechungen haben keinen Zweck mehr. Du wirst ja doch weiter –«

Sie hielt inne und sah ihm in die Augen. Sie war fasziniert und wurde plötzlich unsicher.

»In einer Woche«, sagte er. Seine Stimme hatte jede Kraft verloren und sank zu einem Flüstern herab. »Bitte. Ich verspreche gar nichts. Wenn du dann noch mit mir sprechen willst, werden wir sprechen. Über was du willst.«

Lange sahen sie sich über die Küche hinweg an, in die jetzt hell die Sonne fiel, und als sie sich wortlos wieder ihrer Arbeit zuwandte, fing er an zu zittern. Mein Gott, er brauchte einen Drink. Nur einen kleinen Schluck. Das würde die Dinge in die rechte Perspektive rücken –

»Danny hat geträumt, daß du einen Autounfall hattest«, sagte sie abrupt. »Er hat manchmal seltsame Träume. Heute morgen, als ich ihn anzog, hat er es mir erzählt. Stimmt das, Jack? Hattest du einen Unfall?«

»Nein.«

Mittags war das Verlangen nach einem Drink fast nicht mehr auszuhalten. Er fuhr zu Al.

»Bist du trocken?« fragte Al, bevor er ihn einließ. Al sah schrecklich aus.

»Knochentrocken. Du siehst aus wie der Hauptdarsteller eines Gruselfilms.«

»Komm rein.«

Den ganzen Nachmittag spielten sie Karten. Sie tranken keinen Tropfen.

Eine Woche verging. Wendy und er wechselten kaum ein Wort. Aber er wußte, daß sie ihn beobachtete, ihm nicht glaubte. Er trank schwarzen Kaffee und jede Menge Cola. Eines abends trank er sechs Dosen nacheinander, rannte ins Bad und brach alles wieder aus. Die Flaschen in der Hausbar behielten ihren Pegel. Nach dem Unterricht besuchte er Al Shockley – Wendy haßte Al Shockley mehr als jeden anderen –, und wenn er nach Hause kam, hätte sie darauf schwören können, daß er nach Whiskey oder Gin roch, aber er redete ganz normal, trank Kaffee, spielte nach dem Abendessen mit Danny, teilte sich mit ihm eine Cola, las ihm vor dem Schlafengehen Geschichten vor und beschäftigte sich anschließend mit Korrekturen, wobei er eine Tasse Kaffee nach der anderen trank. Sie mußte sich eingestehen, daß sie sich geirrt hatte.

Weitere Wochen vergingen, und das unausgesprochene Wort geriet bei ihr fast in Vergessenheit. Das spürte Jack, aber ganz würde sie es nie vergessen. Alles wurde ein wenig leichter. Dann die Sache mit George Hatfield. Er hatte wieder die Beherrschung verloren, diesmal war er dabei stocknüchtern.

»Sir, der Teilnehmer meldet sich immer noch –«

»Hallo?« Als Stimme. Ganz außer Atem.

»Bitte, sprechen Sie«, sagte die Telefonistin streng.

»Al, hier ist Jack Torrance.«

»Jacky, mein Junge!« Seine Freude war nicht geheuchelt. »Wie geht's dir?«

»Gut. Ich wollte mich nur bei dir bedanken. Ich habe den Job bekommen. Der Vertrag steht. Wenn ich den ganzen Winter eingeschneit bin und das Stück immer noch nicht zu Ende bringe, schaffe ich es nie.«

»Du wirst es schon schaffen.«

»Und was ist sonst?« fragte Jack zögernd.

»Trocken«, erwiderte Al. »Und du?«

»Knochentrocken.«

»Vermißt du es?«

»Von morgens bis abends.«

Al lachte. »Das kenn' ich. Aber ich weiß nicht, wie du es nach der Sache mit diesem Hatfield geschafft hast. Hätte ich nicht für möglich gehalten.« »Was soll's. Das hab ich mir eben versaut«, sagte Jack gleichmütig.

»Verdammt. Im Frühjahr ist Vorstandssitzung. Effinger meint schon, daß sie vielleicht ein wenig voreilig gewesen sind, und wenn aus dem Stück was wird –«

»Ja. Hör zu, mein Junge sitzt draußen im Wagen, Al, ich glaub', er wird schon unruhig –«

»Klar. Versteh' ich. Ich wünsch' dir einen guten Winter, Jack. Ich bin froh, daß ich dir helfen konnte.«

»Nochmal vielen Dank, Al.« Er legte auf und schloß in der heißen Zelle die Augen. Wieder sah er das zerschmetterte Fahrrad und den Schein der Taschenlampe. Am nächsten Tag hatte eine kurze Notiz in der Zeitung gestanden, aber der Eigentümer des Rads war nicht genannt worden. Warum das Rad mitten in der Nacht dort gestanden hatte, würde wohl immer ein Geheimnis bleiben, und so sollte es wohl auch sein.

Er ging zum Wagen zurück und gab Danny sein ein wenig geschmolzenes Baby Ruth.

»Daddy?«

»Was ist denn, Doc?«

Danny zögerte, und Jack sah ihn abwesend an.

»Als ich darauf wartete, daß du von diesem Hotel zurückkommst, hatte ich einen schlimmen Traum. Weißt du noch? Als ich einschlief?«

»Hmm.«

Es war sinnlos. Daddys Gedanken waren woanders, nicht bei ihm. Er dachte wieder an das Schlimme.

(Ich habe geträumt, daß du mir wehgetan hast, Daddy)

»Was für ein Traum, Doc?«

»Nichts.« Sie fuhren weg, und Danny schob die Straßenkarten ins Handschuhfach zurück.

»Bist du sicher?«

»Ja.«

Jack sah seinen Sohn besorgt an und beschäftigte sich dann in Gedanken wieder mit seinem Stück.

6

Nachtgedanken

Die Leidenschaft war vorbei, und ihr Mann schlief neben ihr.

Ihr Mann.

Sie lächelte leise in der Dunkelheit, und sein Samen lief noch langsam und warm an ihren ein wenig geöffneten Schenkeln herab, und ihr Lächeln war Freude und Trauer zugleich, denn der Gedanke an *Ihren Mann* ließ hundert Gefühle entstehen. In der Dunkelheit, in der allmählich der Schlaf kommen wollte, war der Ansturm all dieser Gefühle wie verhaltene Blues-Klänge in einem fast leeren Nachtclub, melancholisch, aber angenehm.

Lovin' you baby, is just like rollin' off a log,

But if I can't be your woman, I sure ain't goin' to be your dog.

War das Billie Holiday gewesen? Oder etwas Prosaischeres, vielleicht Peggy Lee? Das war nicht wichtig. Es war ein tiefer, voller Klang, wie aus einer dieser alten Musikboxen, einer Wurlitzer vielleicht, der jetzt ihre zur Ruhe kommenden Gedanken übertönte. Eine halbe Stunde bevor die Bar schloß.

Während das Bewußtsein sie langsam verließ, überlegte sie, in wie vielen Betten sie mit diesem Mann neben ihr schon geschlafen hatte. Sie hatten sich am College kennengelernt, und zum ersten Mal hatten sie in seiner Wohnung miteinander geschlafen... Das war knapp drei Monate nach dem Tag gewesen, an dem ihre Mutter sie rausgeschmissen und ihr geraten hatte, nie wiederzukommen. Wenn irgendwohin, sollte sie doch zu ihrem Vater gehen. Schließlich sei die Scheidung ihre Schuld gewesen. 1970. So lange her schon? Ein Semester später hatten sie eine gemeinsame Wohnung genommen, sich für den Sommer einen Job gesucht und die Wohnung auch im Abschlußsemester behalten. Sie erinnerte sich noch deutlich an jenes Bett, ein großes Doppelbett, das in der Mitte durchhing. Wenn sie sich liebten, hatte die rostige Federung den Takt geschlagen. In jenem Herbst hatte sie sich endlich von ihrer Mutter gelöst.

Jack hatte ihr dabei geholfen. Sie hat Freude daran, dich zu kränken, hatte Jack gesagt. Je öfter du sie anrufst, je öfter du angekrochen kommst und um Verzeihung bittest, desto öfter haut sie dir deinen Vater um die Ohren. Das ist ihr nur recht, Wendy, denn so kann sie immer wieder so tun, als sei alles deine Schuld gewesen. Aber für dich ist das alles gar nicht gut. Immer wieder hatten sie in jenem Jahr in dem breiten Bett darüber gesprochen.

(Jack saß dabei, die Decke um die Hüften geschlungen, eine brennende Zigarette zwischen den Fingern, und schaute ihr in die Augen – das tat er immer halb belustigt und halb stirnrunzelnd – und sagte ihr: Sie hat dir doch gesagt, daß du nie wiederkommen sollst, stimmt's? Nie wieder ihre Schwelle beschmutzen, stimmt's? Warum legt sie dann nicht einfach auf, wenn du anrufst? Warum sagt sie dir nur, daß du nicht kommen darfst, wenn ich dabei bin? Sie hat Angst, daß ich ihr ein wenig die Tour vermasseln könnte. Sie will dir immer wieder die Daumenschrauben ansetzen, Baby. Du bist verrückt, wenn du dir das gefallen läßt. Sie hat dir gesagt, daß du nicht kommen sollst. Warum nimmst du sie nicht einfach beim Wort? Ruf doch gar nicht mehr an. Und zuletzt hatte sie alles genau so gesehen wie er.)

Daß sie sich dann eine Zeitlang trennten, war Jacks Idee gewesen – um sich über die Perspektiven ihrer Beziehung klarzuwerden, sagte er. Sie hatte Angst gehabt, daß er sich für eine andere interessierte, aber sie merkte schon bald, daß das nicht der Fall war. Im Frühjahr waren sie wieder zusammen, und er fragte sie, ob sie ihren Vater besucht hätte. Sie war zusammengezuckt wie unter einem Peitschenhieb.

»Woher weißt du das?«

Der Schatten weiß es.

Hast du mir nachspioniert?

Dann sein ungeduldiges Lachen, das ihr immer so peinlich war – als sei sie acht Jahre alt und als verstünde er ihre Motive besser.

Du brauchtest Zeit, Wendy.

Wofür?

Ich nehme an ... um festzustellen, wen von uns du heiraten möchtest.

Jack, was redest du nur?

Ich glaube, ich habe dir eben einen Heiratsantrag gemacht.

Die Hochzeit. Ihr Vater war dagewesen. Ihre Mutter nicht. Sie stellte fest, daß sie damit leben konnte, wenn sie nur Jack hatte. Dann war Danny gekommen, ihr prächtiger Sohn.

Das war das beste Jahr gewesen und das beste Bett. Nach Dannys Geburt hatte Jack für sie einen Job besorgt. Sie mußte für ein halbes Dutzend Englischprofessoren tippen – Prüfungsfragebogen, Examensarbeiten, Lehrpläne, Vorlesungsnotizen. Am Ende tippte sie für einen von ihnen einen Roman, der nie veröffentlicht wurde... sehr zu Jacks höchst unehrerbietigem und höchst privatem Vergnügen. Der Job brachte vierzig Dollar die Woche und, als sie den erfolglosen Roman schrieb, sogar sechzig. Das dauerte zwei Monate. Sie hatten ihr erstes Auto, einen fünf Jahre alten Buick mit einem Babysitz in der Mitte. Ein gescheites, aufstrebendes junges Ehepaar. Danny erzwang eine Versöhnung zwischen ihr und ihrer Mutter. Die Spannungen blieben, und beide waren nie ganz glücklich, aber eine Versöhnung war es immerhin. Wenn sie mit Danny zusammen ihre Mutter besuchte, ging sie ohne Jack. Und sie erzählte Jack auch nicht, daß ihre Mutter Danny ständig neu wickelte, seine Säuglingsnahrung bemängelte und es jedes Mal sofort merkte, wenn das Kind sich wundgescheuert hatte. Ihre Mutter sagte nie direkt etwas, aber es entging Wendy dennoch nicht: der Preis, den sie für die Versöhnung zahlte (und vielleicht immer zahlen würde), war das Gefühl, eine schlechte Mutter zu sein. Auf diese Weise hielt ihre Mutter immer noch die Daumenschrauben bereit.

Tagsüber blieb Wendy zu Hause und betätigte sich als Hausfrau. In der sonnendurchfluteten Küche ihrer Vierzimmerwohnung im zweiten Stock gab sie Danny die Flasche und spielte dazu ihre Platten auf dem alten Stereogerät, das sie noch aus Oberschulzeiten hatte. Jack kam gewöhnlich um drei nach Hause (oder um zwei, wenn er die letzte Stunde einmal ausfallen lassen konnte), und während Danny schlief, führte er sie ins Schlafzimmer, und alle Angst wegen ihrer eigenen Unzulänglichkeit war dann wie weggeblasen.

Abends, während sie tippte, schrieb er oder beschäftigte sich mit seinen Vorbereitungen. Manchmal, wenn sie damals aus dem Schlafzimmer kam, in dem die Schreibmaschine stand, fand sie beide auf der Couch schlafend vor, Jack nur in Unterhosen, Danny auf ihres Mannes Brust, den Daumen im Mund. Sie trug Danny dann in sein Kinderbett und las, was Jack am Abend geschrieben hatte, bevor sie ihn genügend wachrüttelte, daß er ins Bett gehen konnte. Das beste Bett und das beste Jahr.

Sun gonna shine in my backyard someday . . .

Damals hatte Jack das Trinken noch gut im Griff. An Samstagabenden pflegten einige Studienkollegen hereinzuschauen, und es gab eine Kiste Bier und Diskussionen, an denen sie selten teilnahm, denn ihr Gebiet war Soziologie gewesen, seines war Englisch: Streit, ob es sich bei Pepys' Tagebüchern um Literatur oder Geschichte handelte; Diskussionen über Charles Olsons dichterisches Werk; manchmal las jemand aus einem noch nicht veröffentlichten Werk vor. Das und hundert andere Dinge. Nein, tausend. Sie sah sich eigentlich nicht veranlaßt mitzureden; es genügte ihr, in ihrem Schaukelstuhl zu sitzen, wobei Jack meist neben ihr auf dem Fußboden saß, in der einen Hand ein Bier, die andere zärtlich an ihrer Wade.

An der Universität herrschte harte Konkurrenz, und Jacks Schriftstellerei war eine zusätzliche Belastung. Er schrieb jeden Abend mindestens eine Stunde lang. Das hatte er zur Routine gemacht. Die Samstagssitzungen waren für ihn eine notwendige Therapie. Hier konnte er ein wenig Dampf ablassen, damit er nicht eines Tages explodierte.

Nach Abschluß seines Studiums hatte er, hauptsächlich aufgrund seiner Kurzgeschichten – von denen zu der Zeit vier veröffentlicht waren, eine im *Esquire* – den Job in Stovington bekommen. Sie erinnerte sich an den Tag noch ganz genau; ihn zu vergessen, brauchte man mehr als drei Jahre. Sie hätte den Umschlag fast weggeworfen, weil sie glaubte, er enthielte Werbung. Statt dessen fand sie darin einen Brief, in dem der *Esquire* mitteilte, daß man Jacks Geschichte »Über die schwarzen Löcher« Anfang nächsten Jahres gern drucken wolle. Als Honorar boten sie neunhundert Dollar, und zwar nicht bei Veröffentlichung, sondern sofort nach Einverständnis. Das war das Geld, das sie selbst für ein halbes Jahr an der Schreibmaschine bekam, und sie war ans Telefon gerast und hatte Danny in seinem Kinderstuhl sitzen lassen, von wo aus er ihr komisch hinterherglotzte, das Gesicht mit Essen beschmiert.

Jack war fünfundvierzig Minuten später von der Universität

nach Hause gekommen, der Buick mit sieben Kollegen und einem kleinen Faß Bier beladen. Nachdem man angestoßen hatte (Wendy hatte auch ein Glas, obwohl sie an Bier wenig Geschmack fand), hatte Jack schriftlich sein Einverständnis erklärt, den Bogen in den Rückumschlag getan und war einen Block weiter zum Briefkasten gegangen. Als er zurückkam, stellte er sich feierlich in die Tür und sagte: »Veni, vidi, vici.« Und seine Freunde applaudierten. Als das Faß um elf Uhr abends leer war, wollten Jack und die zwei, die gerade noch stehen konnten, die eine oder andere Bar aufsuchen.

Sie hatte ihn unten im Flur beiseitegenommen. Die andern beiden saßen schon draußen im Wagen und sangen laut und besoffen. Jack kniete und fummelte an seinem Schuh.

»Jack«, sagte sie, »das solltest du nicht tun. Du kannst dir nicht einmal die Schuhe zubinden, geschweige denn fahren.«

Er stand auf und legte ihr ganz ruhig die Hände auf die Schultern. »Heute könnte ich zum Mond fliegen, wenn ich wollte.«

»Nein«, sagte sie. »Nicht für alle *Esquire*-Geschichten der Welt.«

»Ich bin bald wieder da.«

Aber er war erst um vier Uhr morgens zu Hause gewesen, war lallend die Treppe heraufgestolpert und hatte, als er reinkam, Danny geweckt. Bei dem Versuch, das Baby zu beruhigen, hatte er das Kind fallen lassen. Wendy stürzte heraus. Was würde ihre Mutter wohl sagen, wenn sie an Danny eine Verletzung sah! Sie hob Danny auf und setzte sich mit ihm in den Schaukelstuhl und tröstete ihn. Während Jacks fünfstündiger Abwesenheit hatte sie fast nur an ihre Mutter gedacht und an deren Prophezeiung, daß aus Jack ja doch nie etwas werden würde. *Große Ideen,* hatte ihre Mutter gesagt. *Oh, ja. Die Sozialämter können sich der gebildeten Narren mit großen Ideen gar nicht erwehren.* Gab die *Esquire*-Geschichte ihrer Mutter jetzt etwa recht? *Winnifred, du hältst das Kind nicht richtig. Gib mir den Jungen.* Hielt sie ihren Mann denn auch nicht richtig? Warum sonst suchte er sein Vergnügen außer Haus? Eine Art hilfloser Bestürzung stieg in ihr auf, und es kam ihr überhaupt nicht in den Sinn, daß er aus Gründen ausgegangen sein könnte, die mit ihr gar nichts zu tun hatten.

»Herzlichen Glückwunsch«, sagte sie und wiegte Danny – er schlief schon fast. »Vielleicht hat er jetzt eine Gehirnerschütterung.«

»Harmlose kleine Schramme«, sagte er, und sein mißmutiger Tonfall konnte nicht verbergen, daß er sein Verhalten bereute. Er benahm sich wie ein kleiner Junge. Einen Augenblick lang haßte sie ihn.

»Vielleicht«, sagte sie streng. »Vielleicht aber auch nicht.« Sie merkte, daß sie mit ihm sprach wie ihre Mutter früher zu ihrem Vater, und sie war angewidert und betroffen.

»Wie die Mutter so die Tochter«, murmelte Jack.

»Geh ins Bett!« schrie sie, und ihre Angst klang wie Wut. »Geh ins Bett, du bist betrunken!«

»Mach mir keine Vorschriften.«

»Jack... bitte, wir sollten nicht... es...« Sie hatte keine Worte mehr.

»Mach mir keine Vorschriften«, wiederholte er böse und ging ins Schlafzimmer. Sie blieb mit Danny, der schon wieder schlief, im Schaukelstuhl sitzen. Fünf Minuten später drang sein Schnarchen ins Wohnzimmer herüber. In dieser Nacht hatte sie zum ersten Mal auf der Couch geschlafen.

Sie wälzte sich jetzt unruhig im Bett, obwohl sie schon fast eingeschlafen war. Ungeordnet kamen ihr die Gedanken. Gedanken an das erste Jahr in Stovington, an die Zeit danach, als es mit Jack immer schlimmer wurde, an den Tag, an dem er Danny den Arm gebrochen hatte, und schließlich an jenes Gespräch eines Morgens am Frühstückstisch.

Danny spielte draußen am Sandhaufen mit seinen Autos, den Arm noch in Gips. Blaß, fast grau saß Jack am Tisch, die Zigarette in der zitternden Hand. Sie hatte beschlossen, mit ihm über Scheidung zu reden. Sie hatte über das Problem lange und gründlich nachgedacht. Sie hatte sogar schon sechs Monate vor dem gebrochenen Arm an Scheidung gedacht. Wenn Danny nicht gewesen wäre, hätte sie sich schon früher dazu entschlossen. Oder vielleicht doch nicht? Wenn Jack nächtelang nicht zu Hause war, hatte sie im Traum immer wieder das Gesicht ihrer Mutter und ihre eigene Hochzeit gesehen.

(*Der Brautvater möge vortreten.* Ihr Vater hatte in seinem besten Anzug dagestanden, der so gut nicht war – er war

Vertreter bei einer Konservenfabrik, die damals gerade pleite ging –, wie müde er wirkte, wie alt und blaß er aussah. Er trat vor.)

Selbst nach dem Unfall – wenn man es einen Unfall nennen konnte – hatte sie sich nicht entschließen können, es ihm zu sagen, zuzugeben, daß ihre Ehe eine einzige Katastrophe war. Sie hatte gewartet und dumpf gehofft, daß ein Wunder geschehen würde, daß Jack einsah, was er sich und ihr antat. Aber es war nicht besser geworden. Er nahm einen Drink, bevor er in die Akademie fuhr. Zum Mittagessen dann ein paar Bier. Vor dem Abendessen dann drei oder vier Martini. Fünf oder sechs weitere, wenn er Arbeiten korrigierte. Die Wochenenden waren noch schlimmer. Das schlimmste waren die Sauftouren mit Al Shockley. Sie hatte sich nie vorstellen können, daß es in einem Leben, in dem doch körperlich alles in Ordnung war, so viel Leid geben konnte. Sie war nur noch traurig. Wieviel daran war ihre Schuld? Diese quälende Frage stellte sie sich immer wieder. Sie versuchte, sich in ihre Mutter hineinzuversetzen. In ihren Vater. Im ersteren Fall fragte sie sich manchmal, wie es sich auf Danny auswirken würde, und ihr graute vor dem Tag, da er alt genug sein würde, ihr Vorwürfe zu machen. Sie überlegte sich auch, wohin sie gehen könnten. Sie zweifelte nicht daran, daß ihre Mutter sie aufnehmen würde. Sie zweifelte aber auch nicht daran, daß ihre Mutter ständig etwas auszusetzen haben würde. Sie würde ihn ständig neu wickeln, ihm andere Nahrung bereiten, ihn anders kleiden und ihm die Haare anders schneiden. Später würde sie die Bücher, die sie für ungeeignet hielt, auf den Boden verbannen. Diese Dinge auch nur ein Jahr lang hinzunehmen, würde sie an den Rand des Nervenzusammenbruchs bringen. Und ihre Mutter würde ihr die Hand tätscheln und begütigend sagen: *Obwohl es nicht deine Schuld ist, ist es ganz allein deine Schuld. Du warst noch nicht reif genug. Und dein wahres Gesicht hast du gezeigt, als du dich zwischen mich und deinen Vater stelltest.*

Mein Vater, Dannys Vater. Meiner, seiner.

In der Nacht, in der Jack und Al den Unfall hatten, hatte sie fast bis zu seiner Rückkehr wachgelegen, hatte nachgedacht und war zu einer Entscheidung gelangt.

Eine Scheidung war unvermeidlich, sagte sie sich. Ihre Eltern hatten mit diesem Entschluß nicht das geringste zu tun. Auch nicht ihre Schuldgefühle im Zusammenhang mit deren Ehe oder das Gefühl ihrer eigenen Unzulänglichkeit. Sie mußte es ihres Sohnes und ihrer selbst wegen tun, wenn sie überhaupt noch etwas von ihrer frühen Erwachsenenzeit retten wollte. Die Schrift an der Wand war brutal, aber deutlich. Ihr Mann war Säufer. Seit er so schwer trank und es mit seiner Schriftstellerei nicht mehr klappte, konnte er sein ohnehin launisches Temperament schon gar nicht mehr unter Kontrolle halten. Ob aus Versehen oder nicht, er hatte Danny den Arm gebrochen. Er würde seinen Job verlieren, wenn nicht in diesem, dann im nächsten Jahr. Die mitleidigen Blicke der Ehefrauen seiner Kollegen waren ihr nicht entgangen. Sie sagte sich, daß sie ihre schlimme Ehe jetzt lange genug ausgehalten hatte. Nun mußte Schluß sein. Sie würde Jack gern Besuchsrecht zugestehen, und Unterhalt brauchte er nur zu zahlen, bis sie selbst etwas gefunden hatte, das ihr auf die Beine helfen konnte – und das würde bald sein müssen, denn sie wußte nicht, wie lange Jack noch in der Lage sein würde, den Unterhalt für sie zu bestreiten. Sie wollte alles mit so wenig Bitterkeit wie möglich abwickeln. Aber es mußte ein Ende haben.

Mit diesen Gedanken war sie in einen unruhigen Schlaf gesunken, und die Gesichter ihrer Mutter und ihres Vaters hatten sie bis in ihre Träume verfolgt. *Du zerstörst nur wieder einmal eine Ehe,* sagte ihre Mutter. *Der Brautvater möge vortreten,* sagte der Pfarrer, und ihr Vater trat vor. Aber am nächsten Morgen, der hell und sonnig war, hatte sie noch immer die gleiche Meinung. Sie stand mit dem Rücken zu ihm, die Hände im warmen Spülwasser, fing sie an, über diese unangenehmen Dinge zu reden.

»Ich möchte mit dir besprechen, was für Danny und mich am besten ist. Vielleicht auch für dich. Ich glaube, wir hätten schon lange darüber sprechen sollen.«

Und dann hatte er etwas Sonderbares gesagt. Sie hatte einen Wutanfall oder bittere Vorwürfe erwartet. Sie hatte erwartet, daß er an die Hausbar rennen würde. Nicht aber diese leise, tonlose Antwort, die so gar nicht zu ihm paßte. Es war fast so, als ob in der letzten Nacht ein anderer Jack nach Hause gekommen war als der, mit dem sie sechs Jahre zusammengelebt hatte – als ob er durch einen unwirklichen Doppelgänger ersetzt worden war, den sie nie kennen und dessen sie nie sicher sein würde.

»Würdest du mir einen Gefallen tun?«

»Welchen?« Sie mußte sich zusammennehmen, damit ihre Stimme nicht zitterte.

»Wir reden in einer Woche darüber. Wenn du dann noch willst.«

Sie war einverstanden gewesen. Es blieb unausgesprochen. In dieser Woche hatte er häufiger als sonst Al Shockley besucht, aber er kam immer früh nach Hause und roch nicht nach Alkohol. Sie bildete es sich zwar immer ein, aber sie wußte, daß es nicht der Fall war. Eine weitere Woche verging. Und noch eine.

Die Scheidung ging an den Ausschuß zurück, kam nicht zur Abstimmung.

Was war geschehen? Das fragte sie sich immer noch, und sie hatte immer noch nicht die geringste Ahnung. Das Thema war zwischen ihnen tabu. Er war wie ein Mann, der um eine Ecke geschaut und ein lauerndes Ungeheuer erblickt hatte, umgeben von den bleichenden Knochen seiner früheren Opfer. Die Hausbar blieb weiterhin gut sortiert, aber er rührte den Alkohol nicht an. Sie hatte schon ein dutzendmal daran gedacht, die Flaschen wegzuwerfen, war aber immer wieder davor zurückgeschreckt, als würde durch diese Handlung ein unbekannter Zauber gebrochen.

Und man mußte auch Dannys Rolle in der Angelegenheit bedenken.

Wenn sie ihren Mann schon nicht zu kennen glaubte; vor ihrem Kind empfand sie Furcht – Furcht im wahrsten Sinne des Wortes: eine Art schwer zu beschreibender abergläubischer Angst.

Im Halbschlaf erinnerte sie sich an den Augenblick seiner Geburt. Sie lag auf dem Kreißtisch, schweißgebadet, das Haar in Strähnen, die Füße in den Schlaufen.

(Und von dem eingeatmeten leichten Betäubungsgas ein wenig high, hatte sie einmal gemurmelt, sie käme sich vor wie eine Werbung für Massenvergewaltigung, und die Schwester, eine alte Henne, die schon so vielen Kindern auf die Welt geholfen hatte, genug um eine Oberschule zu bevölkern, hatte das sehr komisch gefunden.)

Der Arzt zwischen ihren Beinen, die summende Schwester neben ihr an den Instrumenten. Der scharfe, schneidende Schmerz, der sie in immer kürzeren Zeitabständen durchfuhr, und mehrere Male hatte sie laut geschrien, wenn sie sich auch dafür schämte.

Streng befahl ihr der Arzt dann, zu PRESSEN, und sie tat es und spürte, wie etwas von ihr genommen wurde. Das Gefühl war klar und deutlich, und sie würde es nie vergessen – etwas war von ihr genommen worden. Der Arzt hielt ihren Sohn an den Beinen hoch – sie hatte sein winziges Geschlechtsteil gesehen und gleich gewußt, daß es ein Junge war –, und als der Arzt nach der Beatmungsmaske griff, hatte sie etwas gesehen, etwas so Grauenhaftes, daß sie die Kraft fand, erneut laut aufzuschreien, obwohl sie eigentlich keine Schreie mehr hatte:

Er hat kein Gesicht!

Aber natürlich war da ein Gesicht, Dannys niedliches Gesicht, und die innere Embryonalhülle, die es bei der Geburt bedeckt hatte, lag nun in einem kleinen Glas, das sie fast schamhaft aufbewahrt hatte. Sie hielt nichts von altem Aberglauben, aber die Hülle hatte sie trotzdem behalten. Sie glaubte nicht an Altweibergeschwätz, aber der Junge war von Anfang an ungewöhnlich gewesen. Sie glaubte nicht an das Zweite Gesicht, aber –

Hat Daddy einen Unfall gehabt? Ich habe geträumt, Daddy hat einen Unfall gehabt.

Irgend etwas hatte ihn verändert. Ihr Versuch, über Scheidung zu reden, konnte es allein nicht gewesen sein. Irgend etwas mußte *vor* jenem Morgen geschehen sein. Während sie unruhig schlief, mußte es passiert sein. Al Shockley sagte, daß nichts gewesen sei, gar nichts, aber als er es sagte, hatte er den Blick abgewandt, und wenn man dem Fakultätstratsch glauben durfte, war auch er auf den Zauberwagen gestiegen.

Hat Daddy einen Unfall gehabt?

Vielleicht einen Zusammenstoß mit dem Schicksal, sicherlich nichts wesentlich Konkreteres. Sie hatte an jenem Tag und auch am nächsten die Zeitung aufmerksamer als sonst gelesen, aber sie fand nichts, das sie mit Jack in Verbindung bringen konnte. Sie hatte an Fahrerflucht gedacht, Gott behüte, oder an eine Prügelei in einer Bar, bei der es ernste Verletzungen gegeben hatte oder ... wer wußte es? Wer wollte es wissen? Aber kein Polizeibeamter tauchte auf, um Fragen zu stellen oder die Stoßstange des VW auf Lackspuren zu untersuchen. Nichts. Ihr Mann hatte sich lediglich um hundertachtzig Grad gedreht. Und dann morgens, noch im Halbschlaf, die Frage ihres Sohnes:

Hat Daddy einen Unfall gehabt? Ich habe geträumt ...

Sie war wegen Danny bei Jack geblieben, wenn sie es im wachen Zustand auch nicht wahrhaben wollte. Aber jetzt, während sie unruhig schlief, konnte sie es sich eingestehen: Danny und Jack waren fast von Anfang an ein Herz und eine Seele gewesen, genau wie es früher zwischen ihr und ihrem Vater gewesen war. Sie konnte sich nicht daran erinnern, daß Danny je einen Schluck aus der Flasche auf Jacks Hemd gespuckt hätte. Jack brachte ihn zum Essen, nachdem sie selbst schon angewidert aufgegeben hatte, und das auch, während er zahnte, als ihm das Essen Schmerzen bereitete. Wenn Danny Bauchschmerzen hatte, mußte sie ihn eine Stunde lang wiegen, bevor er Ruhe gab; Jack brauchte ihn nur auf den Arm zu nehmen und zweimal mit ihm im Zimmer auf und ab gehen, und dann schlief Danny auch schon an Jacks Schulter, den Daumen im Mund.

Es hatte Jack nichts ausgemacht, die Windeln zu wechseln, selbst bei denen nicht, die nicht nur naß waren. Stundenlang ließ er Danny bei sich auf dem Schoß reiten, spielte Fingerspiele mit ihm und schnitt Grimassen, während Danny ihm an die Nase griff und sich vor Lachen ausschütten wollte. Jack bereitete die Babynahrung und fütterte den Kleinen ohne jeden Zwischenfall. Er nahm Danny im Auto mit, wenn er Milch oder die Zeitung oder vielleicht ein paar Nägel aus dem Eisenwarengeschäft holte. Als Danny erst sechs Monate alt war, hatte Jack ihn schon zu einem Fußballspiel Stovington gegen Keene mitgenommen, und Danny hatte, in eine Decke gewickelt, während des ganzen Spiels mäuschenstill auf Daddys Schoß gesessen, einen Wimpel in der kleinen Faust.

Er hatte seine Mutter lieb, aber er war Vaters Junge.

Und hatte sie nicht immer wieder die wortlose Opposition

ihres Sohnes gegen eine Scheidung empfunden? Wie oft hatte sie in der Küche beim Kartoffelschälen darüber nachgedacht. Wenn sie sich dann umdrehte, sah sie ihn mit übergeschlagenen Beinen auf einem Küchenstuhl sitzen, und er schaute sie ängstlich und anklagend zugleich an. Wenn sie mit ihm im Park spazierenging, nahm er manchmal plötzlich ihre beiden Hände und fragte – fast fordernd: »Hast du mich lieb? Hast du Daddy lieb?« Verwirrt nickte sie dann und sagte: »Natürlich, Honey.« Und dann rannte er an den Ententeich und scheuchte die Tiere auf, daß sie in wilder Panik ans andere Ende flatterten, und sie schaute ihm nachdenklich zu.

Manchmal sah es tatsächlich so aus, als scheiterte ihre Entschlossenheit, die Sache mit Jack wenigstens zu besprechen, nicht an ihrer eigenen Schwäche, sondern am Willen ihres Sohnes.

Ich glaube nicht an diese Dinge.

Aber im Schlaf glaubte sie daran, und im Schlaf, während der Samen ihres Mannes an ihren Schenkeln trocknete, spürte sie, daß sie alle drei für immer miteinander verbunden waren – daß, wenn ihr Einssein zu dritt je zerstört würde, es nicht durch einen von ihnen, sondern von außen her geschehen würde.

Fast alle ihre Gedanken kreisten irgendwie um ihre Liebe zu Jack. Sie hatte nie aufgehört, ihn zu lieben, außer vielleicht in dieser fürchterlichen Zeit unmittelbar nach Dannys »Unfall«. Und sie liebte ihren Sohn. Am meisten liebte sie die beiden, wenn sie zusammenwaren. Wenn sie spazierengingen, Jack seinen Sohn auf dem Schoß hatte, oder wenn sie einfach nur irgendwo saßen. Wenn sie Jacks großen neben Dannys kleinem Kopf sah, während sie gemeinsam Comics betrachteten und sich dabei eine Cola teilten. Sie genoß es, die beiden in der Nähe zu haben, und sie hoffte zu Gott, daß dieser Hausmeisterjob, den Al für Jack besorgt hatte, sie wieder besseren Zeiten entgegenführen werde.

And the wind gonna rise up, baby,
and blow my blues away

Leise und angenehm und sonor kam das Lied zurück und begleitete sie in einen tieferen Schlaf, wo die Gedanken schwiegen und man sich an keine Traumgeschichten mehr erinnerte.

7

In einem anderen Schlafzimmer

Danny hatte das Dröhnen noch in den Ohren, als er erwachte, und auch die betrunkene, wilde und böse Stimme, die heiser brüllte: *Komm raus und nimm deine Medizin! Ich finde dich schon! Ich finde dich schon!*

Aber jetzt dröhnte nur noch sein rasender Puls, und die einzige Stimme in der Nacht war eine entfernte Polizeisirene.

Reglos lag er im Bett und starrte auf die Schatten, die die sturmgepeitschten Äste von draußen an die Decke warfen. Sie bildeten sich schlängelnde Windungen, wie die in einen Teppichflor gewobenen Ranken und Schlingpflanzen aus einem Dschungel. Er trug einen Pyjama, aber unter dessen Stoff bedeckte der Schweiß seine Haut wie ein enges Unterhemd.

»Tony?« flüsterte er. »Bist du da?«

Keine Antwort.

Er glitt aus dem Bett, ging leise ans Fenster und schaute auf die nächtlich ruhige Arapahoe Street hinaus. Er sah nichts als den verlassenen Gehsteig, über den die Blätter trieben, die geparkten Wagen und die Peitschenlampe an der Ecke gegenüber der Cliff-Brice-Tankstelle. Hoch aufragend und mit der Haube oben wirkte die Leuchte wie ein Ungeheuer aus einer Space-Show.

Er schaute nach beiden Seiten die Straße entlang und strengte die Augen an, um Tonys schmale, winkende Gestalt zu erkennen, aber es war niemand dort.

Der Wind seufzte in den Ästen, und das fallende Laub raschelte auf dem Gehsteig und gegen die Radkappen der geparkten Wagen. Es war ein leises und trauriges Geräusch, und er war vielleicht der einzige in ganz Boulder, der noch wach genug war, es zu hören. Wenigstens der einzige Mensch. Man konnte nicht wissen, was sonst noch in der Nacht unterwegs war, hungrig durch die Schatten schleichend und den Wind atmend.

Ich werde dich schon finden! Ich werde dich schon finden!

»Tony?« flüsterte er wieder, aber ohne große Hoffnung.

Nur der Wind gab Antwort. Er wehte jetzt stärker und fegte

Blätter über das abgefallene Dach unter seinem Fenster. Einige fielen in die Dachrinne und blieben dort liegen wie müde Tänzer.

Danny . . . Dannyy . . .

Er fuhr zusammen beim Klang dieser vertrauten Stimme und lehnte sich wieder aus dem Fenster, die kleinen Hände aufgestützt. Mit Tonys Stimme schien sich die Nacht leise und insgeheim belebt zu haben, sogar zu flüstern, wenn der Wind sich legte, die Blätter ruhten und die Schatten sich nicht mehr bewegten. Er glaubte, einen Block weiter, an der Bushaltestelle, einen dunkleren Schatten zu sehen, aber das mochte eine optische Täuschung sein.

Geh nicht, Danny . . .

Wieder frischte der Wind auf, daß er blinzeln mußte, und der Schatten an der Bushaltestelle war weg . . . wenn er je dort gewesen war. Danny blieb noch ein wenig länger

(eine Minute? eine Stunde?)

am Fenster stehen, aber er sah nichts mehr. Endlich kroch er ins Bett zurück und zog sich die Decke bis ans Kinn und schaute wieder den Schatten zu, die von der seltsamen Straßenlampe an die Decke geworfen wurden und die sich in einen Dschungel von fleischfressenden Pflanzen verwandelten, die sich um ihn winden wollten, um alles Leben aus ihm herauszuquetschen und ihn in finstere Dunkelheit herabzuziehen, in der ein unheilverkündendes Wort rot aufblitzte:

DROM.

Teil Zwei
Saisonschluß

8

Das Overlook

Mommy machte sich Sorgen.

Sie hatte Angst, der Käfer würde den Weg durch die Berge nicht schaffen und daß sie vielleicht irgendwo an der Straßenseite liegenbleiben würden, wo jemand vorbeifahren und mit ihnen kollidieren könnte. Danny war zuversichtlicher. Wenn Daddy glaubte, der Wagen würde diese letzte Reise schaffen, dann würde es wohl auch klappen.

»Wir sind schon fast da«, sagte Jack.

Wendy strich sich das Haar aus der Stirn. »Gott sei Dank.«

Sie saß auf dem Beifahrersitz, ein geöffnetes Taschenbuch mit der Schrift nach unten vor sich auf dem Schoß. Sie trug ihr blaues Kleid, das für Danny ihr schönstes war. Es hatte einen Matrosenkragen und ließ sie sehr jung aussehen, wie ein Mädchen, das gerade die Oberschule verlassen hatte. Daddy legte ihr immer wieder die Hand aufs Knie, und sie lachte dazu und versuchte, sie abzuschütteln, und sagte dabei: »Jetzt hör aber auf damit.«

Danny war von den Bergen sehr beeindruckt. Einmal hatte Daddy ihn auf einen der Berge bei Boulder mitgenommen, man nannte sie Flatirons, aber diese hier waren viel höher, und auf dem höchsten lag eine dünne Schneedecke, die manchmal das ganze Jahr liegen blieb, wie Daddy sagte.

Und sie waren tatsächlich mitten *in* den Bergen, wirklich und wahrhaftig. Steile Felswände ragten überall empor, so hoch, daß man kaum ganz bis nach oben schauen konnte, selbst wenn man sich den Hals verrenkte. Als sie aus Boulder wegfuhren, war es noch über zwanzig Grad warm gewesen. Jetzt, kurz nach Mittag, war es hier oben schon so kalt wie in Vermont im November, und Daddy hatte die Heizung angestellt... nicht, daß sie besonders gut funktionierte. Sie waren schon an einigen Warnschildern mit der Aufschrift VORSICHT STEINSCHLAG vorbeigekommen (Mommy las ihm jedes vor), und obwohl Danny begierig darauf wartete, daß Steine herunterkamen, war das nicht geschehen. Jedenfalls *noch* nicht.

Vor einer halben Stunde hatten sie ein Schild passiert, das Daddy für sehr wichtig hielt. Auf diesem Schild stand der Ortsname SIDEWINDER, und bis hierher, so sagte Daddy, fuhren im Winter die Schneepflüge. Anschließend wurde die Straße für die Schneepflüge zu steil. Im Winter war die Straße von Sidewinder bis nach Buckland, Utah, gesperrt.

Jetzt fuhren sie an einem weiteren Schild vorbei.

»Was ist das denn, Mom?«

»Da steht: LANGSAME FAHRZEUGE BITTE RECHTE FAHRSPUR BENUTZEN. Damit sind wir gemeint.«

»Der Käfer schafft es schon«, sagte Danny.

»Hoffentlich«, sagte Mommy und hielt den Daumen. Danny schaute auf ihre vorne offenen Sandalen und sah, daß sie auch die große Zehe hielt. Er grinste. Sie lächelte zurück, aber er wußte, daß sie sich immer noch Sorgen machte.

In einer Reihe von S-Kurven stieg die Straße an. Jack schaltete vom vierten in den dritten, dann in den zweiten Gang. Der Wagen keuchte und protestierte, und Wendy starrte auf die Tachonadel, die von vierzig auf dreißig und dann auf zwanzig zurückging, wo sie widerwillig verharrte.

»Die Benzinpumpe...« begann sie ängstlich.

»Die Benzinpumpe hält noch drei Meilen«, sagte Jack kurz.

Nach rechts fielen die Felsen steil ab und zeigten einen Taleinschnitt, der sich so weit in die Tiefe fortsetzte, daß sein Ende nicht zu erkennen war, und der vom Grün der Fichten bestimmt war. Die Fichten standen bis an die grauen Felsklippen, die erst Hunderte von Metern weiter unten in ebeneres Land ausliefen. Über einen der Felsen ergoß sich ein Wasserfall, in dem die Sonne glänzte wie ein goldener Fisch in blauem Netz. Diese Berge waren wunderschön, aber sie waren schroff und rauh und würden einem nicht viele Fehler durchgehen lassen. Eine schlimme Ahnung stieg in ihr auf. Weiter im Westen, in der Sierra Nevada, war einmal eine Reisegesellschaft vom Schnee eingeschlossen worden und hatte sich durch Kannibalismus am Leben erhalten müssen. Die Berge ließen einem eben wirklich nicht viele Fehler durchgehen.

Jack trat auf die Kupplung, und mit einem Ruck rastete der erste Gang ein. Brav kämpfte sich der kleine Wagen den Berg hinan.

»Wißt ihr«, sagte Wendy, »seit Sidewinder hinter uns liegt, haben wir keine fünf Wagen gesehen, und einer davon war die Hotel-Limousine.«

Jack nickte. »Sie fährt direkt zum Stapleton-Flughafen in Denver. Oben, jenseits des Hotels, gibt es schon einige vereiste Stellen, sagt Watson, und in höheren Lagen ist für morgen Schnee angesagt. Wer jetzt durch die Berge fährt, sollte vorsichtshalber die Hauptstraßen benutzen. Wenn nur dieser verdammte Ullman noch oben ist.«

»Bist du sicher, daß oben genügend Vorräte sind?« fragte Wendy und dachte an die Reisegesellschaft in der Sierra Nevada.

»Das hat er jedenfalls gesagt. Das soll Hallorann dir zeigen. Hallorann ist der Koch.«

»Oh«, sagte sie ängstlich, als sie auf den Tacho schaute. Die Nadel war von fünfzehn auf zehn zurückgegangen.

»Wir sind gleich oben«, sagte Jack und zeigte nach vorn. »Da gibt es einen Aussichtsplatz. Von dort aus kann man das Overlook sehen. Ich fahr' von der Straße runter, dann kann der Wagen ein wenig stehen.« Er drehte sich zu Danny um, der auf einem Stapel Wolldecken saß. »Was meinst du, Doc? Vielleicht sehen wir ein paar Hirsche. Oder Caribou.«

Der VW quälte sich weiter den Berg hinan. Der Tacho ging auf eben über fünf zurück, und als Jack den Wagen von der Straße fuhr, fing der Motor an zu stottern.

»Was ist das für ein Schild, Mommy?«

»Aussichtsplatz«, las sie pflichtschuldig.

Jack zog die Handbremse an und ließ den Motor im Leerlauf.

»Kommt«, sagte er und stieg aus. »Da liegt es«, sagte Jack und zeigte nach Nordwesten.

Für Wendy war es die Wirklichkeit gewordene kitschige Ansichtskarte. Einen Augenblick lang konnte sie kaum atmen; die Aussicht war in der Tat atemberaubend. Sie standen fast auf dem Gipfel des Berges. Ihnen gegenüber – schwer zu schätzen, wie weit entfernt – ragte ein noch höherer Berg die gezackte Spitze in den Himmel, eine schlanke Silhouette, um die wie ein Strahlenkranz die sinkende Sonne spielte. Das ganze Tal breitete sich vor ihnen aus. Die Hänge, die sie mit ihrem kleinen Wagen so schwer bewältigt hatten, wirkten von hier oben so schwindelnd steil, daß sie fürchtete, sich übergeben zu müssen, wenn sie noch länger hinschaute. In der klaren Luft schien die Phantasie sich über jede Vernunft hinaus zu beflügeln, und wenn man in den Abgrund schaute, hatte man das hilflose Gefühl, selbst hinabzustürzen, tiefer und immer tiefer, und der Himmel und die Talhänge drehten sich, und mal hing das eine und mal das andere oben, und während Haare und Röcke flogen, konnte man nur noch einen trägen Schrei ausstoßen...

Sie riß ihre Blicke fast gewaltsam vom Abhang fort, und nun folgten sie Jacks Finger. Sie sah die Straße am Berg kleben, die in Serpentinen verlief, deren allgemeine Richtung aber Nordwesten war, wenn sie auch nicht mehr ganz so steil anstieg. Weiter oben, offenbar direkt in den Steilhang eingebettet, sah sie eine große quadratische Rasenfläche, vor der sich nach beiden Seiten der dichte Fichtenwald lichtete, und direkt in der Mitte hoch oben das Hotel. Das Overlook. Als sie es sah, fand sie Atem und Stimme wieder.

»Oh, Jack, ist das nicht herrlich?«

»Ja«, sagte er. »Ullman meint, eine schönere Lage gibt es in ganz Amerika nicht. Ich mag ihn wirklich nicht besonders, aber ich denke, er könnte ... Danny! Danny! Ist alles in Ordnung?«

Auch sie drehte sich zu ihm um, und ihre plötzliche Angst um ihn verwischte alles andere, wie eindrucksvoll es auch sein mochte. Sie rannte zu ihm hinüber. Er klammerte sich an das Geländer und schaute zum Hotel hinüber, und sein Gesicht war aschfahl. Sein Blick war leer. Er schien einer Ohnmacht nahe.

Sie kniete sich neben ihn und legte ihm beruhigend die Hände auf die Schultern. »Danny, was ist denn –«

Sofort war Jack bei ihr. »Was ist denn, Doc?« Er schüttelte Danny kurz, und seine Augen waren wieder klar.

»Es ist nichts, Daddy. Mir geht es gut.«

»Was war denn, Danny?« fragte sie. »Ist dir schwindlig geworden, Honey?«

»Nein, ich habe nur... nachgedacht. Es tut mir leid. Ich wollte euch keine Angst machen.« Er sah seine Eltern an, die vor ihm knieten, und lächelte sie verständnislos an. »Vielleicht war es nur die Sonne. Ich habe die Sonne ins Auge gekriegt.«

»Wir schaffen dich zum Hotel und geben dir einen Schluck Wasser«, sagte Daddy.

»Okay.«

Und im Wagen, der jetzt, da es nicht mehr so steil war, leichter lief, hielt er eifrig Ausschau. Hin und wieder verlief die Straße so, daß man das Overlook Hotel sehen konnte, die breite nach Westen gerichtete Fensterfront, in der sich die untergehende Sonne spiegelte. Dies war der Ort, den er mitten im Schneesturm gesehen hatte, der dunkle dröhnende Ort, wo irgendeine gräßlich vertraute Gestalt ihn durch lange Korridore verfolgt hatte. Der Ort, vor dem Tony ihn gewarnt hatte. Dies war er. Dies war er. Was immer DROM bedeutete, dies war der Ort.

9

Der Auszug

Ullman hatte in der Halle hinter der breiten, altmodischen Eingangstür auf sie gewartet. Er schüttelte Jack die Hand und nickte Wendy flüchtig zu, vielleicht weil er gemerkt hatte, wie alle Köpfe sich nach ihr umdrehten, als sie mit wehenden blonden Haaren über ihrem Matrosenkragen das Foyer betrat. Der Saum des Kleides endete bescheidene zwei Zoll über dem Knie, aber mehr mußte man nicht unbedingt sehen, um festzustellen, daß sie hübsche Beine hatte.

Wirklich zu mögen schien Ullman nur Danny, aber Ähnliches hatte Wendy schon früher erlebt. Danny schien das geeignete Kind für Leute zu sein, die normalerweise etwas gegen

Kinder haben. Er beugte sich ein wenig zu Danny hinunter und reichte ihm die Hand, die Danny höflich, aber ohne zu lächeln ergriff.

»Mein Sohn Danny«, sagte Jack. »Und meine Frau Winnifred.«

»Freut mich, Sie beide kennenzulernen«, sagte Ullman. »Wie alt bist du denn, Danny?«

»Fünf, Sir.«

»Er sagt sogar Sir.« Ullman lächelte. »Ein wohlerzogener Junge.«

»Natürlich ist er das«, sagte Jack.

»Mrs. Torrance.« Wieder deutete er eine Verbeugung an, und einen Augenblick dachte sie, er wollte ihr die Hand küssen. Sie reichte sie ihm, aber er nahm sie nur ganz kurz in seine beiden Hände, die klein und glatt und trocken waren. Wendy hatte das Gefühl, daß er sie puderte.

Im Foyer herrschte reges Leben. Die altmodischen Stühle mit den hohen Lehnen waren fast alle besetzt. Hotelboys gingen mit Koffern ein und aus, und einige Leute standen am Empfangsschalter, der von einer riesigen Registrierkasse aus Messing beherrscht wurde. Die Aufkleber von Americard und Master Charge wirkten außerordentlich fehl am Platze.

Zu ihrer Rechten in Richtung auf eine große, zugezogene und mit einem Seil abgesperrte Doppeltür befand sich ein altmodischer Kamin, in dem jetzt Birkenscheite brannten. Drei Nonnen saßen auf einem fast ganz zur Feuerstelle herangezogenen Sofa. Sie plauderten und lachten, und zu beiden Seiten hatten sie ihr Gepäck aufgestapelt, während sie darauf warteten, daß das Gedränge der abreisenden Gäste an der Rezeption ein wenig nachließ. Als Wendy sie beobachtete, brachen sie plötzlich in glockenhelles, mädchenhaftes Gelächter aus. Sie mußte selbst lächeln; keine von ihnen konnte jünger als sechzig sein.

Im Hintergrund ununterbrochenes Stimmengewirr, das gedämpfte Klingeln der Registrierkasse, wenn einer der Empfangsangestellten sie betätigte, und deren gelegentliches, leicht ungeduldiges Rufen. Die Szene erinnerte sie an ihre Flitterwochen mit Jack, die sie in New York im Beekman Tower verlebt hatten. Zum ersten Mal glaubte sie, daß es genau dies war, was sie alle drei brauchten: ein paar Monate allein in der Abgeschiedenheit, eine Art Familienflitterwochen. Liebevoll schaute sie zu Danny hinüber, der ohne Scheu alles angaffte, was ihn interessierte. Eine weitere Limousine, grau wie eine Bankiersweste, war vorgefahren.

»Der letzte Tag«, sagte Ullman gerade. »Saisonschluß. Immer sehr hektisch. Ich habe Sie eigentlich erst gegen drei erwartet, Mr. Torrance.«

»Ich wollte dem VW Zeit für einen Nervenzusammenbruch geben, falls er sich zu einem entschloß«, sagte Jack. »Er hat nicht darauf bestanden.«

»Welch Glück«, sagte Ullman. »Ich würde mit Ihnen dreien gern später einen Rundgang machen, und natürlich will Dick Hallorann Mrs. Torrance die Küche des Overlook zeigen. Aber leider –«

Einer der Empfangsangestellten kam herüber und raufte sich die Haare.

»Entschuldigen Sie, Mr. Ullman –«

»Was gibt's denn?«

»Es geht um Mrs. Brant«, berichtete der Angestellte verlegen. »Sie besteht darauf, ihre Rechnung mit ihrer American Express Karte zu bezahlen. Ich habe ihr gesagt, daß wir American Express seit Ende der letzten Saison nicht mehr nehmen, aber sie will einfach nicht...« Seine Blicke gingen zwischen der Familie Torrance und Ullman hin und her. Er zuckte die Achseln.

»Ich erledige das schon.«

»Vielen Dank, Mr. Ullman.« Der Angestellte ging wieder zur Rezeption zurück, wo ein in einen Pelzmantel gehülltes, mit einer Art schwarzer Federboa bestücktes Ungetüm von einer Frau sich lautstark beschwerte.

»Seit 1955 komme ich ins Overlook Hotel«, erklärte sie dem lächelnden, achselzuckenden Angestellten. »Ich bin sogar noch gekommen, nachdem mein Mann auf dieser langweiligen Roque-Anlage einem Herzschlag zum Opfer gefallen war – ich hatte ihm damals gleich gesagt, daß es an dem Tag zu heiß sei –, und ich habe *niemals*... ich wiederhole: *niemals*... mit etwas anderem bezahlt als meiner Kreditkarte von American Express. Rufen Sie doch die Polizei! Sollen sie mich doch verhaften! Ich weigere mich trotzdem, mit etwas anderem zu bezahlen als mit meiner Kreditkarte von American Express. Ich wiederhole . . .«

»Entschuldigen Sie bitte«, sagte Mr. Ullman.

Sie sahen ihn durchs Foyer gehen und ehrerbietig Mrs. Brants Ellbogen berühren, nicken und die Hände spreizen, als sie ihre Tirade gegen ihn losließ. Er hörte aufmerksam zu, nickte wieder und antwortete etwas. Mrs. Brant lächelte triumphierend, wandte sich an den unglücklichen Empfangsangestellten und sagte laut: »Gott sei Dank gibt es hier noch einen Hotelangestellten, der kein ausgesprochener Spießer ist!«

Sie gestattete Ullman, der ihr kaum bis an die breiten Schultern ihres Pelzmantels reichte, ihren Arm zu nehmen und sie in sein Privatbüro zu führen.

»Oh je«, sagte Wendy lächelnd. »Der Kerl verdient sein Geld auch nicht leicht.«

»Aber er mochte die Dame nicht«, sagte Danny sofort. »Er tat nur so.«

Jack grinste ihn an. »Da hast du bestimmt recht, Doc. Aber die Räder dieser Welt werden nun mal mit Schmeichelei geschmiert.«

»Schmeichelei? Was ist das?«

»Schmeichelei«, klärte Wendy ihn auf, »ist, wenn dein Daddy mir sagt, daß ihm meine neue gelbe Hose gefällt, obwohl das nicht stimmt, oder wenn er mir sagt, daß ich es gar nicht nötig hätte, fünf Pfund abzunehmen.«

»Oh. Also aus Spaß lügen?«

»Etwas ziemlich Ähnliches.«

Er hatte sie aufmerksam betrachtet und sagte nun: »Du bist hübsch, Mommy.«

Er runzelte verunsichert die Stirn, als seine Eltern einen Blick tauschten und dann laut loslachten.

»Ullman hat wenig Schmeichelei an mich verschwendet«, sagte Jack. »Kommt rüber ans Fenster, Kinder. Ich komme mir zwischen all den Leuten blöd vor in meiner alten Jacke. Ehrlich, ich habe nicht gedacht, daß am letzten Tag noch jemand hier sein würde. Da habe ich mich wohl geirrt.«

»Du siehst sehr gut aus«, sagte sie, und dann lachten die beiden wieder, wobei Wendy die Hand vor den Mund hielt. Danny verstand immer noch nicht, aber das war schon in

Ordnung. Sie liebten sich. Danny hatte das Gefühl, daß dieser Ort Mommy an einen anderen Ort erinnerte,

(Beekman)

an dem sie glücklich gewesen war. Er wünschte, daß es ihm hier genauso gut gefallen würde wie ihr, aber das war nicht der Fall.

Andererseits redete er sich immer wieder ein, daß nicht alles wirklich geschehen würde, was Tony ihm gezeigt hatte. Er würde vorsichtig sein. Er würde nach etwas Ausschau halten, das DROM hieß. Aber er würde nur etwas sagen, wenn es absolut nötig war. Denn sie waren glücklich, sie hatten gelacht, und es gab keine bösen Gedanken.

»Seht euch die Aussicht an«, sagte Jack.

»Oh, es ist unbeschreiblich schön! Danny, sieh doch!«

Aber Danny fand es nicht besonders schön. Er mochte nichts, was so hoch lag; dann wurde ihm schwindlig. Jenseits der vorderen Säulenhalle, die sich über die ganze Länge des Hotels hinzog, fiel ein wunderbar gepflegter Rasen zu einem rechteckigen Swimming-Pool hin ab. Dort stand auf einem kleinen Dreifuß ein Schild mit der Aufschrift GESCHLOSSEN; *geschlossen* konnte er selbst lesen, und er wußte auch, was *Stop*, *Exit*, *Pizza* und einige andere Aufschriften bedeuteten.

Jenseits des Swimming-Pools schlängelte sich ein Kiespfad zwischen Zwergfichten, Rottannen und Espen hindurch. Dort sah er ein kleines Schild, das er nicht kannte: ROQUE. Darunter war ein Richtungspfeil angebracht.

»Was ist R-O-Q-U-E, Daddy?«

»Ein Spiel«, sagte Daddy.

»Es ist ein wenig mit unserem Krocket verwandt. Allerdings spielt man es auf einem Kiesplatz statt auf Rasen. Es ist ein sehr altes Spiel, Danny. Manchmal veranstaltet man hier Turniere.«

»Spielt man es mit einem Krocketschläger?«

»Ungefähr«, sagte Jack. »Nur ist der Griff ein wenig kürzer, und der Kopf hat zwei Seiten. Eine aus Hartgummi und die andere aus Holz.«

(Komm raus, du kleines Mistvieh!)

»Es wird *Rook* ausgesprochen«, hörte er Daddy sagen. »Wenn du willst, bringe ich es dir bei.«

»Vielleicht«, sagte Danny mit seltsam müder und dünner

Stimme, und seine Eltern sahen einander erschrocken an. »Es kann aber sein, daß ich keine Lust dazu habe.«

»Wenn du keine Lust dazu hast, Doc, brauchst du natürlich nicht zu spielen, in Ordnung?«

»Okay.«

»Gefallen dir die Tiere?« fragte Wendy. »Das nennt man einen Kunstgarten.« Hinter dem Pfad, der zur Roque-Anlage führte, standen Hecken, die man zu den verschiedensten Tieren zurechtgeschnitten hatte. Danny, der scharfe Augen hatte, erkannte ein Kaninchen, einen Hund, ein Pferd, eine Kuh und drei größere Tiere, die wie spielende Löwen aussahen.

»Wegen dieser Tiere hat Onkel Al mich für den Job vorgeschlagen«, erzählte Jack.

»Er wußte, daß ich während meiner College-Zeit manchmal für eine Landschaftsgärtnerei arbeitete. Das ist ein Unternehmen, das den Leuten den Rasen mäht und die Büsche und Hecken beschneidet. Ich habe einer Dame immer den Kunstgarten beschnitten.«

Wendy hielt sich die Hand vor den Mund und kicherte. Jack sah sie an und sagte: »Ja, ich habe ihr mindestens einmal in der Woche den Kunstgarten beschnitten.«

»Ach geh«, sagte Wendy und kichert wieder.

»Hatte sie hübsche Hecken, Dad?« fragte Danny, und die beiden unterdrückten ein Riesengelächter. Wendy lachte Tränen, so daß sie ein Kleenex aus der Handtasche nehmen mußte.

»Es waren keine Tiere, Danny«, sagte Jack, als er sich wieder in der Gewalt hatte. »Es waren Spielkarten. Pik und Herz und Kreuz und Karo. Aber die Hecken wachsen, verstehst du –?«

(*Sie steigt und steigt*, hatte Watson gesagt ... nein, nein, keine Hecke, sondern die Nadel, die den Druck im Kessel anzeigt. *Sie müssen den Druck ständig prüfen, sonst wachen Sie und Ihre Familie eines Tages auf dem Mond auf.*)

Sie sahen Jack besorgt an. Er lächelte nicht mehr.

»Dad?« fragte Danny.

Er sah sie an, als sei er von weit weg zurückgekommen. »Die Hecken wachsen, Danny, und verlieren ihre Form. Deshalb muß ich sie ein- oder zweimal die Woche beschneiden, bis es so kalt wird, daß sie nicht mehr wachsen.«

»Und auch noch ein Spielplatz«, sagte Wendy. »Du hast Glück.«

Der Spielplatz lag noch hinter dem Kunstgarten. Zwei Rutschen, ein großes Schaukelgerüst mit einem halben Dutzend auf verschiedene Höhen eingestellten Schaukeln, ein Klettergerüst, ein Tunnel aus Betonringen, eine Sandkiste und ein Spielhaus, das ein genaues Abbild des Overlook darstellte.

»Gefällt dir das, Danny?« fragte Wendy.

»Oh ja«, sagte er und hoffte, daß er sich begeisterter anhörte, als er war. »Das ist prima.«

Jenseits des Spielplatzes war eine unauffällige Kettenabsperrung angebracht, und dahinter erkannte man die breite, asphaltierte Auffahrt. Noch weiter hinten versank das Tal im hellen, blauen Nachmittagsdunst. Danny kannte das Wort *Isolierung* nicht, aber wenn es ihm einer erklärt hätte, wäre ihm der Begriff klar gewesen. Weit unten lag die Straße, die über den Paß von Sidewinder nach Boulder zurückführte, wie eine schlafende schwarze Schlange in der Sonne. Diese Straße würde den ganzen Winter über gesperrt sein. Bei diesem Gedanken bekam er Erstickungsgefühle und wäre fast zusammengezuckt, als sein Vater ihm die Hand auf die Schulter legte.

»Ich hole dir gleich was zu trinken, Doc. Im Moment ist dort noch zuviel Gedränge.«

»Gut, Daddy.«

Mrs. Brant kam aus dem Büro zum Vorschein und sah aus, als hätte man sich ihrer Forderung gebeugt. Ein wenig später bemühten sich zwei Hotelboys, ihre acht Gepäckstücke hinunterzutragen, während sie triumphierend zum Ausgang schritt. Danny schaute aus dem Fenster und sah, wie ein Mann in grauer Uniform und mit einer Mütze wie ein Armeehauptmann ihren großen silbergrauen Wagen vor die Tür fuhr und ausstieg. Er tippte an die Mütze und eilte nach hinten, um den Kofferraum zu öffnen.

Und in einem plötzlichen Aufblitzen, wie er es manchmal erlebte, fing er von ihr einen kompletten Gedanken auf, einer der hoch über dem wirren Durcheinander von Emotionen und Farben schwebte, das er gewöhnlich registrierte, wenn er sich in einer Menschenmenge befand.

(ich möcht' ihm gern an die Hose)

Danny runzelte die Stirn, während er zuschaute, wie die Hotelboys das Gepäck im Kofferraum verstauten. Sie schaute den Mann in der grauen Uniform, der das Ganze überwachte, scharf an. Warum wollte sie seine Hose haben? Fror sie selbst in ihrem langen Pelzmantel? Und wenn sie so fror, warum hatte sie dann nicht ihre eigene Hose angezogen? Mommy trug den ganzen Winter über Hosen.

Der Mann in der grauen Uniform schloß den Kofferraum und half ihr in den Wagen. Danny sah genau hin, um zu sehen, ob sie mit ihm über die Hose verhandelte, aber sie lächelte nur und gab ihm einen Dollarschein – ein Trinkgeld. Sekunden später fuhr der große silbergraue Wagen die Auffahrt hinunter.

Er dachte daran, seine Mutter zu fragen, warum Mrs. Brant wohl die Hose des Mannes haben wollte, beschloß aber, es doch nicht zu tun. Manchmal brachten Fragen nur Ärger ein. Das hatte er schon erlebt.

So zwängte er sich einfach zwischen seine Eltern, die auf einem kleinen Sofa saßen, und beobachtete, wie die Abreisenden an der Rezeption abgefertigt wurden. Er freute sich, daß Mommy und Daddy glücklich waren und sich liebten, aber trotzdem machte er sich Sorgen. Dagegen konnte er nichts tun.

10

Hallorann

Der Koch entsprach überhaupt nicht Wendys Vorstellung von einem typischen Hotelkoch in einem Betrieb dieses Zuschnitts. Erstens nannte man einen solchen Mann einen *Chef* und nicht einfach nur einen Koch – kochen war das, was sie in der Küche ihrer Wohnung tat, wenn sie alle Reste in eine gefettete Pfanne warf und Nudeln dazutat. Außerdem müßte der Küchenzauberer eines Hotels wie des Overlook, das in der einschlägigen Rubrik der *New York Sunday Times* inserierte, klein, rundlich und breigesichtig sein; er müßte einen schmalen Schnurrbart tragen, wie ein Musical-Star der vierziger Jahre, und dunkle Augen, einen französischen Akzent und ein abstoßendes Wesen haben.

Die dunklen Augen hatte Hallorann, aber das war auch alles. Er war ein großer Farbiger mit gemäßigter Afrofrisur, in der sich schon etwas Weiß zeigte. Er sprach mit weichem Südstaatenakzent und lachte viel, wobei er so weiße gleichmäßige Zähne zeigte, daß es sich nur um eine Sears & Roebuck-Prothese aus dem Jahre 1950 handeln konnte. Ihr eigener Vater hatte eine solche gehabt, die er ›Roebuckers‹ nannte und die er ihr manchmal zeigte, indem er sie komisch aus dem Mund herausschob ... immer nur, wie Wendy noch wußte, wenn ihre Mutter gerade in der Küche oder am Telefon war.

Danny hatte zu diesem Riesen in seiner blauen Serge-Kluft aufgeschaut und dann gelächelt, als Hallorann ihn leicht aufhob und auf den Arm nahm und fragte: »Du willst doch nicht den ganzen Winter hier oben bleiben?«

»Doch«, sagte Danny und grinste schüchtern.

»Nein, du wirst mit nach St. Pete's gehen und kochen lernen und jeden verdammten Abend an den Strand gehen und Krebse fangen, okay?«

Danny lachte erfreut, schüttelte aber den Kopf.

Hallorann sezte ihn ab. »Wenn du es dir anders überlegen willst«, sagte er und beugte sich ganz ernst zu ihm hinab, »solltest du dich beeilen. In genau dreißig Minuten sitze ich in meinem Wagen. Zweieinhalb Stunden danach sitze ich am Flugsteig 32, Halle B, am Stapleton International Airport in der hochgelegenen Stadt Denver, Colorado. Wieder drei Stunden später nehme ich am Flughafen von Miami einen Leihwagen und fahre in die Sonne nach St. Pete's und kann es kaum erwarten, meine Badehose anzuziehen und mich kaputtzulachen über Leute, die sich einschneien lassen wollen. Hast du das kapiert, mein Junge?«

»Yes, Sir«, sagte Danny lächelnd.

Hallorann wandte sich Jack und Wendy zu. »Scheint ein feiner Junge zu sein.«

»Er wird's schon schaffen«, meinte Jack und streckte die Hand aus, die Hallorann ergriff. »Ich bin Jack Torrance. Meine Frau Winnifred. Danny haben Sie ja schon kennengelernt.«

»Und das war mir ein Vergnügen. Madam, sind Sie eine Winnie oder eine Freddie?«

»Ich bin eine Wendy«, sagte sie lächelnd.

»Okay. Besser als die andern beiden. Hier entlang. Mr. Ullman will, daß ich mit Ihnen einen Rundgang mache.« Er schüttelte den Kopf und sagte flüsternd: »Ich bin froh, daß ich *den Kerl* nicht mehr sehe.«

Hallorann führte sie in die riesigste Küche, die Wendy je gesehen hatte. Sie blitzte vor Sauberkeit, und die glatten Flächen waren auf Hochglanz gebracht worden. Sie war nicht nur einfach groß; sie war furchteinflößend. Sie ging mit Hallorann voraus, während Jack, der hier gar nicht in seinem Element war, mit Danny ein wenig zurückblieb. An einem langen Brett an der Wand hingen alle Arten von Schneidewerkzeugen, vom Schälmesser bis zum Hackbeil, und die Spüle hatte vier Becken. Das Brotbrett war so groß wie der Küchentisch in ihrer Wohnung in Boulder. Ein erstaunliches Sortiment von Stahltöpfen und Stahlpfannen füllte vom Boden bis zur Decke eine ganze Wand.

»Wenn ich hier reinkomme, muß ich wohl jedes Mal eine Brotkrumenspur auslegen«, sagte sie.

»Lassen Sie sich nicht entmutigen«, meinte Hallorann. »Das Ding ist zwar groß, aber doch nur eine Küche. Das meiste von dem Zeug werden Sie kaum je anfassen. Halten Sie es sauber, mehr verlange ich nicht. Hier steht der Herd, den ich an Ihrer Stelle benutzen würde. Im ganzen sind es drei, aber dieser ist der kleinste.«

Der kleinste, dachte sie verzagt und betrachtete ihn. Er hatte zwölf Flammen, zwei Bratöfen, einen Backofen, oben einen heizbaren Kessel, in dem man Soßen bereiten und Bohnen backen konnte, ein Bratrost und eine Wärmeplatte – dazu jede Menge Skalen und Temperaturanzeigen.

»Alles Gas«, sagte Hallorann. »Sie haben doch schon auf Gas gekocht, Wendy?«

»Ja ...«

»Ich bevorzuge Gas«, sagte er und stellte eine der Flammen an, die blau aufsprang und die er dann durch sanfte Berührung des Schalters auf ganz klein stellte. »Ich sehe gern die Flamme, auf der ich koche. Sehen Sie all diese Schalter für oben?«

»Ja.«

»Und die Schalter für die Öfen sind alle markiert. Ich nehme am liebsten den mittleren, weil er am gleichmäßigsten heizt. Sie können natürlich nehmen, welchen Sie wollen – meinetwegen alle drei.«

»Und in jedem ein Fernseh-Dinner«, sagte Wendy und lachte gequält.

Hallorann brüllte vor Lachen. »Nur immer zu. Neben der Spüle muß eine Liste aller Lebensmittel liegen.«

»Hier ist sie, Mommy!« Danny brachte zwei doppelseitig eng beschriebene Bogen.

»Du bist ein guter Junge«, sagte Hallorann, nahm ihm die Liste ab und fuhr ihm durchs Haar. »Bist du sicher, daß du nicht mit mir nach Florida kommen willst, mein Junge? Dann lernst du die besten Krabben à la Créole kochen, die es diesseits des Paradieses gibt.«

Danny hielt eine Hand vor den Mund und kicherte, rettete sich aber gleich wieder an die Seite seines Vaters.

»Zu dritt hätten Sie hier wahrscheinlich Verpflegung für über ein Jahr«, sagte Hallorann. »Wir haben einen gekühlten Vorratsraum, einen begehbaren Tiefkühlraum und zwei große Kühlschränke. Kommen Sie, ich zeige es Ihnen.«

Während der nächsten zehn Minuten öffnete Hallorann Türen und Behälter und zeigte ihnen mehr Lebensmittel, als Wendy je auf einem Haufen gesehen hatte. Sie staunte zwar über die enormen Vorräte, war aber dennoch nicht so beruhigt, wie sie es eigentlich hätte sein müssen: immer wieder mußte sie an jene Reisegesellschaft in der Sierra Nevada denken, wenn auch nicht im Zusammenhang mit Kannibalismus (bei diesen Vorräten würde es in der Tat lange dauern, bis sie sich einander gegenseitig als Menü servieren müßten). Vielmehr verstärkte sich bei ihr die Vorstellung, daß sie hier sehr wohl in eine prekäre Lage geraten könnten: wenn erst der Schnee fiel, konnte man nicht einfach nach einstündiger Fahrt Sidewinder erreichen. Denn hier hinauszukommen würde einer gefährlichen Expedition gleichkommen. Sie würden hier oben, in diesem verlassenen Grand Hotel, hocken und sich von den Vorräten ernähren, die ihnen jemand wie im Märchen hergezaubert hatte, und den eisigen Wind ums Dach pfeifen hören. In Vermont, als Danny sich den Arm gebrochen hatte,

(als *Jack* Danny den Arm gebrochen hatte)

hatte sie die Nummer des Notarztwagens vom Kärtchen neben dem Telefon abgelesen und gewählt, und zehn Minuten später hatte der Wagen vor der Tür gestanden. Auf dem Kärtchen standen noch mehr Nummern. Die Polizei kam in fünf Minuten, die Feuerwehr sogar noch schneller, denn die Feuerwache war nur drei Straßen weiter. Man konnte einen Mann rufen, wenn das Licht ausfiel, einen anderen, wenn das Bad verstopft war, und einen dritten, wenn das Fernsehgerät nicht funktionierte. Aber was wäre hier oben zu tun, wenn Danny einen seiner Ohnmachtsanfälle hatte und sich dabei die Zunge durchbiß?

(oh Gott, welch ein Gedanke!)

Und wenn es hier brannte? Wenn Jack in den Fahrstuhlschacht stürzte und sich den Schädel brach? Und wenn –?

(und wenn wir hier oben nur Angenehmes erleben? Hör doch endlich auf, Winnifred!)

Hallorann führte sie zuerst in den begehbaren Tiefkühlraum, wo ihr Atem weiß aufstieg wie Sprechblasen in einem Comic-Heft. Hier war es, als sei der Winter schon gekommen.

Hamburger in großen Plastikbeuteln zu je zehn Pfund. Vierzig Hühner hingen an Haken von der holzverkleideten Wand. Zwölf Dosen Schinken waren aufgestapelt wie Poker-Chips. Unter den Hühnern hingen zehn große Rinderbraten, zehn ebenso große Schweinebraten und eine riesige Hammelkeule.

»Du ißt doch gern Hammelfleisch, Doc?« fragte Hallorann und grinste.

»Sehr gern«, sagte Danny sofort. Er hatte es noch nie gegessen.

»Das wußte ich doch. An einem kalten Winterabend gibt es nichts Besseres als zwei gute Scheiben Hammelfleisch mit Pfefferminzsoße. Die Soße haben wir auch hier. Hammelfleisch ist gut für den Magen. Es ist leichtverdaulich.«

Aus dem Hintergrund fragte Jack neugierig: »Woher wissen Sie eigentlich, daß wir ihn Doc nennen?«

Hallorann drehte sich zu ihm um. »Wie bitte?«

»Danny. Wir nennen ihn manchmal Doc. Wie in den Bugs Bunny-Geschichten.«

»Nun, sieht er nicht auch wie eine Art Doc aus?« Er zog die

Nase kraus, sah Danny an und schnalzte mit der Zunge. »Na, was sagst du dazu, Doc?«

Danny kicherte, und dann sagte Hallorann etwas zu ihm. Er hörte es ganz deutlich.

(Bist du sicher, daß du nicht mit nach Florida willst, Doc?)

Danny hörte jedes Wort. Erschrocken und ein wenig ängstlich sah er Hallorann an. Dieser zwinkerte ihm zu und widmete seine Aufmerksamkeit wieder den Vorräten.

Wendy starrte auf den breiten Rücken des Kochs und sah dann ihren Sohn an. Sie hatte das merkwürdige Gefühl, daß zwischen den beiden etwas vorgegangen war, dem sie nicht ganz folgen konnte.

»Hier haben Sie zwölf Dosen Wurst und zwölf Dosen Schinken«, sagte Hallorann. »Soweit das Schwein. In diesem Fach liegen zwanzig Pfund Butter.«

»*Richtige* Butter?« fragte Jack.

»Erstklassige.«

»Ich glaube, ich habe seit meiner Kindheit keine richtige Butter mehr gegessen. Das war in Berlin, New Hampshire.«

»Hier oben werden Sie sie essen, bis Sie Margarine für eine Delikatesse halten«, sagte Hallorann und lachte. »In diesem Fach liegt Ihr Brot – dreißig weiße Brote und dreißig schwarze. Sie wissen vielleicht nicht, daß wir im Overlook auf rassische Ausgewogenheit achten. Natürlich werden Sie mit sechzig Broten nicht auskommen, aber hier sind reichlich Zutaten, und frisches Brot ist allemal besser als eingefrorenes. Hier unten liegt der Fisch. Nervennahrung, stimmt's, Doc?«

»Ist das wahr, Mom?«

»Wenn Mr. Hallorann es sagt, Honey.«

Danny zog die Nase kraus. »Ich mag keinen Fisch.«

»Da liegst du völlig falsch«, sagte Hallorann. »Du hast nur noch keinen Fisch gehabt, der *dich* mochte. Dieser Fisch wird dich sehr mögen. Fünf Pfund Regenbogenforelle, zehn Pfund Steinbutt, fünfzehn große Dosen Thunfisch –«

»Oh ja, Thunfisch mag ich gern.«

»– und fünf Pfund Seezungen. Bessere hat es noch nie gegeben. Mein Junge, wenn der nächste Frühling kommt, wirst du dich noch bedanken bei dem alten ...« Er schnippte mit den Fingern. »Wie heiße ich doch noch? Ich hab's vergessen.«

»Mr. Hallorann«, sagte Danny grinsend. »Und Ihre Freunde nennen Sie Dick.«

»Stimmt. Und weil du mein Freund bist, darfst du Dick zu mir sagen.«

Als er sie in die andere Ecke des Kühlraums führte, sahen Jack und Wendy einander verstört an. Hatte Hallorann denn auch seinen Vornamen genannt?

»Und dies habe ich eigens für Sie besorgt«, sagte Hallorann. »Hoffentlich mache ich Ihnen damit eine Freude.«

»Oh, das wäre doch nicht nötig gewesen«, sagte Wendy ganz gerührt. Es war ein mit einem breiten, roten, zu einer Schleife gebundenen Band verzierter Truthahn von zwanzig Pfund.

»Sie sollen doch zum Fest Ihren Truthahn haben, Wendy«, sagte Hallorann. »Für Weihnachten liegt da irgendwo noch ein großer Kapaun. Den werden Sie schon finden. Und jetzt wollen wir hier raus, bevor wir eine Lungenentzündung kriegen, nicht wahr, Doc?«

»Klar!«

Im gekühlten Vorratsraum gab es weitere Wunder. Hundert Pakete Trockenmilch (Hallorann riet ihr ernsthaft, für den Jungen in Sidewinder frische Milch zu kaufen, so lange es nur ging), fünf Zwölfpfundbeutel Zucker, einen großen Krug mit Sirup, diverse Nährmittel, Gläser mit Reis, Makkaroni und Spaghetti; Dosen mit Früchten und Fruchtsalat; dreißig Pfund frische Äpfel, die den ganze Raum nach Herbst duften ließen; Rosinen, getrocknete Pflaumen und Aprikosen (»Trägt alles zum Glück bei«, sagte Hallorann, und sein lautes Lachen stieg zur Decke auf, von der an einer Eisenkette eine altmodische Lampe herabhing); eine große Kiste mit Kartoffeln und kleinere Vorräte an Tomaten, Zwiebeln, Steckrüben, Kürbis und Kohl.

»Du meine Güte«, sagte Wendy. Der Anblick der vielen frischen Vorräte hatte sie fast erschlagen. Sie mußte an ihr früheres Lebensmittelbudget von wöchentlich dreißig Dollar denken, und ihr fehlten die Worte.

»Ich habe nicht mehr viel Zeit«, sagte Hallorann nach einem Blick auf die Uhr. »Die übrigen Vorräte und den Inhalt der Kühlschränke können Sie ja prüfen, wenn Sie sich eingerichtet haben. Da liegen verschiedene Sorten Käse, Dosenmilch, gezuckert und ungezuckert, Hefe, Natron, ein ganzer Beutel voll Pasteten und einige Bund noch nicht ausgereifte Bananen –«

»Halt«, rief sie, hob abwehrend die Hand und lachte. »Das behalte ich doch nicht alles. Es ist einfach super. Ich verspreche Ihnen gern, die Küche sauberzuhalten.«

»Meine einzige Bitte.« Er wandte sich an Jack. »Hat Ullman Sie mit den Ratten in seinem Glockenturm gelangweilt?«

Jack grinste. »Er meinte, vielleicht seien auf dem Boden ein paar. Und Watson glaubt, daß es auch im Keller welche gibt. Unten liegt tonnenweise Papier, aber zerfressenes habe ich nicht gesehen, aus dem sie ihre Nester bauen.«

»Dieser Watson«, sagte Hallorann und schüttelte den Kopf in gespielter Traurigkeit. »Haben Sie schon mal einen Mann getroffen, der sich ordinärer ausdrückt als er?«

»Er ist wirklich ein Typ«, stimmte Jack zu. Er hatte noch nie einen Mann getroffen, der sich ordinärer ausdrückte als sein eigener Vater.

»Es ist eigentlich schade«, sagte Hallorann und führte sie an die Drehtür zum Speisesaal des Overlook. »Vor langer Zeit war viel Geld in der Familie. Watsons Großvater oder sein Urgroßvater – ich weiß nicht mehr genau – hat das Hotel gebaut.«

»Das habe ich auch gehört«, sagte Jack.

»Und was geschah dann?« fragte Wendy.

»Nun, sie schafften es nicht«, sagte Hallorann. »Watson wird Ihnen die ganze Geschichte erzählen – zweimal am Tag, wenn Sie nicht aufpassen. Das Hotel wuchs dem Alten über den Kopf. Er hatte zwei Söhne, und einer von ihnen starb hier auf dem Grundstück durch einen Reitunfall, während das Hotel noch im Bau war. Es muß 1908 oder 1909 gewesen sein. Die Frau des Alten starb an einer Grippe, und nun lebten nur noch der Alte und sein jüngster Sohn. Sie endeten als Hausmeister in dem Hotel, das der Alte selbst hatte bauen lassen.«

»Das ist wirklich nicht angenehm«, sagte Wendy.

»Und was ist mit dem Alten passiert?« fragte Jack.

»Er steckte aus Versehen den Finger in eine Steckdose, und das vertrug er nicht«, sagte Hallorann. »Irgendwann Anfang der Dreißiger, bevor das Hotel infolge der Depression für zehn Jahre geschlossen wurde. Ich wäre Ihnen jedenfalls dankbar, Jack, wenn Sie und Ihre Frau auch in der Küche nach Ratten ausschauen würden. Sollten welche auftauchen ... Fallen, kein Gift.«

Jack zwinkerte ihm zu. »Natürlich nicht. Wer würde in der Küche schon Gift auslegen?«

Hallorann lachte verächtlich. »Mr. Ullman, wer denn sonst? Diese Schnapsidee hatte er letzten Herbst. Ich ging zu ihm und sagte: ›Was ist, wenn wir im Mai wiederkommen und ich das traditionelle Eröffnungsdinner serviere – Lachs mit einer hervorragenden Soße –, und alle werden krank, und der Arzt kommt und sagt: ›Ullman, was haben Sie getan? Sie haben achtzig der reichsten Leute Amerikas mit Rattengift vergiftet!«

Jack warf den Kopf zurück und lachte brüllend. »Und was sagte Ullman?«

Hallorann bewegte die Zunge im Mund, als ob er zwischen den Zähnen nach Essensresten suchte. »Er sagte: ›Besorgen Sie ein paar Fallen, Hallorann.‹«

Diesmal lachten sie alle, selbst Danny, der nicht genau wußte, worin der Witz lag, außer daß es um Mr. Ullman ging, der offenbar doch nicht alles wußte.

Die vier gingen durch den Speisesaal, der jetzt mit seiner fabelhaften Aussicht nach Westen auf die schneebedeckten Gipfel leer und still dalag. Über jede der weißleinenen Tischdecken war eine durchsichtige Plastikfolie gebreitet. Der zusammengerollte Teppich stand wie ein Wachposten in der Ecke.

Am anderen Ende des großen Raums befand sich eine doppelte Falttür, über der ein altmodisches Schild hing, das in vergoldeten Lettern die Aufschrift *The Colorado Lounge* trug.

Hallorann folgte Jacks Blick und sagte: »Wenn Sie gern trinken, haben Sie hoffentlich Ihre eigenen Vorräte mitgebracht. Die Bar ist leergefegt. Die Angestellten hatten gestern ihre Abschiedsparty. Heute laufen sie alle mit einem Kater herum. Ich übrigens auch.«

»Ich trinke nicht«, sagte Jack kurz. Sie gingen ins Foyer zurück.

Während der halben Stunde, die sie in der Küche verbracht hatten, hatte sich der Raum schon fast geleert. Er fing an, den verlassenen Eindruck zu machen, an den sie sich, wie Jack meinte, rasch gewöhnen würden. Die großen Stühle mit den hohen Lehnen standen leer. Die Nonnen, die am Feuer gesessen hatten, waren verschwunden, und das Feuer war bis auf einen Rest behaglich glühender Kohlen niedergebrannt. Wendy schaute auf den Parkplatz hinaus und sah, daß nur noch ein Dutzend Autos dort standen.

Sie ertappte sich bei dem Wunsch, in den VW einzusteigen und nach Boulder zurückzufahren . . . oder sonst wohin.

Jack suchte Ullman, aber der war nicht im Foyer.

Ein junges Stubenmädchen, das aschblonde Haar hinten hochgesteckt, kam zu ihnen herüber. »Ihr Gepäck steht draußen am Eingang, Dick.«

»Danke, Sally«, sagte Hallorann und küßte sie auf die Stirn. »Ich wünsche dir einen schönen Winter. Ich höre, daß du heiraten willst.«

Als sie sich mit anzüglich wippendem Hintern entfernte, wandte sich Hallorann wieder den Torrances zu. »Ich muß mich beeilen, wenn ich die Maschine noch kriegen will. Ich wünsche Ihnen alles Gute. Sie werden es schon schaffen.«

»Danke«, sagte Jack. »Sie waren sehr freundlich.«

»Ich werde auch gut auf Ihre Küche achten«, versprach Wendy noch einmal. »Viel Spaß in Florida.«

»Dort ist es immer schön«, sagte Hallorann. Er stützte die Hände auf die Knie und beugte sich zu Danny hinab. »Letzte Chance, Kerlchen. Willst du mit nach Florida?«

»Ich glaube nicht«, sagte Danny lächelnd.

»Okay. Möchtest du mir helfen, mein Gepäck rauszutragen?«

»Wenn Mommy es erlaubt?«

»Gern«, sagte Wendy, »aber du mußt dir erst die Jacke zuknöpfen.« Sie beugte sich vor, um es selbst zu tun, aber Hallorann war schneller. Seine großen, braunen Hände bewegten sich rasch und geschickt.

»Ich schicke ihn gleich wieder rein.«

»Fein«, sagte Wendy und folgte ihnen bis zur Tür. Jack versuchte immer noch, Ullman zu finden. Die letzten Gäste verließen die Rezeption des Overlook.

11

Shining: Das zweite Gesicht

Direkt vor der Tür standen vier Gepäckstücke. Drei große, zerbeulte Koffer in Kroko-Imitation und eine große Tasche mit Schottenmuster. »Mit der wirst du wohl fertig, was?« fragte Hallorann. Er nahm zwei der großen Koffer in eine Hand und klemmte sich den dritten unter den freien Arm.

»Klar«, sagte Danny. Er packte die Tasche mit beiden Händen und folgte dem Koch die Eingangsstufen hinab. Wie ein Mann versuchte er, jedes Stöhnen zu vermeiden. Die Tasche war wirklich schwer.

Ein scharfer und schneidender Fallwind war seit ihrer Ankunft aufgekommen; er pfiff über den Parkplatz, so daß Danny die Augen schloß und sie nur noch zu Schlitzen öffnete, während er die schwere Tasche vor sich hertrug, die ihm dauernd gegen die Knie schlug. Ein paar verlorene Espenblätter raschelten über den jetzt fast leeren Asphalt, und Danny mußte kurz an jene Nacht in der letzten Woche denken, als er aus seinem Alptraum erwacht war und gehört hatte – oder wenigstens zu hören geglaubt hatte –, wie Tony ihn davor warnte, wegzugehen.

Hallorann setzte seine Koffer hinter einem beigefarbenen Plymouth Fury ab. »Kein besonderer Wagen«, vertraute er Danny an. »Nur geliehen. Meine Bessie steht in Florida. Ein richtiges Auto. Ein 1950er Cadillac, und wie er noch läuft! Ich lasse den Wagen immer zu Hause. Er ist zu alt für die ganze Bergsteigerei. Soll ich dir helfen?«

»No, Sir«, sagte Danny. Er schaffte es, die Tasche die letzten zehn oder zwölf Schritte zu tragen, ohne zu jammern, dann setzte er sie mit einem Seufzer der Erleichterung ab.

»Du bist ein tüchtiger Junge«, sagte Hallorann. Er holte einen großen Schlüsselring aus der Tasche seiner blauen Sergejacke und schloß den Kofferraum auf. Als er die Gepäckstücke einlud, sagte er: »Du bist hellsichtig, Junge. Hellsichtiger, als ich es je bei einem Menschen erlebt habe. Und ich werde im Januar sechzig.«

»Hmmh?«

»Du hast so etwas«, sagte Hallorann und wandte sich ihm zu. »Ich habe es immer hellsichtig genannt. Meine Großmutter auch. Sie war hellsichtig. Als ich noch ein Junge war, ungefähr so alt wie du, saßen wir in der Küche und führten lange Gespräche, ohne den Mund aufzumachen.«

»Wirklich?«

Danny stand mit offenem Mund und fast hungrigem Gesichtsausdruck da, und Hallorann mußte lächeln. »Komm, setz dich einen Augenblick zu mir in den Wagen. Ich will mit dir reden.«

Er schlug den Kofferraum zu.

Aus dem Foyer sah Wendy Torrance, daß ihr Sohn sich auf den Beifahrersitz setzte, als der große schwarze Koch hinter das Steuer glitt. Voll Angst krampfte sich ihr das Herz zusammen, und sie öffnete schon den Mund, um Jack zu sagen, daß Hallorann es ernst gemeint hatte – er schien Danny tatsächlich nach Florida entführen zu wollen. Aber sie saßen nur da. Sie konnte das schmale Profil ihres Sohnes kaum sehen, während er jetzt das Gesicht dem großen Schwarzen zuwandte. Aber er hielt den Kopf so, daß sie ihn selbst auf diese Entfernung erkennen konnte – so hielt er den Kopf, wenn ihn im Fernsehen etwas besonders faszinierte oder wenn er mit seinem Vater Karten spielte. Jack, der immer noch Ullman suchte, hatte nichts gemerkt. Wendy schwieg und beobachtete nervös Hallo-ranns Wagen. Sie überlegte, worüber die beiden wohl spra-chen, daß Danny den Kopf so hielt.

Im Wagen sagte Hallorann gerade: »Du fühlst dich wohl ganz schön einsam, wenn du denkst, daß du der einzige bist?«

Danny, der sich manchmal nicht nur einsam gefühlt, son-dern auch gefürchtet hatte, nickte. »Bin ich denn der einzige, den Sie je getroffen haben?«

Hallorann lachte und schüttelte den Kopf.

»Nein, Kind, nein. Aber du bist hellsichtiger als alle an-deren.«

»Gibt es denn viele?«

»Nein«, sagte Hallorann, »aber man trifft gelegentlich jeman-den. Manche sind nur ein wenig hellsichtig. Sie wissen es nicht einmal. Aber sie scheinen immer gerade dann mit Blumen aufzukreuzen, wenn ihre Frauen sich unwohl fühlen, sie schreiben in der Schule gute Arbeiten, obwohl sie sich nicht vorbereitet haben, sie können sofort die Stimmung der Anwesenden einschätzen, wenn sie einen Raum betreten. Von solchen kenne ich fünfzig oder sechzig. Aber, zusammen mit meiner Großmutter, vielleicht nur ein Dutzend, die wissen, daß sie hellsichtig sind.«

»O je«, sagte Danny und dachte darüber nach. Dann: »Kennen Sie Mrs. Brant?«

»Die?« fragte Hallorann verächtlich. »Die ist nicht hellsichtig. Die schickt nur jeden Abend ihr Essen dreimal zurück.«

»Ich weiß«, sagte Danny ernst. »Aber kennen Sie auch den Mann in der grauen Uniform, der die Wagen bringt?«

»Mike? Klar kenne ich Mike. Was ist mit ihm?«

»Mr. Hallorann, warum will sie seine Hose haben?«

»Wovon redest du bloß, Junge?«

»Als sie ihn beobachtete, dachte sie, daß sie ihm gern an die Hose wollte, und ich habe mir überlegt, warum –«

Aber er kam nicht weiter. Hallorann hatte den Kopf zurückgeworfen und explodierte fast vor Lachen. Er lachte so gewaltig, daß der ganze Sitz wackelte. Danny lächelte erstaunt, und endlich erholte sich Hallorann von seinem Lachanfall. Er holte ein riesiges Seidentuch aus der Brusttasche, als ob er die weiße Flagge zeigte, und wischte sich die tränenden Augen ab.

»Junge«, sagte er und lachte immer noch, »bevor du zehn Jahre alt bist, wirst du alles über die Menschen wissen, und ich weiß nicht, ob ich dich beneiden soll.«

»Aber Mrs. Brant –«

»Kümmere dich nicht um sie«, sagte er. »Und frag auch nicht deine Mutter. Du würdest sie nur beunruhigen. Kapiert?«

»Yes, Sir.« Danny hatte sehr gut kapiert. Er hatte seine Mutter auf ähnliche Weise schön öfter beunruhigt.

»Diese Mrs. Brant ist nur ein geiles altes Weib. Mehr brauchst du nicht zu wissen.« Er sah Danny nachdenklich an. »Wie hart kannst du zuschlagen, Doc?«

»Hmh?«

»Ich will es wissen. Konzentrier deine Gedanken auf mich. Ich will wissen, ob du so gut bist, wie ich glaube.«

»An was soll ich denken?«

»An irgend etwas. Aber du mußt *intensiv* denken.«

»Okay«, sagte Danny. Er überlegte einen Augenblick. Dann nahm er seine Gedanken ganz konzentriert zusammen und richtete sie auf Hallorann. Ganz so hatte er es noch nie getan, und im letzten Augenblick stieg eine Art Instinkt in ihm auf und milderte die rohe Kraft seiner Gedanken ein wenig – er wollte Mr. Hallorann nicht wehtun. Dennoch schossen seine Gedanken wie Pfeile davon und mit einer Kraft, die er nie für möglich gehalten hatte. Wie bei Nolan Ryan, wenn er einen harten Ball wirft, nur mit noch mehr Druck dahinter.

(Oh, hoffentlich tu ich ihm nicht weh)

Und der Gedanke war doch nur:

(!!! HALLO, DICK!!!)

Hallorann zuckte zusammen, bewegte sich ruckartig auf seinem Sitz. Hörbar klappten seine Zähne zusammen, und er biß sich dabei auf die Unterlippe, daß Blut tröpfelte. Ohne daß er es wollte, fuhr er sich mit beiden Händen an die Brust und ließ sie schlaff in den Schoß fallen. Wieder lehnte er sich im Sitz zurück. Seine Lider flatterten, er konnte sie nicht mehr bewußt kontrollieren, und Danny hatte Angst.

»Mr. Hallorann? Dick? Ist alles in Ordnung?«

»Ich weiß es nicht«, sagte Hallorann und lachte mühsam. »Bei Gott, ich weiß es nicht. Mein Gott, Junge, das ist ja unheimlich.«

»Es tut mir leid«, sagte Danny, der sich jetzt wirklich ängstigte. »Soll ich Daddy rufen? Ich lauf und hol ihn.«

»Nein, es geht schon wieder. Es ist alles in Ordnung. Bleib noch ein wenig sitzen. Ich bin nur ein wenig durcheinander, weiter nichts.«

»Ich hab mich nicht so angestrengt, wie ich könnte«, gestand Danny. »Im letzten Augenblick bekam ich Angst.«

»Wahrscheinlich mein Glück . . . sonst würde mir das Gehirn aus den Ohren laufen.« Er sah Dannys entsetztes Gesicht und lächelte. »Mir ist ja nichts passiert. Was für ein Gefühl hattest du dabei?«

»Ich fühlte mich wie Nolan Ryan, wenn er einen harten Ball wirft«, erwiderte er rasch.

»Du interessierst dich also für Baseball?« Hallorann rieb sich sanft die Schläfen.

»Daddy und ich mögen die Angels«, sagte Danny. »Die Red

Sox in der American League East und die Angels im Westen. In der Weltserie haben wir die Red Sox gegen Cincinnati gesehen. Damals war ich noch viel kleiner. Und Daddy war ...« Dannys Züge verdunkelten sich, und er sah ganz traurig aus.

»War was, Dan?«

»Ich hab's vergessen«, sagte Danny und wollte schon den Daumen in den Mund stecken, aber das taten nur Babys. Er ließ die Hand wieder in den Schoß sinken.

»Weißt du, was Mommy und Daddy denken, Danny?« Hallorann beobachtete ihn scharf.

»Meistens, wenn ich will. Aber gewöhnlich versuche ich es gar nicht.«

»Warum nicht?«

»Nun ...« er machte eine Pause und sah plötzlich ganz besorgt aus. »Das wäre, als wenn man ins Schlafzimmer schaut und zuguckt, wenn sie das machen, wovon die Babys kommen. Kennen Sie das?«

»Ich habe damit schon Bekanntschaft gemacht«, sagte Hallorann ganz ernst.

»Das würde ihnen nicht gefallen. Und sie würden es auch nicht mögen, wenn ich ihre Gedanken beobachte. Das wäre gemein.«

»Ich verstehe.«

»Aber ich kenne ihre Gefühle«, sagte Danny. »Das kann ich nicht ändern. Ich kenne auch Ihre Gefühle. Ich habe Ihnen weggetan. Es tut mir so leid.«

»Ich habe nur Kopfschmerzen. Ich habe manchen Kater gehabt, der wesentlich schlimmer war. Kannst du die Gedanken anderer Leute lesen, Danny?«

»Ich kann überhaupt nicht lesen«, sagte Danny, »außer ein paar Worte. Aber Daddy will es mir in diesem Winter beibringen. Daddy hat an einer großen Schule Unterricht in Lesen und Schreiben gegeben. Meistens Schreiben, aber er versteht auch was von Lesen.«

»Ich will wissen, ob du weißt, was andere Leute denken.«

Danny dachte darüber nach.

»Wenn es *laut* ist, kann ich das«, sagte er endlich. »Wie bei Mrs. Brant und den Hosen. Oder wie einmal, als Mommy und ich in dem großen Laden waren, um für mich Schuhe zu kaufen. Da war ein großer Junge, der sich Radiogeräte ansah, und er dachte daran, eins mitzunehmen, ohne zu bezahlen. Und dann dachte er daran, daß man ihn erwischen könnte. Dann dachte er, daß er sich das Gerät doch sehr wünschte. Aber dann hatte er wieder Angst. Er machte sich ganz krank dabei und mich *auch*. Mommy unterhielt sich gerade mit dem Schuhverkäufer, und ich ging hinüber und sagte: ›Junge, nimm das Radio nicht. Geh raus.‹ Und er bekam richtige Angst und ging schnell weg.«

Hallorann grinste breit. »Das kann ich mir vorstellen. Kannst du sonst noch etwas, Danny? Sind es nur Gedanken und Gefühle, oder gibt es da mehr?«

Vorsichtig: »Gibt es denn bei Ihnen mehr?«

»Manchmal«, sagte Hallorann. »Nicht oft, nur manchmal... manchmal habe ich Träume. Träumst du auch, Danny?«

»Manchmal«, sagte Danny, »träume ich, wenn ich wach bin. Wenn Tony gekommen ist.« Und wieder wollte der Daumen in den Mund. Bisher hatte er nur Mommy und Daddy darüber erzählt. Er ließ die Hand sinken.

»Wer ist Tony?«

Und plötzlich hatte Danny eine jener blitzartigen Einsichten, die ihm am meisten Angst machten; es war, als sähe er eine fremdartige Maschine vor sich, die vielleicht harmlos war, vielleicht aber auch tödliche Gefahr barg.

Er war zu jung, das zu unterscheiden. Er war zu jung, es zu begreifen.

»Was ist los?« rief er. »Sie fragen mich das alles, weil Sie sich Sorgen machen, nicht wahr? Warum sollten Sie sich meinetwegen Sorgen machen? Warum sollten Sie sich *unseretwegen* Sorgen machen?« Hallorann legte seine großen, dunklen Hände auf die schmalen Schultern des Jungen. »Beruhige dich«, sagte er. »Wahrscheinlich ist es nichts. Wenn es aber etwas ist... nun, in deinem Kopf liegen enorme Kräfte. Du wirst noch viel älter werden müssen, um wirklich mit ihnen fertigzuwerden. Du mußt ganz tapfer sein.«

»Aber ich *verstehe* die Dinge nicht«, brach es aus Danny hervor. »Ich *kann* und *kann* sie nicht verstehen. Die Leute... haben Gefühle, und ich spüre diese Gefühle, aber ich verstehe sie nicht.« Er schlug traurig die Augen nieder. »Wenn ich doch nur lesen könnte. Manchmal zeigt Tony mir Worte, und ich kann kaum eins von ihnen lesen.«

»Wer ist Tony?« fragte Hallorann zum zweiten Mal.

»Mommy und Daddy nennen ihn meinen ›unsichtbaren Spielgefährten‹«, sagte Danny und brachte das Zitat sehr sorgfältig. »Aber er ist *wirklich* da. Wenigstens glaube ich das. Manchmal, wenn ich mich sehr anstrenge, die Dinge zu begreifen, kommt er. Er sagt: ›Danny, ich will dir etwas zeigen‹. Und dann ist es, als ob ich in Ohnmacht falle. Nur ... dann habe ich Träume, wie Sie schon sagten.« Er sah Hallorann an und schluckte. »Früher waren es schöne Träume. Aber jetzt ... ich weiß nicht mehr das Wort für Träume, die einen so erschrekken, daß man weint.«

»Alpträume?« fragte Hallorann.

»Ja. Das stimmt. Alpträume.«

»Haben sie mit diesem Ort zu tun? Mit dem Overlook?«

Danny betrachtete die Hand, deren Daumen er vorhin im Mund gehabt hatte. »Ja«, flüsterte er. Dann klang seine Stimme plötzlich schrill, und er sah Hallorann ins Gesicht. »Aber das kann ich Daddy nicht erzählen, und Sie dürfen das auch nicht. Er braucht diesen Job hier, denn er ist der einzige, den Onkel Al ihm besorgen konnte, und er muß sein Stück fertigschreiben, denn sonst tut er wieder das Schlimme, und ich weiß, was es ist. Er wird dann *betrunken*. Früher war er immer *betrunken*, und das ist etwas ganz Schlimmes!« Er schwieg und kämpfte mit den Tränen.

»Schscht«, sagte Hallorann und drückte Dannys Gesicht an den blauen Sergestoff seiner Jacke. Er roch leicht nach Mottenkugeln. »Ist ja schon gut, mein Sohn. Und wenn du gern am Daumen lutschst, tu's ruhig.« Aber er machte ein sehr besorgtes Gesicht.

Dann sagte er: »Was du bist, mein Sohn, nenne ich hellsichtig. Die Bibel nennt es Visionen, und einige Wissenschaftler nennen es die Fähigkeit, etwas im voraus zu erkennen. Ich habe darüber gelesen. Ich habe es studiert. Es bedeutet, in die Zukunft zu sehen. Verstehst du das?«

Danny nickte gegen Halloranns Jacke.

»Ich erinnere mich an die stärkste Vorahnung, die ich je hatte ... ich werde es nie vergessen. Es war 1955. Ich war noch in der Armee, und wir waren in Westdeutschland stationiert. Es war eine Stunde vor dem Abendessen, und ich stand an der Spüle und mistete einen der Küchenhelfer an, weil er die Kartoffeln zu dick schälte. Ich sag noch: ›Komm, ich zeig' dir, wie man es macht‹, und plötzlich war die ganze Küche verschwunden. Peng, einfach weg. Du sagst doch, daß du immer diesen Tony siehst, bevor ... du deine Träume hast?«

Danny nickte.

Hallorann legte einen Arm um ihn. »Ich rieche vorher immer Orangen. Den ganzen Nachmittag hatte ich sie schon gerochen und mir nichts dabei gedacht, denn sie standen für den Abend auf der Speisekarte – wir hatten dreißig Kisten Valencia. Jeder in der ganzen verdammten Küche roch an dem Abend Orangen. Eine Minute lang war es, als sei ich in Ohnmacht gefallen. Und dann hörte ich eine Explosion und sah Flammen. Menschen schrien. Sirenen. Ich hörte ein zischendes Geräusch, das nur von ausströmendem Dampf kommen konnte. Dann schien ich näher an die Szene heranzukommen und sah einen entgleisten, umgekippten Eisenbahnwagen mit der Aufschrift *Georgia and South Carolina Railroad*, und blitzartig wußte ich, daß mein Bruder Carl in dem Zug saß und daß Carl tot war. Nur einfach so. Dann war das Bild weg, und vor mir steht ganz erschrocken der dumme Küchenhelfer, die Kartoffel und das Schälmesser noch in der Hand, und fragt: ›Alles in Ordnung, Sergeant?‹ Und ich sage: ›Nein. Mein Bruder ist eben in Georgia tödlich verunglückt.‹ Und als ich endlich eine Telefonverbindung mit meiner Mutter in Übersee hatte, erzählte sie mir von dem Unfall. Aber, Junge, ich wußte schon, wie alles gewesen war.«

Er schüttelte langsam den Kopf, wie um die Erinnerungen zu vertreiben, und schaute den Jungen an, der ihn aus weit aufgerissenen Augen anstarrte.

»Aber du mußt an eins denken, Junge: *Diese Dinge treffen nicht immer ein.* Ich erinnere mich noch daran. Vor vier Jahren bekam ich einen Job als Koch in einem Jugendlager am Long Lake in Maine. Ich sitze also auf dem Logan-Flughafen in Boston und warte auf meinen Flug, und plötzlich rieche ich Orangen. Ich frage mich, was denn jetzt schon wieder passiert ist, und gehe zu den Waschräumen und setze mich auf eine Toilette, um allein zu sein. Diesmal wurde mir nicht schwarz vor Augen, aber ich hatte das immer stärkere Gefühl, daß mein Flugzeug abstürzen würde. Dann verschwand das Gefühl wieder und auch der Geruch von Orangen, und ich wußte, daß es vorbei war. Ich ging an den Schalter der Delta Airlines und buchte auf eine Maschine um, die drei Stunden später abfliegen sollte. Und weißt du, was passierte?«

»Was?« flüsterte Danny.

»Nichts!« sagte Hallorann und lachte. Er war erleichtert, daß auch der Junge schon wieder lächelte. »Absolut nichts! Die Maschine landete pünktlich, und es gab nicht den geringsten Zwischenfall. Du siehst also . . . manchmal sind diese Gefühle völlig ohne Bedeutung.«

»Oh«, sagte Danny.

»Oder nimm Pferderennen. Ich gehe oft hin, und gewöhnlich gewinne ich. Ich stehe am Geländer, wenn sie in die Startboxen gehen, und manchmal sehe ich etwas über dieses oder jenes Pferd. Diese Vorahnungen helfen mir meistens ein wenig. Manchmal sage ich mir, daß ich einmal den großen Coup landen und mich früh zur Ruhe setzen kann, aber das war noch nicht der Fall. Oft genug bin ich sogar zu Fuß von der Rennbahn zurückgekommen statt mit dem Taxi und prallem Portemonnaie. Niemand ist immer hellsichtig, außer vielleicht Gott im Himmel.«

»Yes, Sir«, sagte Danny und mußte an die Zeit vor fast einem Jahr denken, als Tony ihm in ihrem Haus in Stovington ein neues Baby im Kinderbett gezeigt hatte.

Er war darüber sehr aufgeregt gewesen und hatte abgewartet, weil er wußte, daß es Zeit brauchte, aber es hatte kein neues Baby gegeben.

»Und jetzt hör zu«, sagte Hallorann und nahm Dannys Hände in seine. »Ich habe hier einige schlimme Träume gehabt und manchmal ein böses Gefühl. Ich habe hier zweimal eine ganze Saison gearbeitet, und vielleicht ein dutzendmal hatte ich . . . nun, Alpträume. Und ein dutzendmal habe ich gedacht, ich hätte irgendwelche Dinge gesehen. Nein, ich sage nicht, was. Das ist nichts für einen kleinen Jungen wie dich. Es waren häßliche Dinge. Einmal hatte es mit diesen verdammten Heckentieren zu tun. Ein anderes Mal ging es um Delores Vickery, ein Stubenmädchen, die auch ein wenig hellsichtig war, aber ich glaube nicht, daß sie es wußte. Mr. Ullman hat sie gefeuert ... weißt du, was das bedeutet, Doc?«

»Yes, Sir«, sagte Danny ganz aufrichtig, »Daddy wurde aus seinem Lehrerjob gefeuert, und deshalb sind wir wohl auch in Colorado.«

»Nun, Ullman feuerte sie, weil sie behauptete, in einem der Räume etwas gesehen zu haben, in dem ... nun, in dem einmal etwas Schlimmes geschehen ist. Es war Zimmer 217, und du mußt mir versprechen, daß du niemals hineingehst, Danny. Den ganzen Winter lang mußt du dieses Zimmer meiden.«

»Das will ich tun«, sagte Danny. »Hat die Dame – das Stubenmädchen – Sie gebeten nachzuschauen?«

»Das hat sie getan. Und da war auch etwas Schlimmes. Aber ich glaube nicht, daß dieses Schlimme irgend jemandem etwas antun könnte. Danny, das wollte ich dir doch gerade sagen. Hellsichtige Leute sehen manchmal Dinge, die geschehen *werden*, und manchmal Dinge, die schon geschehen sind. Aber diese Dinge sind nur wie Bilder in einem Buch. Hast du schon jemals in einem Buch ein Bild gesehen, das dich erschreckt hat, Danny?«

»Ja«, sagte er und dachte an die Geschichte von *Blaubart* und an das Bild, auf dem *Blaubarts* neue Frau die Tür öffnet und die abgeschlagenen Köpfe sieht.

»Aber du wußtest, daß Bilder dir nichts antun können?«

»Ja-aa ...«, sagte Danny mit Zweifel im Herzen.

»Nun, so ist es nun mal in diesem Hotel. Ich weiß nicht warum, aber es scheint, als ob von allem Schlimmen, das hier geschehen ist, noch etwas herumliegt, wie abgeschnittene Fingernägel oder irgendein Dreck, der einfach unter den Teppich gekehrt wird. Ich weiß nicht, warum es gerade hier sein muß, denn in jedem Hotel der Welt passieren schlimme Dinge, und ich habe schon in vielen gearbeitet und keinen Ärger gehabt. Nur hier. Aber, Danny, ich glaube nicht, daß diese Dinge irgend jemandem wehtun können.« Er unterstrich jedes Wort, indem er die Schulter des Jungen schüttelte. »Wenn du also etwas siehst, ob nun in einem Korridor, in einem Zimmer oder draußen bei den Hecken ... dann schaust du einfach weg, und wenn du wieder hinschaust, wird es verschwunden sein. Hast du kapiert?«

»Ja«, sagte Danny. Er fühlte sich schon viel besser. Er kniete sich auf den Sitz, küßte Hallorann die Wange und drückte ihn ganz fest. Auch Hallorann drückte ihn.

Als er den Jungen losließ, fragte er: »Deine Eltern sind wohl nicht hellsichtig?«

»Nein, ich glaube nicht.«

»Ich hab' es bei ihnen versucht, wie bei dir. Deine Mutter reagierte, aber nur ganz wenig. Ich glaube, alle Mütter sind ein wenig hellsichtig, wenigstens bis ihre Kinder groß genug sind, selbst auf sich aufzupassen. Dein Daddy ...«

Hallorann schwieg einen Augenblick. Er hatte den Vater des Jungen sondiert und war sich einfach nicht sicher. Dannys Vater zu sondieren war ... seltsam gewesen. Als ob Jack Torrance etwas hatte – *irgend etwas* –, das er verbarg. Oder es steckte etwas so tief in ihm, daß man es nicht erreichen konnte.

»Ich glaube, er ist nicht hellsichtig«, beendete Hallorann den Satz. »Du brauchst dir wegen deiner Eltern also keine Sorgen zu machen. Paß nur auf dich selbst auf. *Ich glaube nicht, daß es hier etwas gibt, das dir wehtun könnte.* Bleib also hübsch ruhig, okay?«

»Okay.«

»Danny! Heh, Doc!«

Danny schaute sich um. »Das ist Mommy. Sie ruft mich. Ich muß gehen.«

»Ich weiß«, sagte Hallorann. »Laß es dir gutgehen. Jedenfalls so gut wie möglich.«

»Ich will mir Mühe geben. Danke, Mr. Hallorann. Ich fühle mich jetzt viel besser.«

Der lächelnde Gedanke kam ihm in den Sinn:

(Meine Freunde nennen mich Dick)

(Ja, Dick, okay)

Ihre Blicke trafen sich, und Halloranns Lider zuckten.

Danny glitt über den Sitz und öffnete die Tür an der Beifahrerseite. Als er ausstieg, rief Hallorann: »Danny?«

»Was ist?«

»Wenn es *tatsächlich* Ärger gibt ... rufst du mich. Du rufst dann ganz laut, so wie du mich vor ein paar Minuten gerufen hast. Vielleicht höre ich dich sogar unten in Florida. Und *wenn* ich dich höre, komme ich angerannt.«

»Okay«, sagte Danny und lächelte.

»Paß auf dich auf, Junge.«

»Das tu ich schon.«

Danny warf die Autotür ins Schloß und rannte über den Parkplatz zum Eingang, wo Wendy stand und sich gegen die aufkommende Kälte die Ellbogen rieb. Hallorann sah ihn laufen, und das breite Grinsen verschwand aus seinem Gesicht.

Ich glaube nicht, daß es hier etwas gibt, das dir wehtun könnte.

Ich *glaube* es nicht –

Er ließ seine Blicke zu den Heckentieren hinüberschweifen.

Abrupt startete er, legte den Gang ein und fuhr davon. Er wollte sich nicht umschauen. Natürlich tat er es doch, und natürlich stand niemand mehr am Eingang. Sie waren hineingegangen. Es war, als hätte das Overlook sie verschluckt.

12

Der große Rundgang

»Worüber habt ihr gesprochen, Honey?« fragte Wendy, als sie wieder hineingingen.

»Ach, über nichts weiter.«

»Für ›nichts weiter‹ war es eine recht lange Unterhaltung.«

Er zuckte die Achseln, und Wendy erkannte etwas männlich Herablassendes in der Geste; Jack selbst hätte es kaum besser machen können. Sie würde aus Danny nichts herausbekommen. Sie empfand große Verbitterung, gemischt mit einer noch stärkeren Zuneigung: für diese Zuneigung konnte sie nichts, und die Verbitterung entstand aus dem Gefühl, daß man sie absichtlich ausschloß. Bei den beiden fühlte sie sich manchmal wie ein Außenseiter, ein Statist, der versehentlich auf die Bühne zurückgekommen war, während dort die Haupthandlung ablief. Nun, in diesem Winter würden ihre beiden schwierigen Männer sie wohl kaum ausschließen können; dafür würden sie hier zu dicht aufeinanderhocken. Plötzlich wußte sie, daß sie auf die enge Verbundenheit zwischen ihrem Mann und ihrem Sohn eifersüchtig war, und sie schämte sich. Sie war der

Empfindung zu nahe, die ihre Mutter gehabt haben könnte... zu nahe, um nicht beunruhigt zu sein.

Das Foyer war jetzt leer. Nur Ullman und der Empfangschef waren noch da (sie standen an der Kasse und machten ihre Abrechnung), und am Vordereingang standen zwei Stubenmädchen, die sich bequeme Hosen und Pullover angezogen hatten, zwischen ihren Gepäckstücken und schauten nach draußen. Außerdem war da noch Watson, der Monteur. Er merkte, daß eins der Mädchen ihn ansah, und zwinkerte ihr zu... ein entschieden wollüstiges Zwinkern. Rasch sah das Mädchen weg. Jack stand in der Nähe des Restaurants am Fenster und betrachtete die Aussicht. Er wirkte wie in Träume versunken.

Die Abrechnung schien erledigt zu sein, denn Ullman warf mit gebieterischer Geste und lautem Knall die Lade zu. Er unterschrieb den Kassenstreifen und legte ihn in seine Tasche mit Reißverschluß. Wendy empfand Verständnis für den Empfangschef, der sehr erleichtert aussah. Ullman war genau der Mann, der dem Angestellten ein etwaiges Defizit auf der Stelle aus der Haut geschnitten hätte... und das ohne Blutvergießen. Wendy mochte Ullman und seine geschäftige, angeberische Art nicht sehr. Er war wie alle Bosse, die sie kannte. Den Gästen gegenüber zuckersüß, allein mit seinen Angestellten ein kleinlicher Tyrann. Aber nun war die Schule aus, und die Freude darüber stand dem Empfangschef im Gesicht geschrieben. Sie war für alle aus, nur nicht für sie, Jack und Danny.

»Mr. Torrance«, rief Ullman in einem Tonfall, der keinen Widerspruch duldete. »Würden Sie bitte herkommen?«

Jack ging zu ihm und bedeutete Wendy und Danny mit einem Kopfnicken, daß sie auch kommen sollten.

Der Angestellte, der nach hinten gegangen war, kam jetzt mit einem Mantel bekleidet wieder zum Vorschein. »Ich wünsche Ihnen einen angenehmen Winter, Mr. Ullman.«

»Den wünschen Sie mir vergebens«, sagte Ullman abweisend. »Am zwölften Mai, Braddock. Keinen Tag früher. Keinen Tag später.«

»Yes, Sir.«

Braddock kam um den Schreibtisch herum, und sein Gesicht strahlte die Würde aus, die seiner Position entsprach, aber als er Ullman ganz den Rücken zugekehrt hatte, grinste er wie ein Schuljunge. Er sprach kurz mit den beiden Mädchen, die immer noch an der Tür auf ihren Wagen warteten. Dann ging er, und ihr unterdrücktes Lachen folgte ihm.

Jetzt erst bemerkte Wendy, wie still es geworden war. Das Schweigen hatte sich über das Hotel gebreitet wie eine Decke, die alles einhüllte, nur nicht das schwache Geräusch des Windes, der am Nachmittag ein wenig stärker wehte. Sie konnte in das Büro hineinsehen, dessen leere Schreibtische zusammen mit den grauen Aktenschränken eine geradezu sterile Ordnung verrieten.

Weiter hinten erkannte sie Halloranns makellose Küche, deren mit runden Fenstern versehene Doppeltür von Gummikeilen offengehalten wurde.

»Ich denken, ich nehme mir noch die Zeit, Sie durch das Hotel zu führen«, sagte Ullman, und Wendy überlegte, daß das große H sogar in Ullmans Stimme zu hören war. Das war auch beabsichtigt. »Ihr Mann wird das Hotel schon bald gründlich kennen, Mrs. Torrance, aber Sie und Ihr Sohn werden sich wohl hauptsächlich unten aufhalten. Außerdem im ersten Stock, wo Sie wohnen werden.«

»Gewiß«, sagte Wendy höflich, und Jack warf ihr einen heimlichen Blick zu.

»Ein wunderbares Hotel«, sagte Ullman überschwenglich. »Es macht mir Spaß, ein wenig damit zu protzen.«

Darauf möchte ich wetten, dachte Wendy.

»Lassen Sie uns im dritten Stock anfangen und uns dann nach unten arbeiten«, sagte Ullman. Er hörte sich ausgesprochen begeistert an.

»Halten wir Sie auch nicht auf –« fing Jack an.

»Keineswegs«, sagte Ullman.

»Der Laden ist geschlossen. *Tout fini*, jedenfalls für diese Saison. Und ich übernachte ohnehin in Boulder – natürlich im Boulderado. Das einzige vernünftige Hotel diesseits von Denver... abgesehen vom Overlook natürlich. Hier entlang, bitte.«

Sie betraten zusammen den Fahrstuhl, der mit verschnörkelten Ornamenten aus Kupfer und Messing verziert war. Er sackte ein wenig durch, als Ullman die Tür schloß. Danny fühlte sich recht unbehaglich, und Ullman lächelte zu ihm hinab. Danny versuchte zurückzulächeln, aber es gelang ihm nicht recht.

»Mach dir keine Sorgen, kleiner Mann«, sagte er. »So sicher wie ein Haus.«

»Das war die *Titanic* auch«, sagte Jack und schaute zur Lampe an der Fahrstuhldecke hoch.

Wendy biß sich auf die Lippen, um sich kein Lächeln anmerken zu lassen.

Ullman fand das nicht spaßig. Geräuschvoll schloß er das innere Gitter. »Die *Titanic* hat nur eine Reise gemacht. Dieser Fahrstuhl war seit seiner Installierung im Jahre 1926 tausendfach in Betrieb.«

»Das ist beruhigend«, sagte Jack und fuhr Danny durchs Haar. »Das Flugzeug stürzt nicht ab, Doc.«

Ullman legte den Hebel um, und einen Augenblick lang spürten sie nur ein Zittern unter ihren Füßen und das gequälte Jaulen des Motors. Wendy hatte die Schreckensvision, sie könnten wie Fliegen im Glas zwischen zwei Stockwerken eingeschlossen werden, wo man sie im Frühjahr leicht angeknabbert auffinden würde . . . wie die Reisegesellschaft in der Sierra Nevada . . .

(Schluß damit!)

Rumpelnd und vibrierend fuhr der Fahrstuhl an. Dann glitt er ein wenig ruhiger nach oben. Im dritten Stock brachte Ullman ihn polternd zum Stehen, fuhr das Gitter zurück und öffnete die Tür. Die Kabine war gut fünfzehn Zentimeter unter dem Flur des dritten Stockwerks stehengeblieben. Danny starrte auf den Höhenunterschied zwischen Flur und Kabinenboden, als hätte er soeben gemerkt, daß das Universum doch nicht so normal funktionierte, wie man ihm immer gesagt hatte. Ullman räusperte sich und fuhr die Kabine ein wenig höher, um dann mit einem Ruck anzuhalten (es fehlten immer noch gut fünf Zentimeter), und sie stiegen aus. Ihres Gewichts ledig, ruckte die Kabine fast auf gleiche Ebene, und das fand Wendy alles andere als beruhigend. Sicher wie ein Haus oder nicht, sie beschloß, wann immer sie in diesem Schuppen nach unten oder oben mußte, die Treppe zu benutzen. Und auf keinen Fall würde sie zulassen, daß sie sich alle drei gleichzeitig in diesem altersschwachen Ding befanden.

»Was schaust du dir denn an, Doc?« fragte Jack scherzhaft. »Siehst du irgendwelche Flecken?«

»Natürlich nicht«, sagte Ullman gereizt. »Alle Teppiche wurden erst vor zwei Tagen gründlich gereinigt.«

Wendy betrachtete nun selbst den im Flur ausgelegten Läufer. Ganz hübsch, aber gewiß nichts, was sie sich für ihre eigene Wohnung aussuchen würde, wenn sie je wieder eine haben würde. Ein tiefblauer Grundton, in den anscheinend eine surrealistische Dschungelszene eingewebt war, mit Schlingpflanzen und Ranken und Bäumen, in denen exotische Vögel zu erkennen waren. Es war schwer zu sagen, um was für Vögel es sich handelte, da das Muster in unschattiertem Schwarz gehalten war und man nur Silhouetten sah.

»Gefällt dir der Teppich?« fragte Wendy.

»Ja, Mom«, sagte er matt.

Sie gingen den angenehm breiten Flur entlang. Die Seidentapete hob sich durch ihr helleres Blau von der Farbe des Teppichs ab. In jeweils acht Metern Abstand standen zwei Meter hohe Zierkerzen. Sie waren den Londoner Gaslaternen nachempfunden, die Leuchtkörper mattverglast, die Scheiben von gekreuzten Eisenbändern gehalten.

»Die gefallen mir sehr«, sagte sie.

Ullman nickte erfreut. »Mr. Derwent hat sie nach dem Krieg überall im Hotel anbringen lassen – ich meine natürlich nach dem Zweiten Weltkrieg. Im übrigen wurde der dritte Stock – wenn auch nicht ganz – nach seinen Ideen ausgestattet. Hier liegt 300, die Präsidentensuite.«

Er drehte den Schlüssel im Schloß der Doppeltür aus Mahagoni und öffnete sie weit. Die großen, nach Westen gelegenen Fenster gaben den Blick auf ein atemberaubendes Panorama frei, vor dem sie in stummer Bewunderung standen. Ullman lächelte.

»Na, ist das eine Aussicht?«

»Das kann man wohl sagen«, erwiderte Jack.

Das Fenster nahm fast die ganze Wand ein, und drüben hing die Sonne direkt zwischen zwei gezackten Gipfeln und warf ihren goldenen Schein über die Felsenflächen und die schneebedeckten Bergspitzen. Auch die Wolken waren goldgerändert, und ein verlorener Strahl streifte noch die in der Dämmerung versinkenden dunklen Kronen der Fichten unterhalb der Waldgrenze.

Jack und Wendy waren von dem Anblick so gefesselt, daß sie Danny nicht beachteten, der nicht aus dem Fenster schaute, sondern die rotweiß gestreifte Seidentapete zur Linken anstarrte, wo sich die Tür zu einem Schlafzimmer öffnete. Und was *ihm* den Atem raubte, hatte mit Schönheit nichts zu tun.

Mit kleinen weißlichgrauen Klumpen durchsetzte große Spritzer getrockneten Blutes verklebten die Tapete. Der Anblick machte Danny ganz krank. Es war wie ein in Blut gemaltes Wahnsinnsbild, das surreal gezeichnete, von Entsetzen und Schmerz verzerrte Gesicht eines Mannes, der Mund zu einem Schrei geöffnet, der halbe Kopf zu Staub zerfallen –

(Wenn du also etwas siehst... dann schaust du einfach weg, und wenn du wieder hinschaust, wird es verschwunden sein. Hast du kapiert?)

Bewußt schaute er zum Fenster hinaus, wobei er sorgfältig darauf achtete, sich nichts anmerken zu lassen, und als seine Mutter ihn bei der Hand nahm, erwiderte er den Druck nicht, um ihr nur kein Signal irgendwelcher Art zu geben.

Der Manager redete mit seinem Daddy irgend etwas über die Fensterläden, die stets geschlossen gehalten werden müßten, damit ein starker Wind nicht etwa Schaden anrichten könne. Jack nickte. Verstohlen betrachtete Danny noch einmal die Wand. Die großen Blutflecke waren verschwunden. Auch die über die Flecken zerstreuten weißlichgrauen Klumpen waren nicht mehr da.

Dann führte Ullman sie wieder hinaus. Mommy fragte, ob er die Berge nicht schön fände, und Danny bejahte ihre Frage, obwohl ihm die Berge so oder so höchst gleichgültig waren. Als Ullman im Begriff war, die Tür zu schließen, schaute Danny über die Schulter zurück. Die Spritzer waren wieder da, aber jetzt waren sie frisch, und das Blut lief an der Wand herab. Ullman, der auf dieselbe Stelle starrte, fuhr mit seinem Kommentar fort, in dem er berichtete, welche berühmten Männer hier schon gewohnt hätten. Danny stellte fest, daß er sich die Lippen blutig gebissen hatte, ohne es zu merken. Während sie den Flur entlanggingen, blieb Danny ein wenig hinter den anderen zurück, wischte sich mit dem Handrücken den Mund ab und dachte an

(Blut)

(Hatte Mr. Hallorann Blut gesehen oder gar etwas noch Schlimmeres?)

(Ich glaube nicht, daß diese Dinge dir etwas antun können.)

Er hatte einen kreischenden Schrei auf den Lippen, aber er stieß ihn nicht aus. Mommy und Daddy konnten solche Dinge nicht sehen, hatten sie nie gesehen. Er würde schweigen. Mommy und Daddy liebten sich, und das war die Wirklichkeit. Die anderen Dinge waren wie Bilder in einem Buch. Einige Bilder machten einem Angst, aber sie konnten einem nichts tun. *Sie . . . konnten . . . einem nichts tun.*

Mr. Ullman zeigte ihnen einige weitere Räume im dritten Stock. Er führte sie durch lange Flure mit vielen Abzweigungen. Es war wie in einem Irrgarten. Es seien alles Suiten, sagte Mr. Ullman. Er zeigte ihnen einige Zimmer, in denen eine Dame namens Marilyn Monroe nach ihrer Hochzeit mit einem Mann namens Arthur Miller gewohnt hatte. (Vage begriff Danny, daß es zwischen Marilyn und Arthur kurz nach ihrem Aufenthalt im Overlook eine SCHEIDUNG gegeben hatte.)

»Mommy?«

»Ja, Honey?«

»Wenn sie verheiratet waren, warum hatten sie dann verschiedene Namen? Du und Daddy habt den gleichen Namen.«

»Ja, Danny, aber wir sind auch nicht berühmt«, sagte Jack. »Berühmte Frauen behalten ihren Namen auch, wenn sie heiraten, denn ihre Namen sind ihr Kapital.«

»Kapital?« fragte Danny ganz entgeistert.

»Daddy meint, die Leute gehen vielleicht gern ins Kino, um Marilyn Monroe zu sehen«, sagte Wendy. »An Marilyn Miller wären sie vielleicht nicht interessiert.«

»Warum nicht? Sie bleibt doch dieselbe Dame. Würde das nicht jeder wissen?«

»Ja, aber –« sie sah Jack hilfesuchend an.

»In diesem Zimmer hat Truman Capote gewohnt«, unterbrach Ullman ungeduldig. Er öffnete die Tür. »Das war schon zu meiner Zeit. Sehr netter Mensch. Europäische Manieren.«

An keinem dieser Zimmer war irgend etwas Bemerkenswertes, nichts, vor dem Danny Angst hatte. Im ganzen dritten Stock gab es nur einen weiteren Gegenstand, der Danny störte, obwohl er nicht wußte, warum. Das war der Feuerlöscher, den er an der Wand gesehen hatte, bevor sie um die Ecke zum Fahrstuhl zurückgingen, der offen stand und aussah wie ein Mund voller Goldzähne.

Es war ein altmodisches Löschgerät mit einem Schlauch, der ein dutzendmal zusammengefaltet war und in ein großes rotes Ventil mündete, während sich am anderen Ende eine Messingspritze befand. Der zusammengefaltete Schlauch wurde von einem roten, mit Scharnieren versehenen Stahlblech festgehalten. Bei Feuer konnte man dieses Blech mit einem Ruck herunterklappen, damit es den Schlauch freigab. Das konnte Danny erkennen; er faßte überhaupt rasch auf, wie Dinge funktionierten. Im Alter von zwei Jahren und sechs Monaten hatte er einmal das Schutzgitter geöffnet, das Daddy im Haus in Stovington oben an der Treppe angebracht hatte. Er hatte beobachtet, wie Daddy die Verschlußvorrichtung betätigte, und Daddy war ganz erstaunt und auch ein wenig stolz gewesen.

Dieser Feuerlöscher war älter als andere, die er kannte – zum Beispiel der im Kindergarten –, aber das spielte keine Rolle. Dennoch verursachte das Gerät, das sich da zusammengerollt wie eine schlafende Schlange vom hellen Blau der Tapete abhob, bei ihm ein leichtes Unbehagen. Und er war froh, als das Ding hinter der Ecke nicht mehr zu sehen war.

»Natürlich müssen die Läden an allen Fenstern verriegelt werden«, sagte Mr. Ullman, als sie den Fahrstuhl betraten. Wieder fuhr die Kabine schwankend und unruhig nach unten. »Das Fenster in der Präsidentensuite liegt mir am meisten am Herzen. Die Rechnung dafür betrug vierhundertzwanzig Dollar, und das liegt schon mehr als dreißig Jahre zurück. Heute würde ein Ersatzfenster das Achtfache kosten.«

»Ich werde die Läden verriegeln«, versprach Jack.

Sie fuhren in den zweiten Stock, wo es noch mehr Zimmer gab und wo die Korridore noch mehr Abzweigungen hatten. Die Sonne versank hinter den Bergen, und es fiel nur noch wenig Licht durch die Fenster herein. Mr. Ullman zeigte ihnen noch ein oder zwei Zimmer, aber das war alles. An Nr. 217, das

Zimmer, vor dem Dick Hallorann ihn gewarnt hatte, ging Mr. Ullman vorüber, ohne seinen Schritt zu verlangsamen. Danny betrachtete das schmucklose Nummernschild mit unruhiger Faszination.

Dann ging es in den ersten Stock. Hier zeigte Ullman ihnen überhaupt keine Zimmer, bis sie fast eine mit dicken Teppichen ausgelegte Treppe erreicht hatten, die ins Foyer hinabführte. »Dies ist Ihr Quartier«, sagte er. »Ich hoffe, es reicht für Ihre Bedürfnisse.«

Sie gingen hinein. Danny war wieder auf eine Überraschung gefaßt. Nichts.

Wendy Torrance war sehr erleichtert. In der Präsidentensuite mit ihrer kalten Eleganz war sie sich ganz unbeholfen vorgekommen – es mochte ganz in Ordnung sein, irgendein historisches Gebäude zu besichtigen und an einem Schlafzimmer eine Tafel vorzufinden, die besagte, daß Abraham Lincoln oder Franklin D. Roosevelt hier geschlafen hatten, aber es war ein völlig anderes Gefühl, sich vorzustellen, zusammen mit Jack zu schlafen oder gar sich zu lieben, wo einst die größten Männer der Welt gelegen hatten (oder jedenfalls die mächtigsten, korrigierte sie sich). Aber dieser Raum war wesentlich schlichter, gemütlicher, fast einladend. Hier konnte man es wohl bis zum Beginn der nächsten Saison aushalten.

»Es ist sehr hübsch hier«, sagte sie zu Ullman, und ihr fiel selbst die Dankbarkeit in ihrer Stimme auf.

Ullman nickte. »Einfach, aber ausreichend. Während der Saison wohnt hier der Koch mit seiner Frau oder der Koch und sein Gehilfe.«

»Hat Mr. Hallorann hier gewohnt?« meldete sich Danny.

Ullman neigte herablassend den Kopf. »Ganz richtig. Er und Mr. Nevers.« Er wandte sich wieder an Jack und Wendy. »Dies ist das Wohnzimmer.«

Hier standen mehrere Stühle, die bequem, aber billig aussahen, ein Kaffeetisch, der bessere Zeiten gesehen hatte und an der Seite ein wenig lädiert war. Weiter gab es zwei Bücherregale (vollgestopft mit Sammelbänden von Reader's Digest und Kriminalromanen aus den Vierzigern, wie Wendy belustigt erkannte) und ein Fernsehgerät, das weit weniger elegant aussah als die ringsum angebrachten polierten Wandgestelle.

»Natürlich keine Küche«, sagte Ullman, »aber es gibt einen stummen Diener. Diese Räume liegen direkt über der Küche.« Er schob ein Stück der Täfelung beiseite, und man sah ein großes viereckiges Tablett. Er stieß es an, und an einem Seil hängend, verschwand es in der Tiefe.

»Das ist ein Geheimgang«, sagte Danny aufgeregt zu seiner Mutter, und angesichts des interessanten Schachts hinter der Wand vergaß er einen Augenblick alle Ängste. »Genau wie bei *Abbott und Costello begegnen den Ungeheuern*!«

Ullman blickte finster, aber Wendy lächelte nachsichtig. Danny rannte zu der Öffnung hinüber und schaute in den Schacht hinunter.

»Hier, bitte.«

Ullman öffnete die Tür am anderen Ende des Raumes, die den Blick auf das Schlafzimmer freigab. Es war geräumig und enthielt zwei Einzelbetten. Wendy schaute ihren Mann an, lächelte und zuckte die Achseln.

»Kein Problem«, sagte Jack. »Wir schieben sie zusammen.«

Ullman drehte sich erstaunt um. »Wie bitte?«

»Die Betten«, sagte Jack freundlich. »Wir können sie zusammenschieben.«

»Ganz recht«, sagte Ullman verwirrt. Dann schlich sich ihm vom Kragen her Röte ins Gesicht. »Wie Sie wünschen.«

Er führte sie ins Wohnzimmer zurück und öffnete die Tür zum zweiten Schlafzimmer, das Kojenbetten hatte. Der Teppich war mit einem scheußlichen Muster aus Kakteen und anderen Wüstenpflanzen bestickt – in das Danny sich bereits verliebt hatte, wie Wendy sah. Die Wände des kleineren Raums waren mit echter Fichte getäfelt.

»Glaubst du, daß du es hier aushältst, Doc?« fragte Jack.

»Klar. Ich schlafe im oberen Bett. Okay?«

»Wenn du möchtest.«

»Mir gefällt auch der Teppich, Mr. Ullman. Warum haben Sie nicht nur solche?«

Mr. Ullman sah einen Augenblick so aus, als hätte er in eine Zitrone gebissen. Dann lächelte er und strich Danny über den Kopf. »Jetzt habe ich Ihnen also Ihr Quartier gezeigt. Da wäre nur noch das Bad, das vom größeren Schlafzimmer aus zu erreichen ist. Die Wohnung ist nicht gerade riesig, aber Ihnen steht ja das ganze Hotel zur Verfügung. Der Kamin im Foyer ist in gutem Zustand, wie Watson sagt, und wenn Sie wollen, dürfen Sie gern im Speisesaal essen.« Er sprach im Tonfall eines Mannes, der anderen eine große Gunst erweist.

»Okay«, sagte Jack.

»Gehen wir nach unten?« fragte Ullman.

»Gut«, sagte Wendy.

Sie fuhren im Fahrstuhl nach unten, und jetzt lag das Foyer völlig verlassen da. Nur Watson stand in seiner Lederjacke mit einem Zahnstocher im Mund am Haupteingang.

»Ich dachte, Sie wären schon Meilen weit weg«, sagte Mr. Ullman in leicht unterkühltem Ton.

»Ich bin nur geblieben, um Mr. Torrance an den Kessel zu erinnern«, sagte Watson und richtete sich auf. »Passen Sie gut auf das Ding auf, alter Junge, und alles ist in Ordnung. Nur ein paarmal am Tag den Druck korrigieren. Er kriecht langsam höher.«

Er kriecht, dachte Danny, und in seinen Gedanken hallten die Worte durch einen langen, stillen Korridor, an dessen Wänden viele Spiegel hingen, in die selten jemand sah.

»Das werde ich tun«, sagte sein Daddy.

»Sie werden es schon schaffen«, sagte Watson und reichte Jack die Hand. Watson nickte Wendy zu. »Madam.«

»Sehr erfreut«, sagte sie und fürchtete schon, daß es sich absurd anhören würde, aber es war nicht der Fall. Sie war aus New England hergekommen, wo sie ihr ganzes Leben verbracht hatte, und es kam ihr so vor, als läge in den paar Sätzen dieses Watson mit seinem flauschigen Haarkranz der Inbegriff all dessen, was den Westen Amerikas ausmachte, und sie verzieh ihm das lüsterne Blinzeln von vorhin.

»Nun, Torrance junior«, sagte Watson ernst und hielt Danny die Hand hin. Danny reichte ihm zögernd die eigene und sah sie in der Pranke des anderen verschwinden. »Paß gut auf deine Eltern auf, Dan.«

»Yes, Sir.«

Watson ließ Dannys Hand los und richtete sich auf. Er sah Ullman an. »Bis nächstes Jahr, denke ich«, sagte er und reichte auch ihm die Hand.

Ullman hielt ihm eine schlaffe Rechte hin. Sein Ring mit

einem rosa Stein reflektierte die elektrische Beleuchtung des Foyers mit bösem Funkeln.

»Am zwölften Mai, Watson«, sagte er. »Keinen Tag früher und keinen Tag später.«

»Yes, Sir«, sagte Watson, und fast konnte Jack den Zusatz lesen, den er in Gedanken machte: ... *du schäbiges kleines Würstchen.*

»Ich wünsche Ihnen einen angenehmen Winter, Mr. Ullman.«

»Den werde ich wohl nicht haben«, sagte Ullman abwesend.

Watson öffnete eine der beiden Haupttüren, und der Wind pfiff lauter und zerrte am Kragen seines Jacketts. »Macht's gut, Leute«, sagte er.

Es war Danny, der antwortete. »Das werden wir, Sir.«

Watson, dessen nicht so weit entfernten Vorfahren das Hotel gehört hatte, schlich sich bescheiden aus der Tür, die sich hinter ihm schloß und das Geräusch des Windes wieder dämpfte. Gemeinsam sahen sie ihn in seinen zerknautschten schwarzen Cowboystiefeln die Stufen hinunterstapfen, während ihm die dürren Blätter der Espen um die Hacken fegten. Er ging zu seinem alten International Harvester Lieferwagen und stieg ein. Beim Starten schoß blauer Qualm aus dem verrosteten Auspuff. Schweigend sahen sie zu, als er zurücksetzte und dann vom Parkplatz fuhr. Sein Wagen verschwand hinter der Hügelkuppe und tauchte weiter hinten etwas kleiner auf der Hauptstraße wieder auf. Dann fuhr er nach Westen davon.

In diesem Augenblick fühlte Danny sich einsamer als je zuvor in seinem Leben

13

Die vordere Säulenhalle

Die Familie Torrance stand wie für ein Familienphoto in der langgestreckten vorderen Säulenhalle des Overlook Hotels, Danny in seiner Reißverschlußjacke vom letzten Herbst, die ihm jetzt zu klein und an den Ärmeln fast durchgescheuert war. Wendy stand mit einer Hand auf seiner Schulter hinter ihm, während Jack neben ihm posierte, die Hand leicht auf Dannys Kopf gelegt.

Mr. Ullman stand eine Stufe unter ihnen. Er hatte sich in einen braunen Mohairmantel gehüllt, der sehr teuer aussah. Die Sonne war jetzt ganz hinter den Bergen verschwunden und tauchte die Gipfel mit ihren letzten Strahlen in goldenes Feuer, und alle Schatten wurden länger und dunkler. Die letzten Fahrzeuge, die noch auf dem Parkplatz standen, waren der kleine Lastwagen des Hotels, Ullmans Lincoln Continental und der schäbige alte VW der Familie Torrance.

»Ihre Schlüssel haben Sie also«, sagte Ullman zu Jack, »und Sie wissen auch mit dem Ofen und der Kesselanlage Bescheid?«

Jack nickte und empfand zum ersten Mal so etwas wie Sympathie für Ullman. Die Saison war zu Ende, das Knäuel säuberlich aufgewickelt, bis zum zwölften Mai – keinen Tag früher, keinen Tag später –, und Ullman, der für alles verantwortlich zeichnete und in sein Hotel ganz offensichtlich vernarrt war, mußte sich ganz einfach noch einmal vergewissern, ob auch alles geregelt war.

»Alles unter Kontrolle«, sagte Jack.

»Gut. Wir bleiben in Verbindung.« Aber immer noch zögerte er, als ob er darauf wartete, daß vielleicht ein Windstoß ihn zu seinem Wagen trug. Er seufzte. »In Ordnung. Ich wünsche Ihnen einen angenehmen Winter, Mr. und Mrs. Torrance. Dir auch, Danny.«

»Danke, Sir«, sagte Danny. »Ich Ihnen auch.«

»Daraus wird wohl nichts«, sagte Ullman traurig. »Der Laden in Florida ist ein Misthaufen, um die Wahrheit zu sagen. Mein eigentlicher Job ist das Overlook. Passen Sie gut auf das Hotel auf, Mr. Torrance.«

»Es wird schon noch da sein, wenn Sie im Frühjahr wiederkommen«, sagte Jack, und in Danny blitzte ein Gedanke auf –

(aber werden auch wir noch da sein?)

– und war wieder weg.

»Natürlich. Natürlich wird es noch da sein.«

Ullman schaute zum Spielplatz hinüber, wo die Heckentiere vom Wind gezaust wurden. Dann nickte er noch einmal verbindlich.

»Also dann. Auf Wiedersehen.«

Rasch und affektiert ging er zu seinem Wagen – der lächerlich groß war für einen so kleinen Mann – und stieg ein. Der Motor des Lincoln sprang an, und die Rücklichter blitzten auf, als Ullman vom Parkplatz fuhr. Jack erkannte das kleine Schild: RESERVIERT FÜR MR. ULLMAN, MGR.

»Das wär's«, sagte er leise.

Sie schauten dem davonfahrenden Wagen nach, bis er hinter dem Hang verschwunden war. Einen Augenblick lang sahen die drei sich stumm und fast ängstlich an. Espenblätter wirbelten vom Wind getrieben ziellos über den gepflegten Rasen. Nur sie allein sahen das Herbstlaub über das Gras huschen. Jack hatte das Gefühl, daß er zusammenschrumpfte, daß seine Lebenskraft zu einem bloßen Funken reduziert war, und das Hotel erschien plötzlich doppelt so groß und unheimlich, und von seinen toten Mauern fühlte er eine düstere Macht ausgehen, vor der er sich zwergenhaft vorkam.

Dann sagte Wendy: »Guck dich an, Doc. Deine Nase läuft wie ein Feuerwehrschlauch. Laßt uns hineingehen.«

Sie taten es und schlossen die Tür ganz fest gegen den unablässig heulenden Wind.

Teil Drei
Das Wespennest

14

Auf dem Dach

»Oh, du gottverdammtes Mistvieh!«

Jack Torrance schrie vor Überraschung und Schmerz laut auf, als er sich mit der Hand auf sein blaues Arbeitshemd schlug und die Wespe erwischte, die ihn gerade gestochen hatte. Dann kletterte er, so schnell er konnte, auf das Dach und schaute über die Schulter zurück, um zu sehen, ob aus dem Nest, das er eben entdeckt hatte, die Geschwister der Wespe kamen, um den Kampf fortzusetzen. Wenn das der Fall war, konnte es ungemütlich werden; das Nest lag zwischen ihm und seiner Leiter, und die Falltür, durch die man auf den Dachboden gelangen konnte, war von innen verschlossen. Vom Dach bis zu dem Zementstreifen zwischen Hotel und Rasen waren es gute zwanzig Meter.

Die klare Luft über dem Nest war noch ruhig. Nichts regte sich.

Jack pfiff angewidert durch die Zähne und setzte sich rittlings auf den First, um seinen rechten Zeigefinger zu inspizieren. Er schwoll bereits an, und er mußte wohl versuchen, am Nest vorbei zu seiner Leiter zu kriechen und nach unten zu gelangen, um ihn mit Eis kühlen.

Es war der zwanzigste Oktober. Wendy und Danny waren mit dem kleinen Lastwagen des Hotels nach Sidewinder gefahren (einem älteren, klapprigen Dodge, der aber immer noch zuverlässiger war als der VW, dessen Motor inzwischen so bedenklich keuchte, daß man den Wagen wohl abschreiben konnte), um ein paar Gallonen Milch zu kaufen und einige Weihnachtseinkäufe zu erledigen. Dafür war es eigentlich noch zu früh, aber man wußte nicht, wann der Schnee liegenbleiben würde. Es hatte schon einige Schauer gegeben, und die Straße vom Hotel ins Tal hinunter war schon stellenweise vereist.

Bis jetzt war der Herbst fast unnatürlich schön gewesen. Während der ersten drei Wochen ihres Aufenthaltes war ein strahlender Sonnentag auf den anderen gefolgt. Zwar war es morgens kühl, aber gegen Mittag stieg die Temperatur gewöhnlich auf etwa zwölf Grad an, ein geradezu ideales Wetter, um auf dem Dach herumzukriechen und die schadhaften Schindeln zu erneuern. Jack hatte Wendy gegenüber zugegeben, daß er mit der Arbeit schon vor vier Tagen hätte fertig sein können, aber er sah keinen Grund, sich besonders zu beeilen. Die Aussicht von hier oben war herrlich und stellte sogar den Ausblick aus der Präsidentensuite in den Schatten. Wichtiger noch, die Arbeit wirkte auf ihn beruhigend. Hier oben auf dem sanft abfallenden Westdach des Overlook fühlte er, daß die Wunden der letzten drei Jahre heilten. Hier oben war er mit sich im reinen, und die drei Jahre erschienen ihm wie ein turbulenter Alptraum.

Die Schindeln waren zum Teil übel verrottet und einige von ihnen in den Stürmen des letzten Winters ganz herausgeweht. Er riß sie alle heraus. »Bomben los!« brüllte er, als er sie über die Seite warf, denn er wollte Danny nicht treffen, der vielleicht gerade unten herumlief. Als die Wespe ihn erwischte, hatte er gerade schadhafte Kehlbleche herausgerissen.

Das Ironische an der ganzen Sache war, daß er sich, immer wenn er aufs Dach stieg, selbst ermahnte, nach Nestern auszuschauen; er hatte außerdem für alle Fälle ein Insektenvertilgungsmittel mitgebracht. Aber heute morgen war alles so völlig still und friedlich gewesen, daß er in seiner Aufmerksamkeit nachgelassen hatte. Er hatte sich in die Welt seines Stücks zurückversetzt, das langsam Gestalt gewann, und über die Szene nachgedacht, an der er abends arbeiten wollte. Das Stück machte gute Fortschritte, und obwohl Wendy wenig sagte, wußte er, daß sie sich freute. Während der letzten unglücklichen sechs Monate in Stovington war er immer wieder an der Schlüsselszene zwischen Denker, dem sadistischen Rektor, und Gary, dem jungen Helden des Stücks, gescheitert. Damals war das Verlangen nach Alkohol so schlimm gewesen, daß er sich kaum auf seine Arbeit in der Schule konzentrieren konnte, geschweige denn auf seine außerdienstlichen literarischen Ambitionen.

Aber wenn er sich an den letzten zwölf Abenden an die Schreibmaschine setzte, die er sich aus dem Büro im Erdgeschoß ausgeliehen hatte, schmolzen die Schwierigkeiten wie Zuckerwatte im Mund. Fast mühelos hatte er Züge in Denkers Charakter hineingearbeitet, die früher gefehlt hatten, und er hatte fast den gesamten zweiten Akt, der sich nun um eben diese Schlüsselszene herumrankte, entsprechend umgeschrieben. Und auch der dritte Akt, über den er nachgedacht hatte, bevor die Wespe ihn aus seinen Überlegungen riß, nahm immer mehr Gestalt an. Eine grobe Niederschrift brachte er wohl in zwei Wochen zustande, und bis Neujahr konnte er das ganze verdammte Stück im Kasten haben.

Er hatte eine Agentin in New York, eine quirlige, rothaarige Frau namens Phyllis Sandler, die Herbert Tareytons rauchte, Jim Beam aus dem Pappbecher trank und Sean O'Casey für einen aufgehenden Stern am Literaturhimmel hielt. Sie hatte drei von Jacks Kurzgeschichten untergebracht, einschließlich der für den *Esquire*. Er hatte ihr von dem Stück geschrieben, das *Die kleine Schule* hieß und den Grundkonflikt beschrieb zwischen Denker, einem begabten Akademiker, der zum brutalen und niederträchtigen Direktor einer Oberschule im New England der Jahrhundertwende verkommen war, und Gary Benson, in dem Jack eine jüngere Ausgabe seiner selbst erblickte. Phyllis hatte zurückgeschrieben und Interesse bekundet und ihn ermahnt, Sean O'Casey zu lesen, bevor er sich an die Arbeit mache. Er hatte später geantwortet, daß *Die kleine Schule* für unbestimmte Zeit – vielleicht für immer – »in jener interessanten intellektuellen Wüste Gobi« begraben bleiben müsse, »die zwischen Niederschrift und Druck liegt«. Jetzt sah es so aus, als ob sie das Stück trotz allem bekommen würde. Ob es nun wirklich gut war oder nicht und ob es je eine Aufführung erleben würde, war eine andere Sache. Sie war für ihn auch weniger wichtig. Irgendwie hatte er das Gefühl, daß das Stück selbst ihn geistig blockiert hatte, als monströses

Symbol jener schlimmen Jahre an der Oberschule in Stovington, seiner Ehe, die er so leichtfertig aufs Spiel gesetzt hatte, der üblen Körperverletzung an seinem Sohn und des Zwischenfalls mit George Hatfield, eines Zwischenfalls, den er heute nicht mehr nur als einen seiner vielen unbeherrschten Wutausbrüche werten konnte. Heute war er der Ansicht, daß sein Alkoholproblem zum Teil auf das unbewußte Verlangen zurückzuführen war, sich von Stovington zu befreien. Die sichere Existenz dort hatte alles Kreative in ihm erstickt. Er hatte zwar das Trinken eingestellt, aber das Bedürfnis, frei zu sein, war geblieben. Deshalb auch die Sache mit George Hatfield. Nur das Stück auf dem Schreibtisch in seinem und Wendys Schlafzimmer war ihm aus jenen Tagen geblieben, und wenn es erst fertiggestellt und an Phyllis' New Yorker Briefkastenagentur abgeschickt war, konnte er sich anderen Dingen zuwenden. Es würde kein Roman werden, er war nicht bereit, erneut in den trügerischen Sumpf eines drei Jahre währenden Unternehmens hineinzutappen. Eher wollte er ein paar Kurzgeschichten schreiben, vielleicht einen ganzen Band.

Vorsichtig kroch er auf Händen und Knien das flach abfallende Dach hinunter. Er erreichte die Stelle, an der er das Wespennest gefunden hatte.

Stets zu raschem Rückzug in Richtung Leiter bereit, beugte er sich über den Abschnitt, aus dem er die Bleche entfernt hatte, und schaute hinein.

Da hing das Nest, genau zwischen dem alten Blech und der Querstrebe. Es war verdammt groß. Der graue Ballen mußte einen Durchmesser von fast fünfzig Zentimetern haben. Er war nicht ganz gleichmäßig geformt, weil zwischen Blech und Holz nicht genügend Platz war, aber dennoch hatten die kleinen Viecher respektable Arbeit geleistet. Es handelte sich um die großen, bösartigen Wespen, nicht etwa um die kleineren gelben, die viel harmloser sind. Auf dem Nest bewegten sich die Insekten in trägem Gewimmel. Die Herbstkälte hatte ihre Bewegungen langsamer werden lassen, aber Jack, der seit seiner Kindheit mit Wespen vertraut war, war froh, daß ihn nur eine gestochen hatte. Und, überlegte er, wenn Ullman den Job im Hochsommer vergeben hätte, wäre dem betreffenden Arbeiter eine höllische Überraschung sicher gewesen. Wenn ein Dutzend Wespen gleichzeitig über einen Mann herfallen und ihm Gesicht, Arme und Hände zerstechen, könnte er sehr wohl vergessen, daß das Dach zwanzig Meter hoch ist, und leicht könnte es geschehen, daß er auf der Flucht vor seinen Peinigern über die Kante springt. Und alles wegen dieser winzigen Dinger.

Er hatte irgendwo gelesen – in der Beilage einer Sonntagszeitung oder auch in einem Zeitschriftenartikel –, daß bei sieben Prozent aller tödlichen Autounfälle die Ursache nicht ermittelt werden kann. Kein technischer Defekt, keine überhöhte Geschwindigkeit. Kein Alkohol, kein schlechtes Wetter. Ein einzelner Wagen, verunglückt auf einer verlassenen Wegstrecke, ein toter Insasse, der Fahrer, der nicht mehr erklären kann, was passiert ist. In dem Artikel hatte ein Verkehrsexperte der Polizei die Ansicht vertreten, daß sehr viele dieser unerklärlichen Unfälle durch in den Wagen geratene Insekten verursacht werden. Wespe, Biene, vielleicht sogar eine Spinne oder ein Falter.

Der Fahrer wird nervös, versucht, das Tier totzuklatschen oder das Fenster herunterzudrehen, um es hinauszuscheuchen. Vielleicht sticht das Insekt ihn. Vielleicht verliert der Fahrer auch so die Kontrolle über seinen Wagen. Wie dem auch sei, ein Knall ... und es ist aus. Und dem Insekt passiert gewöhnlich gar nichts. Fröhlich summend steigt es aus den rauchenden Trümmern auf und fliegt den grünen Wiesen entgegen. Der Experte riet den Pathologen, bei der Obduktion solcher Unfallopfer nach Insektengift zu suchen, wie sich Jack erinnerte.

Während er das Wespennest betrachtete, schien es ihm nicht nur als Symbol für das, was er durchgemacht (und anderen zugemutet) hatte, zu taugen, sondern auch als Omen für eine bessere Zukunft. Wenn er an die ganze Reihe unglücklicher Erfahrungen in Stovington dachte, stellte er sich Jack Torrance gern im passiven Modus vor; er hatte die Dinge nicht getan; sie waren ihm zugefügt worden. Er hatte an der Schule in Stovington eine Menge Leute gekannt, die schwere Trinker waren, zwei von ihnen in der Abteilung für Englisch. Zack Tunney zum Beispiel holte sich jeden Samstag ein ganzes Faß Bier, stellte es auf dem Hinterhof in den Schnee und trank es am

Sonntag aus, während er sich Fußballspiele und alte Filme ansah.

Er und Al Shockley waren Alkoholiker gewesen. Sie hatten sich gesucht und gefunden, zwei Ausgestoßene, gerade noch gesellig genug, um lieber gemeinsam als allein unterzugehen. Während er den Wespen zuschaute, die träge ihren Instinkten folgten, bis sie im herannahenden Winter mit Ausnahme ihrer Königin alle umkommen mußten, spann er seine Gedanken weiter. Er war *immer noch* Alkoholiker, würde es vielleicht immer bleiben, war es vielleicht gewesen, seit er als Student zum ersten Mal Alkohol getrunken hatte. Das hatte nichts mit Willenskraft zu tun oder mit irgendeiner Trinkmoral oder der Schwäche oder Stärke seines Charakters. Irgendwo in ihm funktionierte eine Schaltung nicht, war ein Unterbrecherkontakt defekt, und er war unaufhaltsam immer weiter abgerutscht, zuerst langsam, dann immer schneller, als die Bedrängnisse in Stovington schlimmer wurden. Eine lange, eingefettete Rutsche, und unten dann ein zertrümmertes herrenloses Fahrrad und ein Sohn mit einem gebrochenen Arm. Jack Torrance im passiven Modus. Und dann sein Jähzorn. Sein ganzes Leben lang hatte er sich vergeblich bemüht, ihn unter Kontrolle zu bekommen. Er erinnerte sich daran, daß eine Nachbarin ihn, als er sieben war, einmal geschlagen hatte, weil er mit Streichhölzern gespielt hatte. Er war nach draußen gegangen und hatte einen Stein gegen ein vorbeifahrendes Auto geworfen. Das hatte sein Vater gesehen und sich wütend auf Klein-Jacky gestürzt. Er hatte ihm den Hintern versohlt und ihm ein Auge blaugeschlagen. Als der Alte wieder ins Haus gegangen war, hatte Jack einen vorbeilaufenden Hund in die Gosse getreten. In der Schule hatte er sich Dutzende Male geprügelt, was ihm zweimal den Ausschluß vom Unterricht und, trotz seiner guten Noten, zahllose Arreststrafen eingetragen hatte. Zum Teil war Football für ihn ein Ventil gewesen, und er hatte sich immer sehr eingesetzt. Er war während seiner Studienzeit ein guter Spieler gewesen und hatte immer in der ersten Mannschaft gespielt. Auch das konnte er auf sein bösartiges Temperament zurückführen. Viel Freude hatte er beim Football nicht gehabt. Kein einziges Spiel machte ihm wirklich Spaß.

Und doch, er hatte bei alledem nie das *Gefühl*, ein übler Kerl zu sein. Er kam sich nicht unanständig vor. Er hatte in sich immer nur Jack Torrance gesehen, einen wirklich netten Kerl, der nur lernen mußte, sein Temperament zu zügeln, bevor er sich Ärger einhandelte. Der außerdem lernen mußte, sein Trinken in den Griff zu bekommen. Aber so gewiß er ein physischer Alkoholiker war, so gewiß war er auch ein emotionaler – die beiden steckten zweifellos beide ganz tief in ihm, wo man sie besser ruhen ließ. Im übrigen war es ihm gleich, ob die ursprünglichen Gründe miteinander zusammenhingen oder nicht, ob es soziologische, psychologische oder physiologische Gründe waren. Er hatte mit den Auswirkungen fertigwerden müssen. Mit bei Schlägereien zerrissener Kleidung. Mit der Prügel, die er von seinem Vater bezog. Später dann mit den Konsequenzen der durchzechten Nächte. Mit seiner langsam zerbrechenden Ehe. Mit dem einzelnen Rad auf der Straße, dessen abgerissene Speichen in die Luft geragt hatten. Mit Dannys gebrochenem Arm. Und natürlich mit George Hatfield.

Er hatte das Empfinden, ohne Absicht die Hand in das große Wespennest des Lebens gesteckt zu haben. Das war zwar als Bild ein wenig komisch, aber als Symbol der Wirklichkeit durchaus brauchbar. Er hatte im Hochsommer die Hand zwischen ein paar verrottete Dachstreben gesteckt, und nun brannte sie wie Feuer, und der Schmerz löschte jeden bewußten Gedanken aus und machte zivilisiertes Benehmen unmöglich. Konnte man sich noch wie ein denkender Mensch benehmen, wenn einem die Hand mit rotglühenden Nadeln zerstochen wurde? Konnte man mit seinen Lieben noch in Ruhe und Frieden leben, wenn aus einem Loch im Gefüge (das man für stabil gehalten hatte) plötzlich eine braune, wütende Wolke aufstieg und sich auf einen stürzte? Konnte man für sein Verhalten noch verantwortlich gemacht werden, wenn man zwanzig Meter über dem Boden wie verrückt auf einem schrägen Dach herumrannte und in seiner Panik nicht mehr daran dachte, daß man jeden Augenblick über die Dachrinne stolpern konnte, um dann unten auf dem Beton zerschmettert zu werden? Nein, glaubte Jack. Wenn man ohne Absicht die Hand in das Wespennest gesteckt hatte, bedeutete das keinen Vertrag mit dem Teufel, seine zivilisierte Existenz mit allem Drum und

Dran an Liebe, Ansehen und Ehre aufzugeben. Es ist einem einfach passiert. Passiv, ohne es verhindern zu können, hört man auf, ein geistiges Wesen zu sein, und wird zum Spielball seiner Nerven; von einem Mann mit Universitätsbildung verwandelt man sich in fünf Sekunden in einen kläglichen Affen.

Er dachte an George Hatfield.

Groß und mit blonden Haaren war George ein fast unverschämt gutaussehender Junge. In seinen engen verschossenen Jeans, die Hemdsärmel bis an die Ellbogen aufgekrempelt, daß sie die sonnengebräunten Arme freigaben, erinnerte George ihn an eine jüngere Ausgabe von Robert Redford, und er brauchte sich wahrscheinlich nicht über mangelnde Chancen bei den Frauen zu beklagen – genauso wenig wie vor zehn Jahren der junge Fußballspieler Jack Torrance. Er war wirklich nicht eifersüchtig auf George und neidete ihm auch sein gutes Aussehen nicht; er betrachtete George vielmehr halb unbewußt als leibhaftige Inkarnation Gary Bensons, des Helden aus seinem Stück – den perfekten Gegenspieler des finsteren und alternden Denker, der sich in einen solchen Haß gegen Gary hineingesteigert hatte. Jack Torrance hatte George gegenüber nie derartige Gefühle gehegt. Wenn das der Fall gewesen wäre, hätte er es gewußt. Dessen war er ganz sicher.

George hatte seine Klassen in Stovington besucht. In Fußball und Baseball war er ein Star, in den wissenschaftlichen Fächern war er anspruchsloser und begnügte sich gewöhnlich mit einer C-Note oder einem gelegentlichen B in Geschichte oder Botanik. Im Sport entwickelte er gewaltigen Ehrgeiz, in den übrigen Fächern gab er sich eher gelangweilt oder amüsiert. Solche Typen kannte Jack, wenn auch mehr von seiner Studienzeit her als aus seinen Erfahrungen als Lehrer. George verhielt sich meistens zurückhaltend, aber wenn etwas seinen Ehrgeiz anstachelte (wie Elektroden an den Schläfen des Frankenstein-Monsters, mußte Jack denken), konnte er ungeahnte Fähigkeiten freisetzen.

Im Januar hatte sich George mit zwei Dutzend anderen für das Debattier-Team gemeldet. Er hatte ganz offen mit Jack geredet. Sein Vater, ein Wirtschaftsanwalt, wollte gern, daß sein Sohn in seine Fußstapfen treten sollte. George, der keine brennenden anderen Interessen hatte, war einverstanden.

Seine Leistungen waren nicht erstklassig, aber dies war schließlich erst die Oberschule, und er hatte noch Zeit. Wenn aus Sollen erst Müssen wurde, konnte sein Vater schon einige Fäden ziehen. Und seine eigenen athletischen Fähigkeiten würden ihm weitere Türen öffnen. Aber Brian Hatfield war der Ansicht, daß sein Sohn zunächst einmal ins Debattier-Team gehöre. Das gab Übung, und die Zulassungsstellen für die juristischen Fakultäten legten Wert auf eine solche Vorbereitung. George machte also beim Debattier-Team mit. Im vergangenen März schloß Jack ihn aus dem Team aus.

Die im späten Winter zwischen den Klassen abgehaltenen Debatten hatten George Hatfields Ehrgeiz gekitzelt, und er wurde zu einem draufgängerischen Redner, der seine jeweilige Pro- oder Kontraposition immer nach gründlicher Vorbereitung verteidigte. Es spielte keine Rolle, ob es um die Legalisierung von Marihuana oder um die Wiedereinführung der Todesstrafe ging, George machte sich mit der Problematik vertraut und war so wenig Chauvinist, daß es ihm gleich war, auf welcher Seite er stand – selbst bei bedeutenden Debattierern eine seltene und wertvolle Eigenschaft, wie Jack wußte. Ein Abenteurer und ein Debattierer waren verwandte Seelen: sie waren beide leidenschaftlich an ihrer großen Chance interessiert. So weit, so gut.

Aber George Hatfield stotterte.

In der Klasse, wo George immer kühl und gesammelt wirkte, hatte sich dieses Handicap nie gezeigt (ob er nun seine Arbeiten gemacht hatte oder nicht), und ganz gewiß nicht auf dem Sportplatz, wo Reden keine Tugend war und man wegen zu häufiger Diskussionen sogar hinausgestellt werden konnte.

Wenn George während einer Debatte einmal richtig aufgedreht war, fing er an zu stottern. Je mehr er sich aufregte, umso schlimmer wurde es. Und wenn er einen Gegner schon fast erledigt zu haben glaubte, schien zwischen seinem Sprachzentrum und seinen Sprechwerkzeugen eine Art intellektuelles Jagdfieber zu toben, und er stand wie angefroren da, während die Zeit ablief. Der Anblick tat weh.

»Ich g-g-glaube a-a-also, daß d-d-die v-v-von Mr. D-D-D-Dorsky z-z-zitierten T-T-Tatsachen s-s-sich s-sseit der j-j-jüngsten E-E-Entscheidung erl-l-ledigt haben . . .«

Wenn dann der Summer des Zeitnehmers ertönte, fuhr er

herum und starrte wütend Jack an, der daneben saß. Sein Gesicht war dann immer zornrot, und in der Hand hielt er seine zusammengeknüllten Notizen.

Selbst als George schon öfter versagt hatte, ließ Jack ihn noch nicht fallen. Er erinnerte sich an einen späten Nachmittag etwa eine Woche, bevor er endgültig das Handtuch geworfen hatte.

Als die anderen gingen, war George noch geblieben und hatte sich dann ärgerlich an Jack gewandt.

»S-Sie ha-ha-haben die U-Uhr v-v-vorgestellt.«

Jack schaute von den Papieren auf. »George, wovon reden Sie?«

»Ich h-h-habe n-nicht meine v-v-vollen f-fünf Minuten b-b-bekommen.«

»Der Zeitnehmer mag ein wenig differieren, George, aber ich habe das verdammte Ding nicht angerührt. So wahr ich hier sitze.«

»D-D-Das h-haben Sie *doch* g-g-getan!«

Streitbar und in der Haltung eines Mannes, der seiner Sache sicher ist und für sein Recht eintritt, schaute George ihn an, und Jack merkte, wie seine eigene Selbstbeherrschung nachließ. Er war schon seit zwei Monaten trocken, zwei Monate zu lange, und er fühlte sich hundeelend. Er machte eine letzte Anstrengung, nicht die Beherrschung zu verlieren. »Ich kann Ihnen versichern, daß ich die Uhr nicht vorgestellt habe, George. Es geht um Ihr Stottern. Wissen Sie, woran das liegt? Im Unterricht stottern Sie doch nicht.«

»Ich s-s-stottere ü-überhaupt nicht!«

»Schreien Sie bitte nicht so. Dies muß sachlich diskutiert werden.«

»A-ach, Sch-Scheiße! Sie w-wollen mich n-nur aus dem Team raushaben!«

»George, wenn Sie sich das Stottern abgewöhnen könnten, hätte ich Sie gern behalten. Sie haben sich für jede Übung ausgezeichnet vorbereitet, und Sie beschäftigen sich jeweils auch mit dem Hintergrund. Deshalb kann man Sie kaum je überraschen. Aber das hat alles wenig zu sagen, wenn Sie Ihr Stottern nicht unter Kontrolle –«

»Ich h-h-habe n-n-n-noch n-nie g-gestottert!« schrie er.

»Es l-liegt n-nur an Ihnen. Wenn j-j-j-jemand anders d-das Debattier-Team l-l-leiten würde, k-könnte ich –«

Jacks Selbstbeherrschung wurde um einen weiteren Zähler geringer.

»George, Sie werden nie ein guter Anwalt werden, wenn es mit dem Stottern so bleibt. Die Jurisprudenz ist schließlich kein Fußball. Jeden Abend zwei Stunden Training hilft da wenig. Stellen Sie sich doch vor, Sie müßten auf einer Aufsichtsratssitzung sprechen. Wollen Sie dann sagen ›Jj-j-jetzt, m-m-meine H-Herren, k-k-kommen w-w-w-wir auf d-d-d-diese u-u-unerlaubte H-H-Handlung z-z-zu sprechen‹?«

Plötzlich wurde er rot. Nicht vor Wut, sondern vor Scham über seine Grausamkeit. Vor ihm stand kein Mann, sondern ein siebzehnjähriger Junge, der jetzt die erste schwere Niederlage seines Lebens einstecken mußte und der vielleicht nicht wußte, wie anders er denn Jack um Hilfe bitten konnte.

George sah ihn noch einmal wütend an. Seine Lippen zuckten und mühten sich, die Worte auszusprechen, die sie nicht formen konnten.

»Sie haben s-s-sie v-v-v-v-vorgestellt. Sie h-h-hassen mich, w-weil S-Sie w-w-wissen . . . Sie wissen . . . n-n –«

Mit einem lauten Schrei stürzte er aus dem Klassenzimmer und schlug die Tür so hart zu, daß die drahtverstärkte Scheibe zu zerspringen drohte. Jack stand da und hörte kaum, wie George auf seinen Turnschuhen durch den leeren Flur davonrannte. Eher spürte er es. Immer noch hielt ihn sein Zorn gepackt, und er schämte sich, daß er Georges Stottern nachgeäfft hatte. Zuerst hatte er ganz schäbig triumphiert: Zum ersten Mal in seinem Leben hatte George etwas nicht bekommen, was er haben wollte. Zum ersten Mal hatte er eine Schlappe erlitten, die mit Daddys Geld nicht gutzumachen war. Man konnte das Sprachzentrum nicht bestechen. Man konnte den Sprechwerkzeugen nicht fünfzig Dollar die Woche plus Weihnachtsgratifikation bieten, damit sie nicht mehr flatterten wie der Saphir in einer defekten Schallplattenrille. Dann verschwand sein Triumphgefühl unter tiefer Scham. Es war so wie damals, als er seinem Sohn den Arm gebrochen hatte.

Mein Gott, bitte! So ein Scheißkerl kann ich doch gar nicht sein.
Das Glücksgefühl bei Georges Verschwinden war viel typischer

für Denker in seinem Stück als für den Stückeschreiber Jack Torrance.

Sie hassen mich, weil Sie wissen ...

Weil er *was* wußte?

Was konnte ihn denn möglicherweise veranlassen, George Hatfield zu hassen? Etwa das Wissen, daß dieser sein ganzes Leben noch vor sich hatte? Daß er ein wenig wie Robert Redford aussah? Daß die Unterhaltung der Mädchen verstummte, wenn er im Schwimmbad vom Brett einen doppelten Salto sprang? Daß er in Fußball und Baseball ein Naturtalent war?

Lächerlich. Völlig absurd. Er beneidete George Hatfield um nichts. In Wirklichkeit bedauerte er dessen Stottern wahrscheinlich mehr als George selbst, denn George hätte einen ausgezeichneten Debattierer abgegeben. Und wenn Jack die Uhr vorgestellt hätte – und das hatte er natürlich nicht getan –, wäre es nur gewesen, weil ihm und den anderen Teilnehmern Georges krampfhaftes Gestammel peinlich war, ihnen eine Qual war, so wie es eine Qual ist zu erleben, daß ein Sprecher seinen Text vergessen hat. Wenn er die Uhr vorgestellt hätte, wäre es nur gewesen, um ... um George aus seinem Elend zu erlösen.

Aber er hatte die Uhr nicht vorgestellt. Er war ganz sicher.

Eine Woche später hatte er ihn rausgeworfen, aber er hatte dabei nicht die Beherrschung verloren. Nur George hatte gebrüllt und gedroht. Eine weitere Woche später war er mitten in der Stunde zum Parkplatz hinausgegangen, um einige Texte zu holen, die er im Kofferraum des VW vergessen hatte, und da war George gewesen. Er hatte, ein Jagdmesser in der Hand, die langen blonden Haare im Gesicht, neben dem Wagen gekniet. Er war dabei, den rechten Vorderreifen des VW aufzuschlitzen. Die Hinterreifen waren schon zerfetzt, und der Käfer saß wie ein müder Hund auf seinen platten Reifen.

Jack hatte rot gesehen, und er erinnerte sich kaum an Einzelheiten des darauf erfolgenden Zusammenstoßes. Er erinnerte sich an ein böses Knurren, das aus seiner eigenen Kehle zu kommen schien: »Gut, George, wenn du es nicht anders willst, komm her und hol dir deine Prügel ab.«

Er erinnerte sich daran, daß George erschrocken und ängstlich aufgeschaut hatte. »Mr. Torrance«, hatte er gesagt, als wollte er erklären, das Ganze sei nur ein Irrtum, die Reifen seien schon platt gewesen und er habe nur mit dem Messer, das er zufällig bei sich hatte, den Dreck aus dem Vorderreifen herauskratzen wollen und –

Jack war mit geballten Fäusten auf ihn zugegangen, und es konnte sein, daß er dabei gegrinst hatte. Er wußte es nicht mehr.

Dann erinnerte er sich noch daran, daß George das Messer hochgerissen und gesagt hatte: »Kommen Sie lieber nicht näher –«

Und als nächstes hatte Miss Strong, die Französischlehrerin, ihn am Arm gepackt und gekreischt: »Hören Sie auf, Jack! Hören Sie auf! Sie bringen ihn ja um!«

Er hatte sich nur dumm umgeschaut. Harmlos glänzte das Jagdmesser auf dem Asphalt des Parkplatzes. Und da hockte sein armer verbeulter Volkswagen, Veteran vieler nächtlicher Sauftouren, auf drei platten Reifen. Er sah, daß der rechte vordere Kotflügel eine frische Beschädigung aufwies, und an der Stelle erkannte er etwas, das entweder rote Farbe oder Blut sein mußte. Und verwirrt hatte er an jene schreckliche Nacht gedacht.

(Um Gottes Willen, Al, wir haben ihn *doch* überfahren)

Und dann war sein Blick auf George gefallen, der benommen und krampfhaft blinzelnd auf dem Asphalt lag. Sein Debattier-Team war herausgekommen, und die Jungs standen zusammengedrängt am Eingang und starrten zu George herüber. Er hatte von einer Kopfwunde, die nicht schlimm aussah, Blut im Gesicht, aber ihm lief auch Blut aus einem Ohr, und das bedeutete wahrscheinlich eine Gehirnerschütterung. Als George versuchte aufzustehen, riß sich Jack von Miss Strong los und ging hin. George zuckte hoch.

Jack legte die Hände auf Georges Brust und drückte ihn wieder nach unten. »Bleiben Sie liegen«, sagte er. »Und bewegen Sie sich nicht.« Er wandte sich an Miss Strong, die entsetzt herüberschaute.

»Bitte rufen Sie den Schularzt, Miss Strong«, befahl er. Sie drehte sich um und eilte ins Büro. Dann schaute er zu den Leuten des Debattier-Teams hinüber. Er sah ihnen direkt in die

Augen, denn er hatte sich wieder in der Gewalt, er war wieder ganz er selbst, und wenn er er selbst war, gab es keinen netteren Kerl im ganzen Staate Vermont. Das mußten sie doch wohl wissen.

»Sie können jetzt nach Hause gehen«, sagte er ruhig. »Wir sehen uns dann morgen wieder.«

Aber bis zum Wochenende waren sechs Debattierer ausgeschieden, darunter die beiden besten. Das spielte natürlich keine Rolle mehr, denn zu der Zeit wußte er schon, daß auch er ausscheiden würde.

Aber dennoch hatte er keine Flasche mehr angerührt, und das war schon etwas.

Und er hatte George Hatfield nicht gehaßt. Das wußte er ganz genau. Er hatte nicht gehandelt, sondern an ihm war gehandelt worden.

Sie hassen mich, weil Sie wissen . . .

Aber er hatte nichts gewußt. *Nichts.* Das konnte er bei Gott schwören, genauso wie er schwören konnte, daß er die Uhr höchstens eine Minute vorgestellt hatte. Und nicht aus Haß, sondern aus Mitleid.

Zwei Wespen krochen träge über die Schindeln.

Er beobachtete sie, bis sie ihre aerodynamisch ungünstigen, aber eigenartigerweise leistungsfähigen Flügel entfalteten und in die Oktobersonne hinaustaumelten, vielleicht um jemand anders zu stechen. Gott hatte ihnen Stachel verliehen, und die, so meinte Jack, mußten sie nun auch anwenden.

Wie lange hatte er schon hier gesessen und in das Loch mit seinem unangenehmen Inhalt hineingeschaut und dabei alte Geschichten aufgewärmt? Er sah auf die Uhr. Fast eine halbe Stunde.

Er kletterte an den Dachrand, ließ ein Bein überhängen und fand die obere Sprosse der Leiter. Er wollte in den Geräteschuppen, wo er das Insektenvertilgungsmittel außerhalb Dannys Reichweite auf ein Regal gestellt hatte. Wenn er mit ihm zurückkam, würden die Wespen die Überraschten sein. Man konnte gestochen werden, aber man konnte auch zurückstechen. In zwei Stunden würde das Nest eine leere, graue Hülle sein, und wenn er wollte, konnte Danny es sich ins Zimmer stellen – Jack hatte als Kind selbst eins gehabt, das immer leicht nach Holzrauch und Benzin roch. Er könnte es sich ans Kopfende stellen, und nichts würde passieren.

»Es wird besser mit mir.«

Der zuversichtliche Klang seiner Stimme an diesem stillen Nachmittag beruhigte ihn, obwohl er nicht laut hatte sprechen wollen. Es *wurde* besser mit ihm. Man konnte von Passivität zu Aktivität gelangen. Man konnte die Dinge, die einen fast in den Wahnsinn getrieben hatten, zum Gegenstand bloßen akademischen Interesses machen.

Und wenn es einen Ort gab, wo man das tun konnte, dann war es dieser.

Er stieg die Leiter hinab, um das Mittel zu holen. Sie würden büßen. Sie würden dafür büßen, daß sie ihn gestochen hatten.

15

Unten im Vorderhof

Jack hatte vor zwei Wochen hinten im Geräteschuppen einen riesigen weißgestrichenen Korbstuhl gefunden und ihn vors Haus geschleppt, wenn auch gegen Wendys Einwände, die gemeint hatte, er sei das häßlichste Ding, das ihr je unter die Augen gekommen sei. Jetzt saß er darin und beschäftigte sich mit einem Buch von E. L. Doctorow: *Welcome to Hard Times*, als seine Frau und sein Sohn mit dem Kleinlaster des Hotels die Auffahrt hochratterten.

Wendy parkte ihn in der Kehre und ließ den Motor noch einmal aufheulen, bevor sie ihn abstellte. Jack stand aus seinem Stuhl auf und ging den beiden entgegen.

»Hallo, Dad«, rief Danny und rannte die Auffahrt hoch. Er hatte eine Schachtel in der Hand. »Guck mal, was Mommy mir gekauft hat!«

Jack hob seinen Sohn hoch, schleuderte ihn zweimal herum und küßte ihn auf den Mund.

»Jack Torrance, der Eugene O'Neill dieser Generation, der amerikanische Shakespeare!« sagte Wendy lächelnd. »Daß ich Sie hier so hoch in den Bergen treffen muß.«

»Die Masse des gewöhnlichen Pöbels ward mir verhaßt,

werte Dame«, sagte er und legte den Arm um sie. Sie küßten sich. »Wie war die Fahrt?«

»Sehr gut. Danny jammert zwar immer, daß ich so ruckartig fahre, aber ich hab' die Maschine nicht ein einziges Mal abgewürgt und . . . oh, Jack, du bist ja schon fertig.«

Sie schaute zum Dach hinauf, und Dannys Augen folgten ihrem Blick. Sein Gesicht verdunkelte sich, als er das breite Stück neu eingesetzter Schindeln auf dem Dach des Westflügels des Overlook sah. Das Stück hob sich durch ein helleres Grün vom übrigen Dach ab. Dann betrachtete er die Schachtel in seiner Hand, und sein Blick wurde wieder frei. Nachts ängstigten ihn immer wieder die Bilder, die Tony ihm gezeigt hatte, aber tagsüber, bei hellem Sonnenschein, brauchte man sie nicht zu beachten.

»Guck mal, Daddy!«

Jack nahm die Schachtel, die sein Sohn ihm hinhielt. Es war ein Modellauto, eine der Karikaturen von Big Daddy Roth, die Danny früher immer so bewundert hatte. Dieses Exemplar war der Violent Violet Volkswagen, und das Bild auf der Schachtel zeigte einen riesigen purpurfarbenen VW mit den großen Hecklichtern eines 1959er Cadillac Coupe de Ville, der einen Sandweg hinauffährt. Der VW hatte ein Schiebedach, und mit dem Gesicht nach hinten schaute ein sich am Steuer festklammerndes Warzenmonster heraus, das diabolisch grinste und eine englische Rennkappe trug.

Wendy lächelte zu ihrem Sohn hinüber, und Jack blinzelte ihr zu.

»Mommy sagte, du hilfst mir, es zusammenzusetzen, sobald ich die ersten Seiten in der neuen Fibel lesen kann.«

»Und das wird in etwa einer Woche der Fall sein«, sagte Jack und gab seinem Sohn die Schachtel zurück. »Was mir an dir gefällt, Doc, ist, daß dein Geschmack so nüchtern, sachlich und sicher ist. Du bist das wahre Kind meiner Lenden.«

Dann wandte er sich seiner Frau zu. »Und was hat die Dame sonst noch in diesem eleganten Wagen?« fragte er.

»Hm-hm.« Sie zog ihn am Arm zurück. »Nicht gucken. Es ist auch etwas für dich dabei. Danny und ich werden es hineintragen. Du kannst die Milch nehmen. Sie steht im Führerhaus.«

»Für dich bin ich nur ein Packesel«, sagte Jack und schlug

sich mit der Hand an die Stirn. »Nichts als ein Packesel. Ein gewöhnliches Haustier. Immer werde ich bepackt.«

»Packen Sie sich mit der Milch in die Küche, Mister.«

»Es ist einfach zu viel!« stöhnte er und warf sich zu Boden. Danny stand grinsend daneben.

»Steh auf, du Ochse«, sagte Wendy und stieß ihn mit der Schuhspitze an.

»Siehst du?« sagte er zu Danny. »Sie nennt mich einen Ochsen. Du bist Zeuge.«

»Zeuge, Zeuge!« rief Danny fröhlich und stellte sich breitbeinig über seinen am Boden liegenden Vater.

Jack setzte sich auf. »Da fällt mir ein, Kumpel. Ich habe auch etwas für dich. Es liegt da drüben neben meinem Aschenbecher.«

»Was ist es denn?«

»Habe ich vergessen. Geh hin und sieh nach.«

Jack erhob sich, und die beiden standen beieinander und sahen Danny über den Rasen rennen und zwei Stufen auf einmal die Treppe hinaufspringen. Er legte den Arm um Wendy.

»Bist du einigermaßen glücklich, Baby?«

Sie sah ihn feierlich an. »So glücklich war ich in unserer ganzen Ehe noch nicht.«

»Ist das wahr?«

»Bei Gott, ja.«

Er drückte sie ganz fest an sich. »Ich liebe dich.«

Gerührt erwiderte sie den Druck. Mit diesen Worten war Jack Torrance immer sehr sparsam gewesen; die Male, die er sie gesagt hatte, konnte sie an den Händen abzählen.

»Ich liebe dich auch.«

»Mommy! Mommy!« Danny stand vor dem Eingang und war ganz aufgeregt. »Komm doch und schau es dir an! Oh, ist das hübsch!«

»Was ist es denn?« fragte Wendy, als sie Hand in Hand hinaufgingen.

»Hab' ich vergessen«, sagte Jack.

»Hier bekommst du, was du verdienst«, sagte sie und stieß ihm den Ellbogen in die Rippen. »Siehst du.«

»Ich hoffte, das würde ich heute nacht bekommen«, bemerkte er, und sie lachte. Ein wenig später fragte er: »Ob Danny sich hier wohlfühlt? Was meinst du?«

»Das müßtest du doch wissen. Du bist doch derjenige, der sich jeden Abend vor dem Schlafengehen so lange mit ihm unterhält.«

»Meistens über das, was er werden will, wenn er mal groß ist. Oder darüber, ob es wirklich einen Weihnachtsmann gibt. Das interessiert ihn zur Zeit brennend. Ich glaube, sein Freund Scott hat ihm da irgendwas erzählt. Nein, über das Overlook hat er sich mir gegenüber kaum geäußert.«

»Zu mir hat er auch nichts gesagt.« Sie gingen jetzt die Treppen hoch. »Aber er ist oft so ruhig. Und er ist dünner geworden, Jack, das habe ich deutlich gemerkt.«

»Er wächst ganz einfach.«

Danny hatte ihnen den Rücken zugekehrt. Er betrachtete etwas, das bei Jacks Stuhl auf dem Tisch lag, aber Wendy konnte immer noch nicht erkennen, was es war.

»Er ißt auch nicht mehr so gut. Früher konnte er nie genug bekommen. Erinnerst du dich noch an das letzte Jahr?«

»Sie werden nun mal dünner, wenn sie wachsen«, sagte er sorglos. »Das habe ich irgendwo gelesen. Wenn er sieben Jahre alt ist, werden wir ihm dafür gleich zwei Gabeln geben müssen.«

Sie waren auf der obersten Stufe stehengeblieben.

»Und dann arbeitet er so verbissen mit seinen Fibeln«, sagte sie.

»Ich weiß, er will lesen lernen, um uns eine Freude zu machen ... um dir eine Freude zu machen«, setzte sie widerwillig hinzu.

»Hauptsächlich, um sich selbst eine Freude zu machen«, sagte Jack. »Ich habe ihn in dieser Sache überhaupt nicht gedrängt. Im Gegenteil, mir wäre lieber, wenn er kürzertreten würde.«

»Hoffentlich hältst du es nicht für albern, wenn ich ihn untersuchen lasse. Es gibt da in Sidewinder einen sehr guten Arzt für Allgemeinmedizin, noch ziemlich jung, wie mir die Frau an der Kasse im Supermarkt sagte –«

»Du machst dir Sorgen, wenn du daran denkst, daß bald der Schnee kommt, nicht wahr?«

Sie zuckte die Achseln. »Das ist es wohl. Aber wenn du meinst, daß es albern ist –«

»Ganz und gar nicht. Ich finde sogar, du solltest für uns alle drei einen Termin machen. Wir lassen uns gute Gesundheit bescheinigen und können dann nachts wenigstens ruhig schlafen.«

»Ich werde mich heute nachmittag darum kümmern«, sagte sie.

»Mom! Guck mal, Mommy!«

Danny kam mit einem großen grauen Gegenstand in den Händen herbeigelaufen, und für einen seltsam-schrecklichen Augenblick hielt Wendy ihn für ein Gehirn. Dann sah sie, was es wirklich war, und fuhr instinktiv zurück.

Jack legte einen Arm um sie. »Ist schon in Ordnung. Soweit die Bewohner nicht weggeflogen sind, habe ich sie herausgeschüttelt. Ich habe ein Vertilgungsmittel gebraucht.«

Sie betrachtete das große Wespennest, das ihr Sohn im Arm hielt. »Kann auch wirklich nichts passieren?«

»Ganz bestimmt nicht. Als ich Kind war, hatte ich eins im Zimmer. Mein Vater hatte es mir gegeben. Möchtest du es dir ins Zimmer stellen, Danny?«

»Ja! Sofort!«

Er drehte sich um und rannte durch die Doppeltüren. Sie hörten seine Füße noch gedämpft auf der Haupttreppe.

»Da oben *waren* also Wespen«, sagte sie. »Bist du gestochen worden?«

»Wo ist denn mein kleiner Liebling?« fragte er und zeigte ihr seinen Finger. Die Schwellung war schon etwas abgeklungen, aber sie pustete auf die Stelle und küßte sie leicht.

»Hast du den Stachel rausgezogen?«

»Wespen lassen ihn nicht stecken. Das tun Bienen. Die haben Widerhaken an den Stacheln. Wespen stechen ganz glatt. Das macht sie so gefährlich. Sie können immer wieder stechen.«

»Jack, sollte das Nest nicht lieber *doch* wieder aus dem Zimmer?« »Ich habe genau die Anweisungen befolgt. Das Mittel tötet garantiert innerhalb von zwei Stunden jede Wespe und verdunstet dann ohne Rückstand.«

»Ich hasse sie«, sagte Wendy.

»Was . . . Wespen?«

»Alles, was sticht«, sagte sie und kreuzte die Arme vor der Brust.

»Ich auch«, sagte er und umarmte sie.

16

Danny

Wendy hörte, wie Jack auf die Schreibmaschine hämmerte, die er von unten heraufgebracht hatte. Sie klapperte dreißig Sekunden lang, schwieg dann eine Minute und ratterte wieder los. Es hörte sich an wie Feuerstöße aus einem versteckten Maschinengewehrstand. Der Klang war Musik in ihren Ohren; so regelmäßig hatte Jack schon seit ihrem zweiten Ehejahr nicht mehr geschrieben. Damals schrieb er die Geschichte, die dann der *Esquire* kaufte. Jack hatte gesagt, daß er das Stück wohl bis zum Ende des Jahres abschließen würde. Er hatte gemeint, es sei ihm gleich, ob das Stück Aufsehen errege, wenn Phyllis es erst herumzeige, oder ob es gleich wieder in der Versenkung verschwinde, und auch das hatte Wendy ihm geglaubt. Die bloße Tatsache, daß er schrieb, stimmte sie schon hoffnungsfroh, nicht, weil sie sich von dem Stück viel erwartete, sondern weil ihr Mann im Begriff war, eine riesige Tür zu einem Raum voller Ungeheuer zu schließen. Er hatte sich schon so lange mit der Schulter gegen diese Tür gestemmt, und jetzt schien sie sich endlich zu schließen.

Jeder Anschlag auf der Schreibmaschine schloß sie ein wenig mehr.

»Schau, Dick, schau.«

Danny saß über die erste der fünf zerfledderten Fibeln gebeugt, die Jack durch gnadenloses Stöbern in den unzähligen Antiquariaten von Sidewinder aufgetrieben hatte. Im Lesen sollte Danny während des Winters den Leistungsstand eines Kindes in der zweiten Klasse erreichen, und sie hatte Jack gesagt, daß sie das Programm für ein wenig zu ehrgeizig halte. Daß ihr Sohn intelligent war, wußten sie, aber es wäre ein Fehler, ihn zu rasch zu Höchstleistungen anzutreiben. Jack war einverstanden gewesen. Wenn das Kind schnell lernte, konnte man immer noch das Tempo steigern. Auch darin hatte Jack sicherlich recht.

Danny, der schon vier Jahre »Sesamstraße« und drei Jahre »Electric Company« hinter sich hatte, schien mit fast beängstigender Geschwindigkeit zu lernen. Das machte ihr Sorgen. Er hockte über den harmlosen kleinen Büchern, als hinge sein Leben vom Lesenlernen ab, während sein Quarzradio und das Segelflugzeug aus Balsaholz unbeachtet im Regal standen. Im hellen, konzentrierten Licht der verstellbaren Tischlampe sah sein Gesicht angespannter und blasser aus, als ihr lieb war. Er nahm das Lesen genauso ernst wie die Schreibübungen, die sein Vater jeden Nachmittag von ihm verlangte. So zeichnete Jack zum Beispiel einen Apfel und einen Pfirsich und schrieb das Wort *Apfel* darunter.

Dann mußte er das passende Bild umranden. Danny tat es und sprach dabei das Wort aus, den großen Bleistift in seiner kleinen Faust. Und dann schrieb er selbst ein paar Dutzend Worte, die er schon kannte.

Langsam fuhr er mit dem Finger die Zeilen der Fibel entlang. Über dem Text war ein Bild, das Wendy aus ihrer eigenen Schulzeit noch verschwommen kannte. Ein lachender Junge mit braunem Kraushaar. Ein Mädchen in kurzem Kleid und mit blonden Locken. Ein spielender Hund, der einem roten Ball hinterherrannte. Die Dreieinigkeit der ersten Schulklasse. Dick, Jane und Jip.

»Schau, Jip läuft«, las Danny langsam. »Lauf, Jip, lauf. Lauf, lauf, lauf.« Er hielt inne und legte den Finger an die nächste Zeile. »Siehst du den . . .« Er beugte sich so tief hinab, daß seine Nase fast die Zeile berührte. »Siehst du den . . .«

»Nicht sagen!« rief er und setzte sich ruckartig auf. Seine Stimme klang erschrocken. »Nicht sagen, Mommy, ich krieg's selbst raus!«

»Schon gut, HONEY«, sagte sie. »Aber es ist nicht so wichtig. Wirklich nicht.«

Ohne sich um sie zu kümmern, beugte sich Danny wieder vor. In seinem Gesicht lag ein Ausdruck, den man wohl eher bei einem Studenten erwartet hätte, der über seiner Examensarbeit brütet, und er gefiel ihr immer weniger.

»Siehst du den . . . Be. A. El. El. Siehst du den B-A-El? Siehst du den Ba-el. *Ball!*« Plötzlich Triumph. Wild. Die Wildheit in seiner Stimme ängstigte sie. »*Siehst du den Ball!*«

»Richtig«, sagte sie. »Honey, ich denke, es ist genug für heute.«

»Noch ein paar Seiten, Mommy? Bitte!«

»Nein, Doc.« Sie schlug das rotgebundene Buch energisch zu. »Bettzeit.«

»Bitte!«

»Nun ärgere mich nicht, Danny. Mommy ist müde.«

»Okay.« Aber er schaute sehnsüchtig zur Fibel hinüber.

»Geh, gib deinem Vater einen Gutenachtkuß, und dann wasch dich. Vergiß nicht, dir die Zähne zu putzen.«

»Okay.«

Er ging hinaus. Jacks Schreibmaschine verstummte, und sie hörte, wie Danny seinem Vater einen schmatzenden Kuß gab. »Gute Nacht, Dad.«

»Gute Nacht, Doc. Wie sieht's aus?«

»Ganz gut. Mommy sagt, ich soll aufhören.«

»Mommy hat recht. Es ist schon halb neun. Gehst du noch ins Bad?«

»Ja.«

»Gut. Aus deinen Ohren wachsen nämlich schon Kartoffeln. Und Karotten und Schnittlauch –«

Dannys Lachen wurde schwächer und dann vom festen Zuklappen der Badezimmertür ganz abgeschnitten. Er war im Bad gern allein, während sie und Jack in der Hinsicht gleichgültiger waren. Ein weiteres Zeichen dafür – und diese Zeichen häuften sich –, daß sich bei ihnen ein Mensch befand, weder eine Kopie von einem von ihnen noch eine Mischung von beiden. Es machte sie ein wenig traurig. Eines Tages würde ihr Kind für sie ein Fremder sein, und auch sie würde ihm fremd werden... aber nicht so fremd wie ihre eigene Mutter ihr geworden war. Oh Gott, so darf es nicht kommen. Er soll aufwachsen und seine Mutter immer noch lieben.

Sie hörte in Abständen wieder die Schreibmaschine klappern.

Sie saß immer noch auf dem Stuhl neben Dannys Lesetisch und schaute sich im Zimmer ihres Sohnes um. Die Tragfläche des Segelflugzeugs war säuberlich repariert worden. Auf dem Tisch lagen ganze Stapel von Bilderbüchern, Malbüchern und alten Spiderman-Comics mit abgerissenen Umschlagseiten, einige Buntstifte und ein Haufen Bauklötze. Das VW-Modell lag unangetastet im Regal. Er und sein Vater würden es schon morgen oder übermorgen abend zusammensetzen und nicht erst am Wochenende, denn der Junge machte solche Fortschritte, daß das wohl keine Frage war. Seine Poster mit Comic-Figuren hingen an der Wand, und sie würden nur allzu bald durch Poster oder Photos von haschrauchenden Rocksängern ersetzt werden, wie sie annahm. Aus Unschuld wächst Erfahrung. So ist das eben, Baby. Nimm's und friß es. Dennoch machte es sie traurig. Im nächsten Jahr würde er die Schule besuchen, und sie würde mindestens die Hälfte seines Lebens, vielleicht mehr, an seine Freunde verlieren. Als alles in Stovington gut zu laufen schien, hatten sie und Jack sich eine Zeitlang ein zweites Kind gewünscht, aber jetzt nahm sie wieder die Pille. Es war alles zu unsicher. Gott wußte, wo sie in neun Monaten sein würden.

Ihr Blick fiel auf das Wespennest.

Es hatte seinen endgültigen Platz in Dannys Zimmer gefunden und stand auf einer Plastikunterlage auf dem Tisch neben Dannys Bett. Es gefiel ihr überhaupt nicht, wenn es auch leer war. Sie überlegte, ob es nicht Krankheitskeime enthielt, dachte daran, Jack zu fragen, und war dann überzeugt, daß er lachen würde. Aber morgen würde sie sich beim Arzt erkundigen, wenn Jack vielleicht einmal nicht im Raum war. Der Gedanke, daß dieses aus Speichel und Gekautem so vieler widerlicher Kreaturen gebaute Ding kaum einen Meter vom Gesicht ihres schlafenden Sohnes entfernt war, machte sie ganz krank.

Das Wasser im Bad lief noch, und sie stand auf, um das Schlafzimmer für die Nacht zu richten. Jack schaute nicht einmal auf. Er hatte sich in der Welt verloren, die er erschuf, und starrte auf die Schreibmaschine, eine Filterzigarette zwischen den Zähnen.

Sie klopfte leise an die geschlossene Badezimmertür. »Alles in Ordnung, Doc? Du bist doch nicht eingeschlafen?«

Keine Antwort.

»Danny?«

Keine Antwort. Sie prüfte die Tür. Sie war verriegelt.

»Danny?« Jetzt war sie ernstlich besorgt, denn außer dem Rauschen des Wassers war kein Laut zu hören. »Danny? Mach auf, Honey.«

Keine Antwort.

»Danny!«

»Mein Gott, Wendy, willst du denn die ganze Nacht an die Tür klopfen?«

»Danny hat sich im Bad eingeschlossen und antwortet nicht.«

Wütend kam Jack hinter seinem Schreibtisch hervor und klopfte einmal laut an die Tür. »Mach auf, Danny. Jetzt ist's genug.«

Keine Antwort.

Jack klopfte lauter. »Schluß mit dem Unfug, Doc. Schlafenszeit ist Schlafenszeit. Mach sofort auf, sonst setzt es was!«

Er verliert die Beherrschung, dachte sie und hatte noch mehr Angst. Seit jenem Abend vor zwei Jahren war er gegen Danny nie wieder gewalttätig geworden, aber jetzt war er so wütend, daß man es ihm zutrauen konnte.

»Danny, Liebling –« fing sie an.

Keine Antwort. Nur das Geräusch von fließendem Wasser.

»Danny, wenn du mich dazu zwingst, das Schloß kaputtzumachen, kannst du heute nacht auf dem Bauch schlafen. Das garantier ich dir«, warnte Jack.

Nichts.

»Brich sie auf«, sagte sie, und plötzlich fiel ihr das Sprechen schwer. »Schnell.«

Er hob den Fuß und trat rechts vom Griff hart gegen die Tür. Das Schloß war nicht sehr stabil; es gab sofort nach, und vibrierend sprang die Tür auf, knallte gegen die Wandfliesen und schwang halb wieder zurück.

»Danny!« schrie sie.

Das Wasser rauschte mit voller Stärke ins Becken. Am Rand lag eine geöffnete Tube Zahnpasta. Danny saß gegenüber auf dem Badewannenrand und hielt die Zahnbürste schlaff in der linken Hand. Sein Mund war von Zahnpasta schaumig verschmiert. Er starrte wie in Trance in den Spiegel vor der Hausapotheke über dem Waschbecken. Sein Gesicht drückte nacktes Entsetzen aus, und ihr erster Gedanke war, daß er einen epileptischen Anfall hatte und ihm vielleicht die Zunge im Hals steckte.

»Danny!«

Danny antwortete nicht. Aus seiner Kehle drangen gutturale Laute.

Dann wurde sie so hart beiseite gestoßen, daß sie gegen den Handtuchhalter taumelte, und Jack kniete vor dem Jungen.

»Danny«, sagte er. »Danny, Danny!« Er schnippte mit dem Finger vor Dannys ausdruckslosen Augen.

»Ach ja«, sagte Danny. »Turnierspiel. Schlag. Wrrrr...«

»Danny –«

»Roque!« sagte Danny, und seine Stimme klang plötzlich tief, fast männlich.

»Roque. Schlag. Der Hammer am Schläger hat zwei Seiten. Gaaaaa –«

»Mein Gott, Jack! *Was ist los mit ihm?*«

Jack packte den Jungen an den Ellbogen und schüttelte ihn wild. Dannys Kopf schlenkerte kraftlos von einer Seite zur anderen und schoß dann nach vorn wie ein Ballon an einem Stock.

»Roque. Schlag. Drom.«

Wieder schüttelte Jack ihn, und Dannys Augen wurden plötzlich klar. Die Zahnbürste fiel ihm aus der Hand und klickte leise, als sie auf die Fliesen traf.

»Was?« fragte er und schaute sich im Bad um. Er sah seinen Vater vor sich knien. Wendy stand an der Wand. »Was?« wiederholte Danny ganz entsetzt seine Frage. »W-W-Was i-i-ist d-d –«

»Du sollst nicht stottern!« brüllte Jack ihn plötzlich an. Danny schrie erschrocken auf, zuckte instinktiv vor seinem Vater zurück und fing hemmungslos an zu schluchzen. Betroffen zog Jack ihn an sich. »Oh, Honey, es tut mir leid. Es tut mir so leid, Doc. Bitte nicht weinen. Es tut mir leid. Es wird alles wieder gut.«

Das Wasser floß unablässig in das Becken, und Wendy fühlte sich in einen quälenden Alptraum versetzt, in dem die Zeit rückwärtslief, zurück zu dem Tag, an dem ihr betrunkener Mann ihrem Sohn den Arm gebrochen und dann mit fast den gleichen Worten darüber gejammert hatte.

(Oh, Honey, es tut mir leid. Es tut mir so schrecklich leid, Doc. Bitte, es tut mir leid.)

Sie rannte hinüber, und irgendwie riß sie Jack das Kind aus den Armen (sie sah seinen vorwurfsvollen Blick, vergaß ihn aber fürs erste) und trug Danny in das kleine Schlafzimmer. Er hatte ihr die Arme um den Hals gelegt, und Jack folgte den beiden.

Sie setzte sich auf Dannys Bett, wiegte ihn und redete dabei immer die gleichen Nonsens-Worte. Sie sah Jack an und erkannte in seinen Augen nur noch Sorge. Er hob fragend die Brauen, und sie schüttelte fast unmerklich den Kopf.

»Danny«, sagte sie. »Danny, Danny, Danny. Ist ja schon gut. Ist ja alles gut, Doc.«

Endlich beruhigte Danny sich und lag, noch ein wenig zitternd, in ihren Armen. Dennoch war der erste, mit dem er sprach, sein Vater, der jetzt neben ihnen auf dem Bett saß, und schmerzhaft empfand sie wieder die alte Eifersucht.

(Er ist für ihn natürlich der erste, und so war es immer)

Jack hatte ihn angebrüllt, sie hatte ihn getröstet, aber sein Vater war es, den er als ersten ansprach.

»Es tut mir leid, wenn ich bös' war.«

»Dir braucht nichts leid zu tun, Doc.« Jack fuhr ihm durchs Haar. »Was, zum Teufel, war denn im Bad los?«

Danny schüttelte langsam und benommen den Kopf. »Ich ... ich weiß nicht. Warum hast du mir denn gesagt, daß ich nicht stottern soll, Daddy? Ich stottere doch gar nicht.«

»Natürlich nicht«, sagte Jack fröhlich, aber Wendy hatte das Gefühl, als griffe ihr eine kalte Hand ans Herz. Jack sah plötzlich so ängstlich aus, als hätte er ein Gespenst gesehen.

»Da war etwas mit einer Uhr... sie war vorgestellt...« murmelte Danny.

»*Was?*« Jack beugte sich vor, und Danny zuckte in ihren Armen zusammen.

»Jack, du machst ihm Angst!« sagte sie, und ihre Stimme war anklagend, fast schrill. Plötzlich schien es ihr, als hätten sie alle drei Angst. Aber wovor?

»Ich weiß nicht, ich weiß es einfach nicht«, sagte Danny zu seinem Vater. »Was ... was hab ich denn gesagt, Daddy?«

»Nichts«, murmelte Jack. Er riß sein Taschentuch raus und

wischte sich damit den Mund. Wieder hatte Wendy kurz das Gefühl, die Zeit liefe rückwärts. An diese Geste erinnerte sie sich aus seinen Trinkertagen.

»Warum hast du denn abgeschlossen, Danny?« fragte sie leise. »Warum?«

»Tony«, sagte er. »Tony wollte es.«

Wendy und Jack sahen einander an.

»Warum denn? Hat Tony das erklärt?« fragte Jack ruhig.

»Ich putzte mir gerade die Zähne und dachte an mein Lesen«, sagte Danny. »Ich dachte richtig nach. Und . . . und ich sah Tony im Spiegel. Er wollte mir etwas zeigen.«

»Er war also hinter dir?« fragte Wendy.

»Nein, er war im Spiegel«, betonte Danny mit Nachdruck. »Ganz weit weg. Und dann ging ich selbst in den Spiegel. Und dann weiß ich nur noch, daß Daddy mich schüttelte, und ich dachte, ich hätte was Schlimmes getan.«

Jack zuckte zusammen, als hätte er einen Hieb bekommen.

»Nein, Doc«, sagte er leise.

»Hat Tony dir gesagt, daß du abschließen sollst?« fragte Wendy und strich ihm über das Haar.

»Ja.«

»Und was wollte er dir zeigen?«

Danny wurde in ihren Armen ganz steif; es war, als hätten sich alle Muskeln seines Körpers in Klaviersaiten verwandelt. »Ich kann mich nicht erinnern«, sagte er verwirrt. »Fragt mich nicht. Ich . . . *ich erinnere mich an gar nichts!*«

»Psssst«, sagte Wendy erschrocken. Sie wiegte ihn wieder. »Es macht doch nichts, wenn du dich an nichts mehr erinnerst, Honey. Das macht überhaupt nichts.«

Endlich beruhigte Danny sich wieder.

»Soll ich noch ein wenig bei dir bleiben? Dir eine Geschichte vorlesen?«

»Nein. Nur das Licht anmachen.« Scheu sah er seinen Vater an. »Kannst du nicht eine Minute bleiben, Daddy?«

»Klar, Doc.«

Wendy seufzte. »Ich geh' ins Wohnzimmer, Jack.«

»Okay.«

Sie stand auf, und Danny glitt unter die Decke. Wie klein er war.

»Bist du sicher, daß du dich besser fühlst?«

»Ich fühl' mich besser. Schalt nur Snoopy an, Mom.«

»Gern.«

Sie schaltete die Nachttischlampe an, die Snoopy zeigte, der auf seiner Hundehütte lag und schlief. Bevor sie ins Overlook zogen, hatte er nie bei Licht schlafen wollen, aber dann hatte er darauf bestanden. Sie löschte das Deckenlicht und drehte sich noch einmal zu den beiden um. Sie sah Dannys kleines weißes Gesicht und Jack, der sich über ihn beugte. Sie zögerte einen Augenblick.

(und dann ging ich in den Spiegel)

Dann verließ sie leise das Zimmer.

»Bist du müde?« fragte Jack und strich ihm das Haar aus der Stirn.

»Ja.«

»Möchtest du ein Glas Wasser?«

»Nein . . .«

Fünf Minuten Schweigen. Seine Hand lag noch an Dannys Kopf. Er dachte, der Junge sei eingeschlafen, und wollte gerade gehen, als Danny im Halbschlaf sprach:

»Roque.«

Jack erstarrte.

»Danny –?«

»Du würdest Mommy doch nie etwas tun, Daddy?«

»Nein.«

»Und mir auch nicht?«

»Nein.«

Wieder gedehntes Schweigen.

»Daddy?«

»Was ist denn?«

»Tony hat mir was von Roque erzählt.«

»So? Was hat er denn gesagt, Doc?«

»Ich weiß es nicht mehr genau. Aber er hat gesagt, daß die Spieler abwechselnd an der Reihe sind. Wie beim Baseball. Komisch.«

»Ja.« Jack hatte Herzklopfen. Wie konnte der Junge das wissen? Roque wurde abwechselnd gespielt. Nicht wie beim Baseball, sondern wie beim Cricket.

»Daddy?« Er schlief schon fast.

»Was denn?«

»Was ist Drom?«

»Drom? Vielleicht brauchen das die Indianer auf dem Kriegspfad.«

Schweigen. »Heh, Doc.«

Aber Danny schlief. Sein Atem ging gleichmäßig. Wie liebte er den Jungen. Warum hatte er ihn so angeschrien? Es war doch normal, daß ein Kind ein wenig stottert. Er war aus einer Art Trance aufgewacht. Dann war Stottern normal. Er hatte auch nicht von einer Uhr gesprochen, sondern irgendeinen anderen Unsinn gesagt. Aber wie wußte er, daß beim Roque abwechselnd gespielt wird? Hatte Ullman ihm das gesagt? Oder Hallorann? Er betrachtete Dannys zu kleinen Fäusten geballte Hände, deren Nägel sich in das Fleisch gruben.

(Oh Gott, ich brauche einen Drink)

»Ich liebe dich, Danny«, flüsterte er. Gott weiß es.

Er ging. Wieder hatte er die Beherrschung verloren. Er empfand Ekel und Angst.

Ein Drink würde dieses Gefühl dämpfen.

(Er hatte von einer Uhr gesprochen)

Daran bestand kein Zweifel. Nicht der geringste. Er hatte die Worte ganz deutlich gehört. Er blieb im Flur stehen und sah sich noch einmal um. Automatisch wischte er sich mit dem Taschentuch die Lippen.

Ihre Gestalten waren dunkle Silhouetten im Schein der gedämpften Beleuchtung. Wendy trug nur einen Slip. Sie trat an sein Bett und deckte ihn zu. Er hatte die Decke weggestrampelt. Jack stand in der Tür und sah, daß sie ihm die Hand an die Stirn hielt.

»Hat er Fieber?«

»Nein.« Sie küßte den Jungen auf die Wange.

»Gott sei Dank, daß du diesen Termin gemacht hast«, sagte er, als sie zur Tür zurückkam. »Meinst du, der Kerl versteht sein Handwerk?«

»Die Frau im Supermarkt sagt, daß er sehr gut ist. Mehr weiß ich nicht.«

»Wenn irgend etwas nicht in Ordnung ist, schicke ich dich und Danny zu deiner Mutter, Wendy.«

»Nein.«

»Ich weiß«, sagte er und legte den Arm um sie, »was du dabei empfindest.«

»Du weißt nicht, was ich meiner Mutter gegenüber empfinde.«

»Wendy, möchtest du mir sagen, wohin sonst ich dich schikken könnte?«

»Wenn du vielleicht –«

»Ohne diesen Job sind wir erledigt«, sagte er. »Und du weißt es.«

Sie nickte langsam. Ja, sie wußte es.

»Als ich das Einstellungsgespräch mit Ullman hatte, glaubte ich, daß er nur den üblichen Unfug redet. Jetzt bin ich nicht mehr so sicher. Vielleicht hätte ich euch wirklich zu dem Gespräch mitnehmen sollen. Vierzig Meilen von nirgendwo.«

»Ich liebe dich«, sagte sie. »Und Danny liebt dich sogar noch mehr, wenn das überhaupt möglich ist. Er wäre todunglücklich gewesen, Jack. Das wird er auch sein, wenn du uns wegschickst.«

»So kannst du es nicht nennen.«

»Wenn der Arzt meint, daß etwas nicht in Ordnung ist, werde ich mir einen Job in Sidewinder suchen«, sagte sie. »Wenn ich dort keinen finde, gehe ich mit Danny nach Boulder. Ich kann nicht zu meiner Mutter, Jack. Nicht unter diesen Umständen. Frag mich nicht. Ich . . . Ich kann es einfach nicht.«

»Ich glaube, ich versteh' dich. Mach dir keine Sorgen. Vielleicht ist ja auch gar nichts.«

»Vielleicht.«

»Der Termin ist um zwei?«

»Ja.«

»Laß seine Schlafzimmertür offen, Wendy.«

»Das wollte ich erst, aber ich denke, er wird durchschlafen.«

Genau das tat er nicht.

Wumm . . . wumm . . . wummwummWUMMWUMM –

Er floh vor dem dumpfen Echo dieser krachenden Geräusche durch gewundene, labyrinthartige Korridore, und seine nackten Füße huschten über einen dichten Dschungel von Blau und Schwarz hinweg. Jedesmal wenn er den Roque-Schläger irgendwo hinter sich in die Wand donnern hörte, wollte er laut schreien. Aber er durfte es nicht. Er durfte nicht. Ein Schrei hätte ihn sofort verraten, und dann

(dann DROM)

(Komm her und nimm deine Medizin, du gottverdammter Schreihals!)

Oh, und er hörte den, dessen Stimme es war, herbeieilen, ihn zu holen, in weiten Sätzen, wie ein Tiger in einem blauschwarzen Dschungel. Ein Menschenfresser.

(Komm raus, du kleines Miststück!)

Wenn er die Treppe erreichen könnte, die nach unten führte, wenn er den dritten Stock verlassen könnte, wäre vielleicht alles in Ordnung. Selbst mit dem Fahrstuhl. Wenn er sich an das Vergessene erinnern könnte. Aber es war dunkel, und in seinem Entsetzen hatte er jede Orientierung verloren. Er war erst in eine, dann in eine andere Abzweigung hineingelaufen, sein Herz hämmerte, bis er es wie einen heißen Eisklumpen im Mund spürte, und an jeder Ecke die grauenhafte Angst, sich in diesem Labyrinth dem menschlichen Tiger ausgeliefert zu sehen.

Das donnernde Krachen war jetzt direkt hinter ihm. Und das gräßliche heisere Gebrüll.

Das Pfeifen des Schlägerhammers, als er die Luft durchschnitt

(Roque ... Schlag ... Roque ... Schlag ... DROM)

bevor er gegen die Wand schmetterte. Das leise Huschen von Füßen über den Dschungelteppich. Panische Angst zog ihm den Mund zusammen wie bitterer Saft.

(*Du wirst dich an das Vergessene erinnern* ... würde er das wirklich? Was war es?)

Er floh um die nächste Ecke, und schleichendes, fürchterliches Entsetzen kam über ihn, als er sah, daß der Korridor nicht weiterführte. Von drei Seiten sahen ihn geschlossene Türen drohend an. Der Westflügel. Er war im Westflügel, und draußen hörte er den Sturm heulen und kreischen, der an seiner eigenen schneegefüllten Kehle zu ersticken schien.

Er warf sich mit dem Rücken gegen die Wand und weinte jetzt vor Entsetzen. Sein Herz raste wie das eines Kaninchens in der Schlinge. Als sein Rücken auf die hellblaue Seidentapete mit ihrem Wellenmuster traf, knickten seine Beine unter ihm weg, und er brach auf dem Teppich zusammen, und seine Hände krallten sich in den Dschungel von Ranken und Schlingpflanzen. Sein Atem ging pfeifend.

Ein Tiger war im Korridor, und jetzt war der Tiger dicht hinter der Ecke und brüllte immer noch in seiner schrillen, keifenden, wahnsinnigen Wut, und krachend fuhr der Schlägerhammer in die Wand, denn dieser Tiger ging auf zwei Beinen, und es war –

Keuchend zog er die Luft ein und war wach, saß aufrecht im Bett, die Augen weit aufgerissen, und starrte in die Dunkelheit. Er schlug die Hände vors Gesicht.

Etwas war an seiner Hand. Es kroch.

Wespen. Drei Stück.

Sie stachen ihn. Alle gleichzeitig. Und in diesem Augenblick fielen die Bilder alle auseinander, stürzten in dunkler Flut auf ihn herab, und er schrie in die Dunkelheit hinein, und die Wespen klammerten sich an seine linke Hand und stachen und stachen.

Das Licht ging an, und Daddy stand in Shorts neben dem Bett, und seine Augen schauten böse. Mommy stand hinter ihm, verschlafen und ängstlich.

»*Nimm sie weg!*« kreischte Danny.

»Oh, mein Gott«, sagte Jack. Er sah es.

»Jack, was ist los mit ihm? *Was ist los?*«

Er antwortete nicht. Er rannte zum Bett, riß Dannys Kissen hoch und schlug damit immer wieder auf Dannys wild zukkende linke Hand. Wendy sah häßliche Insekten, die summend davonflogen.

»Hol eine Zeitung!« brüllte er über die Schulter zurück. »Schlag sie tot!«

»Wespen?« sagte sie und war einen Augenblick ganz in sich versunken. Diese Erkenntnis hatte sie völlig ihrer Umgebung entrückt.

»Halt dein verdammtes Maul und schlag sie tot!« brüllte er noch lauter. »Tu, was ich sage!«

Eine war auf Dannys Lesetisch gelandet. Sie nahm ein Malbuch von seinem Arbeitstisch und ließ es auf die Wespe niedersausen. Eine klebrige braune Schmiere blieb zurück.

»Am Vorhang ist noch eine«, sagte er und rannte mit Danny auf dem Arm an ihr vorbei aus dem Zimmer. Er trug den Jungen in ihr Schlafzimmer und legte ihn auf Wendys Seite des provisorischen Doppelbetts. »Bleib schön liegen, Danny. Komm erst zurück, wenn ich es dir sage. Verstanden?«

Danny nickte. Sein Gesicht war vom Weinen geschwollen und tränennaß.

»Du bist ein guter Junge.«

Jack rannte den Flur entlang zur Treppe nach unten. Hinter sich hörte er zweimal das Malbuch klatschen und dann den Schmerzensschrei seiner Frau. Er verlangsamte seinen Lauf nicht, sondern nahm zwei Stufen auf einmal. Dann raste er durch Ullmans Büro in die Küche und merkte kaum, daß er sich an der Kante von Ullmans Schreibtisch den Oberschenkel gestoßen hatte. Er schlug auf den Schalter für die Deckenbeleuchtung und lief zur Spüle hinüber. Das abgewaschene Geschirr vom Abendessen stand noch dort, wo Wendy es zum Trocknen hingestellt hatte. Er nahm eine große Schale von oben weg. Dabei fegte er einen Teller runter, der auf dem Boden explodierte. Er kümmerte sich nicht darum. Er rannte durch das Büro zurück und die Treppe hinauf.

Schweratmend stand Wendy vor Dannys Tür. Ihr Gesicht war kalkweiß. Ihre Augen glänzten, verrieten aber keinen Ausdruck; ihr Haar klebte ihr am Nacken. »Ich hab' sie alle«, sagte sie tonlos, »aber eine hat mich gestochen, Jack. Dabei hast du gesagt, sie sind alle tot.« Sie fing an zu weinen.

Ohne sie zu beachten, rannte er an ihr vorbei und trug die große Schüssel zum Nest neben Dannys Bett. Das Nest war wie tot. Keine Wespen. Jedenfalls nicht draußen. Er stülpte die Schüssel über das Nest.

»Das wär's«, sagte er. »Komm jetzt.«

Sie gingen in ihr Schlafzimmer zurück.

»Wo hat sie dich gestochen?« fragte er.

»Hier... am Handgelenk.«

»Zeig mal.«

Sie hielt ihm die Hand hin. Zwischen Hand und Gelenk sah er ein winziges Loch. Das Fleisch rundherum war schon angeschwollen.

»Bist du gegen Insektenstiche allergisch?« fragte er. »Denk

gut nach. Wenn du es bist, könnte Danny es auch sein. Die Scheißviecher haben ihm fünf oder sechs Stiche beigebracht.«

»Nein«, sagte sie. Sie hatte sich schon etwas beruhigt. »Ich ... ich hasse sie ganz einfach, weiter nichts. Ich *hasse* sie.«

Danny saß am Fußende des Betts und hielt sich die linke Hand. Vorwurfsvoll sah er seine Eltern an, besonders Jack.

»Daddy, du hast gesagt, du hast sie alle totgemacht. Aber meine Hand ... sie tut so weh.«

»Zeig mal, Doc ... nein, ich faß sie ja nicht an. Dann tut es noch mehr weh. Zeig sie mir nur.«

Er tat es, und Wendy stöhnte laut auf. »Oh, Danny ... deine arme Hand!«

Der Arzt zählte später elf einzelne Stiche. Jetzt sahen sie nur eine Ansammlung von winzigen Löchern, als ob ihm jemand ein wenig roten Pfeffer auf die Handfläche gestreut hätte. Die Schwellung war übel. Seine Hand sah aus wie eine Comic-Zeitung, auf der sich Bugs Bunny oder Daffy Duck gerade mit einem Hammer auf die Finger geschlagen hatten.

»Wendy, hol dieses Spray aus dem Bad«, sagte Jack.

Sie ging, und er setzte sich neben Danny und legte ihm den Arm um die Schulter.

»Nachdem wir deine Hand besprüht haben, will ich ein paar Polaroidaufnahmen davon machen, Doc. Den Rest der Nacht kannst du dann bei uns schlafen.«

»Ja«, sagte Danny. »Aber warum willst du denn Aufnahmen machen?« »Damit wir verdammt aus ein paar Leuten etwas herausklagen können.«

Wendy kam mit der Spraytube zurück, die aussah wie ein kleiner Feuerlöscher.

»Dies tut nicht weh, Honey«, sagte sie und schraubte den Verschluß ab.

Danny hielt ihr die Hände hin, und sie besprühte beide Seiten, bis die Haut glänzte. Er stieß einen langen, zitternden Seufzer aus.

»Tut es weh?« fragte sie.

»Nicht mehr so sehr.«

»Nun nimm diese.« Sie hielt ihm fünf Aspirintabletten für Babys hin, die nach Orangen schmeckten und die er eine nach der anderen in den Mund steckte.

»Ist das nicht ein bißchen reichlich Aspirin?« fragte Jack.

»Er hat auch reichlich Stiche«, fauchte Wendy böse. »Und jetzt sieh zu, daß wir das Nest loswerden, Jack Torrance. Und zwar sofort.«

»Einen Augenblick noch.«

Er trat an die Kommode und nahm aus der obersten Schublade seine alte Polaroid. Dann wühlte er weiter hinten und fand ein paar Blitzwürfel.

»Jack, was machst du da?« fragte sie ein wenig hysterisch.

»Er will ein paar Aufnahmen von meiner Hand machen«, sagte Danny feierlich. »Und dann werden wir verdammt aus ein paar Leuten etwas herausklagen. Nicht wahr, Daddy?«

»Ja«, sagte Jack böse. Er fand auch das Aufsatzgerät für den Blitz und befestigte es an der Kamera. »Streck die Hand aus, mein Sohn. Ich hatte an fünftausend Dollar pro Stich gedacht.«

»Worüber *redest* du?« Wendy schrie fast.

»Ich will dir mal was sagen«, meinte Jack. »Bei diesem verdammten Mittel habe ich mich genau an die Gebrauchsanweisung gehalten. Wir werden die Hersteller verklagen. Das Ding war defekt. Muß es gewesen sein. Wie sonst erklärst du dir dies?«

»Ach so«, sagte sie kleinlaut.

Er machte vier Aufnahmen, und Danny war fasziniert von dem Gedanken, daß seine gestochene Hand Tausende von Dollar wert sein könnte. Seine Angst schwand, und er zeigte reges Interesse. In seiner Hand klopfte es, und er hatte leichte Kopfschmerzen.

Als Jack die Kamera weggelegt und die Bilder zum Trocknen ausgebreitet hatte, sagte Wendy: »Sollen wir ihn nicht lieber gleich zum Arzt bringen?«

»Nicht, wenn er nicht wirklich Schmerzen hat«, sagte Jack. »Wenn einer eine ausgeprägte Allergie gegen Wespengift hat, zeigt sich das innerhalb von dreißig Sekunden.«

»Zeigt sich? Was meinst –«

»Ein Koma. Oder Krämpfe.«

»Oh. Oh, mein Gott.« Sie verschränkte die Arme vor der Brust und sah blaß und elend aus.

»Wie fühlst du dich, Junge. Kannst du jetzt schlafen?«

Danny blinzelte ihnen zu. Der Alptraum war verdrängt, aber immer noch hatte er Angst.

»Wenn ich bei euch schlafen darf.«

»Natürlich«, sagte Wendy. »Oh, Honey, es tut mir so leid.«

»Ist schon okay, Mommy.«

Wieder fing sie an zu weinen, und Jack legte ihr die Hände auf die Schultern. »Wendy, ich schwöre dir, daß ich mich genau an die Gebrauchsanweisung gehalten habe.«

»Schaffst du es morgen aus dem Haus? Bitte!«

»Natürlich werde ich das tun.«

Die drei gingen ins Bett, und Jack wollte gerade das Licht ausknipsen, als er innehielt und die Decke wieder zurückwarf. »Ich will auch von dem Nest noch eine Aufnahme machen.«

»Komm aber gleich wieder.«

»Ja, ja.«

Er ging an die Kommode und holte die Kamera und den letzten Blitzlichtwürfel. Dann zeigte er Danny den nach oben gerichteten Daumen, eine aufmunternde Geste, die dieser lächelnd erwiderte.

Was für ein Junge, dachte er, als er in Dannys Zimmer ging. *Erst dies alles und dann noch so munter.*

Das Deckenlicht brannte noch. Er ging zum Bett hinüber, und als sein Blick auf den Nachttisch fiel, bekam er eine Gänsehaut. Seine Nackenhaare sträubten sich. Er konnte das Nest unter der durchsichtigen Schale kaum erkennen. Im Inneren des Glases wimmelte es von Wespen. Es war schwer zu sagen, wie viele es waren. Mindestens fünfzig. Vielleicht sogar hundert.

Unter Herzklopfen machte er seine Aufnahme und setzte die Kamera ab, um auf das fertige Bild zu warten. Er wischte sich mit der Handfläche die Lippen. Ein einziger Gedanke ging ihm immer wieder durch den Kopf,

(Du hast die Beherrschung verloren. Du hast die Beherrschung verloren. Du hast die Beherrschung verloren.)

und das Echo war eine fast abergläubische Angst. Sie waren wiedergekommen. Er hatte die Wespen getötet, aber sie waren wiedergekommen.

In Gedanken hörte er, wie er seinem verängstigten Sohn ins Gesicht schrie: *Du sollst nicht stottern!*

Wieder wischte er sich die Lippen.

Er ging an Dannys Arbeitstisch und wühlte in den Schubladen. Er fand ein Puzzlespiel, dessen Unterlage aus einer Hartfaserplatte bestand. Er ging damit zum Nachttisch und schob die Schale mit dem Nest vorsichtig darauf. Wütend summten die Wespen in ihrem Gefängnis. Dann legte er die Hand fest auf die Schale, damit sie nicht verrutschte, und trug das Nest auf den Flur hinaus.

»Kommst du ins Bett?« fragte Wendy.

»Kommst du ins Bett, Daddy?«

»Ich muß noch kurz nach unten«, sagte er und mühte sich, daß seine Worte sorglos klangen.

Wie war das geschehen? Wie, in Gottes Namen?

Das Gerät mit dem Vertilgungsmittel war ganz gewiß kein Blindgänger gewesen. Er hatte doch den dicken weißen Rauch austreten sehen, als er am Ring gezogen hatte. Und als er zwei Stunden später wieder hingegangen war, hatte er einen Haufen Wespenleichen aus dem Loch im Nest herausgeschüttelt.

Wie aber dann? Spontane Regeneration?

Das war verrückt. Scheiße aus dem siebzehnten Jahrhundert. Insekten konnten sich nicht regenerieren. Und selbst wenn aus Wespeneiern in zwölf Stunden ausgewachsene Junge schlüpfen konnten, zu dieser Zeit legte die Königin nicht. Das geschah im April oder Mai. Im Herbst starben die Tiere.

Bösartig surrten die Wespen unter der Schale. Ein lebender Gegenbeweis.

Er brachte sie nach unten und ging durch die Küche. Hinten war eine Tür, die nach außen führte. Ein kalter Nachtwind traf seinen fast nackten Körper, und auf dem kalten Beton der Rampe, auf der er stand, starben ihm sofort die Füße ab. Hier wurde während der Saison die Milch angeliefert. Vorsichtig setzte er die Platte mit der Schüssel ab. Das Thermometer zeigte eben über Null an. Lange vor dem Morgen würde die Kälte sie umgebracht haben. Er ging wieder hinein und zog die Tür hinter sich zu. Nach kurzem Zögern schloß er ab.

Dann ging er durch die Küche und löschte das Licht. Einen Augenblick blieb er in der Dunkelheit stehen und dachte nach. Wie gern hätte er einen Drink gehabt. Plötzlich meinte er, im Hotel tausend unheimliche Geräusche zu hören: Knarren und

Stöhnen und das leise Pfeifen des Windes unter dem Dach, wo wie tödliche Früchte noch weitere Wespennester hängen mochten.

Sie waren wiedergekommen.

Und plötzlich stellte er fest, daß ihm das Overlook gar nicht mehr gefiel. Es war, als hätten nicht die Wespen, die auf wunderbare Weise das Vertilgungsmittel überlebt hatten, seinen Sohn gestochen, sondern das Hotel selbst.

Sein letzter Gedanke, bevor er wieder zu seiner Frau und seinem Sohn hinaufging, war ein fester Vorsatz.

(Ich werde nie wieder die Beherrschung verlieren, ganz gleich, was geschieht.)

Als er durch den Flur ging, wischte er sich mit dem Handrükken die Lippen.

17

Beim Arzt

Nackt bis auf die Unterhose lag Danny Torrance auf dem Untersuchungstisch und sah sehr klein aus. Er schaute zu Dr. (»Nenn mich einfach Bill«) Edmonds auf, der einen großen schwarzen Apparat heranrollte. Danny verdrehte die Augen, um das Gerät besser sehen zu können.

»Keine Angst, mein Junge«, sagte Bill Edmonds. »Das ist ein Elektroenzephalograph, und es tut bestimmt nicht weh.«

»Elektro –«

»Wir nennen ihn kurz EEG. Ich werde ein Bündel Drähte an deinem Kopf befestigen – nein, nicht reinstecken, nur anheften –, und der Stift in diesem Teil des Geräts zeichnet dann deine Gehirnströme auf.«

»Wie in ›Der-Sechs-Millionen-Dollar-Mann‹?«

»So ungefähr. Wärest du gern Steve Austin, wenn du groß bist?«

»Oh nein«, sagte Danny, als die Schwester anfing, die Drähte an winzigen ausrasierten Stellen an seinem Kopf zu befestigen. »Daddy sagt, er kriegt eines Tages einen Kurzschluß, und dann hängt er in der Schei . . . dann geht er den Bach runter.«

»Den Bach kenne ich gut«, sagte Dr. Edmonds freundlich. »Den bin ich schon ein paarmal selbst runtergegangen, und das ohne Paddel. Ein EEG sagt uns eine ganze Menge, Danny.«

»Was denn?«

»Zum Beispiel, ob du Epilepsie hast. Das ist so ein kleines Problem, wo man –«

»Ich weiß, was Epilepsie ist.«

»Wirklich?«

»Klar. In unserem Kindergarten zu Hause in Vermont gab es einen Jungen. Der hatte das. Er durfte auch nicht das Flashboard benutzen.«

»Was ist denn das, Danny?«

Der Arzt hatte das Gerät eingeschaltet. Auf dem Millimeterpapier erschienen dünne Linien.

»Es hatte ganz viele Lichter. Verschiedene Farben. Und wenn man es anstellte, gingen einige Lampen an, aber nicht alle. Und man mußte die Farben zählen, und wenn man den richtigen Knopf drückte, konnte man es abstellen. Brent durfte das nicht.«

»Weil grelles Licht einen epileptischen Anfall auslösen kann.«

»Sie meinen, wenn Brent am Flashboard spielt, kann er die Krämpfe kriegen?«

Edmonds und die Schwester tauschten einen amüsierten Blick. »Nicht ganz elegant, aber genau beschrieben, Danny.«

»Was?«

»Du hast recht, aber du solltest ›Anfall‹ statt ›Krämpfe kriegen‹ sagen. Das ist besser . . . okay, und nun lieg einen Augenblick ganz still.«

»Okay.«

»Danny, wenn du diese . . . was immer es sein mag, hast, siehst du dann manchmal vorher helles Licht aufblitzen?«

»Nein.«

»Komische Geräusche? Klingeln wie von einer Türglocke?«

»Nein.«

»Erinnerst du dich vielleicht an einen komischen Geruch, etwa nach Orangen oder Sägespänen? Oder Geruch nach etwas Verfaultem?«

»Nein, Sir.«

»Möchtest du manchmal weinen, bevor du ohnmächtig wirst, obwohl du gar nicht traurig bist?«

»Gar nicht.«

»Dann ist's ja gut.«

»Habe ich Epilepsie, Dr. Bill?«

»Ich glaube nicht, Danny. Lieg still. Wir sind fast fertig.«

Die Maschine summte und kritzelte noch fünf Minuten. Dann stellte Dr. Edmonds sie ab.

»Fertig«, sagte Edmonds. »Sally nimmt dir jetzt die Elektroden ab, und dann kommst du in das andere Zimmer. Ich möchte mich noch ein wenig mit dir unterhalten. Okay?«

»Ja.«

»Erledigen Sie das, Sally, und machen Sie noch einen Zackentest, bevor Sie ihn rüberschicken.«

»Geht in Ordnung.«

Edmonds riß den langen Papierstreifen ab, den die Maschine ausgeworfen hatte, und ging damit ins Nebenzimmer.

»Jetzt muß ich dir ein bißchen in den Arm pieksen«, sagte die Schwester, als Danny sich die Hose angezogen hatte. »Wir müssen feststellen, ob du auch keine Tb hast.«

»Das wurde schon letztes Jahr im Kindergarten gemacht«, sagte Danny ohne viel Hoffnung.

»Aber das ist schon lange her, und jetzt bist du ein großer Junge, stimmt's?«

»Ich glaube schon«, seufzte Danny und hielt ihr opferbereit den Arm hin.

Als er Hemd und Schuhe anhatte, ging er durch die Schiebetür in Dr. Edmonds Büro. Edmonds saß auf der Schreibtischkante und ließ nachdenklich die Beine baumeln.

»Hallo, Danny.«

»Hallo.«

»Wie geht's denn jetzt deiner Hand?« Er zeigte auf Dannys locker bandagierte linke Hand.

»Ganz gut.«

»Fein. Ich habe mir dein EEG angesehen, und es scheint in Ordnung zu sein. Ich werde es aber einem Kollegen in Denver schicken, damit er es genau prüft. Ich will sichergehen.«

»Ja, Sir.«

»Erzähl mir von Tony.«

Danny trat unruhig von einem Fuß auf den anderen. »Das ist nur ein unsichtbarer Freund. Ich habe ihn erfunden. Um Gesellschaft zu haben.«

Edmonds lachte und legte Danny die Hände auf die Schultern. »Das sagen Mom und Dad auch. Aber dies ist unter uns, mein Junge. Ich bin dein Doktor. Sag mir die Wahrheit, und ich verspreche dir, es ihnen nicht zu sagen, wenn du es nicht willst.«

Danny dachte darüber nach. Er schaute Edmonds an, und mit ein wenig Konzentration versuchte er, Edmonds Gedanken oder doch wenigstens seine Stimmung zu erkennen. Und plötzlich entstand in seinem Kopf eine seltsam tröstliche Vorstellung: Aktenschränke, deren Türen sich eine nach der anderen mit leisem Klicken schlossen. Auf den kleinen Schildchen an jeder Tür stand: A-C, GEHEIM; D-G, GEHEIM; und so weiter. Das beruhigte Danny ein wenig.

Vorsichtig sagte er: »Ich weiß nicht, wer Tony ist.«

»Ist er in deinem Alter?«

»Nein, er ist mindestens elf, vielleicht noch älter. Ich habe ihn noch nie aus der Nähe gesehen. Vielleicht ist er schon so alt, daß er ein Auto fahren kann.«

»Du hast ihn also nur von weitem gesehen?«

»Ja, Sir.«

»Und er kommt immer, bevor du ohnmächtig wirst?«

»Ich werde ja gar nicht ohnmächtig. Es ist, als ob ich mit ihm herumgehe. Und er zeigt mir verschiedene Dinge.«

»Welche Dinge?«

»Nun...« Danny überlegte einen Augenblick und erzählte Edmonds dann von Daddys Koffer mit all den schriftlichen Sachen, und daß die Umzugsleute ihn zwischen Vermont und Colorado gar nicht verloren hatten, sondern daß er die ganze Zeit unter der Treppe gestanden hatte.

»Und Daddy fand ihn, wo Tony gesagt hatte?«

»Ja. Aber Tony hat es nicht *gesagt*. Er hat ihn mir *gezeigt*.«

»Aha, ich verstehe. Danny, was hat Tony dir gestern abend gezeigt? Als du dich im Bad eingeschlossen hattest?«

»Ich weiß es nicht mehr«, sagte Danny schnell.

»Bist du sicher?«

»Ja, Sir.«

»Vorhin sagtest du noch, daß *du* dich im Bad eingeschlossen hattest. Das stimmte also nicht, oder? *Tony* hat die Tür abgeschlossen.«

»Nein, Sir. Tony konnte die Tür nicht abschließen, weil er nicht wirklich ist. Er wollte aber, daß ich sie abschließe, und da habe ich es getan.«

»Zeigt Tony dir immer, wo verlorene Gegenstände sind?«

»Nein, Sir. Manchmal zeigt er mir Dinge, die passieren werden.«

»Tatsächlich?«

»Klar. Einmal zeigte er mir den Vergnügungspark und den Wildtierzoo in Great Barrington. Tony sagte, daß Daddy mich an meinem Geburtstag dorthin mitnehmen würde, und das hat er auch getan.«

»Was zeigt er dir sonst noch?«

Danny runzelte die Stirn. »Schilder. Immer zeigt er mir diese blöden alten Schilder. Und ich kann kaum je eins lesen.«

»Und warum sollte Tony das tun, Danny?«

»Ich weiß es nicht.« Dannys Miene hellte sich auf. »Aber Mommy und Daddy bringen mir das Lesen bei, und ich gebe mir große Mühe.«

»Damit du Tonys Schilder lesen kannst.«

»Deshalb auch. Aber ich will es sowieso lernen.«

»Magst du Tony, Danny?«

Danny schaute auf die Fußbodenfliesen und sagte nichts.

»Danny?«

»Schwer zu sagen«, meinte Danny. »Früher ja. Am liebsten wollte ich, daß er jeden Tag kommt, denn er zeigte mir immer schöne Sachen, besonders seit Mommy und Daddy nicht mehr an SCHEIDUNG denken.« Dr. Emonds war hellwach geworden, aber Danny merkte es nicht. Er starrte noch immer auf den Fußboden und konzentrierte sich auf seine Worte. »Aber wenn er jetzt kommt, zeigt er mir immer schlimme Dinge. *Schreckliche* Dinge. Wie gestern abend im Badezimmer. Die Dinge, die er mir zeigt, stechen mich, wie die Wespen mich gestochen haben. Nur Tonys Dinge stechen mich hier oben.« Er hielt sich ernst einen Finger an die Schläfe, ein kleiner Junge, der unbewußt mit seiner Geste einen Selbstmord andeutet.

»Was für Dinge sind das denn, Danny?«

»Ich weiß es nicht mehr!« schrie Danny gequält. »Ich würde es Ihnen sonst sagen. Ich weiß es nicht mehr, weil es so schlimm ist, daß ich mich nicht daran erinnern *will*. Wenn ich aufwache, weiß ich nur noch DROM.«

»Was ist das, Danny?«

»Ich weiß es nicht.«

»Danny?«

»Ja, Sir?«

»Könntest du Tony jetzt kommen lassen?«

»Ich weiß es nicht. Er kommt nicht immer. Ich weiß nicht einmal, ob ich noch will, daß er kommt.«

»Versuch es, Danny. Ich bin doch bei dir.«

Danny schaute Edmonds zweifelnd an. Edmonds nickte ihm ermutigend zu.

Danny stieß einen langen Seufzer aus und nickte. »Aber ich weiß nicht, ob ich es schaffe. Ich habe es noch nie getan, wenn jemand dabei war. Und Tony kommt sowieso nicht immer.«

»Wenn er nicht kommt, dann eben nicht«, sagte Edmonds. »Ich will nur, daß du es versuchst.«

Danny betrachtete die Schuhe an Edmonds Füßen und richtete seine Gedanken auf Mommy und Daddy. Sie waren hier irgendwo ... direkt hinter dieser Wand, an der das Bild hing. Sie saßen im Wartezimmer, durch das sie hereingekommen waren. Sie saßen nebeneinander und schwiegen. Sie blätterten in Illustrierten und machten sich Sorgen. Seinetwegen.

Jetzt konzentrierte er sich stärker. Mit gefurchter Stirn versuchte er, sich in Mommys Gedanken hineinzuversetzen. Es war schwerer, wenn sie nicht mit ihm in einem Zimmer waren. Dann begriff er. Mommy dachte an eine Schwester. Ihre Schwester. Diese Schwester war tot. Und deshalb war Mommys Mutter auch so ein altes

(Miststück?)

so eine alte Henne geworden. Denn ihre Schwester war gestorben. Als kleines Kind war sie

(von einem Auto angefahren worden oh ich könnte nie wieder so etwas ertragen wie diese Sache mit Aileen aber wenn er nun wirklich krank ist Krebs oder spinale Meningitis Leukämie Gehirntumor Muskelschwund oh Kinder in seinem Alter kriegen oft Leukämie und Behandlung mit Radium oder eine Chemotherapie können wir uns

nicht leisten aber natürlich können sie einen auch nicht abweisen und auf der Straße sterben lassen und außerdem ist er gesund er ist gesund und man darf gar nicht daran denken)

(an Danny –)

(an Aileen und)

(das Auto)

(Danny –)

Aber Tony war nicht da. Nur seine Stimme. Und als sie schwächer wurde, folgte er ihr in die Dunkelheit, stürzte und stolperte in irgendein Zauberloch zwischen Dr. Bills immer noch pendelnden Schuhen, hörte ein lautes Klopfen, und dann trieb in der Dunkelheit eine Badewanne vorbei, in der etwas ganz Entsetzliches lag, und er hörte einen Klang wie von Kirchenglocken und sah eine Uhr unter einer gläsernen Kuppel.

Dann durchdrang ein schwaches, von Spinnweben verhangenes Licht die Dunkelheit. Der trübe Schein zeigte einen Steinfußboden, der feucht und unangenehm aussah. Und ganz aus der Nähe war ein gleichmäßiges dröhnendes Geräusch zu hören, gedämpft und gar nicht beängstigend. Einschläfernd. Es war das Ding, das man vergessen würde, dachte Danny überrascht und wie im Traum.

Als seine Augen sich an den Dämmerschein gewöhnt hatten, sah er als Silhouette Tony vor sich. Tony betrachtete etwas, und Danny strengte seine Augen an, um zu erkennen, was es war.

(Dein Daddy. Siehst du deinen Daddy?)

Natürlich sah er ihn. Wie konnte er ihm entgehen, selbst im trüben Licht der Kellerbeleuchtung. Daddy kniete auf dem Fußboden, und der Strahl seiner Taschenlampe huschte über alte Pappkartons und Holzkisten. Einige waren aufgerissen, und Papier quoll aus ihnen hervor. Zeitungen, Bücher und gedruckte Zettel, die wie Rechnungen aussahen. Sein Daddy prüfte alles mit großem Interesse und leuchtete mit der Taschenlampe in die andere Richtung. Der Strahl traf auf ein weiteres Buch, weiß und mit Goldband verschnürt. Der Einband sah aus wie weißes Leder. Es war eine Sammelmappe. Danny hatte plötzlich das Bedürfnis, seinem Vater zuzuschreien, daß er das Buch in Ruhe lassen solle, denn einige Bücher durfte man nicht öffnen.

Das gleichmäßige, dröhnende Geräusch kam vom Heizkessel des Overlook, den Daddy mehrere Male am Tag überprüfte. Das erkannte Danny jetzt deutlich. Es nahm jetzt einen unheimlichen, unregelmäßigen Rhythmus an. Es klang wie... wie Stampfen. Und der Geruch nach Feuchtigkeit und Schimmel veränderte sich ebenfalls. Es war jetzt der stechende Wacholdergeruch des schlimmen Zeugs. Als Daddy nach dem Buch griff, schwebte dieser Geruch wie eine Wolke um ihn herum.

Tony war irgendwo in der Dunkelheit. Er sprach

(Dieser unmenschliche Ort macht aus Menschen Ungeheuer. Dieser unmenschliche Ort)

Dauernd wiederholte er diesen unverständlichen Satz.

(macht aus Menschen Ungeheuer.)

Er versank in Dunkelheit und hörte dabei das schwere, stampfende Geräusch, das nicht mehr vom Heizkessel kam, sondern von dem durch die Luft sausenden Hammer, der an die Seidentapete schlug und den Staub des Putzes aufstieben ließ. Und er selbst kauerte hilflos auf dem blauschwarz gewobenen Dschungelteppich.

(Komm raus)

(Dieser unmenschliche Ort)

(und nimm deine Medizin)

(macht aus Menschen Ungeheuer)

Mit einem Keuchen, das in seinem eigenen Kopf widerhallte, riß er sich aus der Dunkelheit los. Hände legten sich auf ihn, und zuerst schrak er zurück, weil er dachte, das dunkle Ding aus dem Overlook in Tonys Welt sei ihm in die Welt der wirklichen Dinge gefolgt – und dann sagte Dr. Edmonds: »Dir fehlt nichts, Danny. Es ist alles in Ordnung.«

Danny erkannte den Doktor, dann die Einrichtung des Büros. Er zitterte hilflos, und Edmonds hielt ihn fest. »Du hast etwas von Ungeheuern gesagt, Danny – was war das?«

»Dieser unmenschliche Ort«, sagte er guttural. »Tony hat gesagt... dieser unmenschliche Ort... macht... macht...« Er schüttelte den Kopf. »Ich kann mich nicht mehr erinnern.«

»Versuch es.«

»Ich kann nicht.«

»War Tony da?«

»Ja.«

»Was hat er dir gezeigt?«

»Dunkel. Ein Stampfen. Ich weiß es nicht mehr.«

»Wo warst du?«

»Lassen Sie mich in Ruhe! Ich weiß es nicht mehr! Lassen Sie mich in Ruhe!« Hilflos schluchzte er vor Angst und Verzweiflung. Es war alles weg, hatte sich in eine klebrige Masse aufgelöst, wie ein nasses Papierbündel. Die Erinnerung war ausgelöscht.

Edmonds ging an den Eiswasserbehälter und holte ihm einen Pappbecher Wasser. Danny trank, und Edmonds brachte ihm einen zweiten.

»Besser?«

»Ja.«

»Danny, ich will dich nicht quälen ... dich mit dieser Sache nicht ärgern, meine ich. Aber weißt du noch, was geschah, bevor Tony kam?«

»Mommy«, sagte Danny langsam. »Sie macht sich Sorgen um mich.« »Das tun Mütter immer, mein Junge.«

»Nein ... sie hatte eine Schwester, die schon als kleines Mädchen starb. Sie dachte daran, wie Aileen von einem Auto überfahren wurde. Und deshalb macht sie sich um mich Sorgen. An mehr kann ich mich nicht erinnern.«

Edmonds sah ihn scharf an. »Gerade eben hat sie das gedacht? Draußen im Wartezimmer?«

»Ja, Sir.«

»Danny, und wie wolltest du das wohl wissen?«

»Ich weiß nicht«, sagte Danny verzagt. »Wohl das Zweite Gesicht.«

»Das was?«

Danny schüttelte ganz langsam den Kopf. »Ich bin schrecklich müde. Darf ich zu Mommy und Daddy? Ich will keine Fragen mehr beantworten. Ich bin müde. Und ich habe Bauchschmerzen.«

»Du gibst also auf?«

»Nein, Sir. Ich will nur zu Mommy und Daddy.«

»Okay, Dan.« Edmonds stand auf. »Du gehst jetzt raus zu ihnen. Und nachher schickst du sie herein, damit ich mit ihnen sprechen kann. Okay?«

»Ja, Sir.«

»Draußen sind Bücher, die du dir anschauen kannst. Du magst doch Bücher, nicht wahr?«

»Ja«, sagte Danny gehorsam.

»Du bist ein guter Junge, Danny.«

Danny antwortete mit einem schwachen Lächeln.

»Ich kann bei ihm nichts feststellen«, sagte Dr. Edmonds zu Dannys Eltern. »Jedenfalls nicht Körperliches. Und geistig ist er rege, wenn auch ein wenig zu phantasiebegabt. Das gibt es. Kinder müssen in ihre Vorstellungswelt hineinwachsen wie in ein Paar zu große Schuhe. Dannys Phantasie ist für ihn mindestens drei Nummern zu groß. Haben Sie seinen IQ einmal ermitteln lassen?«

»Ich halte nichts davon«, sagte Jack. »Es legt die Erwartungen der Eltern und Lehrer allzusehr fest.«

Dr. Edmonds nickte. »Das mag sein. Aber wenn Sie ihn testen ließen, würden Sie wahrscheinlich feststellen, daß er den meisten seiner Altersgenossen weit voraus ist. Für einen noch nicht sechsjährigen Jungen ist seine Fähigkeit sich auszudrükken erstaunlich.«

»Wir reden mit ihm ja auch nicht wie mit einem Baby«, sagte Jack mit einem Anflug von Stolz.

»Wenn Sie das überhaupt je nötig gehabt hätten, um sich verständlich zu machen.« Edmonds machte eine Pause und spielte mit einem Federhalter. »Er fiel in Trance, während ich bei ihm war. Auf meinen Wunsch. Genau wie es nach Ihrer Beschreibung gestern abend im Badezimmer war. Alle seine Muskeln erschlafften, sein Körper sank in sich zusammen, er verdrehte die Augen. Eine Selbsthypnose wie aus dem Lehrbuch. Ich war höchst erstaunt. Ich bin es noch.«

Die Ehegatten Torrance beugten sich vor. »Was ist passiert?« fragte Wendy gespannt, und Edmonds sprach eingehend über Dannys Trance, die gemurmelten Sätze, bei denen er nur die Worte »Ungeheuer«, »dunkel« und »Stampfen« verstanden hatte. Dann berichtete er von den anschließenden Tränen, der Hysterie und dem nervösen Magen.

»Das war wieder Tony«, sagte Jack.

»Was hat das alles zu bedeuten?« fragte Wendy. »Haben Sie eine Ahnung?«

»Einige. Aber vielleicht gefallen sie Ihnen nicht.«

»Erzählen Sie trotzdem«, forderte Jack ihn auf.

»Nach dem, was Danny mir berichtet hat, war dieser unsichtbare Freund bis zu Ihrem Umzug nach hier ein guter Freund. Erst seit diesem Umzug ist Tony zu einer bedrohlichen Gestalt geworden. Aus erfreulichen Erlebnissen wurden Alpträume, die für Ihren Sohn umso beängstigender sind, als er sich hinterher nicht mehr erinnern kann, um was es in diesen Alpträumen ging. Das war nicht ungewöhnlich. Wir erinnern uns alle an unsere angenehmen Träume besser als an die schlechten. Zwischen dem Bewußten und dem Unbewußten scheint es eine Sperre zu geben. Sie läßt nur wenig durch, und was sie durchläßt, ist oft lediglich symbolisch. Das ist stark vereinfachter Freud, aber damit sind die Wechselwirkungen in unserem Verstand recht gut beschrieben.«

»Sie glauben, daß unser Umzug Danny so sehr verstört hat?« fragte Wendy.

»Möglicherweise«, sagte Edmonds. »Jedenfalls wenn der Umzug unter traumatischen Umständen stattgefunden hat. War es denn so?«

Wendy und Jack tauschten einen Blick.

»Ich war Lehrer an einer Oberschule«, sagte Jack langsam. »Ich habe meinen Job verloren.«

»Ich verstehe«, sagte Edmonds. Er steckte den Federhalter, mit dem er gespielt hatte, in den Ständer zurück. »Es gibt leider noch ein weiteres Problem, das Ihnen vielleicht schmerzlich ist. Ihr Sohn scheint zu glauben, daß Sie beide ernsthaft eine Scheidung erwogen haben. Er erwähnte es nur beiläufig, weil er glaubt, daß Sie von diesem Gedanken abgekommen sind.«

Jack saß mit offenem Mund da, und Wendy fuhr zurück, als hätte man sie geohrfeigt. Alles Blut war aus ihrem Gesicht gewichen.

»Wir haben nicht einmal darüber gesprochen«, sagte sie. »Weder in seiner Gegenwart noch unter uns. Wir –«

»Ich denke, es ist das beste, wenn Sie alles erfahren, Doktor«, sagte Jack. »Kurz nach Dannys Geburt wurde ich Alkoholiker. Schon als Student hatte ich mit dem Trinken Probleme gehabt. Als Wendy und ich uns kennenlernten, wurde es ein wenig besser, aber nach Dannys Geburt war es schlimmer als je zuvor, und mit der Schriftstellerei, die ich als meine eigentliche Aufgabe betrachtete, klappte es auch nicht mehr. Als Danny dreieinhalb war, schüttete er Bier über Papiere, an denen ich arbeitete . . . mit denen ich mich jedenfalls beschäftigte . . . und ich . . . nun . . . ach, Scheiße.« Seine Stimme zitterte, aber seine Augen blieben trocken, und er wandte den Blick nicht ab. »Es hört sich so verdammt gemein an, wenn man es laut sagt. Als ich ihn herumriß, um ihn zu verprügeln, habe ich ihm den Arm gebrochen. Drei Monate später gab ich das Trinken auf. Ich habe seitdem nichts mehr angerührt.«

»Ich verstehe«, sagte Edmonds in neutralem Ton. »Ich habe natürlich gesehen, daß der Arm schon mal gebrochen war. Er wurde sehr gut gerichtet.« Er stieß seinen Stuhl ein Stück vom Schreibtisch weg und legte die Beine übereinander. »Wenn ich ehrlich sein darf: es ist ganz klar, daß der Junge seitdem nicht mehr mißhandelt wurde. Abgesehen von den Stichen und einigen geringfügigen Verletzungen, die jedes Kind sich gelegentlich zuzieht, habe ich an ihm nichts gefunden.«

»Natürlich nicht«, sagte Wendy heftig. »Jack wollte es doch nicht –«

»Nein, Wendy«, sagte Jack. »Ich wollte es tun. Irgendwie im Inneren hatte ich das Gefühl, daß ich ihm das zufügen *wollte*. Vielleicht sogar etwas Schlimmeres.« Wieder schaute er Edmonds an. »Wissen Sie was, Doktor? Dies ist das erste Mal, daß zwischen uns das Wort Scheidung erwähnt wird. Und Alkoholismus. Und Kindesmißhandlung. Drei Erstaufführungen in fünf Minuten.«

»Das mag die Wurzel des Problems sein«, sagte Edmonds. »Ich bin kein Psychiater. Wenn Sie wollen, daß Danny einen Kinderpsychiater aufsucht, könnte ich Ihnen einen sehr guten empfehlen, der im Mission Ridge Medical Center in Boulder arbeitet. Dennoch bin ich mir meiner Diagnose ziemlich sicher. Danny ist ein intelligenter, phantasievoller und scharfsinniger Junge. Ich glaube nicht, daß Ihre Eheprobleme ihn so mitgenommen haben, wie Sie denken. Kleine Kinder nehmen vieles in Kauf. Sie kennen keine Scham und keinen Zwang, irgend etwas zu verbergen.«

Jack betrachtete seine Hände. Wendy ergriff eine davon und drückte sie.

»Aber er ahnte die Dinge, die nicht stimmten. Dabei war aus seiner Sicht der gebrochene Arm nicht so bedeutend wie der mögliche Bruch zwischen Ihnen beiden. Er erwähnte das Wort Scheidung, nicht aber den gebrochenen Arm. Als die Schwester ihm gegenüber den Armbruch erwähnte, war er kaum interessiert. ›Ach, das ist schon lange her‹, sagte er, glaube ich.«

»Der Junge«, murmelte Jack. Seine Züge hatten sich verhärtet. »Wir verdienen ihn gar nicht.«

»Aber Sie haben ihn«, sagte Edmonds trocken. »Jedenfalls zieht sich der Junge von Zeit zu Zeit in eine Phantasiewelt zurück. Auch das ist nicht ungewöhnlich; das tun viele Kinder. Ich erinnere mich, daß auch ich einen unsichtbaren Freund hatte, als ich in Dannys Alter war, einen sprechenden Hahn namens Chug-Chug. Außer mir konnte ihn natürlich niemand sehen. Ich hatte zwei ältere Brüder, die mich oft nicht mitnehmen wollten, und in solchen Situationen kam Chug-Chug mir gerade recht. Und Sie verstehen natürlich, warum sein unsichtbarer Freund Tony heißt und nicht etwa Mike oder Hal oder Dutch.«

»Ja«, sagte Wendy.

»Haben Sie ihm das schon mal gesagt?«

»Nein«, sagte Jack. »Hätten wir es tun sollen?«

»Ach was. Das wird er früh genug selbst wissen. Er muß seine eigene Logik anwenden. Sehen Sie, Dannys Phantasien gehen tiefer, als es normalerweise beim Syndrom des unsichtbaren Freundes der Fall ist, und deshalb war Tony für ihn auch besonders wichtig. Tony kam und zeigte ihm angenehme Dinge, oft erstaunliche Dinge, immer aber war es etwas Gutes. Einmal zeigte ihm Tony Daddys verlorenen Koffer, der unter der Treppe stand. Ein anderes Mal sagte er ihm, daß Mommy und Daddy ihn an seinem Geburtstag zum Vergnügungspark mitnehmen wollten –«

»In Great Barrington«, rief Wendy. »Aber wie konnte er diese Dinge wissen? Was er manchmal sagt, ist geradezu unheimlich. Fast als ob –«

»Als ob er das Zweite Gesicht hätte«, sagte Edmonds lächelnd.

»Er wurde mit einer Embryonalhülle geboren«, sagte Wendy schwach.

Edmonds Lächeln verwandelte sich in ein herzliches Lachen. Jack und Wendy sahen einander an und lächelten ebenfalls. Sie wunderten sich beide, wie leicht alles war. Dannys gelegentliches seltsames »Erraten« von Dingen war ebenfalls etwas, über das sie selten gesprochen hatten.

»Als nächstes erzählen Sie mir noch, er kann schweben«, sagte Edmonds immer noch lächelnd. »Nein, nein, nein. So leid es mir tut. Es ist nichts Übersinnliches im Spiel. Danny hat lediglich eine ungewöhnlich gute Beobachtungsgabe. Mr. Torrance, er wußte, daß Ihr Koffer unter der Treppe stand, weil Sie ihn an jeder anderen Stelle vergeblich gesucht hatten. Ein Prozeß der Eliminierung. Es ist so einfach, daß Ellery Queen darüber lachen würde. Früher oder später hätten Sie selbst daran gedacht. Was nun den Vergnügungspark in Great Barrington anbetrifft, wessen Idee war das ursprünglich? Seine oder Ihre?«

»Seine natürlich«, sagte Wendy. »Im Vormittagsprogramm für Kinder war immer diese Reklame. Er war ganz verrückt danach. Allerdings, Doktor, wir konnten uns das zu der Zeit nicht leisten, und das hatten wir ihm auch gesagt.«

»Und dann schickte mir ein Herrenjournal, dem ich 1971 eine Geschichte verkauft hatte, einen Scheck über fünfzig Dollar«, sagte Jack. »Die Geschichte sollte in einem Sammelband nachgedruckt werden oder etwas Ähnliches. Und wir beschlossen, das Geld für Danny auszugeben.«

Edmonds zuckte die Achseln. »Wunscherfüllung plus glücklicher Zufall.«

»Verdammt, ich wette, Sie haben recht«, sagte Jack.

Wieder lächelte Edmonds ein wenig. »Und außerdem hat Danny mir selbst gesagt, daß Tony ihm oft Dinge zeigt, die nie eintreffen. Visionen, die auf falschen Vorstellungen beruhen, weiter nichts. Danny tut unbewußt, was die sogenannten Mystiker und Gedankenleser ganz bewußt und zynisch tun. Ich bewundere ihn deswegen. Wenn das Leben ihn nicht dazu zwingt, seine Antenne einzuziehen, wird aus ihm bestimmt ein sehr vernünftiger Mann.«

Wendy nickte – natürlich glaubte sie, daß aus Danny ein

vernünftiger Mann werden würde –, aber die Erklärung des Arztes klang zu oberflächlich. Edmonds hatte nicht bei ihnen gelebt. Er war nicht dabeigewesen, wenn Danny verlorene Knöpfe fand, wenn er ihr sagte, das Fernsehprogramm liege vielleicht unter dem Bett, wenn er gern mit Gummistiefeln in den Kindergarten gehen wollte, obwohl die Sonne schien ... und später an jenem Tage waren sie dann unter ihrem Regenschirm bei strömendem Regen nach Hause gegangen. Edmonds konnte nicht wissen, auf welche seltsame Weise Danny ihrer beider Gedanken vorausahnte. Einmal wollte sie abends zu ungewohnter Zeit eine Tasse Tee trinken, und als sie in die Küche kam, stand ihre Tasse schon da, und ein Teebeutel lag darin. Ein anderes Mal beschloß sie, die fälligen Bücher zur Bibliothek zu bringen, und fand sie mitsamt der Leihkarte säuberlich aufgeschichtet auf dem Flurtisch. Oder Jack hatte sich vorgenommen, das Auto mit Wachs zu behandeln, und stellte fest, daß Danny schon draußen am Bordstein saß, um zuzuschauen.

Laut sagte sie: »Warum denn jetzt diese Alpträume? Warum hat Tony ihm denn gesagt, er solle die Badezimmertür abschließen?«

»Ich glaube, das ist, weil Tony nicht mehr von Nutzen ist«, sagte Edmonds. »Er wurde geboren – Tony, nicht Danny –, als Sie und Ihr Gatte sich bemühten, Ihre Ehe zu retten. Ihr Mann trank zuviel. Da war dieser Vorfall mit dem gebrochenen Arm. Das unheilvolle Schweigen zwischen Ihnen.«

Unheilvolles Schweigen. Ja, jedenfalls dieser Satz stimmte genau. Die steifen, ungemütlichen Mahlzeiten, bei denen die einzige Unterhaltung aus ›reich mir bitte die Butter‹ oder ›Danny, iß endlich deine Karotten‹ oder ›entschuldigt mich bitte‹ bestand. Die Abende, wenn Jack fort war und sie mit leergeweinten Augen auf der Couch lag, während Danny fernsah. Die Vormittage, wenn sie einander wie wütende Katzen umschlichen, zwischen ihnen eine zitternde, verängstigte Maus. Es klang alles wahr; so schrecklich wahr.

(Lieber Gott, hören alte Narben denn niemals auf zu schmerzen?)

Edmonds sprach weiter. »Aber das hat sich geändert. Sie wissen, daß schizoides Verhalten bei Kindern ziemlich häufig auftritt. Es wird akzeptiert, denn unter uns Erwachsenen gilt es als ausgemachte Sache, daß Kinder verrückt sind. Sie haben unsichtbare Freunde. Sie messen einer bestimmten Decke, einem Teddybär oder einem ausgestopften Tiger die Bedeutung eines Talismans bei. Wenn sie deprimiert sind, setzen sie sich vielleicht in einen Schrank, um sich von der Welt abzuschließen. Sie lutschen Daumen. Wenn ein Erwachsener Dinge sieht, die nicht da sind, finden wir, daß er reif ist für die Gummizelle. Wenn ein Kind uns erzählt, es habe ein Gespenst im Schlafzimmer gesehen oder einen Vampir vor dem Fenster, lächeln wir nur nachsichtig. Es gibt einen Satz, mit dem man alle diese Phänomene bei Kindern erklären kann –«

»Er wird aus diesen Dingen herauswachsen«, sagte Jack.

Edmonds blinzelte. »Sie nehmen mir das Wort aus dem Mund. Dannys Ausgangsposition war so, daß er leicht eine ausgewachsene Psychose hätte entwickeln können. Unglückliches Familienleben, eine blühende Phantasie und ein unsichtbarer Freund, der für ihn so wirklich war, daß er auch Ihnen fast als Realität erschien. Statt aus seiner kindlichen Schizophrenie ›herauszuwachsen‹, hätte er leicht in sie hineinwachsen können.«

»Und wäre vielleicht autistisch geworden?« fragte Wendy. Sie hatte über Autismus gelesen.

Das Wort schon machte ihr Angst; es hörte sich an wie Grauen und leeres Schweigen.

»Nicht unbedingt. Vielleicht wäre er ganz einfach in Tonys Welt eingedrungen und nie zu dem zurückgekehrt, was er die ›wirklichen Dinge‹ nennt.«

»Mein Gott«, sagte Jack.

»Aber inzwischen hat sich die Ausgangslage drastisch geändert. Mr. Torrance trinkt nicht mehr. Sie leben an einem Ort, wo die Bedingungen Sie alle drei in eine engere Familiengesellschaft zwingen als je zuvor – gewiß enger, als es bei mir der Fall ist, denn ich sehe Frau und Kinder höchstens zwei oder drei Stunden am Tag. Soweit ich sehe, kann die gegenwärtige Situation seine Heilung nur begünstigen. Und allein die Tatsache, daß er so klar zwischen Tonys Welt und den ›wirklichen Dingen‹ unterscheidet, sagt viel über seinen im Grunde gesunden Geisteszustand aus. Er sagt, daß Sie beide eine Scheidung nicht mehr in Betracht ziehen. Hat er damit so recht, wie es wünschenswert wäre?«

»Ja«, sagte Wendy, und Jack drückte ihr fast schmerzhaft die Hand.

Edmonds nickte. »Er braucht Tony eigentlich nicht mehr. Danny ist im Begriff, ihn auszustoßen. Tony bringt keine angenehmen Visionen mehr, sondern tückische Alpträume, die Danny so sehr ängstigen, daß er sich ihrer nur bruchstückartig erinnert. In einer schwierigen – verzweifelten – Lebenssituation hat er Tony verinnerlicht, und Tony ist nicht leicht abzuschütteln. Ihr Sohn ist ein wenig wie ein Junkie, der sich von seiner Sucht freimacht.«

Er stand auf, und auch Wendy und Jack erhoben sich.

»Wie gesagt, ich bin kein Psychiater. Sollten die Alpträume noch auftreten, wenn im nächsten Frühjahr Ihre Arbeit im Overlook beendet ist, Mr. Torrance, rate ich Ihnen dringend, mit ihm den Psychiater in Boulder aufzusuchen.«

»Das werde ich tun.«

»Gut. Dann lassen Sie uns hinausgehen und ihm sagen, daß er nach Hause darf.«

»Ich möchte Ihnen danken«, sagte Jack leise. »Ich habe in dieser Angelegenheit jetzt ein besseres Gefühl als vorher.«

»Ich auch«, sagte Wendy.

An der Tür blieb Edmonds stehen und sah Wendy an. »Haben oder hatten Sie eine Schwester, die Aileen heißt, Mrs. Torrance?«

Wendy sah ihn überrascht an. »Ja. Sie wurde vor unserem Haus in Somersworth, New Hampshire, von einem Auto angefahren und starb. Sie war damals sechs und ich zehn. Sie war einem Ball auf die Straße nachgerannt und wurde von einem Lieferwagen überfahren.«

»Weiß Danny das?«

»Ich glaube nicht.«

»Er sagt, daß Sie im Wartezimmer an sie gedacht haben.«

»Das habe ich auch getan«, sagte Wendy langsam. »Zum ersten Mal seit . . . ach, ich weiß nicht wie lange.«

»Sagt Ihnen das Wort Drom etwas?«

Wendy schüttelte den Kopf, aber Jack sagte: »Er hat das Wort gestern abend erwähnt, kurz bevor er einschlief. Rom.«

»Nein, Drom«, korrigierte Edmonds. »Er hat Drom gesagt.«

Jack zuckte die Achseln.

»Das Wort sagt Ihnen also nichts?«

Sie schüttelten beide den Kopf.

»Ist wohl auch unwichtig«, sagte Edmonds und öffnete die Tür zum Wartezimmer. Danny saß an dem kleinen Tisch und hatte ein Buch vor sich liegen. Halblaut murmelte er die Worte, die er kannte.

»Ist hier jemand, der Danny Torrance heißt und gern nach Hause möchte?« fragte Edmonds.

Danny sprang auf und rannte zu Jack, der ihn auf den Arm nahm. Wendy fuhr ihm durchs Haar.

Edmonds sah ihn an und sagte: »Wenn du Mommy und Daddy nicht mehr liebhast, darfst du beim alten Bill bleiben.«

»No, Sir«, sagte Danny mit Nachdruck. Er schlang einen Arm um Jacks, den anderen um Wendys Hals und sah strahlend glücklich aus.

»Okay«, sagte Edmonds. Er schaute Wendy an. »Rufen Sie mich an, wenn Sie Probleme haben.«

»Ja.«

»Aber ich denke, es wird sich erübrigen«, sagte Edmonds lächelnd.

18

Die Sammelmappe

Jack fand die Sammelmappe am ersten November, während seine Frau und sein Sohn den ausgefahrenen alten Weg hinaufgegangen waren, der von der Roque-Anlage zu einer zwei Meilen weiter oben gelegenen verlassenen Sägemühle führte. Das Wetter hatte sich gehalten, und sie hatten sich alle drei eine unwahrscheinliche Herbstbräune zugelegt.

Er war in den Keller gegangen, um den Kesseldruck zu prüfen, und impulsiv hatte er die Taschenlampe vom Regal genommen und beschlossen, sich einige der alten Papiere anzusehen. Außerdem wollte er für das Aufstellen von Fallen geeignete Plätze suchen, obwohl er noch einen Monat Zeit hatte – sie müssen alle erst aus dem Urlaub zurück sein, hatte er Wendy gesagt.

Er richtete den Strahl der Lampe nach vorn und ging am Aufzugsschacht vorbei (auf Wendys Drängen hatten sie den Aufzug seit ihrer Ankunft nicht mehr benutzt). Dann betrat er den Kellerraum hinter dem kleinen steinernen Bogen. Unangenehm stieg ihm der Geruch von vermodertem Papier in die Nase. Hinter ihm sprang die Kesselanlage so laut an, daß er zusammenzuckte.

Er ließ den Lichtstrahl wandern und pfiff dabei durch die Zähne. Es sah aus wie die Anden im verkleinerten Maßstab: Dutzende von uralten Kartons und Kisten voller Papiere, die meisten vom Alter verblichen und feucht. Andere waren aufgerissen, und ihr vergilbter Inhalt lag auf dem Boden verstreut. Er sah mit Bindfaden verschnürte Stapel von Zeitungen. Einige Kisten enthielten Hauptbücher und sonstige Geschäftsunterlagen, andere gebündelte Rechnungen. Jack zog eine heraus und hielt sie vor seine Taschenlampe.

ROCKY MOUNTAIN EXPRESS. INC.
An: OVERLOOK HOTEL
Von: SIDEY'S WAREHOUSE 1210 16th Street,
Denver, CO.
Via: CANADIAN PACIFIC PR
Inhalt: 400 PAKETE DELSEY TOILETTENPAPIER
Gez. DEF Datum August 24, 1954

Lächelnd ließ Jack das Papier in den Kasten zurückfallen.

Er leuchtete nach oben und sah eine von Spinnweben bedeckte Glühbirne, wenn er auch keinen Schalter finden konnte.

Er stellte sich auf die Zehenspitzen und versuchte, die Birne festzudrehen. Sie leuchtete schwach auf. Er nahm die Toilettenpapierrechnung und reinigte die Birne notdürftig. Sehr viel heller wurde sie allerdings nicht.

Mit Hilfe der Taschenlampe überprüfte er die Kartons und Zeitungsstapel auf Rattenspuren. Sie waren hier gewesen, aber vor langer Zeit . . . vielleicht vor Jahren. Er fand Rattendreck, der im Laufe der Zeit zu Staub zerfallen war, und einige Nester aus säuberlich zerkleinertem Papier, die alt und benutzt aussahen.

Jack zog eine Zeitung aus einem der Stapel und las die Schlagzeilen.

JOHNSON VERSPRICHT REIBUNGSLOSE AMTSÜBERNAHME
Die von JFK begonnene Politik wird im nächsten Jahr fortgesetzt

Bei der Zeitung handelte es sich um die Rocky Mountain News vom 19. Dezember 1963. Er ließ sie wieder auf den Stapel fallen.

Ihn faszinierte das Gefühl für Geschichte, das in einem aufkommt, wenn man die neuesten Nachrichten von vor zehn oder zwanzig Jahren vor Augen hat. Er fand Lücken in den Stapeln von Zeitungen und Dokumenten. Er fand nichts aus der Zeit von 1937 bis 1945, von 1957 bis 1960 und von 1962 bis 1963. Das mußten die Zeiten gewesen sein, in denen das Hotel geschlossen war.

Ullmans Erklärungen im Zusammenhang mit der wechselvollen Geschichte des Overlook schienen ihm nicht ganz glaubwürdig. Allein seine herrliche Lage hätte dem Unternehmen doch einen beständigen Erfolg garantieren müssen. Einen amerikanischen Jet-Set hatte es schon immer gegeben, lange vor Erfindung des Düsenantriebs, und Jack war der Ansicht, daß das Overlook eigentlich eine seiner Anlaufstationen gewesen sein mußte. Das Waldorf im Mai, das Bar Habor House im Juni und Juli, und das Overlook von August bis Mitte September, bevor es dann wieder zu den Bermudas ging oder nach Rio oder wer weiß wohin. Er fand einen Haufen alter Gästelisten, und hier sah er die Bestätigung. Nelson Rockefeller 1950. Henry Ford mit Familie 1927. Jean Harlow 1930. Clark Gable und Carole Lombard. 1956 hatten »Darryl F. Zanuck und Gesellschaft« für eine Woche das ganze oberste Stockwerk gemietet. Das Geld mußte nur so über die Flure und dann in die Registrierkasse gerollt sein. Das Management mußte ungewöhnlich schlecht gewesen sein.

Dies war wirklich Geschichte, und nicht nur in Zeitungsschlagzeilen. Sie lag auch in den Hauptbüchern, den Buchhaltungsunterlagen und den Quittungen für den Zimmer-Service begraben, wo man sie nicht ganz erkennen konnte. So hatte Warren G. Harding 1922 um zehn Uhr abends einen ganzen Lachs und einen Kasten Bier kommen lassen. Aber mit wem hatte er gegessen und getrunken? War es ein Pokerspiel gewesen? Eine Strategiebesprechung? Was?

Jack schaute auf die Uhr und war überrascht, daß schon fünfundvierzig Minuten vergangen waren, seit er nach unten gestiegen war. Seine Hände und Arme waren dreckig, und wahrscheinlich roch er nicht gut. Er beschloß zu duschen, bevor Wendy und Danny zurückkamen.

Langsam bewegte er sich zwischen den Papierbergen umher und dachte angestrengt nach. Die Schnelligkeit, mit der ihm die verschiedensten Möglichkeiten durch den Sinn gingen, war äußerst anregend. So hatte er sich schon seit Jahren nicht mehr gefühlt. Es schien plötzlich, als könnte das Buch, das er sich halb im Scherz versprochen hatte, tatsächlich entstehen. Vielleicht lag es gleich hier in diesen verstaubten Papierhaufen begraben. Es könnte ein Roman werden oder etwas Historisches, vielleicht beides – ein umfangreiches Buch, das von hier aus in hundert Richtungen explodieren würde.

Er stand unter der immer noch mit Spinnweben verhangenen Glühbirne, zog gedankenverloren sein Taschentuch hervor und rieb sich damit die Lippen. Und in diesem Augenblick sah er die Sammelmappe.

Links von ihm standen fünf Kartons wacklig aufgetürmt. Der oberste war ebenfalls voll Rechnungen, und auf ihm lag eine dicke Sammelmappe, die schon viele Jahre so gelegen haben mochte. Sie hatte einen Ledereinband und war mit zwei Goldbändern verschnürt, die zu prächtigen Schleifen gebunden waren.

Neugierig ging er hinüber und nahm sie herunter. Auf dem Einbanddeckel lag eine dicke Staubschicht. Er hielt die Mappe in Mundhöhe und blies eine Wolke von Staub weg. Als er die Mappe öffnete, flatterte eine Karte heraus, die er in der Luft auffing. Es war eine dicke cremefarbene Karte, und das Auffälligste an ihr war eine erhaben eingravierte Ansicht des Overlook mit hell erleuchteten Fenstern. Der Rasen und der Spielplatz waren mit brennenden japanischen Lampions dekoriert.

Es wirkte fast so, als könnte man gleich hineingehen. Es war das Overlook Hotel, wie es vor dreißig Jahren aussah.

Horace M. Derwent gibt sich die Ehre,
Sie herzlich einzuladen
zu einem Maskenball, mit dem die Eröffnung des
OVERLOOK HOTEL
gefeiert wird.
Dinner um 20.00 Uhr
Demaskierung und Tanz um Mitternacht
29. August 1945 RSVP

Dinner um acht! Demaskierung um Mitternacht!

Fast sah er sie im Speisesaal vor sich, die reichsten Männer Amerikas und ihre Frauen. Smokings und glänzend gestärkte Hemden; Abendkleider; die Band mit festlichen Klängen; glitzernde hochhackige Pumps. Das Klingen der Gläser, das Knallen der Champagnerkorken. Der Krieg war vorbei oder fast vorbei. Die Zukunft schien hell und klar. Amerika war die stärkste Macht der Welt und wußte und akzeptierte es endlich.

Und später, um Mitternacht, würde Derwent höchstpersönlich rufen: »Die Masken ab! Die Masken ab!« Und die Masken würden fallen und . . .

(Der Rote Tod hatte sie alle in seiner Gewalt!)

Er runzelte die Stirn. Aus welcher Ecke war das gekommen? Das war Poe, der große amerikanische Schriftsteller. Und dabei lagen Welten zwischen dem Overlook – dem herrlich beleuchteten Overlook auf der Einladung in seiner Hand – und Edgar Allan Poe.

Er legte die Einladung zurück und nahm sich die nächste Seite vor. Ein eingeklebter Ausschnitt aus einer in Denver erscheinenden Zeitung. Darunter war das Datum gekritzelt: 15. Mai 1947.

FEUDALES BERGHOTEL NEU ERÖFFNET
STAR-GÄSTELISTE
Derwent: Overlook wird Sehenswürdigkeit
für ganze Welt
Von David Felton, Sonderkorrespondent

In seiner achtunddreißigjährigen Geschichte wurde das Overlook Hotel schon mehrmals eröffnet und wiedereröffnet, aber noch nie mit solchem Elan und in solchem Stil, wie ihn Horace Derwent, der geheimnisumwobene kalifornische Millionär, seit kurzem Eigentümer des Hotels, ankündigte.

Derwent, der kein Geheimnis daraus macht, daß er in sein jüngstes Unternehmen mehr als eine Million Dollar investiert hat – und einige behaupten, es seien eher drei Millionen gewesen –, sagt, daß »das neue Overlook eine der Sehenswürdigkeiten der Welt darstellen wird, ein Hotel, in dem übernachtet zu haben man sich noch nach dreißig Jahren erinnern wird.«

Als Derwent, dem man bedeutende Beteiligungen in Las Vegas nachsagt, gefragt wurde, ob der Kauf und die Renovierung des Hotels durch ihn die Eröffnung einer Kampagne für die Legalisierung des Glückspiels in Colorado signalisiere, wies das der Flugzeugbau-, Kino-, Rüstungs- und Schiffahrtsmagnat mit einem Lächeln zurück. »Das Overlook würde sich durch Glücksspielbetrieb billig machen«, sagte er, »und ich glaube nicht, daß ich Las Vegas Konkurrenz machen möchte. Ich denke nicht daran, mich für die Legalisierung des Glückspiels in Colorado einzusetzen. Das wäre in den Wind gespuckt.«

Wenn das Overlook offiziell öffnet (nach Beendigung der Renovierungsarbeiten fand dort vor einiger Zeit eine gigantische und ungeheuer erfolgreiche Party statt), werden die völlig neu ausgestatteten Räumlichkeiten ein Star-Aufgebot an Gästen beherbergen, angefangen bei dem Couturier Corbat Stani und ...

Jack lächelte und blätterte weiter. Auf der übernächsten Seite dann ein Artikel über Derwent selbst. Er war ein Mann mit schütterem Haar, und seine Augen durchbohrten einen selbst noch von einem Zeitungsphoto aus. Er trug eine randlose Brille und einen Oberlippenbart im Stil der Vierziger, aber er sah trotzdem nicht wie Errol Flynn aus. Er hatte das Gesicht eines Buchhalters. Nur seine Augen ließen ihn als etwas anderes erscheinen.

Rasch überflog Jack den Artikel. Die meisten Informationen kannte er schon aus einer *Newsweek*-Story über Derwent aus dem vorigen Jahr. Als Sohn armer Eltern in St. Paul geboren, brach er die höhere Schule ab und ging zur Marine. Er stieg rasch auf und quittierte den Dienst nach einem erbitterten Streit wegen des Patents für einen neuen Propellertyp, den er entworfen hatte. Dieses Tauziehen zwischen der Marine und einem unbekannten jungen Mann namens Horace Derwent gewann, wie vorauszusehen, Uncle Sam. Aber Uncle Sam hat von ihm nie wieder ein Patent bekommen, und es hat noch viele gegeben.

In den späten Zwanzigern und frühen Dreißigern wandte sich Derwent der Luftfahrt zu. Er kaufte eine bankrotte Fluggesellschaft, deren Maschinen hauptsächlich in der Schädlingsbekämpfung eingesetzt waren, verwandelte sie in einen Paketbeförderungs-Service und hatte Erfolg. Weitere Patente folgten: eine neue Tragflächenkonstruktion für Eindecker, eine Bombenaufhängevorrichtung, die in den Fliegenden Festungen verwendet wurde, die Feuer auf Hamburg, Dresden und Berlin niederregnen ließen, ein alkoholgekühltes Maschinengewehr und den Prototyp des später in amerikanischen Düsenmaschinen benutzten Schleudersitzes.

Und der Buchhalter, der mit dem Erfinder in einer Haut steckte, betrieb ständig weitere Investitionen. Eine unbedeutende Kette von Munitionsfabriken in New York und New Jersey. Fünf Textilfabriken in New England. Chemische Fabriken im bankrotten und darniederliegenden Süden. Am Ende der Weltwirtschaftskrise hatte sein Vermögen lediglich aus einer Handvoll für lächerlich wenig Geld erworbenen Mehrheitsbeteiligungen bestanden, die man höchstens für noch weniger Geld hätte verkaufen können. Einmal brüstete sich Derwent damit, daß er bei einer Totalliquidation den Preis eines drei Jahre alten Chevrolets erzielen würde.

Es hatte, wie Jack sich erinnerte, Gerüchte gegeben, nach denen einige der Mittel, die Derwent anwendete, um sich über Wasser zu halten, alles andere als appetitlich gewesen waren. Beteiligung am Alkoholschmuggel. Prostitution im Mittleren Westen. Schmuggel in den Küstengebieten des Südens, wo seine Düngerfabriken lagen. Endlich Verbindungen zu den im Westen aufblühenden Glücksspielgeschäften.

Derwents berühmteste Investition war wahrscheinlich der Kauf der maroden Top Mark Studios, die keinen Hit mehr gelandet hatten, seit ihr Kinderstar, die kleine Margery Morris,

1934 an einer Überdosis Heroin gestorben war. Sie war damals vierzehn. Klein-Margery war auf niedliche Siebenjährige spezialisiert, die nicht nur Ehen retteten, sondern auch zu Unrecht des Kükenmords verdächtigten Hunden aus der Klemme halfen. Top Mark richtete für sie die prunkvollste Beerdigung in der Geschichte Hollywoods aus – die offizielle Lesart war, Klein-Margery habe sich anläßlich eines Auftritts in einem New Yorker Waisenhaus eine »zehrende Krankheit« zugezogen – und einige Zyniker meinten, das Studio habe wohl nur deshalb solchen Aufwand getrieben, weil es wußte, daß es sich selbst beerdigte.

Derwent heuerte einen gerissenen Geschäftsmann und wütenden Sexomanen namens Henry Finkel an, der Top Mark leiten sollte, und in den zwei Jahren vor Pearl Harbor drehte das Studio sechzig Filme, darunter fünf Lehrfilme für die Regierung. Die Spielfilme waren gewaltige Erfolge. In einem der letzteren hatte ein Kostüm-Designer für die Hauptdarstellerin einen trägerlosen BH konstruiert, den sie während der großen Ballszene tragen sollte und in der sie alles zeigte, außer vielleicht dem Muttermal zwischen ihren Gesäßbacken. Auch diese Erfindung wurde Derwent gutgeschrieben, und sein Ansehen – oder sein schlechter Ruf – wuchs.

Der Krieg hatte ihn reich gemacht, und er war immer noch reich. Er lebte in Chicago und ließ sich selten blicken, außer bei den Aufsichtsratssitzungen der Derwent Enterprises (in denen er mit eiserner Hand durchgriff). Es hieß, daß ihm die United Airlines gehörten, außerdem Las Vegas (wo er Mehrheitsanteile an vier Hotel-Casinos und Anteile an mindestens sechs weiteren besaß), Los Angeles und die Vereinigten Staaten selbst. Er galt als Freund von Angehörigen des Hochadels, Präsidenten und Unterweltsbossen, und viele glaubten, er sei der reichste Mann der Welt.

Aber mit dem Overlook hatte er keinen Erfolg gehabt, dachte Jack. Er legte die Sammelmappe kurz hin und nahm das kleine Notizbuch und den Drehbleistift, die er immer bei sich trug, aus der Brusttasche. Er notierte »H. Derwent nachschlagen. Bibliothek Sidewinder?« Er steckte das Buch weg und nahm die Mappe wieder auf. Sein Gesicht war nachdenklich, die Augen blickten in die Ferne. Er nahm seine Lektüre wieder auf.

Während er die Seiten umblätterte, wischte er sich ständig mit dem Handrücken den Mund.

Er überflog das folgende Material und nahm sich vor, es später genauer zu prüfen. Auf manchen Seiten waren Pressemitteilungen eingeklebt. So-und-so wurde nächste Woche im Overlook erwartet, dieser und jener würde in der Lounge einen Empfang geben (zu Derwents Zeit hatte man sie Rotaugen-Lounge genannt).

Viele der auftretenden Künstler waren bekannte Leute aus Las Vegas und viele Gäste Spitzenmanager und Stars von Top Mark.

Dann ein Zeitungsausschnitt vom 1. Februar 1952.

MILLIONÄR VERKAUFT BETEILIGUNGEN
IN COLORADO
Neue Besitzer für Overlook Hotel
Von Rodney Conklin, Finanzredakteur

In einem knappen Kommuniqué wurde gestern aus dem Chicagoer Büro der Derwent Enterprises mitgeteilt, daß der Millionär (vielleicht Milliardär) Horace Derwent in einem erstaunlichen finanziellen Kraftakt, der am 1. Oktober 1954 abgeschlossen sein soll, seine Beteiligungen in Colorado verkauft. Zu ihnen gehören Erdgas, Kohle, hydroelektrische Anlagen und die Colorado Sunshine Inc., eine Landentwicklungsgesellschaft, die in Colorado 500000 Morgen Land teils besitzt, teils das Vorkaufsrecht darauf hat.

Derwents berühmtester Besitz in Colorado, das Overlook Hotel, wurde bereits verkauft, wie Derwent gestern in einem seiner seltenen Interviews erklärte. Käufer war eine Gruppe kalifornischer Investoren, unter anderen Charles Grondin, ein ehemaliger Direktor der California Land Development Corporation. Während sich Derwent zum Kaufpreis nicht äußern wollte, verlautet aus gewöhnlich gut unterrichteter Quelle . . .

Er hatte also alles verkauft, den ganzen Kram. Nicht nur das Overlook. Aber irgendwie . . . irgendwie . . .

Jack wischte sich mit der Hand die Lippen und sehnte sich

nach einem Drink. Mit einem Drink würde dies alles bessergehen. Er schlug weitere Seiten um.

Die kalifornische Gruppe hatte das Hotel nur zwei Jahre lang betrieben und es dann an die Mountain View Resorts, eine Firmengruppe aus Colorado, verkauft. Mountain View ging 1957 pleite, verbunden mit diversen Anklagen wegen Bestechung und Betrugs an den Aktionären. Der Präsident der Gesellschaft erschoß sich zwei Tage nachdem er seine Vorladung bekommen hatte.

Für den Rest des Jahrzehnts blieb das Hotel geschlossen. Es gab nur noch einen kurzen Bericht in einer Sonntagszeitung mit der Überschrift EHEMALIGES GRANDHOTEL DROHT ZU VERFALLEN. Die ebenfalls eingeklebten Photos griffen Jack ans Herz: abblätternde Farbe, der Rasen eine kahle, unebene Fläche, Fenster, von Stürmen und Steinwürfen zerbrochen. Auch das würde er in sein Buch aufnehmen, wenn er es überhaupt je schrieb – der Phönix, der in die Asche sinkt, um neu aus ihr zu erstehen. Er nahm sich fest vor, alles zu tun, um das Hotel in gutem Zustand zu erhalten. Bis heute war er sich der Last seiner Verantwortung für das Overlook gar nicht so recht bewußt gewesen. Es war fast, als hätte er der Geschichte gegenüber eine Verantwortung.

1962 hatten vier Schriftsteller, zwei davon Träger des Pulitzerpreises, das Hotel gepachtet und dort eine Schriftstellerschule eingerichtet. Das hatte ein Jahr gedauert. Einer der Kursteilnehmer hatte sich in seinem Zimmer im dritten Stock betrunken, war irgendwie durch die Scheibe gekracht und hatte sich auf der Betonterrasse zu Tode gestürzt. Die Zeitung deutete an, daß es sich um Selbstmord gehandelt haben könnte.

Jedes große Hotel hat seine Skandale, hatte Watson gesagt, *genau wie jedes Hotel sein Gespenst hat. Warum? Verdammt, die Leute kommen und gehen . . .*

Plötzlich schien Jack das Gewicht des Overlook fast körperlich zu empfinden, wie es sich auf ihn herabstürzte mit seinen hundertzehn Gästezimmern, den Lagerräumen, dem Tiefkühlraum, der Küche, der Lounge, dem Festsaal, dem Speisesaal . . .

(Im Raum gab es ein Kommen und Gehen der Frauen)

(. . . und der Rote Tod hatte sie alle in seiner Gewalt)

Er rieb sich die Lippen und wandte sich der nächsten Seite

zu. Er war beim letzten Drittel angelangt, und zum ersten Mal fragte er sich bewußt, wessen Buch es sein mochte, das er hier im Keller gefunden hatte.

Eine weitere Schlagzeile trug das Datum 10. April 1963

FIRMENGRUPPE AUS LAS VEGAS KAUFT
BERÜHMTES HOTEL
Das schön gelegene Overlook soll exklusiver Club werden

> Robert T. Leffing, Sprecher einer Gruppe von Investoren, die sich High Country Investments nennt, teilte heute in Las Vegas mit, daß High Country über den Kauf des berühmten, hoch in den Rocky Mountains gelegenen Overlook Hotels verhandelt. Leffing weigerte sich, die Namen einzelner Investoren zu nennen, sagte aber, daß das Hotel in einen exklusiven Club verwandelt werden solle. Er erklärte, daß die Gruppe, die er repräsentiere, führende Persönlichkeiten amerikanischer und ausländischer Gesellschaften als Mitglieder zu gewinnen hoffe. High Country besitzt weitere Hotels in Montana, Wyoming und Utah. Das Overlook wurde in den Jahren 1946 bis 1952 weltbekannt, als es dem publicity-scheuen Multimillionär Horace Derwent gehörte, der...

Auf der nächsten Seite fand Jack nur eine kurze Mitteilung über die Wiedereröffnung des Overlook unter neuer Leitung. Das Blatt war entweder an den Namen der neuen Besitzer nicht interessiert oder hatte sie nicht feststellen können, denn nur der Name High Country Investments wurde erwähnt, der anonymste Firmenname, den Jack je gehört hatte, abgesehen von dem einer Kette von Fahrrad- und Fahrradersatzteilläden im westlichen New England, die sich einfach Business Inc. nannte.

Er blätterte um und las den auf der nächsten Seite eingeklebten Ausschnitt.

KEHRT MILLIONÄR DERWENT DURCH HINTERTÜR
NACH COLORADO ZURÜCK?
Von Rodney Conklin, Finanzredakteur

Das Overlook Hotel, ein schön gelegener Vergnügungspalast im Hochland von Colorado und früher Privatspielzeug des Millionärs Horace Derwent, steht im Mittelpunkt einer undurchsichtigen Finanzaffäre, die erst jetzt bekannt wird.

Am 10. April letzten Jahres wurde das Hotel von High Country Investments gekauft, einer Firma aus Las Vegas, die dort einen Club für reiche Geschäftsleute aus dem In- und Ausland einrichtete.

Aus gut unterrichteter Quelle erfahren wir, daß Charles Grondin an der Spitze des Unternehmens steht. Der Dreiundfünfzigjährige war bis 1959 Chef der California Land Development Corp. und trat dann zurück, um die Position eines Vizepräsidenten in der Chicagoer Zentrale der Derwent Enterprises zu übernehmen.

Grondin, der 1960 wegen Steuerhinterziehung angeklagt und später freigesprochen wurde, konnte wegen Abwesenheit nicht befragt werden, und Horace Derwent, der eifersüchtig über seine Privatsphäre wacht, wollte am Telefon keinen Kommentar geben. Der Abgeordnete Dick Bows aus Golden hat eine gründliche Untersuchung verlangt...

Dieser Ausschnitt trug das Datum vom 27. Juli 1964. Der nächste war ein Artikel aus einer Sonntagszeitung vom September desselben Jahres. Die Verfasserzeile nannte Josh Brannigar, einen Sensationsjournalisten vom Schlage eines Jack Anderson. Jack glaubte sich zu erinnern, daß Brannigar 1968 oder 1969 gestorben war.

WIRD COLORADO TUMMELPLATZ DER MAFIA?
Von Josh Brannigar

Es erscheint durchaus möglich, daß sich der neueste Treffpunkt der Bosse des organisierten Verbrechens in den U.S.A. in einem abgelegenen Hotel mitten in den Rocky Mountains befindet. Das Overlook Hotel, ein weißer Elefant, seit seiner Eröffnung im Jahre 1910 von fast einem Dutzend verschiedener Firmengruppen und Privatpersonen ohne Erfolg betrieben, ist jetzt ein scharf bewachter »Club« für Geschäftsleute.

Die Frage ist, welchen Geschäften die Bewohner des Overlook tatsächlich nachgehen.

Die Liste der in der Woche vom 16. zum 23. August anwesenden Mitglieder könnte uns einen Eindruck vermitteln. Sie wurde uns von einem früheren Angestellten der High Country Investments zur Verfügung gestellt, von der man erst glaubte, sie sei eine Scheinfirma im Besitz der Derwent Enterprises. Jetzt scheint es wahrscheinlicher, daß Derwents Interesse an High Country (wenn es überhaupt existiert) geringer ist als das mehrerer Glücksspielbarone aus Las Vegas. Und diesen Herren werden Verbindungen zu vermuteten oder bekannten Unterweltbossen nachgesagt.

Während jener sonnigen Augustwoche waren im Overlook anwesend:

Charles Grondin, Präsident der High Country Investment. Als im Juli dieses Jahres bekannt wurde, daß er bei High Country das Steuer übernommen hatte, wurde – wenn auch mit beträchtlicher Verspätung – verkündet, daß er vorher seine Position bei Derwent Enterprises aufgegeben habe. Der weißhaarige Grondin, der mir ein Interview für diesen Artikel verweigerte, wurde 1960 wegen Steuerhinterziehung angeklagt, aber freigesprochen.

Charles »Baby Charlie« Battaglia, ein sechzigjähriger Vegas-Hai (mit Mehrheitsanteilen an The Greenback und The Lucky Bones am Streifen).

Battaglia ist ein enger Freund von Grondin. Sein Verhaftungsregister reicht bis 1932 zurück, als er wegen Mordes an dem Gangster Jack »Durchy« Morgan angeklagt und freigesprochen wurde. Die Bundesbehörden vermuten, daß seine Aktivitäten von Drogenhandel über Prostitution bis zum bezahlten Mord reichen, aber »Baby Charlie« war erst ein einziges Mal hinter Gittern, und zwar von 1955 bis 1956 wegen Steuerhinterziehung.

Richard Scarne, Hauptaktionär der Fun Time Automatic Machines. Fun Time stellt Geldspielautomaten für das Publikum in Nevada, andere Spielautomaten und Musikboxen für das übrige Amerika her. Er hat Strafen verbüßt für schwere Körperverletzung (1940), wegen unbefugten Führens einer Waffe (1948) und Steuerhinterziehung (1961)!

Peter Zeiss, ein Importeur aus Miami, der jetzt fast siebzig ist. Seit fünf Jahren setzt er sich gegen seine Ausweisung als unerwünschte Person zur Wehr. Er wurde wegen Hehlerei (1958) und gemeinsamer Steuerhinterziehung (1954) verurteilt.

Peter Zeiss, ein charmanter, distinguierter und höflicher Mann, wird von seinen Freunden »Poppa« genannt.

Er stand auch schon unter der Anklage des Mordes und der Beihilfe zum Mord vor Gericht. Er ist Großaktionär bei Scarnes Fun Time und an vier Casinos in Las Vegas beteiligt.

Vittorio Gienelli, auch »Vito der Hacker« genannt, der zweimal wegen Mordes angeklagt war, einmal wegen Mordes an Frank Scoffy, dem zweiten Mann der Bostoner Unterwelt, den er mit einer Axt getötet haben soll. Gegen Gienelli wurde dreiundzwanzigmal Anklage erhoben, vierzehnmal kam es zum Prozeß, und einmal wurde er verurteilt, 1940 wegen Ladendiebstahls. In den letzten Jahren soll Gienelli innerhalb der Organisation zu einer Macht geworden sein, besonders im Westen, wo sich die Aktivitäten der Firma konzentrieren.

Carl »Jimmy-Ricks« Prashkin, ein Investor aus San Francisco. Man sieht in ihm den künftigen Erben der Macht, die jetzt Gienelli ausübt. Prashkin besitzt große Anteile an Derwent Enterprises, High Country Investments, Fun Time Automatic Machines und drei Casinos in Las Vegas. In Amerika stand er noch nie vor Gericht, aber in Mexiko wurde gegen ihn einmal Anklage wegen Betruges erhoben, die aber drei Wochen später fallengelassen wurde. Prashkin soll sich damit befassen, Geld, das aus den Kasinos in Las Vegas stammt, zu waschen und in die im Westen betriebenen legitimen Geschäfte der Organisation einfließen zu lassen. Von solchen Operationen mag jetzt auch das Overlook Hotel in Colorado profitieren.

Weitere Besucher der laufenden Saison sind . . .

Der Artikel ging noch weiter, aber Jack überflog ihn nur, wobei er sich ständig mit der Hand die Lippen wischte. Ein Bankier mit Verbindungen in Las Vegas. Männer aus New York, die in der Textilbranche mehr taten als nur Kleider herstellen. Männer, die man mit Drogen, Lastern, Raub und Mord in Verbindung brachte.

Mein Gott, was für eine Geschichte! Und sie waren alle hier gewesen, direkt über ihm in den jetzt leeren Räumen. Vielleicht hatten sie im dritten Stock teure Huren gebumst. Champagner getrunken. Geschäfte getätigt, in denen Millionen von Dollar umgesetzt wurden, und das vielleicht in einer Suite, in der schon Präsidenten gewohnt hatten. Das war schon eine Geschichte. Eine enorme Geschichte. Hastig riß er sein Notizbuch heraus und notierte weitere Namen, über die er, wenn sein Job hier zu Ende war, in der Bibliothek in Denver nachschlagen wollte. Jedes Hotel hat sein Gespenst? Das Overlook hatte einen ganzen Haufen Gespenster. Erst Selbstmord, dann die Mafia. Was würde als nächstes kommen?

Im nächsten Ausschnitt dementierte Charles Grondin wütend Brannigars Angriffe. Jack grinste nur.

Der Ausschnitt auf der nächsten Seite war so groß, daß man ihn gefaltet hatte. Jack faltete ihn auseinander, und sein Atem stockte. Das Photo schien ihn anzuspringen: Die Tapeten waren seit Juni 1966 erneuert worden, aber er kannte das Fenster und die Aussicht genau. Es war der Blick nach Westen aus der Präsidentensuite. Es handelte sich um einen Mord. Die Wand des Wohnzimmers neben der Tür zum Schlafzimmer war blutbespritzt, vermischt mit weißlichen Flecken, die nur Gehirnmasse sein konnten. Ein Polizist stand mit undurchdringlichem Gesicht über einer Leiche, über die eine Decke gebreitet war. Fasziniert starrte Jack das Bild an und las dann die Schlagzeile.

SCHIESSEREI ZWISCHEN GANGSTERN IM OVERLOOK
Bekannter Unterweltboß in Berghotel erschossen

SIDEWINDER, COLO (UPI) – Vierzig Meilen von der verschlafenen Stadt Sidewinder in Colorado entfernt hat mitten in den Rocky Mountains eine Hinrichtung nach Gangsterart stattgefunden. Das Overlook Hotel, das vor drei Jahren von einer Firma aus Las Vegas gekauft und als exklusiver Club eingerichtet wurde, war Schauplatz eines dreifachen Mordes. Zwei der Männer waren entweder Freunde oder Leibwächter von Vittorio Gienelli, der wegen seiner mutmaßlichen Beteiligung an einem Mord in Boston vor zwanzig Jahren auch als »Der Hacker« bekannt ist.

Die Polizei wurde von Robert Norman, dem Manager des Overlook, verständigt, der behauptete, er habe Schüsse gehört, und zwei Männer mit Strumpfmasken und Gewehren seien über die Feuerleiter geflohen und in einem hellbraunen Kabriolett neueren Modells davongefahren.

Benjamin Moorer von der State Police fand vor der Präsidentensuite, in der schon zwei amerikanische Präsidenten gewohnt haben, zwei Tote, die später als Victor T. Boorman und Roger Macassi, beide aus Las Vegas, identifiziert wurden. Im Raum selbst fand Moorer die Leiche Gienellis auf dem Fußboden. Gienelli hatte offenbar versucht, vor seinen Angreifern zu fliehen, als er niedergestreckt wurde. Moorer sagte, Gienelli sei mit einer großkalibrigen Schrotflinte aus kürzester Entfernung erschossen worden.

Charles Grondin, Respräsentant der Firma, der das Overlook jetzt gehört, war nicht zu erreichen . . .

Unter den Zeitungausschnitt hatte jemand in kräftigen Schriftzügen mit Kugelschreiber geschrieben: *Sie haben seine Eier mitgenommen.* Jack starrte lange die Zeilen an, und ihn fror. Wem gehörte dieses Buch?

Endlich schlug er die Seite um und unterdrückte ein komisches Geräusch in der Kehle. Noch ein kurzer Artikel von Josh Brannigar, datiert 1967. Er las nur die Schlagzeile: VERKAUF EINES BERÜCHTIGTEN HOTELS NACH MORD AN EINEM GANGSTERBOSS.

Die auf diesen Ausschnitt folgenden Seiten waren leer.

(Sie haben seine Eier mitgenommen)

Er blätterte bis zum Anfang zurück und suchte einen Namen oder eine Adresse. Vielleicht nur eine Zimmernummer. Denn er war ganz sicher: wer immer dieses Buch geführt hatte, mußte im Hotel gewohnt haben. Aber er fand keine Eintragung.

Er wollte sich die Ausschnitte gerade noch einmal etwas gründlicher vornehmen, als eine Stimme ihn von oben rief: »Jack?«

Wendy.

Fast schuldbewußt fuhr er zusammen, als ob er heimlich getrunken hätte und sie jetzt seine Fahne riechen würde. Lachhaft. Er rieb sich mit der Hand die Lippen und rief zurück: »Ja, Schatz. Ich suche Ratten.«

Sie kam in den Keller. Er hörte sie auf der Treppe, dann im Kesselraum. Rasch, ohne recht zu wissen, warum, schob er die Sammelmappe unter einen Haufen Rechnungen. Er stand auf, als sie durch den Mauerbogen trat.

»Was in aller Welt hast du hier unten gemacht? Es ist fast drei Uhr!«

Er lächelte. »Ist es schon so spät? Ich habe mich durch dies ganze Zeug hier durchgewühlt. Wahrscheinlich wollte ich wissen, wo die Leichen begraben sind.«

Häßlich hallte ihm das Echo seiner Worte durch den Kopf. Sie kam näher, sah ihn an, und unbewußt trat er einen Schritt zurück. Es war fast zwanghaft. Er wußte, was sie wollte. Sie versuchte Alkoholgeruch an ihm festzustellen. Wahrscheinlich war sie sich dessen nicht einmal bewußt, aber es war so, und zu seinem Schuldbewußtsein kam Wut.

»Du blutest ja am Mund«, sagte sie seltsam tonlos.

»Was?« Er fuhr sich mit der Hand an die Lippen und zuckte unter einem leisen Schmerz zusammen. Sein Zeigefinger war blutig. Jetzt hatte er wirklich ein schlechtes Gewissen.

»Du hast dir wieder den Mund gerieben«, sagte sie.

Er sah zu Boden und zuckte die Achseln. »Muß ich wohl.«

»Es ist schrecklich für dich gewesen, nicht wahr?«

»Ach, so schlimm war es gar nicht.«

»Ist es denn leichter geworden?«

Er schaute zu ihr hoch und bewegte sich auf den Füßen. Wenn seine Füße erst in Bewegung waren, ging alles leichter. Er ging zu seiner Frau hinüber und legte ihr die Hand um die Hüfte. Er strich eine Strähne ihres blonden Haars zur Seite und küßte sie auf den Nacken. »Ja«, sagte er. »Wo ist Danny?«

»Ach, irgendwo in der Nähe. Draußen ziehen Wolken auf. Hast du Hunger?«

Mit gespielter Lüsternheit ließ er eine Hand über ihren straffen, jeansbekleideten Hintern gleiten. »Wie ein Bär, Madame.«

»Paß auf, du brutaler Kerl. Fang nichts an, was du nicht zu Ende bringst.«

»Bumsen, Madame?« fragte er und ließ seine Hand, wo sie war. »Schmutzige Bilder? Gewagte Stellungen?« Als sie durch den Mauerbogen gingen, warf er einen Blick zurück auf das Papier, unter dem er die Sammelmappe

(wessen?)

versteckt hatte. Bei gelöschtem Licht sah der Stapel nur noch wie ein Schatten aus. Er war froh, daß er Wendy hinausgeführt hatte. Seine Lüsternheit war jetzt nicht mehr nur gespielt und wurde zu einem ganz natürlichen Verlangen, als sie die Treppe hinaufgingen.

»Vielleicht«, sagte sie. »Aber erst machen wir dir ein Sandwich – iiiihk!« Kichernd entwand sie sich ihm. »Das kitzelt!«

»Das kitzelt nicht halb so sehr wie Jack Torrance Sie gerne kitzeln würde, Madame.«

»Hau ab, Jack. Wie wär's mit Schinken und Käse ... als erstem Gang?«

Sie gingen gemeinsam die Treppen hinauf, und Jack schaute nicht wieder über die Schultern zurück. Aber er dachte an Watsons Worte:

Jedes große Hotel hat sein Gespenst. Warum? Verdammt, die Leute kommen und gehen ...

Dann schloß Wendy die Tür zum Keller, der in der Dunkelheit hinter ihnen zurückblieb.

19

Vor Zimmer 217

Danny erinnerte sich der Worte einer anderen Person, die während der Saison im Overlook gearbeitet hatte:

Sie sagte, sie hätte in einem der Zimmer etwas gesehen, wo ... etwas Schlimmes passiert war. Das war in Zimmer 217, und du mußt mir versprechen, daß du dort nicht hineingehst, Danny ... das Zimmer mußt du meiden ...

Es war eine völlig normale Tür, die sich von den anderen Türen in den beiden ersten Stockwerken nicht unterschied. Sie war dunkelgrau gestrichen und lag in der Mitte eines rechtwinklig vom Hauptkorridor abzweigenden Gangs. Die Nummer an der Tür sah nicht anders aus als die Nummern an dem Wohnblock, in dem sie in Boulder gewohnt hatten. Direkt unter ihr war ein kleines rundes Glas, ein Guckloch. Danny hatte schon mehrere ausprobiert. Von innen hatte man einen guten Ausblick auf den Flur. Von außen konnte man seine Augen noch so sehr anstrengen – man sah nichts. Ein schmutziger Trick.

(Warum bist du überhaupt hier?)

Nach dem Spaziergang hinter dem Overlook waren Mommy und er zurückgekommen, und sie hatte ihm sein Lieblingsessen gemacht, ein Käse-Sandwich und Campbells Bohnensuppe. Sie aßen und unterhielten sich in Dicks Küche. Aus dem Radio kam knackend und knisternd dünne Musik vom Sender in Estes Park. Die Küche war im Hotel sein Lieblingsplatz und Mommys und Daddys wohl auch, denn nachdem sie drei Tage lang im Speisesaal gegessen hatten, hatten sie in der Folgezeit unter allgemeiner Zustimmung ihre Mahlzeiten in der Küche eingenommen. Dabei stellten sie Stühle um Dick Halloranns Haublock, der fast so groß war wie ihr Eßtisch zu Hause in Stovington. Der Speisesaal hatte sie alle deprimiert. Selbst wenn die Beleuchtung eingeschaltet war und der im Büro installierte Kassetten-Recorder spielte, blieb man doch einer von drei Menschen, die einsam an einem Tisch saßen, umgeben von Dutzenden von Tischen, alle leer und mit diesen durchsichtigen Schutzfolien bedeckt.

Mommy sagte, es wäre, als ob man mitten in einem Roman von Horace Walpole zu Tisch säße, und Daddy hatte gelacht und ihr zugestimmt. Danny hatte keine Ahnung, wer Horace Walpole war, aber er hatte gemerkt, daß Mommys Essen besser schmeckte, seit sie in der Küche aßen. Kleine Spuren von Dick Halloranns Persönlichkeit befanden sich in diesem Raum, und das beruhigte ihn auf angenehme Weise.

Mommy hatte nur ein halbes Sandwich gegessen und auf die Suppe ganz verzichtet. Sie meinte, Daddy müßte selbst spazierengegangen sein, weil sowohl der Hotelwagen als auch der VW auf dem Parkplatz standen. Sie sagte, sie sei müde und wolle sich ein wenig hinlegen, wenn er sich selbst amüsieren und keinen Unsinn machen würde. Den Mund voll Sandwich meinte Danny, daß er das wohl könne.

»Warum gehst du nicht auf den Spielplatz?« fragte sie ihn. »Ich dachte, er würde dir gefallen. Du kannst doch in der Sandkiste mit deinen Autos spielen.«

Er schluckte, und als harter, trockener Klumpen rutschte ihm das Brot durch die Speiseröhre. »Tu ich vielleicht«, sagte er und fing an, am Radio zu drehen.

»Und all die hübschen Heckentiere«, sagte sie und nahm seinen leeren Teller. »Dein Vater muß bald raus und sie beschneiden.«

»Ja«, sagte er.

(Nur häßliche Dinge... wenn es schon mit diesen verdammten Hecken zu tun hatte, die wie Tiere zurechtgestutzt waren...)

»Wenn du deinen Vater früher siehst als ich, sag ihm, daß ich mich hingelegt habe...«

»Tu ich, Mom.«

Sie stellte das schmutzige Geschirr in die Spüle und kam wieder zu ihm zurück. »Fühlst du dich wohl hier, Danny?«

Er sah sie arglos an. Er hatte einen Milchbart auf der Lippe. »Hmmmh.«

»Keine schlimmen Träume mehr?«

»Nein.« Einmal war Tony nachts noch gekommen und hatte aus weiter Ferne seinen Namen gerufen. Danny hatte die Augen fest zugekniffen, und Tony war verschwunden.

»Bestimmt nicht?«

»Bestimmt nicht, Mom.«

Sie schien zufrieden. »Wie geht's deiner Hand?«

Er zeigte sie ihr. »Viel besser.«

Sie nickte. Jack hatte das Nest voll steifgefrorener Wespen zum Verbrennungsofen hinten im Geräteschuppen gebracht und verbrannt. Sie hatten seitdem keine Wespen mehr gesehen. Er hatte an einen Rechtsanwalt in Boulder geschrieben und die Aufnahmen von Dannys Hand mitgeschickt, und der Anwalt hatte vor zwei Tagen angerufen – das hatte Jack für einen ganzen Nachmittag in äußerst üble Laune versetzt. Der Anwalt zweifelte, ob man den Hersteller des Vertilgungsmittels belangen konnte, da nur Jack selbst bezeugen konnte, daß er sich an die Gebrauchsanweisung gehalten hatte. Jack hatte gefragt, ob man nicht einige weitere Sprühgeräte kaufen und auf denselben Defekt prüfen könne. Ja, sagte der Anwalt, aber das Ergebnis sei höchst zweifelhaft, selbst wenn alle diese Geräte nicht funktionierten. Er erzählte Jack von einem Fall, bei dem es um einen Hersteller von Ausziehleitern ging. Bei Benutzung einer solchen Leiter hatte sich ein Mann die Wirbelsäule gebrochen. Wendy hatte Jack zwar bedauert, aber insgeheim war sie froh, daß Danny so gut davongekommen war. Prozesse sollte man Leuten überlassen, die was davon verstanden, und zu denen gehörten die Torrances nicht. Und sie hatten ja auch keine Wespen mehr gesehen.

»Geh spielen, Doc. Viel Spaß.«

Aber er hatte keinen Spaß. Er war ziellos durch das Hotel gewandert, hatte in die Schränke der Stubenmädchen und in die Pförtnerloge geguckt, um vielleicht etwas Interessantes zu finden. Er fand nichts. Er war nur ein kleiner Junge, der über einen dunkelblauen, mit gewundenen schwarzen Linien durchwobenen Teppich lief. Hin und wieder hatte er eine Tür probiert, aber sie waren natürlich alle abgeschlossen. Der Hauptschlüssel hing im Büro, und er wußte auch, wo, aber Daddy hatte ihm gesagt, daß er ihn nicht anfassen sollte. Und das wollte er auch nicht. Oder doch?

(Warum bist du denn hier?)

In Wirklichkeit lief er gar nicht ziellos herum. Eine Art ungesunde Neugier hatte ihn zu Zimmer 217 gelockt. Er erinnerte sich an eine Geschichte, die Daddy ihm einmal vorgelesen hatte, als er betrunken war. Das war lange her, aber sie war für ihn noch immer so lebendig wie damals, als Daddy sie vorgelesen hatte. Mommy hatte mit Daddy geschimpft, was er sich dabei denke, einem Dreijährigen etwas so Entsetzliches vorzulesen. Die Geschichte hieß *Blaubart*. Auch das wußte er noch genau, denn er hatte erst *Blaubord* verstanden, und ein blaues Bord kam in der ganzen Geschichte nicht vor. Die Geschichte handelte von Blaubarts Frau, einer schönen Dame, die kornfarbenes Haar hatte, genau wie Mommy. Als Blaubart sie geheiratet hatte, lebten sie in einem großen, unheimlichen Schloß, das gar nicht viel anders war als das Overlook. Und jeden Tag ging Blaubart zur Arbeit, und jeden Tag verbot er seiner hübschen jungen Frau, in ein bestimmtes Zimmer zu schauen, obwohl der Schlüssel zu diesem Zimmer an einem Haken hing, genau wie der Hauptschlüssel unten im Büro an der Wand hing. Blaubarts Frau war auf das verschlossene Zimmer immer neugieriger geworden. Sie versuchte, durchs Schlüsselloch zu gucken, ähnlich wie Danny ohne jeden Erfolg versucht hatte, durch das Guckloch von Zimmer 217 etwas zu erkennen. Im Buch war sogar ein Bild, das sie zeigte, wie sie kniete, um *unter* der Tür hindurchzuschauen, aber der Spalt war nicht breit genug. Weit öffnete sich die Tür . . .

Das alte Märchenbuch hatte ihre Entdeckung grauenhaft und mit aller Liebe zum Detail beschrieben. Das Bild hatte sich Danny eingebrannt. In dem Zimmer standen die abgetrennten Köpfe der ersten sieben Frauen Blaubarts, jeder auf einem Sockel, die Augen verdreht, daß nur das Weiße zu sehen war, die Münder aufgerissen wie zu einem stummen Schrei. Sie ruhten auf ihren vom Richtschwert abgeschlagenen Hälsen, und Blut floß an den Sockeln herab.

Entsetzt hatte sie sich abgewandt, um aus dem Zimmer und dem Schloß zu fliehen, aber nur um festzustellen, daß Blaubart in der Tür stand, die Augen vor Wut blitzend. »Ich habe dir verboten, das Zimmer zu betreten«, sagte Blaubart und zog sein Schwert. »Leider! Du bist in deiner Neugier wie die anderen sieben, und obwohl ich dich von allen am meisten liebte, wirst du wie sie enden. Mach dich zum Sterben bereit, elende Frau!«

Vage schien es Danny, daß die Geschichte ein gutes Ende genommen hatte, aber das war zur Bedeutungslosigkeit verblaßt neben den beiden dominierenden Bildern: der sie verhöhnenden verschlossenen Tür mit dem großen Geheimnis dahinter und dem grausigen Geheimnis selbst in seiner siebenfachen Ausführung.

Er dachte nur an die Tür und die Köpfe, die abgetrennten Köpfe, die hinter ihr verborgen waren.

Er streckte die Hand aus und strich fast verstohlen über den Türkknopf. Er hatte keine Ahnung, wie lange er wie hypnotisiert vor dieser nichtssagenden verschlossenen Tür gestanden hatte.

(Und vielleicht dreimal habe ich gedacht, daß ich Dinge gesehen habe . . . schlimme Dinge . . .)

Aber Mr. Hallorann – Dick – hatte auch gesagt, daß diese Dinge einem wohl nicht wehtun konnten. Sie waren wie schreckliche Bilder in einem Buch. Und vielleicht würde er auch gar nichts finden. Andererseits...

Er steckte die Hand in die linke Tasche, und als er sie wieder herausnahm, lag der Schlüssel darin. Natürlich hatte er ihn die ganze Zeit schon bei sich gehabt.

Er hielt ihn an der kleinen Metallscheibe fest, in die »Büro« eingraviert war. Dann ließ er den Schlüssel an seiner Kette immer wieder um den Finger wirbeln. Es dauerte Minuten, bevor er damit aufhörte. Dann ließ er den Hauptschlüssel ins Schloß gleiten. Es ging so glatt, als hätte der Schlüssel es sich geradezu gewünscht.

(Ich habe gedacht, daß ich Dinge gesehen habe... schlimme Dinge... versprich mir, daß du dort nicht hineingehst.)

(Ich verspreche es.)

Und ein Versprechen war natürlich sehr wichtig. Dennoch war seine Neugier wie ein heftiges Jucken an einer Stelle, an der man sich nicht kratzen darf. Aber es war eine schreckliche Art von Neugier, die Neugier, die einen veranlaßt, an den gruseligen Stellen eines Gruselfilms durch die vors Gesicht gehaltenen Finger zu blicken. Was hinter dieser Tür lauerte, würde kein Film sein.

(Ich glaube nicht, daß diese Dinge einem wehtun können... wie schreckliche Bilder in einem Buch.)

Plötzlich streckte er wieder die Hand aus, und bevor er wußte, was er tat, hatte er den Hauptschlüssel abgezogen und wieder in die Tasche gesteckt. Einen Augenblick starrte er noch die Tür an, die blaugrauen Augen weit geöffnet. Dann drehte er sich rasch um und ging zum Hauptkorridor zurück.

Irgend etwas ließ ihn dort innehalten, er wußte einen Augenblick nicht, was. Dann erinnerte er sich daran, daß direkt hinter dieser Ecke auf dem Weg zur Treppe einer dieser altmodischen Feuerlöscher aufgerollt an der Wand hing. Aufgerollt wie eine schlafende Schlange.

Es waren keine Feuerlöscher des chemischen Typs, hatte Daddy gesagt, obwohl es einige der letzteren in der Küche gab. Diese waren die Vorläufer des modernen Sprinkler-Systems. Die langen Leinenschläuche wurden direkt an das Leitungssystem des Overlook angeschlossen, und wenn man ein Ventil aufdrehte, konnte man zur Einmannfeuerwehr werden. Daddy hatte gesagt, die chemischen Feuerlöscher, die Schaum oder CO_2 versprühten, seien viel besser. Die chemischen erstickten das Feuer, indem sie ihm den Sauerstoff nahmen, den es zum Brennen brauchte, während eine Hochdruckspritze das Feuer eher noch weiter verteilen konnte. Daddy meinte, Mr. Ullman müßte die alten Löscher zusammen mit der altmodischen Kesselanlage erneuern lassen, aber Mr. Ullman würde wahrscheinlich weder das eine noch das andere tun, denn er sei ein SCHÄBIGER ARSCH. Danny wußte, daß dies eine der schlimmsten Bezeichnungen war, die sein Vater benutzte. Er wendete sie auf gewisse Ärzte und Zahnärzte und Handwerker an. Außerdem auf den Chef der Abteilung für Englisch in Stovington, der Daddys Buchbestellungen gestrichen hatte, weil sie das Budget überstiegen. »Budget überstiegen. Lächerlich«, hatte er Wendy gegenüber geschimpft, und Danny hatte vom Schlafzimmer aus zugehört, denn seine Eltern wußten nicht, daß er wach war. »Der SCHÄBIGE ARSCH will nur die letzten fünfhundert Dollar für sich behalten.«

Danny schaute um die Ecke.

Der Feuerlöscher war da, der flache Schlauch aufgerollt, und der rote Tank hing an der Wand. Über ihm, in einem Glaskasten, lag eine Axt wie ein Ausstellungsstück im Museum. Auf dem roten Hintergrund stand in weißen Buchstaben: BEI GEFAHR SCHEIBE EINSCHLAGEN. Danny konnte das Wort GEFAHR lesen. So hieß auch der Titel der Fernsehsendung, die er am liebsten sah. Die übrigen Worte verstand er nicht. Aber das Wort gefiel ihm nicht im Zusammenhang mit dem Schlauch. GEFAHR bedeutete Feuer, Explosionen, Autounfälle, Krankenhaus, manchmal Tod. Und es gefiel ihm überhaupt nicht, wie der Schlauch da so friedlich an der Wand hing. Wenn er allein war, rannte er immer so schnell er konnte an den Feuerlöschern vorbei. Ohne besonderen Grund. Aber er hatte ein besseres Gefühl, wenn er sich beeilte. Es war sicherer.

Jetzt ging er mit klopfendem Herzen um die Ecke. Und schaute am Löscher vorbei den Korridor entlang zur Treppe hinüber. Mommy schlief dort unten, und wenn Daddy schon von seinem Spaziergang zurück war, saß er gewiß in der Küche, aß ein Sandwich und las ein Buch. Er wollte jetzt einfach am Löscher vorbei nach unten gehen.

Er bewegte sich auf die Treppe zu und hielt sich so dicht an der gegenüberliegenden Wand, daß er mit dem Arm die teure Seidentapete streifte. Noch zwanzig Schritte. Noch fünfzehn. Zwölf.

Als er noch zehn Schritte von der Treppe entfernt war, rollte die Messingdüse plötzlich von dem zusammengerollten Schlauch, auf dem sie gelegen

(geschlafen?)

hatte, hinunter und fiel mit einem dumpfen Schlag auf den Flurteppich. Dort lag sie, und ihre dunkle vordere Öffnung zeigte genau auf Danny. Er blieb sofort stehen und zog in seiner Angst die Schultern hoch. Er spürte in Ohren und Schläfen sein Blut klopfen. Sein Mund war trocken, und er ballte die Hände zu Fäusten. Aber die Düse am Schlauchende lag ganz einfach nur da, das Messing glänzte, und der Schlauch führte zu dem rotgestrichenen, an die Wand geschraubten Rahmen zurück.

Sie war also runtergefallen. Na und? Es war nur ein Feuerlöscher, weiter nichts. Zu denken, er sehe aus wie eine giftige Schlange, die ihn gehört habe und aufgewacht sei, konnte man nur als dumm bezeichnen. Auch wenn das geflochtene Leinen ein wenig wie eine Schuppenhaut aussah. Er würde einfach darüber hinwegtreten und durch den Korridor zur Treppe gehen, vielleicht etwas schneller, damit das Ding nicht nach ihm schnappte oder sich um seine Füße wickelte . . .

Unbewußt seinen Vater nachahmend, wischte er sich mit der linken Hand den Mund und tat einen Schritt nach vorn. Der Schlauch bewegte sich nicht. Noch einen Schritt. Nichts. Siehst du, wie dumm du bist? Du hast dich nur mit diesem dummen Zimmer und dieser dummen Blaubartgeschichte verrückt gemacht, und dieser Schlauch mußte ganz einfach irgendwann mal runterfallen. Das ist alles.

Danny starrte den Schlauch an und dachte an Wespen.

Acht Schritte weiter glänzte die Düse des Schlauches ihn vom Teppich her freundlich an, als ob sie sagen wollte: Keine Sorge. Ich bin nur ein Schlauch, das ist alles. Und selbst wenn das nicht alles ist. Was ich dir antun könnte, wäre nicht schlimmer als der Stich einer Biene oder einer Wespe. Was sollte ich einem netten kleinen Jungen wie dir tun . . . außer beißen . . . und beißen . . . und beißen?

Danny tat noch einen Schritt, und noch einen. Trocken und rauh spürte er seinen Atem in der Kehle. Er stand kurz vor einer Panik. Fast *wünschte* er sich jetzt, daß der Schlauch sich bewegen sollte. Dann würde er es endlich wissen, dann konnte er endlich sicher sein. Er tat noch einen Schritt, und jetzt konnte der Schlauch ihn erreichen. Aber er wird dich nicht *schlagen*, dachte er hysterisch. Wie kann er dich *schlagen*, dich *beißen*, wenn er doch nur ein Schlauch ist?

Vielleicht ist er voll Wespen.

Seine innere Tempratur sank auf zehn Grad unter Null. Er starrte auf die schwarze Öffnung vorn an der Düse und war wie hypnotisiert. Vielleicht war er voll Wespen, voll geheimer Wespen, die braunen Bäuche von Gift geschwollen, so voll von Herbstgift, daß es wie klare Flüssigkeit aus ihren Stacheln tropfte.

Plötzlich wußte er, daß er starr vor Entsetzen war; wenn er seine Füße jetzt nicht bewegte, würden sie auf dem Teppich anwachsen, und er würde hier bleiben und auf das Loch in der Mitte der Messingdüse starren wie ein Kaninchen auf die Schlange. Er würde hier bleiben, bis sein Daddy ihn fand, und was würde dann geschehen?

Laut aufstöhnend fing er an zu rennen. Als er den Schlauch erreichte, täuschte ihn irgendein Lichteffekt, und es war, als bewegte sich die Düse, um zuzuschlagen, und er sprang hoch in die Luft über sie hinweg. In seiner Panik kam es ihm vor, als trüge ihn sein Sprung bis an die Decke, als berührte er mit einer Haarsträhne den Putz, obwohl er später natürlich wußte, daß es nicht der Fall gewesen sein konnte.

Jenseits des Schlauches landete er wieder auf dem Korridorboden und rannte los. Und plötzlich hörte er hinter sich den Messingkopf der Schlange raschelnd über den Teppich gleiten, wie eine Klapperschlange, die sich schnell durch trockenes Gras bewegt. Sie verfolgte ihn, und plötzlich erschien die Treppe weit entfernt; bei jedem Schritt, den er tat, schien sie sich weiter zu entfernen.

Daddy! versuchte er zu schreien, aber er brachte kein Wort heraus. Er war allein. Hinter ihm wurde das Geräusch lauter. Das trockene, gleitende Geräusch der Schlange, die sich rasch über die Noppen des Teppichs schob. Jetzt war sie direkt hinter ihm, stieg vielleicht schon hoch, während ihr das klare Gift aus dem Messingmaul tropfte.

Danny erreichte die Treppe und bewegte seine Arme wie Windmühlenflügel, um die Balance zu halten. Einen Moment schien es, als würde er kopfüber hinunterstürzen.

Er schaute über die Schulter zurück.

Der Schlauch hatte sich nicht bewegt. Er lag, wie er vorher gelegen hatte, die Messingdüse ruhte auf dem Teppich, und ihre Öffnung zeigte völlig desinteressiert in die entgegengesetzte Richtung. Siehst du, Dummkopf? schalt er sich. Du hast das alles erfunden, du Angsthase. Alles deine Phantasie. Angsthase, Angsthase.

Er klammerte sich an das Treppengeländer, und seine Beine zitterten.

(Sie hat dich nie verfolgt)

sagte ihm sein Verstand und bemächtigte sich dieses Gedankens und spulte ihn immer wieder ab.

(dich nie verfolgt, nie verfolgt, nie, nie)

Es war nichts, vor dem man Angst haben mußte. Wenn er wollte, konnte er gleich zurückgehen und den Schlauch wieder in den Rahmen hängen. Er konnte es, aber er würde es wohl nicht tun. Denn wenn sie ihn nun doch verfolgt hatte und zurückgekrochen war, als sie merkte, daß sie ihn ... nicht ganz ... erwischen konnte?

Der Schlauch lag auf dem Teppich und schien ihn zu fragen, ob er es nicht noch einmal versuchen wolle.

Keuchend rannte Danny nach unten.

20

Gespräch mit Mr. Ullman

Die öffentliche Bibliothek in Sidewinder war ein kleines, etwas abseits der Straße gelegenes Gebäude, einen Block vom Geschäftszentrum der Stadt entfernt. Es war ein bescheidenes, weinumranktes Gebäude, und der breite Betonweg zum Eingang war von den Leichen der Blumen des letzten Sommers gesäumt. Auf dem Rasen stand die große Bronzestatue eines

Bürgerkriegsgenerals, von dem Jack noch nie etwas gehört hatte, obwohl er sich als Teenager sehr für den Bürgerkrieg interessiert hatte.

Die Zeitungen wurden im Erdgeschoß aufbewahrt. Es gab die *Sidewinder Gazette*, die 1963 pleite gegangen war, die *Estes Park Daily* und die *Boulder Camera*. Überhaupt keine Zeitungen aus Denver.

Jack nahm sich zuerst die *Camera* vor.

Seit 1965 wurden keine Zeitungen mehr archiviert, sondern Mikrofilme mit den entsprechenden Texten (»Ein Bundeszuschuß«, verkündete der Bibliothekar strahlend. »Wenn der nächste Scheck kommt, hoffen wir, 1958 bis 1964 zu schaffen, aber Sie wissen ja, wie langsam die Leute sind. Sie werden doch vorsichtig sein, nicht wahr? Aber natürlich sind Sie das. Rufen Sie mich, wenn Sie mich brauchen.«) Das einzige Lesegerät hatte eine Linse, die sich irgendwie verzogen hatte, und als Wendy ihm nach fünfundvierzig Minuten die Hand auf die Schulter legte, hatte er gewaltige Kopfschmerzen.

»Danny ist im Park«, sagte sie. »Aber ich will nicht, daß er zu lange daußen bleibt. Wie lange brauchst du noch?«

»Zehn Minuten«, sagte er. Tatsächlich war er dem letzten Teil der faszinierenden Geschichte des Overlook nachgegangen – es handelte sich um die Jahre von der Schießerei unter den Gangstern bis zur Übernahme des Hotels durch Stuart Ullman und Co. Aber er hatte immer noch keine Lust, mit Wendy darüber zu sprechen.

»Und nach was wühlst du hier herum?« Sie strich ihm übers Haar, als sie das sagte, aber ihr Tonfall war nur halb scherzend.

»Ich beschäftige mich ein wenig mit der Geschichte des Overlook.«

»Hast du dafür einen besonderen Grund?«

»Nein,

(und wieso zum Teufel interessiert dich das?)

ich bin nur neugierig.«

»Hast du was Interessantes gefunden?«

»Nicht viel«, sagte er und mußte sich anstrengen, freundlich zu bleiben. Sie schnüffelte ihm wieder hinterher. Sie horchte ihn aus und bohrte, wie sie es schon immer in Stovington getan hatte, als Danny noch ein Baby war. *Wo gehst du hin, Jack? Wann kommst du wieder? Wieviel Geld hast du einstecken? Nimmst du den Wagen? Triffst du Al? Wird einer von euch nüchtern bleiben?* Sie hatte ihn zum Saufen getrieben. Das war vielleicht nicht der einzige Grund gewesen, aber bei Gott, es stimmte ganz einfach, daß sie einer der Gründe gewesen war. Diese ewige Nörgelei, bis man ihr am liebsten eine scheuern wollte, damit sie endlich das Maul hielt und mit diesem ewigen

(Wo? Wann? Wie? Bist du? Willst du?)

Gefrage aufhörte. Davon bekam man richtige

(Kopfschmerzen? Einen Kater?)

Kopfschmerzen. Das Lesegerät. Das verdammte Lesegerät mit seiner verzogenen Linse. Deshalb hatte er jetzt diese Scheißkopfschmerzen.

»Jack, was ist mit dir? Du siehst so blaß –«

Ruckartig bewegte er den Kopf von ihrer Hand weg. »*Mir geht es großartig!*«

Sie schrak vor seinen wütenden Augen zurück und versuchte ein Lächeln, das eine Nummer zu klein ausfiel. »Nun . . . wenn du . . . dann geh' ich einfach in den Park und warte mit Danny draußen . . .« Sie trat einen Schritt zurück, und ihr Lächeln verwandelte sich in einen gekränkten Ausdruck. Dann drehte sie sich um und ging.

»Wendy?« rief er hinter ihr her. Sie blieb an der Treppe stehen. »Was ist denn, Jack?«

Er stand auf und ging zu ihr hinüber. »Es tut mir leid, Baby. Es geht mir in Wirklichkeit nicht gut. Dieses Gerät. Die Linse ist verzogen. Und jetzt habe ich ziemlich schlimme Kopfschmerzen. Hast du Aspirin?«

»Oh ja.« Sie kramte in ihrer Tasche und fand eine Schachtel Anacin. »Behalt sie nur.«

Er nahm die Schachtel. »Kein Exedrin?« Er sah das Zucken in ihrem Gesicht und verstand. Zuerst war es ein bitterer Scherz zwischen ihnen gewesen, bevor das Trinken für Scherze zu schlimm wurde. Er hatte behauptet, Exedrin sei die einzige rezeptfreie Droge, die einen Kater sofort kurierte. Absolut die einzige. Er hatte angefangen, den Kater am nächsten Morgen die »Exedrin-Kopfschmerzen VAT 69« zu nennen.

»Kein Exedrin«, sagte sie. »Tut mir leid.«

»Macht nichts«, sagte er, »diese tun's auch.« Aber natürlich stimmte das nicht, und sie hätte das wissen müssen. Manchmal konnte sie tatsächlich eine saublöde Kuh sein . . .

»Willst du etwas Wasser?« fragte sie freundlich.

(Nein, ich will, daß DU DICH VERDAMMT NOCHMAL ZUM TEUFEL SCHERST)

»Ich hole was vom Trinkwasserspender, wenn ich nach oben geh'. Danke.«

»Okay«, sagte sie und ging wieder zur Treppe. Elegant bewegten sich ihre Beine unter ihrem hellbraunen Wollkleid. »Wir sind im Park.«

»Gut.« Zerstreut steckte er die Schachtel Anacin in die Tasche, ging an das Lesegerät zurück und stellte es ab. Als sie weg war, ging er nach oben.

Verdammt, die Kopfschmerzen waren wirklich übel. Wenn einem der Kopf wie im Schraubstock steckte, mußte man sich doch wenigstens ein paar Drinks genehmigen dürfen, um einen Ausgleich zu schaffen.

Er versuchte, den Gedanken zu verdrängen, und war so schlecht gelaunt wie nie zuvor. Er spielte mit einem Streichholzheft, auf das er eine Telefonnummer notiert hatte, und ging damit an den Tisch.

»Madam, haben Sie einen Münzapparat?«

»Nein, aber Sie können meinen benutzen, wenn es ein Ortsgespräch ist.«

»Tut mir leid, ein Ferngespräch.«

»Dann sollten Sie zum Drugstore hinübergehen. Die haben eine Zelle.«

»Vielen Dank.«

Er verließ das Haus und ging an dem anonymen Bürgerkriegsgeneral vorbei zur Häuserzelle mit den Geschäften hinüber. Er hatte die Hände in die Tasche gesteckt, und sein Kopf dröhnte wie eine bleierne Glocke. Auch der Himmel war bleiern; es war der 7. November, und seit Anfang des Monats war das Wetter bedrohlich geworden. Auch im Oktober hatte es schon Schnee gegeben, aber der war weggetaut. Die Schauer im November waren stärker gewesen, und der Schnee war liegengeblieben. Überall lag er und glitzerte in der Sonne wie feines Kristall. Heute allerdings hatte es keinen Sonnenschein gegeben, und auch jetzt fing es wieder an zu schneien.

Die Telefonzelle lag hinten im Gebäude. Er ging an den Arzneiregalen vorbei, und plötzlich fiel sein Blick auf die weißen Tablettenflaschen mit dem grünen Etikett. Er nahm eine, ging damit zur Kasse, zahlte, und machte sich wieder auf den Weg zur Telefonzelle. Er schloß die Tür, legte sein Geld und das Streichholzheft auf die Ablage und wählte die Null.

»Wohin, bitte?«

»Fort Lauderdale, Florida, Miss.« Er gab ihr die dortige Nummer und die Nummer der Zelle. Als sie ihm sagte, daß er für die ersten drei Minuten ein Dollar achtzig benötigen würde, warf er achtmal fünfundzwanzig Cent ein und zuckte jedes Mal zusammen, wenn ihm die Glocke ins Ohr tönte.

Dann stand er wie vergessen und nicht abgeholt in der Zelle und lauschte dem entfernten Klicken und Plappern, das der Herstellung seiner Verbindung diente. Er nahm die grüne Flasche Exedrin aus der Tasche, öffnete den Verschluß und ließ den kleinen Wattebausch auf den Boden der Zelle fallen. Er hielt den Hörer zwischen Ohr und Schulter, schüttelte drei der weißen Tabletten aus der Flasche und legte sie neben sein restliches Kleingeld. Er verschloß die Flasche und steckte sie wieder ein.

Nach kurzem Klingeln wurde das Telefon am anderen Ende aufgenommen.

»Surf-Sand-Hotel. Was können wir für Sie tun?«

»Ich möchte gern den Manager sprechen, bitte.«

»Meinen Sie Mr. Trent oder –«

»Ich meine Mr. Ullman.«

»Ich glaube, Mr. Ullman hat keine Zeit, aber ich könnte mich erkundigen –«

»Tun Sie das. Sagen Sie, Jack Torrance aus Colorado will ihn sprechen.«

»Einen Augenblick, bitte.« Sie ließ ihn warten.

Jacks Abneigung gegen Ullman, diesen billigen, wichtigtuerischen kleinen Kerl, stellte sich wieder ein. Er nahm eine der Exedrintabletten, betrachtete sie einen Augenblick und steckte sie in den Mund. Langsam und genüßlich zerkaute er sie. Der Geschmack brachte Erinnerungen zurück. Vergnügliche und unglückliche. Ein trockener, bitterer Geschmack, aber unwiderstehlich. Er verzog das Gesicht, als er den Rest hinunterschluckte. Während der Zeit, als er trank, hatte er sich das Aspirinkauen angewöhnt; seitdem hatte er es allerdings nicht mehr getan. Aber wenn man schlimme Kopfschmerzen hatte, etwa nach einer durchzechten Nacht, oder solche wie heute, schienen sie, wenn man sie kaute, schneller zu wirken. Er hatte irgendwo gelesen, daß das Kauen von Aspirin zur Sucht werden konnte. Wo hatte er es gelesen? Er runzelte die Stirn und versuchte sich zu erinnern. In diesem Augenblick war Ullman an der Leitung.

»Torrance? Was ist los?«

»Nichts weiter. Die Kesselanlage ist in Ordnung, und ich bin noch nicht einmal dazu gekommen, meine Frau zu ermorden. Das spar' ich mir auf bis nach den Feiertagen, wenn's hier langweilig wird.«

»Sehr witzig. Warum rufen Sie an? Ich bin ein vielbeschäftigter –«

»Ein vielbeschäftigter Mann, ja, das verstehe ich. Ich rufe Sie wegen einiger Dinge an, die Sie mir nicht erzählt haben, als Sie mir von der großen und ehrenhaften Vergangenheit des Overlook berichteten. Zum Beispiel, wie Horace Derwent es an einen Haufen Ganoven aus Las Vegas verkaufte, die es über so viele Scheinfirmen weiterverhökerten, daß nicht einmal die IRS wußte, wem es wirklich gehörte. Wie sie warteten, bis die Zeit reif war, und es dann in einen Spielplatz für große Tiere von der Mafia verwandelten, und wie es schließlich 1966 geschlossen werden mußte, als einer von ihnen ein bißchen tot war. Zusammen mit seinen Leibwächtern, die vor der Präsidentensuite gestanden hatten. Herrliche Räume, die Präsidentensuite im Overlook. Wilson, Harding, Roosevelt und Vito der Hacker, was?«

Es gab einen Augenblick lang überraschtes Schweigen am anderen Ende der Leitung, und dann sagte Ullman ruhig: »Ich sehe nicht, was diese Dinge mit Ihrem Job zu tun haben, Mr. Torrance. Es –«

»Das Beste geschah allerdings erst, nachdem Gienelli erschossen worden war, finden Sie nicht auch? Noch zweimal mischen, erst sieht man's, dann sieht man's nicht mehr, und schon gehört das Overlook plötzlich einer privaten Bürgerin namens Sylvia Hunter ... die von 1942 bis 1948 zufällig gerade Sylvia Hunter Derwent hieß«

»Ihre drei Minuten laufen«, sagte die Telefonistin. »Wenn sie um sind, ertönt ein Signal.«

»Mein lieber Mr. Torrance, all diese Dinge sind öffentlich bekannt... und lange her.«

»Mir waren sie jedenfalls nicht bekannt«, sagte Jack. »Ich bezweifle auch, ob es viele andere wissen. Nicht die ganze Geschichte. Die Leute erinnern sich vielleicht an die Erschießung Gienellis, aber es sollte mich sehr wundern, wenn sie die seltsamen Schwindelmanöver durchschauen, deren Gegenstand das Overlook seit 1945 war. Und immer scheint Derwent oder einer seiner Partner die Hand im Spiel gehabt zu haben. Was hat Sylvia Hunter 1967 und 1968 dort betrieben, Mr. Ullman? Ein Bordell, nicht wahr?«

»Torrance!« Sein entsetzter Ausruf kam knackend über zweitausend Meilen Draht, ohne auch nur das Geringste an Schärfe zu verlieren.

Lächelnd streckte er sich noch eine Exedrintablette in den Mund und zerkaute sie.

»Sie verkaufte den Laden, nachdem ein ziemlich bekannter U.S.-Senator dort an einem Herzanfall gestorben war. Es gab Gerüchte, er sei nur mit einem Strumpfgürtel, schwarzen Nylonstrümpfen und hochhackigen Pumps bekleidet aufgefunden worden. Lacklederpumps übrigens.«

»Das ist eine gemeine und bösartige Lüge!« rief Ullman.

»So?« fragte Jack. Er fühlte sich langsam besser. Die Kopfschmerzen ließen nach. Er nahm die letzte Exedrintablette und genoß ihren bitteren Geschmack, als sie zwischen seinen Zähnen zerbröckelte.

»Das war ein sehr unglücklicher Vorfall«, sagte Ullman. »Aber worauf wollen Sie hinaus, Torrance? Wollen Sie etwa irgendeinen üblen Artikel schmieren? ... wenn dies etwa ein dümmlicher Erpressungsversuch sein soll...«

»Nichts dergleichen«, sagte Jack. »Ich habe Sie angerufen, weil ich finde, daß Sie mir gegenüber nicht ehrlich waren. Und weil –«

»Nicht *ehrlich*?« rief Ullman. »Mein Gott, haben Sie denn ernsthaft geglaubt, ich erzähle dem *Hausmeister* des Hotels alles über einen großen Haufen schmutziger Wäsche? Wer, um Himmels willen, sind Sie denn? Und was gehen Sie diese alten

Geschichten an? Oder glauben Sie, daß im Westflügel Gespenster mit Bettlaken durch die Korridore spazieren und Huuuh! schreien?«

»Nein, ich glaube nicht, daß es dort Gespenster gibt, aber Sie haben auch in meiner persönlichen Vergangenheit gewühlt, bevor Sie mir den Job gaben. Sie hatten mich auf dem Teppich, als Sie mich für den Job interviewten, als sei ich ein kleiner Junge, der vor seinem Lehrer steht, weil er in die Garderobe gepinkelt hat. Sie haben mich in Verlegenheit gebracht.«

»Ihre Frechheit ist unglaublich, Ihre gottverdammte Impertinenz ist nicht zu fassen«, sagte Ullman. Es hörte sich an, als sei er am Ersticken. »Ich möchte Sie am liebsten feuern. Und vielleicht werde ich das auch tun.«

»Al Shockley könnte etwas dagegen haben. Energisch.«

»Sie überschätzen wahrscheinlich das Ausmaß, in dem sich Mr. Shockley Ihnen gegenüber verpflichtet fühlt, Mr. Torrance.«

Einen Augenblick lang hatte Jack wieder rasende Kopfschmerzen, und er schloß die Augen. Wie von weitem hörte er sich sagen: »Wem gehört jetzt das Overlook? Derwent Enterprises? Oder sind Sie ein zu kleiner Fisch, um das zu wissen?«

»Ich glaube, das reicht, Mr. Torrance. Sie sind ein Angestellter des Hotels, nicht besser als ein Kellnerlehrling oder ein Tellerwäscher. Ich habe nicht die Absicht –«

»Okay, ich werde Al schreiben«, sagte Jack. »Er wird es wissen; schließlich sitzt er im Aufsichtsrat. Und ich könnte noch ein kleines Postscriptum hinzufügen, damit –«

»Es gehört Derwent nicht mehr.«

»Was? Das habe ich nicht ganz verstanden.«

»Ich sagte, es gehört Derwent nicht mehr. Die Aktionäre stammen alle aus dem Osten. Ihr Freund Mr. Shockley hat den größten Anteil, mehr als fünfunddreißig Prozent. Wenn er irgendwelche Verbindungen zu Derwent hat, müßten Sie es doch als erster wissen.«

»Wer ist sonst noch beteiligt?«

»Ich habe nicht die Absicht, Ihnen die Namen der übrigen Aktionäre mitzuteilen, Mr. Torrance. Ich werde die ganze Angelegenheit –«

»Noch eine Frage.«

»Ich bin Ihnen in keiner Weise verpflichtet.«

»Fast die ganze Geschichte des Overlook – die besseren Seiten wie auch die unappetitlichen – habe ich in einer Sammelmappe im Keller gefunden. Ein großes Ding, in Leder gebunden und mit Goldband verschnürt. Haben Sie eine Ahnung, wem diese Sammelmappe gehören mag?«

»Nicht die geringste.«

»Könnte sie Grady gehört haben, dem Hausmeister, der sich umgebracht hat?«

»Mr. Torrance«, sagte Ullman eisig. »Ich bin durchaus nicht sicher, ob Grady lesen, geschweige denn die faulen Äpfel ausgraben konnte, mit denen Sie mir die Zeit stehlen.«

»Ich denke daran, ein Buch über das Overlook Hotel zu schreiben. Ich könnte mir vorstellen, daß der Eigentümer gern genannt sein möchte, wenn ich meinen Plan tatsächlich durchführe.«

»Ich halte es für sehr unklug, ein Buch über das Overlook zu schreiben«, sagte Ullman. »Besonders ein Buch aus Ihrem ... ääh, Blickwinkel.«

»Ihre Ansicht überrascht mich nicht.« Seine Kopfschmerzen waren jetzt völlig verschwunden. Es hatte nur noch diesen einen kurzen Schmerz gegeben, dann nichts mehr. Er hatte einen völlig klaren Kopf und konnte genau denken, millimetergenau. So fühlte er sich, wenn ihm das Schreiben besonders gut von der Hand ging oder wenn er drei oder vier Drinks genommen hatte. Noch etwas wußte er über Exedrin nicht mehr genau: er wußte nicht, ob es auch bei anderen funktionierte. Er selbst fühlte sich jedenfalls nach drei Tabletten wie neugeboren.

»Ihnen wäre wohl eine Art Werbeprospekt lieber, den Sie den Leuten bei ihrer Ankunft in die Hand drücken könnten. Etwas mit Hochglanzaufnahmen der Berge bei Sonnenauf- und -untergang, dazu einen süßlichen Text. Dann ein Abschnitt über die schillernden Typen, die hier schon gewohnt haben, natürlich ohne die wirklich schillernden wie Gienelli und seine Freunde.«

»Wenn ich hundertprozentig sicher wäre, Sie feuern zu können, ohne meinen eigenen Job zu verlieren, würde ich es jetzt gleich telefonisch tun«, sagte Ullman in abgehacktem und ersticktem Tonfall. »Aber ich bin nur zu fünfundneunzig Prozent sicher. Also werde ich, sobald Sie aufgelegt haben, was hoffentlich bald sein wird, Mr. Shockley anrufen.«

Jack sagte: »Wissen Sie, in dem Buch wird nichts stehen, was nicht stimmt. Da braucht nichts übertrieben zu werden.«

Warum wirfst du ihm diesen Köder hin? Willst du wirklich gefeuert werden?

»Es ist mir scheißegal, ob in Kapitel fünf der Papst den Schatten der Jungfrau Maria bumst«, sagte Ullman mit erhobener Stimme. »Ich will Sie aus meinem Hotel raushaben!«

»Es ist nicht Ihr Hotel!« brüllte Jack und knallte den Hörer auf.

Schwer atmend setzte er sich auf den Schemel und hatte jetzt ein wenig Angst.

(Ein wenig? Verdammt, er hatte gewaltige Angst.)

Er fragte sich, warum in aller Welt er Ullman überhaupt angerufen hatte.

(Du hast wieder die Beherrschung verloren, Jack.)

Ja. Das stimmte. Es ließ sich nicht leugnen. Und das Beschissene daran war, daß er keine Ahnung hatte, wieviel Einfluß dieser schäbige Arsch auf Al hatte. Jack wußte auch nicht, wieviel Scheiße Al sich von ihm selbst im Namen alter Freundschaft bieten lassen würde. Wenn Ullman so gut war, wie er behauptete, und Al ein der-oder-ich-Ultimatum stellte, könnte Al dann nicht gezwungen sein, es zu akzeptieren? Er schloß die Augen und versuchte, sich eine Situation vorzustellen, in der er es Wendy sagen mußte. Rat mal, Baby. Ich hab' wieder einen Job verloren. Diesmal brauchte ich zweitausend Meilen Telefonkabel, um rausgeschmissen zu werden, aber ich habe es geschafft.

Er öffnete die Augen und wischte sich mit dem Taschentuch den Mund. Er hätte gern einen Drink gehabt. Verdammt, er *brauchte* einen. Unten an der Straße lag ein Café. Gewiß konnte er auf dem Weg zum Park dort ein schnelles Bier trinken. Nur damit sich der Staub legte ...

Er rang hilflos die Hände.

Und wieder die Frage: Warum hatte er Ullman überhaupt angerufen? Die Nummer des Surf-Sand in Lauderdale hatte in einem kleinen Notizbuch zwischen Telefon und Radio im Büro gestanden – zusammen mit den Nummern des Klempners, des Zimmermanns, des Glasers, des Elektrikers und anderer. Kurz nach dem Aufstehen hatte Jack sich die Nummer auf einem Streichholzheftchen notiert, und froh und munter hatte er sich vorgenommen, Ullman anzurufen. Aber zu welchem Zweck? Einmal, als er noch trank, hatte Wendy ihn beschuldigt, er erstrebe zwar seine Selbstzerstörung, habe aber keine ausreichende moralische Struktur, um seinen Tod wirklich zu wünschen. So schaffe er anderen Gelegenheit, es zu tun, und so beschneide er Stück für Stück sein Leben und das seiner Familie. Konnte das wahr sein? Hatte er denn Angst davor, im Overlook genau das zu finden, was es ihm ermöglichte, sein Stück zum Abschluß zu bringen und seine ganze Scheißsituation in Ordnung zu kriegen? Pfiff er sich etwa selbst zurück? Mein Gott, das durfte doch nicht sein. Bitte!

Er schloß die Augen und hatte sofort wieder das Bild vor sich: er griff mit der Hand durch das Loch zwischen den Schindeln, um die verrotteten Bleche herauszureißen. Dann der schmerzhafte Stich, sein gequälter Aufschrei durch die stille Herbstluft: Oh, du gottverdammtes Mistvieh . . .

Dann kam ein anderes Bild. Das Ereignis lag zwei Jahre zurück. Er war morgens gegen zwei Uhr ins Haus getorkelt, war über einen Tisch gestolpert und der Länge nach hingefallen. Er hatte geflucht, und Wendy war auf ihrer Couch aufgewacht. Sie schaltete das Licht an und sah seine zerrissene und verdreckte Kleidung, Ergebnis einer Prügelei vor einer Kaschemme gleich jenseits der Grenze zu New Hampshire, an die er sich nur vage erinnerte. Sie sah das getrocknete Blut unter seiner Nase, und jetzt schaute er seine Frau an, im Licht dümmlich blinzelnd wie ein Maulwurf in der Sonne, und Wendy sagte böse: *Du Hurensohn hast Danny geweckt. Wenn du schon auf dich keine Rücksicht nimmst, kannst du dann nicht wenigstens auf uns ein bißchen Rücksicht nehmen? Ach, wozu rede ich überhaupt noch mit dir?*

Das Telefon klingelte, und er fuhr zusammen. Er riß den Hörer von der Gabel und glaubte völlig unlogisch, daß es Ullman oder Al Schockley sein müsse. »Was ist denn?« bellte er in die Muschel.

»Ihre Extrazeit, Sir. Drei Dollar fünfzig.«

»Ich muß ein paar Scheine wechseln«, sagte er. »Eine Minute, bitte.«

Er legte den Hörer ab, steckte seine letzten Münzen ein und ging zur Kassiererin, um Kleingeld zu holen. Er erledigte die Transaktion automatisch, und dabei liefen seine Gedanken im Kreis wie ein Eichhörnchen in einem Laufrad.

Warum hatte er Ullman angerufen?

Weil Ullman ihn in Verlegenheit gebracht hatte? Ihn hatten schon ganz andere Leute in Verlegenheit gebracht – und der größte Meister auf dem Gebiet war er natürlich immer selbst gewesen. Hatte er den Mann nur anstänkern, ihm seine Scheinheiligkeit vor Augen führen wollen? Für so engstirnig hielt Jack sich nicht. Krampfhaft dachte er an die Sammelmappe als wahren Grund, aber auch das war nicht stichhaltig. Die Chance, daß Ullman wußte, wer die wirklichen Eigentümer waren, stand allenfalls zwei zu tausend. Beim Einstellungsgespräch hatte er den Keller wie ein fremdes Land behandelt – ein häßliches und unterentwickeltes dazu. Wenn Jack es wirklich hätte wissen wollen, hätte er doch Watson angerufen, dessen Telefonnummer ebenfalls im Notizbuch stand. Auch Watson mußte es nicht unbedingt wissen, aber eher als Ullman.

Und ihm etwas über das geplante Buch zu erzählen, war ausgesprochen dumm. Unglaublich dumm. Und abgesehen davon, daß er seinen Job aufs Spiel setzte, hatte er sich vielleicht wichtige Informationsquellen abgeschnitten, wenn Ullman überall anrief und die Leute davor warnte, einem neugierigen New Englander Fragen im Zusammenhang mit dem Overlook Hotel zu beantworten. Er hätte vorsichtige Recherchen anstellen müssen, ein paar höfliche Briefe schreiben, vielleicht das eine oder andere Interview arrangieren... und dann hätte er sich über Ullmans Wut ins Fäustchen gelacht, wenn das Buch herauskam und er selbst über alle Berge war – der unheimliche Autor schlägt wieder zu. Statt dessen hatte er sich diesen verdammten, sinnlosen Anruf erlaubt, hatte die Beherrschung verloren, hatte Ullman zutiefst erbost und in dem Hotel-Manager all dessen Caesarenallüren aufleben lassen. Nun? Wenn das kein Versuch war, aus einem guten Job gefeuert zu werden, den Al ihm beschafft hatte, was war es dann?

Er steckte die restlichen Münzen in den Schlitz und legte auf. Wenn er betrunken gewesen wäre, hätte er vielleicht etwas so Sinnloses getan. Aber er war nüchtern; stocknüchtern.

Auf seinem Weg aus dem Drugstore zerkaute er noch eine Tablette und genoß ihren bitteren Geschmack, wenn er auch das Gesicht verzog.

Auf der Straße traf er Wendy und Danny.

»Wir wollten dich gerade holen«, sagte Wendy. »Es schneit. Hast du es schon gemerkt?«

Jack blinzelte sie an. »Sieht so aus.« Es schneite heftig. Sidewinders Hauptstraße war schon ganz weiß und der Mittelstreifen nicht mehr zu erkennen. Danny hatte den Kopf schiefgelegt und schaute zum weißen Himmel auf. Er streckte die Zunge aus, um ein paar Flocken zu haschen.

»Glaubst du, daß es jetzt ernsthaft losgeht?« fragte Wendy.

Jack zuckte die Achseln. »Ich hatte auf eine Gnadenfrist von einer oder zwei Wochen gehofft. Vielleicht bekommen wir sie ja noch.«

Gnade, das war's.

(Es tut mir leid, Al. Gnade, deine Barmherzigkeit. Deine Gnade. Gib mir noch eine Chance. Es tut mir herzlich leid.)

Wie oft und über wie viele Jahre hatte er – ein erwachsener Mann – um die Gnade einer weiteren Chance gebeten? Er war plötzlich von sich selbst so angewidert, daß er laut hätte stöhnen können.

»Was machen deine Kopfschmerzen?« fragte sie und sah ihn prüfend an.

Er legte einen Arm um sie und drückte sie an sich. »Schon besser. Kommt, ihr beiden, laßt uns nach Hause fahren, so lange es noch geht.«

Sie gingen zum Lieferwagen, der halb auf dem Fußweg parkte, Jack in der Mitte, den linken Arm um Wendys Schultern und in der Rechten Dannys Hand. Zum ersten Mal hatte er ›nach Hause‹ gesagt. Gleich wie, vorläufig war es ihr Zuhause.

Als er hinter das Steuer glitt, fiel ihm ein, daß er eine Abneigung gegen das Overlook hatte, wenn es ihn auch faszinierte. Er war nicht sicher, ob es für seine Frau, seinen Sohn oder auch für ihn gut war. Vielleicht hatte er deshalb Ullman angerufen.

Um gefeuert zu werden, so lange noch Zeit war.

Er setzte den Wagen zurück und fuhr aus der Stadt hinaus in die Berge.

21

Nachtgedanken

Es war zehn Uhr. In ihrem Quartier wurde der Schlaf nur vorgetäuscht.

Jack lag auf der Seite und starrte die Wand an. Er hörte Wendys langsamen, regelmäßigen Atem. Er hatte noch den Geschmack von aufgelöstem Aspirin auf der Zunge, die sich jetzt rauh und ein wenig taub anfühlte. Al Shockley hatte um viertel nach fünf angerufen, viertel nach sieben Atlantikzeit. Wendy war mit Danny unten im Foyer gewesen und hatte mit ihm gelesen.

»Persönliches Gespräch«, sagte das Mädchen von der Vermittlung, »für Mr. Jack Torrance.«

»Am Apparat.« Er hatte den Hörer in die rechte Hand genommen, mit der linken das Taschentuch herausgezogen und sich damit den Mund abgewischt. Er zündete sich eine Zigarette an.

Dann kam Als Stimme. Sehr laut: »Jacky, mein Junge, was, um Himmels willen, ist denn mit dir los?«

»Hallo, Al.« Er drückte die Zigarette aus und griff nach der Exedrinflasche.

»Was geht da vor, Jack? Ich hatte heute nachmittag diesen *komischen* Anruf von Stuart Ullman. Und wenn Stu Ullman ein Ferngespräch aus eigener Tasche bezahlt, dann muß Kacke am Dampfen sein.«

»Er braucht sich um nichts Sorgen zu machen, Al, und du auch nicht.«

»Was genau ist das Nichts, um das wir uns keine Sorgen zu machen brauchen? Stu stellte es als eine Mischung von Erpressung und einem Artikel über das Overlook im *National Enquirer* dar. Sag's mir, Junge.«

»Ich wollte ihn ein bißchen ärgern«, sagte Jack. »Als ich zum

Einstellungsgespräch herkam, mußte er all meine dreckige Wäsche hervorzerren. Das Alkoholproblem. ›Sie haben Ihren Job verloren, weil Sie einen Schüler verprügelt haben. Ich überlege mir, ob Sie der richtige Mann für diesen Job sind.‹ Et cetera. Was mir stank, war, daß er diesen ganzen Mist nur deshalb erwähnt hat, weil er in dies verdammte Hotel so vernarrt ist. Das wunderschöne Overlook. Das traditionsbeladene Overlook. Das verfluchte, heilige Overlook. Nun, ich habe im Keller eine Sammelmappe gefunden. Jemand hat die weniger appetitlichen Aspekte der Ullmanschen Kathedrale zusammengestellt, und es sieht ganz so aus, als habe nach Feierabend die eine oder andere Schwarze Messe stattgefunden.«

»Ich hoffe, das meinst du metaphorisch, Jack.« Als Stimme klang beängstigend kalt.

»Natürlich. Aber ich habe festgestellt –«

»Ich kenne die Geschichte des Hotels.«

Jack fuhr sich mit der Hand durchs Haar. »Ich habe ihn also angerufen und ihn damit ein bißchen in Schwung gebracht. Ich gebe zu, daß das nicht besonders gescheit war, und ich würde es auch kein zweites Mal tun. Ende der Geschichte.«

»Stu sagt, daß du selbst ein wenig dreckige Wäsche an die Luft hängen willst.«

»Stu ist ein Arschloch!« bellte Jack in die Muschel. »Ich habe ihm erzählt, daß ich daran denke, über das Overlook zu schreiben, das stimmt. Ich meine, daß man an diesem Kasten die gesamte Entwicklung des amerikanischen Nachkriegscharakters ablesen kann. Das mag, wenn man es so dahinsagt, übertrieben klingen ... das ist mir klar ... aber ich habe hier die ganzen Unterlagen, Al! Mein Gott, es könnte ein *großes* Buch werden. Aber das liegt noch in ferner Zukunft, das kann ich dir versprechen. Im Augenblick habe ich mehr auf dem Teller, als ich essen kann, und –«

»Das reicht mir nicht, Jack.«

Er konnte nur den schwarzen Hörer des Telefons angaffen. Er konnte nicht glauben, was er doch eben gehört hatte. »Was? Al, hast du gesagt –?«

»Du hast mich verstanden. Was ist ferne Zukunft, Jack? Für dich mögen es zwei Jahre sein, vielleicht fünf. Für mich sind es dreißig oder vierzig, denn ich gedenke mich noch sehr lange mit dem Overlook zu befassen. Der Gedanke, daß du mit meinem Hotel irgendeine Gemeinheit vorhast, um sie dann als großes Werk der amerikanischen Literatur auszugeben, macht mich krank.«

Jack war sprachlos.

»Ich habe versucht, dir zu helfen, Jack, alter Junge. Wir haben zusammen den Krieg mitgemacht, und ich dachte, ich schuldete dir ein wenig Hilfe. Erinnerst du dich noch an den Krieg?«

»Ich erinnere mich«, murmelte Jack, aber die Glut des Grolls brannte in seinem Herzen. Erst Ullman, dann Wendy und nun Al. Was hatte das zu bedeuten? War dies die nationale Reißt-Jack-Torrance-in-Fetzen-Woche? Er kniff die Lippen zusammen, griff nach seinen Zigaretten und stieß sie dabei vom Tisch. Hatte es ihm je gefallen, wenn dieser schäbige Arsch von seiner mahagonigetäfelten Bude in Vermont aus mit ihm sprach? Hatte es ihm wirklich gefallen?

»Bevor du diesen George Hatfield in die Mangel nahmst, hatte ich dem Vorstand schon ausgeredet, dich gehen zu lassen. Ich hatte sie sogar schon so weit, daß sie deine Festanstellung ins Auge faßten. Das hast du dir selbst versaut. Dann habe ich dir diesen Hoteljob besorgt, einen schönen ruhigen Ort, wo du dich wieder fangen, dein Stück fertigschreiben und abwarten kannst, bis Harry Effinger und ich die anderen davon überzeugen können, daß sie einen großen Fehler gemacht haben. Nun sieht es so aus, als ob du mir den Arm abbeißen wolltest, um noch größeren Mist zu machen. Ist das die Art, wie du dich bei deinen Freunden bedankst, Jack?«

»Nein«, flüsterte er.

Mehr wagte er nicht zu sagen. Das Blut pochte ihm in den Schläfen, und er mußte die bitteren Worte, die herauswollten, mit Gewalt zurückhalten. Verzweifelt versuchte er, an Wendy und Danny zu denken, die von ihm abhängig waren, Wendy und Danny, die friedlich unten vor dem Feuer saßen, sich mit dem Lesebuch für die zweite Klasse beschäftigten und glaubten, daß alles okay sei. Wenn er seinen Job verlor, was dann? Wie eine Pennerfamilie ab nach Kalifornien, und das mit einem altersschwachen VW, dessen Brennstoffpumpe auseinanderfiel?

Bevor das geschah, würde er vor Al auf die Knie sinken und ihn anflehen. Aber dennoch wollten die bösen Worte heraussprudeln, und er fürchtete, seine Wut nicht mehr lange zügeln zu können. Die Hand, die den Hörer hielt, schwitzte.

»Was?« fragte Al scharf.

»Nein«, sagte Jack. »Das ist nicht die Art, wie ich meine Freunde behandle. Und du weißt es.«

»Wie kann ich das wissen? Schlimmstenfalls planst du, mein Hotel in den Dreck zu ziehen, indem du Leichen ausgräbst, die vor Jahren anständig begraben wurden. Bestenfalls rufst du meinen eigenwilligen, aber äußerst fähigen Manager an, daß er fast verrückt wird vor Wut, und das alles als Teil... eines kindischen Spiels.«

»Es war mehr als ein Spiel, Al. Für dich ist es leichter. Du bist nicht auf die Wohltaten reicher Freunde angewiesen. Du brauchst keinen Freund vor Gericht, denn du bist das Gericht. Die Tatsache, daß du nur einen Schritt weit von einem verkommenen Säufer entfernt warst, braucht unter den gegebenen Umständen sowieso nicht erwähnt zu werden, nicht wahr?«

»Da hast du wohl recht«, sagte Al. Seine Stimme hatte sich normalisiert, und es schien, als sei er die ganze Sache leid. »Aber Jack, Jack... Dafür kann ich nichts. Dafür kann ich wirklich nichts.«

»Ich weiß«, sagte Jack tonlos. »Bin ich gefeuert? Wenn ja, solltest du es mir gleich sagen.«

»Nicht, wenn du zwei Dinge für mich tust.«

»In Ordnung.«

»Willst du die Bedingungen nicht lieber hören, bevor du sie akzeptierst?«

»Nein. Mach deinen Vorschlag, und ich nehme ihn an. Ich muß an Wendy und Danny denken. Wenn du meine Eier haben willst, schicke ich sie dir per Luftpost.«

»Findest du nicht auch, daß Selbstmitleid ein Luxus ist, den ausgerechnet *du* dir nicht leisten kannst, Jack?«

Er hatte die Augen geschlossen und schob sich eine Exedrintablette in den Mund. Seine Lippen waren trocken. »Im Augenblick ist das der einzige Luxus, den ich mir leisten kann. Schieß los... das sollte kein Witz sein.«

Al schwieg einen Augenblick. Dann sagte er: »Erstens, keine

Anrufe bei Ullman mehr. Und wenn die ganze Bude brennt. Dann rufst du eben diesen Monteur an. Du weißt doch, der Mann, der dauernd flucht...«

»Watson.«

»Ja.«

»Okay. Wird gemacht.«

»Zweitens, Jack, versprichst du mir – Ehrenwort –, kein Buch über das berühmte Berghotel in Colorado mit seiner langen Geschichte.«

Einen Augenblick lang war seine Wut so groß, daß er buchstäblich nicht sprechen konnte. Laut pochte das Blut in seinen Ohren. Es war, als spräche ein Medici-Prinz des zwanzigsten Jahrhunderts zu ihm... keine Bilder meiner Familie, auf denen die Brustwarzen zu sehen sind, bitte, oder du gehst zum Pöbel zurück. Ich bezahle nur schöne Bilder. Wenn du die Tochter meines guten Freundes und Geschäftspartners malst, laß das Muttermal weg, oder du gehst zum Pöbel zurück. Wir sind natürlich Freunde... wir sind beide kultivierte Leute, nicht wahr? Wir haben Bett und Tisch und Flasche geteilt. Wir werden immer Freunde sein, und das Hundehalsband, in dem ich dich halte, werden wir durch gemeinsamen Beschluß ignorieren, und ich werde dich immer gut und wohlwollend behandeln. Alles, was ich dafür verlange, ist deine Seele. Eine Bagatelle. Wir können sogar die Tatsache ignorieren, daß du sie mir ausgeliefert hast. Ähnlich wie wir das Hundehalsband ignorieren. Vergiß nicht, mein talentierter Freund, es betteln viele Michelangelos in den Straßen Roms...

»Jack, bist du noch da?«

Er stieß einen erstickten Laut aus, der »ja« bedeuten sollte.

Als Stimme klang fest und selbstsicher. »Ich glaube nicht, daß ich zuviel verlange, Jack. Und es wird andere Bücher geben. Du kannst nicht verlangen, daß ich dich subventioniere, während du...«

»Okay, einverstanden.«

»Du mußt nicht denken, daß ich deine künstlerischen Aktivitäten kontrollieren will, Jack. Da solltest du mich besser kennen. Es ist nur, daß...«

»Al?«

»Was ist denn?«

»Hat Derwent noch irgendwie mit dem Overlook zu tun?«

»Ich sehe nicht, wieso dich das interessieren könnte, Jack.«

»Nein«, sagte er abwesend. »Es geht mich wohl nichts an. Hör zu, Al, ich höre gerade, daß Wendy mich ruft. Wir bleiben in Verbindung.«

»Natürlich Jacky, alter Junge. Wie sieht es sonst aus? Trocken?«

(DU HAST DEIN STÜCK FLEISCH SAMT BLUT UND ALLEM ANDEREN KANNST DU MICH NICHT ENDLICH IN RUHE LASSEN?)

»Knochentrocken.«

»Ich auch. Mir macht das Nüchternsein langsam Spaß. Wenn –«

»Ich ruf' zurück, Al. Wendy –«

»Okay.«

Und er hatte aufgelegt, und dann waren die Krämpfe gekommen. Wie Blitzschläge hatten sie ihn getroffen, so daß er, die Hände vor dem Leib, wie ein Büßender am Telefon zusammenbrach. Und sein Kopf klopfte wie eine monströse Blase.

Die eil'ge Wespe, wenn sie einmal sticht, eilt weiter ...

Es war schon ein wenig besser, als Wendy nach oben kam und ihn fragte, wer am Apparat gewesen sei.

»Al«, sagte er. »Er wollte wissen, wie es hier läuft. Ich habe ihm gesagt, daß alles in Ordnung ist.«

»Jack, du siehst schrecklich aus. Bist du krank?«

»Ich hab' wieder Kopfschmerzen. Ich gehe früh ins Bett. Es hat keinen Zweck, jetzt noch zu schreiben.«

»Soll ich dir etwas Milch heißmachen?«

Er lächelte müde. »Das wäre nett.«

Und jetzt lag er neben ihr und spürte ihren warmen Schenkel an seinem. Bei dem Gedanken an sein Gespräch mit Al und daran, wie er vor ihm gekrochen war, wurde ihm immer noch abwechselnd heiß und kalt. Eines Tages würde die Abrechnung kommen. Eines Tages würde das Buch erscheinen, nichts Weiches und Nachdenkliches, wie er es sich zuerst vorgenommen hatte, sondern als Ergebnis knallharter Recherchen, einschließlich Phototeil, und er würde die ganze Geschichte des Overlook Hotels auseinanderpflücken und dabei die inzestuösen Verkaufstransaktionen nicht vergessen. Er würde alles vor den

Lesern ausbreiten wie eine sezierte Languste, und wenn Shockley Verbindungen zu dem Derwent-Imperium hatte, dann gnade ihm Gott.

Im Zustand höchster Erregung starrte er in die Dunkelheit und wußte, daß es Stunden dauern würde, bevor er schlafen konnte.

Wendy Torrance lag mit geschlossenen Augen auf dem Rücken und lauschte den Schlafgeräuschen ihres Mannes – sie hörte das lange Einatmen, die kurze Pause und das leicht gutturale Ausatmen. Wo war er wohl, wenn er schlief, überlegte sie. In irgendeinem Vergnügungspark, einem Great Barrington der Träume, wo alle Fahrten gratis waren und wo keine Ehefrau und Mutter ihnen sagte, sie hätten genug Hotdogs gegessen oder sie sollten lieber aufbrechen, wenn sie bei Einbruch der Dunkelheit zu Hause sein wollten? Oder in irgendeiner entlegenen Bar, wo das Trinken kein Ende nahm und deren Schwingtür ständig offen war und wo sich all die alten Kumpane mit dem Glas in der Hand um das elektronische Hockeyspiel versammelt hatten, der auffälligste unter ihnen Al Shockley mit gelockerter Krawatte, den obersten Hemdenknopf geöffnet? Ein Ort, zu dem Danny und sie keinen Zutritt hatten und wo unaufhörlich der Boogie dröhnte?

Wendy war besorgt um ihn, die alte, hilflose Sorge, die sie für immer in Vermont gelassen zu haben glaubte. Als ob Sorgen nicht Staatsgrenzen überschreiten konnten. Ihr gefiel nicht, was das Overlook Jack und Danny anzutun schien.

Das erschreckendste war, verschwommen und unerwähnt – man durfte es wohl auch nicht erwähnen –, daß alle Symptome aus seiner Trinkerzeit sich eines nach dem anderen wieder eingestellt hatten... alle, bis auf das Trinken. Diese ständige Mundwischerei mit der Hand oder dem Taschentuch, als ob er sich die Lippen abtrocknen wollte. Die langen Pausen an der Schreibmaschine und immer mehr zerknüllte Bogen im Papierkorb. Heute abend hatte auf dem Telefontisch nach Als Anruf eine Flasche Exedrintabletten, aber kein Wasserglas gestanden. Er hatte sie wieder gekaut. Er regte sich über Kleinigkeiten auf. Und wenn ihm alles zu ruhig war, fing er an, in nervösem

Rhythmus mit den Fingern zu schnippen. Immer öfter gebrauchte er ordinäre Ausdrücke. Sie machte sich auch wieder Sorgen um seine mangelnde Selbstbeherrschung. Sie wäre erleichtert, wenn er einmal die Beherrschung verlieren und Dampf ablassen würde, auf ähnliche Weise, wie er morgens und abends in den Keller ging, um den Kesseldruck zu verringern. Fast wäre sie froh gewesen, wenn er mal wieder laut geflucht, einen Stuhl durch das Zimmer getreten oder eine Tür zugeknallt hätte. Aber diese Dinge, obwohl wesentlicher Bestandteil seines Temperaments, hatten fast ganz aufgehört. Und doch hatte sie das Gefühl, daß Jack immer öfter auf sie und Danny wütend war, es aber nicht zeigte. Der Kessel hatte einen Druckmesser: alt, gesprungen und fettverschmiert, aber noch zu gebrauchen. Jack hatte keinen. Sie hatte nie gut in ihm lesen können. Danny konnte es, aber Danny sagte nichts.

Und dann Als Anruf. Ungefähr zur selben Zeit hatte Danny alles Interesse an der Geschichte verloren, die sie gemeinsam gelesen hatten. Er hatte sie am Feuer sitzen lassen und war zu dem großen Tisch gegangen, auf dem Jack eine Straße für Dannys Modellautos konstruiert hatte. Auch der Volkswagen war da, und Danny fing an, ihn schnell hin und her zu schieben. Sie tat so, als beschäftigte sie sich mit ihrem eigenen Buch, in Wirklichkeit aber beobachtete sie über den Rand hinweg Danny. Sie erkannte eine seltsame Mischung der Gesten, mit denen sie und Jack Besorgnis auszudrücken pflegten. Er wischte sich die Lippen ab. Er fuhr sich nervös mit den Händen durchs Haar, wie sie es getan hatte, wenn sie nachts darauf wartete, daß Jack von einer Kneipentour nach Hause kam. Sie konnte nicht glauben, daß Al nur angerufen hatte, um zu erfahren, »wie es hier läuft«. Wollte man Unsinn reden, rief man Al an. Wenn Al selbst anrief, ging es um etwas.

Als sie dann wieder nach unten gegangen war, hockte Danny vor dem Kamin und las im Lesebuch für die zweite Klasse über Joes und Rachels Abenteuer mit ihrem Daddy im Zirkus. Er las sehr konzentriert, und die zappelige Nervosität von vorhin war völlig verschwunden. Als sie ihm zusah, überkam sie wieder diese unheimliche Gewißheit, daß Danny mehr wußte und mehr verstand, als Dr. (»Nenn mich einfach Bill«) Edmonds Philosophie erkannte.

»Heh, Schlafenszeit, Doc«, sagte sie.

»Ja, okay«, maulte er, legte ein Lesezeichen in sein Buch und stand auf.

»Waschen und Zähne putzen.«

»Okay.«

Nebeneinander blieben sie noch einen Augenblick vor dem Kamin stehen und schauten zu, wie die Kohlen verglimmten und das Feuer langsam schwächer wurde. Im übrigen Foyer war es kalt und zugig, aber in der Nähe des Kamins war es so zauberhaft warm, daß man ungern ging.

»Onkel Al war am Telefon«, sagte sie beiläufig.

»So?« Es klang nicht im geringsten überrascht.

»Ob Onkel Al wohl böse auf Daddy war?« fragte sie ebenso beiläufig.

»Klar«, sagte Danny und beobachtete immer noch die Kohlenglut. »Er will nicht, daß Daddy das Buch schreibt.«

»Welches Buch, Danny?«

»Über das Hotel.«

Die Frage, die ihre Lippen formen wollten, war die Frage, die sie und Jack Danny schon tausendmal gestellt hatten: *Woher weißt du das?* Aber sie fragte nicht. Sie wollte ihn vor dem Schlafengehen nicht aufregen, und er sollte auch nicht merken, daß sie jetzt sein Wissen über Dinge diskutierten, die er überhaupt nicht wissen konnte. Aber er *wußte* sie, davon war sie überzeugt. Edmonds Geschwätz über induktive Schlußfolgerungen und unbewußte Logik war genau das: Geschwätz. Ihre Schwester ... wie hatte Danny gewußt, daß sie an jenem Tag im Wartezimmer an ihre Schwester gedacht hatte? Und:

(Ich habe geträumt, daß Daddy einen Unfall hatte.)

Sie schüttelte den Kopf, als würde sie dann klarer denken können. »Geh dich waschen, Doc.«

»Okay.« Danny rannte die Treppe hinauf und in die Wohnung. Stirnrunzelnd war sie dann in die Küche gegangen, um die Milch für Jack heißzumachen.

Und jetzt, da sie wach im Bett lag und den Atemzügen ihres Mannes und dem Wind draußen lauschte (es hatte wunderbarerweise am Nachmittag nur einen Schauer gegeben; immer noch keine schweren Schneefälle), dachte sie nur noch an ihren hübschen kleinen Sohn, der ihnen solche Sorgen machte, der mit der inneren Embryonalhülle über dem Gesicht geboren war, was die Ärzte vielleicht nur bei jeder siebenhundersten Geburt erlebten und was, wie die alten Weiber erzählten, vom Zweiten Gesicht kündet.

Sie fand, daß es Zeit war, sich mit Danny über das Overlook zu unterhalten... und höchste Zeit, Danny dazu zu veranlassen, sich ihr gegenüber zu äußern. Gleich morgen. Bestimmt. Sie würden beide nach Sidewinder fahren, wo sie in der Bibliothek versuchen wollte, gegen eine höhere Gebühr einige Lesebücher gleich für den ganzen Winter zu leihen. Und unterwegs würde sie mit ihm sprechen. Ganz offen. Bei diesem Gedanken wurde ihr ein wenig leichter ums Herz, und endlich schlief sie ein.

Danny lag in seinem Schlafzimmer noch mit offenen Augen wach, im linken Arm seinen alten ausgefransten Teddy (eines seiner Knopfaugen war ihm ausgefallen, und aus einigen geplatzten Nähten quoll ein Teil seines Inhalts hervor), und lauschte dem Schlaf seiner Eltern. Es war, als hielte er wider Willen Wache über sie. Die Nächte waren das schlimmste. Er haßte die Nächte und das unablässige Heulen des Windes um die Westseite des Hotels.

An einem Faden hängend, schwebte sein Segelflugzeug über ihm. Das VW-Modell, das er von unten mitgebracht hatte, stand auf der Kommode und schimmerte schwach in fluoreszierendem Purpur. Seine Bücher standen im Regal, die Malbücher lagen auf seinem Schreibtisch. *Für alles einen Platz und alles an seinem Platz,* sagte Mommy. *Dann kannst du immer finden, was du brauchst.* Aber jetzt lag nicht alles an seinem Platz. Einige Dinge fehlten. Schlimmer noch, einige Dinge waren hinzugekommen, Dinge, die man nicht richtig sehen konnte, wie auf diesen Bildern, unter denen stand: KANNST DU DIE INDIANER FINDEN? Und wenn man sich anstrengte und das Bild von allen Ecken betrachtete, konnte man einige sehen – was man auf den ersten Blick für einen Kaktus gehalten hatte, war in Wirklichkeit ein Krieger mit dem Messer zwischen den Zähnen, und andere versteckten sich in den Felsen, und eines ihrer bösen, grausamen Gesichter schaute zwischen den Speichen eines Wagenrades hervor. Aber man konnte sie nie alle zugleich sehen, und das war beunruhigend. Denn die man nicht sah, konnten sich hinter einen schleichen, den Tomahawk in der einen, das Skalpiermesser in der anderen Hand...

Unruhig bewegte er sich in seinem Bett, und sein Blick suchte den tröstlichen Schein der Nachttischlampe. Hier war alles schlimmer geworden. Das wußte er genau. Zuerst war es gar nicht so schlecht gewesen, aber allmählich... Daddy dachte wieder viel öfter an das Trinken. Er lief herum und wischte sich mit dem Taschentuch die Lippen, und seine Augen waren weit weg und seltsam verhangen. Mommy machte sich Sorgen um ihn und auch um Danny. Er brauchte nicht in sie hineinzusehen, um das zu wissen; er hatte es schon an der besorgten Art gesehen, in der sie ihn an dem Tag befragte, als der Schlauch sich in eine Schlange verwandelt zu haben schien. Mr. Hallorann hatte gesagt, daß alle Mütter ein bißchen das Zweite Gesicht hätten, und sie hatte an dem Tag gewußt, daß etwas geschehen war. Aber nicht, was.

Er hätte es ihr fast gesagt, aber etwas hatte ihn davon abgehalten. Er wußte, daß der Doktor in Sidewinder Tony und die Sachen, die Tony ihm zeigte, als vollkommen

(oder doch fast)

normal bezeichnet hatte. Seine Mutter würde ihm vielleicht nicht glauben, wenn er ihr von dem Schlauch erzählte. Schlimmer noch, sie könnte ihm auf falsche Weise glauben, sie könnte denken, daß er NICHT MEHR ALLE TASSEN IM SCHRANK hätte. Er wußte einiges über TASSEN IM SCHRANK, zwar nicht so viel wie über EIN BABY KRIEGEN, was ihm seine Mutter vor einem Jahr ausführlich erklärt hatte, aber er wußte genug.

Im Kindergarten hatte ihm sein Freund Scott einmal einen Jungen gezeigt, der Robin Stenger hieß und der mit einem so langen Gesicht auf der Schaukel saß, daß man darauf hätte treten können. Robins Daddy unterrichtete an Daddys Schule in Mathematik, und Scotts Daddy unterrichtete dort in Geschichte. Die Eltern der meisten Kinder im Kindergarten hatten entweder mit der Schule in Stovington zu tun oder mit dem kleinen Werk von IBM, das eben außerhalb der Stadt lag. Es gab natürlich alle möglichen Freundschaften, aber meistens fanden sich die Kinder zusammen, deren Väter einander kannten. Wenn es unter den Erwachsenen der einen Gruppe irgendeinen Skandal gab, wurde er, heftig verzerrt, auch den Kindern bekannt, drang aber selten zur anderen Gruppe durch.

Er und Scott saßen in der Spielrakete, als Scotty mit dem Daumen auf Robin zeigte und fragte: »Kennst du den Jungen?«

»Ja«, sagte Danny.

Scott beugte sich vor. »Sein Dad hat NICHT ALLE TASSEN IM SCHRANK. Sie haben ihn weggeschafft.«

»Was? Bloß weil er NICHT ALLE TASSEN IM SCHRANK hat?«

Scotty sah ihn verächtlich an. »Quatsch. Er ist verrückt geworden.« Scott rollte mit den Augen, streckte die Zunge aus und ließ seine Zeigefinger in großen, elliptischen Kreisen um seine Ohren wirbeln. »Sie haben ihn IN DIE KLAPSMÜHLE gebracht.«

»Oh je«, sagte Danny. »Und wann kommt er zurück?«

»Nie-nie-nie«, sagte Scotty düster.

Im Laufe dieses und des nächsten Tages hatte Danny dann erfahren, daß

a) Mr. Stenger versucht hatte, seine ganze Familie, einschließlich Robin, mit einer Pistole umzubringen, die er noch aus dem Zweiten Weltkrieg besaß;
b) Mr. Stenger das ganze Haus kurz und klein schlug;
c) man Mr. Stenger beobachtet hatte, als er einen Teller voll Käfer und Gras aß, als seien es Cornflakes und Milch, und dabei weinte;
d) Mr. Stenger versucht hatte, seine Frau mit einem Strumpf zu erdrosseln, als die Red Sox ein wichtiges Spiel verloren.

Schließlich war Danny so besorgt gewesen, daß er es nicht länger für sich behalten konnte, und er fragte seinen Daddy wegen Mr. Stenger. Sein Daddy hatte ihn auf den Schoß genommen und ihm erklärt, daß Mr. Stenger unter großen Belastungen gestanden hätte, was mit seiner Familie und seinem Job zu tun gehabt hatte und mit Dingen, die nur ein Arzt verstehen konnte. Er hatte Weinkrämpfe gehabt, und eines Abends hatte er geweint, ohne aufhören zu können, und anschließend hatte er in der Wohnung der Stengers eine Menge Sachen kaputtgemacht. Es war nicht so, daß er NICHT ALLE

TASSEN IM SCHRANK hatte, sagte Daddy, sondern er hatte einen NERVENZUSAMMENBRUCH gehabt, und er war nicht in die KLAPSMÜHLE gekommen, sondern in ein SANATORIUM. Aber trotz Daddys sorgfältigen Erklärungen hatte Danny Angst. Zwischen NICHT ALLE TASSEN IM SCHRANK haben und einem NERVENZUSAMMENBRUCH schien kein Unterschied zu sein, und ob man es KLAPSMÜHLE oder SANATORIUM nannte, in beiden Fällen waren die Fenster vergittert, und man wurde nicht rausgelassen, wenn man gehen wollte. Und sein Vater hatte in aller Unschuld etwas anderes bestätigt, das Scotty gesagt hatte und das Danny mit vager Furcht erfüllte. Da, wo Mr. Stenger jetzt lebte, gab es DIE MÄNNER MIT DEN WEISSEN KITTELN. Wenn sie jemanden abholen wollten, taten sie es in einem Wagen ohne Fenster, einem Wagen, der grau war wie ein Grabstein. Er fuhr vor dem Haus vor, und DIE MÄNNER MIT DEN WEISSEN KITTELN nahmen den Betreffenden von seiner Familie weg, und dann mußte er in einem Raum mit weichen Wänden leben, und wenn er nach Hause schreiben wollte, mußte er es mit Buntstiften tun.

»Wann darf er denn wieder zurückkommen?« fragte Danny seinen Vater.

»Sobald es ihm wieder besser geht, Doc.«

»Aber wann wird das sein?« wollte Danny wissen.

»Dan«, sagte Jack, »DAS WEISS NIEMAND.«

Und das war das schlimmste von allem. Es war eine andere Art, nie-nie-nie zu sagen. Einen Monat später nahm Robins Mutter ihren Sohn aus dem Kindergarten, und sie zogen ohne Mr. Stenger von Stovington weg.

Das war schon über ein Jahr her, nachdem Daddy aufgehört hatte, das schlimme Zeug zu trinken, aber bevor er seinen Job verlor. Danny dachte noch oft daran. Manchmal, wenn er hinfiel oder sich den Kopf stieß oder Bauchschmerzen hatte, fing er an zu weinen, und dann kam die Erinnerung zurück, und dann hatte er immer Angst, daß er nicht aufhören könnte zu weinen, daß er endlos jammern und weinen würde, bis Daddy eine Nummer wählte und sagte: »Hallo? Hier spricht Jack Torrance, 149, Mapleline Way. Mein Sohn hier kann nicht aufhören zu weinen. Bitte, schicken Sie DIE MÄNNER MIT DEN WEISSEN KITTELN, damit sie ihn ins Sanatorium bringen. Ganz recht, er hat NICHT ALLE TASSEN IM SCHRANK. Vielen Dank.« Und der graue Wagen rollte vor *seine* Tür, und sie luden ihn ein, während er immer noch hysterisch weinte, und nahmen ihn mit. Wann würde er Mommy und Daddy je wiedersehen? DAS WEISS NIEMAND.

Und diese Angst war es, die ihn hatte schweigen lassen. Er war jetzt ein Jahr älter und war ganz sicher, daß Daddy und Mommy ihn nicht wegbringen lassen würden, weil er einen Schlauch für eine Schlange gehalten hatte, das sagte ihm sein Verstand, aber dennoch, wenn er drauf und dran war, es ihnen zu erzählen, stieg diese alte Erinnerung aus der Vergangenheit auf, und sie war wie ein Stein, den er im Mund hatte und der seine Worte blockierte.

Es war anders als die Sache mit Tony; Tony war ihm immer ganz natürlich erschienen (natürlich nur bis die schlimmen Träume kamen), und auch seine Eltern schienen Tony als mehr oder weniger natürliches Phänomen akzeptiert zu haben. So etwas wie Tony kam, wenn man HELL war, was sie beide von ihm glaubten (auf ähnliche Weise, wie sie von sich selbst glaubten, daß sie HELL seien), aber ein Feuerlöschschlauch, der sich in eine Schlange verwandelte, oder Blut- und Gehirnspritzer an der Wand der Präsidentensuite zu sehen, die kein anderer sehen konnte, war nicht natürlich. Sie hatten ihn schon zu einem Arzt gebracht. War es da nicht vernünftig, anzunehmen, daß DIE MÄNNER MIT DEN WEISSEN KITTELN als nächste kommen würden?

Trotzdem hätte er es ihnen vielleicht gesagt, wenn er nur sicher gewesen wäre, daß sie ihn früher oder später aus dem Hotel wegbringen würden. Er wollte so verzweifelt gern vom Overlook weg. Aber er wußte auch, daß dies Daddys letzte Chance war, daß er im Overlook mehr tun mußte als auf das Hotel aufpassen. Er war hier, um an seinen Papieren zu arbeiten. Um darüber hinwegzukommen, daß er seinen Job verloren hatte. Um Mommy-Wendy liebzuhaben. Und bis vor kurzem schien das auch alles zu geschehen. Nur in allerletzter Zeit hatte Daddy wieder Schwierigkeiten. Seit er diese Papiere gefunden hatte.

(Dieser unmenschliche Ort macht Menschen zu Ungeheuern.)

Was bedeutet das? Er hatte zu Gott gebetet, aber Gott hatte es ihm nicht gesagt. Und was sollte Daddy anfangen, wenn er hier nicht mehr arbeitete? Er hatte versucht, es in Daddys Gedanken zu lesen, und war immer mehr davon überzeugt, daß Daddy es nicht wußte. Der beste Beweis dafür war am frühen Abend gekommen, als Onkel Al Daddy angerufen und gemeine Dinge zu ihm gesagt hatte, und Daddy hatte nichts zu antworten gewagt, denn Onkel Al konnte ihn genauso aus seinem Job feuern wie Mr. Crommert, der Rektor in Stovington, ihn aus seinem Schuljob gefeuert hatte. Und davor hatte Daddy entsetzliche Angst, auch wegen Mommy und Danny.

Deshalb wagte er nichts zu sagen. Er konnte nur hilflos zuschauen und hoffen, daß es keine Indianer gab, und wenn, daß sie die drei in Ruhe lassen und sich größerer Beute zuwenden würden.

Aber das konnte er nicht glauben, so sehr er es auch versuchte.

Im Overlook standen die Dinge jetzt schlechter.

Der Schnee sollte kommen, und wenn er erst da war, gab es nicht mehr die geringste Möglichkeit für ihn. Und nach dem Schnee, was dann? Was dann, wenn sie eingeschlossen waren und wehrlos den Dingen ausgeliefert, die vorher nur mit ihnen gespielt hatten?

(Komm raus und nimm deine Medizin!)

Was dann? DROM.

Er erschauerte in seinem Bett und drehte sich noch einmal um. Er konnte schon viel besser lesen. Morgen würde er vielleicht versuchen, Tony zu rufen. Er würde versuchen, Tony zu veranlassen, ihm genau zu sagen, was DROM ist und ob es eine Möglichkeit gab, ihm auszuweichen. Die Alpträume würde er in Kauf nehmen. Er mußte es einfach *wissen*.

Danny lag noch lange wach, nachdem seine Eltern endlich wirklich eingeschlafen waren. Er wälzte sich in seinem Bett, zerwühlte die Decke und rang mit einem Problem, das für ihn um Jahre zu groß war. Er hielt Wache wie ein einsamer Posten im Feld. Und irgendwann nach Mitternacht schlief auch er, und nur noch der Wind war wach und fuhr um das Hotel und heulte in den Giebeln unter dem strahlenden Glanz der Sterne.

22

Im Lieferwagen

I see a bad moon a-rising
I see trouble on the way.
I see earthquakes and lightnin'.
I see bad times today.
Don't go 'round tonight,
It's bound to take your life,
There's a bad moon on the rise.

Irgend jemand hatte unter dem Armaturenbrett des Hotel-Lieferwagens ein uraltes Buick-Autoradio angebracht. Aus ihm erklang blechern und von statischen Geräuschen überlagert der charakteristische Sound von John Fogertys Band Creedence Clearwater Revival. Wendy und Danny waren auf dem Weg nach Sidewinder. Der Tag war klar und hell. Danny drehte Jacks orangefarbene Bibliotheksleihkarte immer wieder in den Händen und schien ganz aufgeräumt zu sein, aber Wendy fand, daß er eingefallen und müde aussah, als ob er schlecht geschlafen hätte und jetzt nur noch von nervöser Energie wachgehalten wurde.

Der Song war zu Ende, und der Disc-Jockey sprach. »Ja, das ist Creedence. Und da wir vom bösen Mond sprechen, es sieht ganz so aus, als sollte er bald über dem Sendegebiet der KMTX aufgehen, so ungern man das nach den letzten schönen Tagen auch glauben möchte. Die unerschrockenen Wetterpropheten der KMTX sagen, daß der noch vorherrschende hohe Druck gegen ein Uhr heute nachmittag von einem Tief abgelöst werden wird, das im Sendegebiet der KMTX für die nächste Zeit das Wetter bestimmen wird, besonders in höheren Lagen. Die Temperaturen werden rasch absinken, und gegen Abend kann es zu Niederschlägen kommen. In Höhen unter zweitausend Metern sind Schnee- und Graupelschauer zu erwarten. Das gilt auch für das Gebiet um Denver. Auf einigen Straßen ist mit Glatteis zu rechnen, und hier oben natürlich jede Menge Schnee. Unter zweitausend Metern erwarten wir vier bis acht

Zentimeter, darüber bis zu fünfundzwanzig Zentimeter Schnee, besonders in Zentral-Colorado. Sollten Sie für heute nachmittag oder heute abend eine Bergtour planen, so das Straßenverkehrsamt, sollten Sie die Schneeketten nicht vergessen. Und fahren Sie nirgends hin, wenn Sie es nicht unbedingt müssen. Vergessen Sie nicht«, sagte der Sprecher fröhlich, »daß auf diese Weise damals diese Reisegesellschaft in Schwierigkeiten kam. Sie war ganz einfach weiter von der nächsten Ansiedlung entfernt, als sie glaubte.«

Dann kam ein Werbe-Spot von Clairol. Wendy griff nach unten und schaltete das Radio ab. »Darf ich?«

»Meinetwegen.« Er schaute zum Himmel auf, der immer noch von leuchtendem Blau war. »Daddy hat sich einen guten Tag für das Heckenschneiden ausgesucht, nicht wahr?«

»Das hat er wohl«, sagte Wendy.

»Es sieht aber noch nicht nach Schnee aus«, fügte er hoffnungsvoll hinzu.

»Kriegst du kalte Füße?« fragte Wendy. Sie mußte immer noch an den billigen Witz denken, den der Disc-Jockey über die Reisegesellschaft in den Rocky Mountains gemacht hatte.

»Ach wo.«

Nun, dachte sie, jetzt ist es an der Zeit. Wenn ich schon darüber reden will, dann heute, oder ich halte überhaupt den Mund.

»Danny«, sagte sie und versuchte, ihrer Stimme eine möglichst sachliche Färbung zu geben, »wärest du glücklicher, wenn wir von hier fortgingen, wenn wir nicht den Winter über im Overlook blieben?«

Danny betrachtete seine Hände.

»Ich glaub' wohl«, sagte er.

»Ja, aber es ist Daddys Job.«

»Manchmal«, sagte sie vorsichtig, »habe ich den Eindruck, als ob auch Daddy glücklicher wäre, wenn er nicht im Overlook bleiben müßte.« Sie fuhren an einem Schild vorbei, auf dem »SIDEWINDER 18 Meilen« stand. Sie zog den Wagen vorsichtig in eine Haarnadelkurve und schaltete in den zweiten Gang zurück. Sie wollte bei diesem steilen Gefälle nichts riskieren, sie hatte Angst.

»Glaubst du wirklich?« fragte Danny. Er sah sie einen Augenblick interessiert an und schüttelte dann den Kopf. »Ich glaube es aber nicht.«

»Warum nicht?«

»Weil er sich Sorgen um uns macht«, sagte Danny und wählte seine Worte sorgfältig. Es war schwer zu erklären, denn er verstand es selbst nicht ganz. Er mußte an den Vorfall denken, den er Hallorann erzählt hatte, an den großen Jungen, der im Warenhaus stehlen wollte. Das war betrüblich gewesen, aber es war klar, und selbst Danny, damals fast noch ein Baby, hatte gewußt, worum es ging. Aber Erwachsene waren ständig in Aufruhr. Bei allem, was sie taten, dachten sie an die Konsequenzen, hatten Selbstzweifel, dachten an ihren guten Ruf und empfanden Liebe und Verantwortung für irgendwen. Jede denkbare Entscheidung schien ihre Schattenseiten zu haben, und manchmal verstand er nicht, warum diese Schattenseiten eigentlich Schattenseiten waren. Es war sehr schwer.

»Er glaubt...« fing Danny wieder an und schaute rasch zu seiner Mutter hinüber. Sie achtete auf die Straße und sah ihn nicht an, und er hatte das Gefühl, daß er weitersprechen konnte.

»Er glaubt, daß wir vielleicht einsam sein werden. Und dann glaubt er, daß es ihm hier gefällt und daß es auch für uns gut ist. Er hat uns lieb und will nicht, daß wir einsam sind... oder traurig... aber er glaubt, selbst wenn wir es sind, auf LANGE SICHT könnte alles gut werden. Kennst du LANGE SICHT?«

Sie nickte. »Ja, Liebes, das kenne ich.«

»Er machte sich Sorgen, daß er keinen Job kriegt, wenn wir von hier fortgehen. Daß wir dann vielleicht betteln müssen.«

»Ist das alles?«

»Nein, aber der Rest ist ein Durcheinander. Denn er ist jetzt ganz anders.«

»Ja«, sagte sie und hätte fast laut geseufzt. Das Gefälle flachte sich ab, und vorsichtig legte sie wieder den dritten Gang ein.

»Das denke ich mir nicht aus, Mommy. Ehrlich.«

»Das weiß ich«, sagte sie und lächelte. »Hat Tony es dir gesagt?«

»Nein«, sagte er. »Ich weiß es einfach. Der Doktor glaubte nicht an Tony, nicht wahr?«

»Ach, laß nur den Doktor«, sagte sie. »Ich glaube an Tony.

Ich weiß nicht, was er ist oder wer er ist, ob er ein Teil von dir ist oder ob er... von irgendwo außerhalb kommt, aber ich glaube an ihn. Und wenn du... er... meint, daß wir gehen sollten, werden wir es tun. Wir beide werden gehen und im Frühjahr wieder mit Daddy zusammensein.«

Er sah sie hoffnungsvoll an. »Wohin? In ein Motel?«

»Honey, ein Motel können wir uns nicht leisten. Wir müßten zu meiner Mutter gehen.«

Der hoffnungsvolle Ausdruck verschwand aus Dannys Gesicht. »Ich weiß«, sagte er und schwieg.

»Was?«

»Nichts«, murmelte er.

Sie schaltete in den zweiten Gang zurück, denn das Gefälle wurde wieder steiler. »Nein, Doc, das darfst du nicht sagen. Ich hätte schon vor Wochen mit dir sprechen sollen. Also bitte. Was weißt du? Ich werde nicht böse sein. Ich kann nicht böse sein, denn es ist zu wichtig. Du mußt offen mit mir reden.«

»Ich kenne deine Gefühle ihr gegenüber«, sagte Danny und seufzte.

»Und wie sind die?«

»Schlecht«, sagte Danny, und was er dann sagte, ängstigte sie. »Schlecht. Traurig. Böse. Als wäre sie gar nicht deine Mommy. Als ob sie dich fressen wollte.« Er schaute sie angstvoll an. »Und mir gefällt es dort nicht. Sie denkt immer, daß ich es bei ihr besser hätte, und sie überlegt, wie sie mich dir wegnehmen kann. Mommy, ich will nicht zu ihr. Lieber bleibe ich im Overlook.«

Wendy war erschüttert. War es so schlimm zwischen ihr und ihrer Mutter? Mein Gott, wie schrecklich für den Jungen, wenn das stimmte und er wirklich ihrer beider Gedanken lesen konnte. Sie kam sich plötzlich nackter als nackt vor, als habe man sie bei einer obszönen Handlung ertappt.

»Gut«, sagte sie. »Es ist ja schon gut, Danny.«

»Und nun bist du böse mit mir«, sagte er mit dünner Stimme und war den Tränen nahe.

»Nein, das bin ich nicht. Wirklich nicht.« Sie passierten ein Schild mit der Aufschrift »SIDEWINDER 15 Meilen«, und Wendy beruhigte sich ein wenig. Ab hier war die Straße besser.

»Ich möchte dich noch etwas fragen, Danny. Und ich

möchte, daß du mir eine ehrliche Antwort gibst. Wirst du das tun?«

»Ja, Mommy«, sagte er fast flüsternd.

»Hat dein Daddy wieder getrunken?«

»Nein«, sagte er und erstickte die Worte, die dieser simplen Verneinung folgen wollten: *Noch nicht.*

Wendy war jetzt noch ein wenig beruhigter. Sie legte die Hand auf Dannys jeansbekleidetes Bein und drückte ihn. »Dein Daddy hat sich große Mühe gegeben«, sagte sie leise. »Weil er uns liebhat. Und wir haben ihn auch lieb, nicht wahr?«

Danny nickte feierlich.

Wie im Selbstgespräch fügte sie hinzu: »Er ist nicht vollkommen, aber er hat sich Mühe gegeben ... Danny, er hat sich solche Mühe gegeben. Als er ... aufhörte ... muß es für ihn die Hölle gewesen sein. Und das ist es für ihn immer noch. Ich glaube, wenn wir nicht gewesen wären, hätte er weitergemacht. Ich will das Richtige tun. Und ich weiß nicht, was das Richtige ist. Sollen wir fortgehen? Oder sollen wir bleiben? Wir haben die Wahl zwischen dem heißen Fett und dem Feuer.«

»Ich weiß.«

»Würdest du mir einen Gefallen tun, Doc?«

»Welchen denn?«

»Versuch, Tony kommen zu lassen. Gleich jetzt. Frag ihn, ob wir im Overlook sicher sind.«

»Das habe ich schon versucht«, sagte Danny langsam. »Heute morgen.«

»Und was war?« fragte Wendy. »Was hat er gesagt?«

»Er ist nicht gekommen«, sagte Danny. »Tony ist nicht gekommen.« Er brach plötzlich in Tränen aus.

»Danny«, sagte sie erschrocken. »Nicht weinen, Honey. Bitte –« Der Wagen schleuderte über den gelben Streifen, und voller Angst schlug sie das Steuer ein.

»Bring mich nicht zu Oma«, sagte Danny unter Tränen. »Bitte, Mommy, ich will nicht. Ich will bei Daddy bleiben.«

»Gut«, sagte sie leise. »Gut, dann bleiben wir hier.«

Sie nahm ein Kleenex-Tuch aus der Tasche ihres Westernhemds und gab es ihm. »Wir werden bleiben. Und es wird schön werden. Ganz einfach schön.«

23

Auf dem Spielplatz

Jack trat ins Freie, zog seinen Reißverschluß bis ans Kinn zu und blinzelte in die helle Luft. In der Linken hielt er eine batteriebetriebene Heckenschere. Er holte mit der Rechten ein sauberes Taschentuch aus der Gesäßtasche, wischte sich die Lippen und steckte es wieder weg. Im Radio war Schnee angesagt worden. Er mochte es noch gar nicht glauben, obwohl er sah, daß sich am Horizont die Wolken zusammenballten.

Er ging den Pfad zum Kunstgarten hinunter und nahm die Schere in die andere Hand. Er glaubte nicht, daß es lange dauern würde; er brauchte nur ein wenig nachzuschneiden. Die kalten Nächte hatten das Wachstum der Büsche gewiß verzögert. Das Ohr des Kaninchens war ein wenig krausgewachsen, und die Vorderbeine des Hundes mußten in Form gebracht werden, aber der Löwe und der Büffel sahen gut aus. Die brauchten nur einen Haarschnitt, und dann sollte der Schnee ruhig kommen.

Der Betonpfad endete so abrupt wie ein Sprungbrett. Er ging am leeren Swimming-Pool vorbei zu dem Kiesweg, der sich zwischen den Heckenskulpturen hindurch zum Spielplatz schlängelte. Er schlenderte zu dem Kaninchen hinüber und drückte auf den Knopf am Handgriff der Schere. Das Gerät fing leise an zu summen.

»Na, Bruder Kaninchen«, sagte Jack. »Wie geht's denn heute? Ein wenig von oben ab und etwas von den Ohren weg, was? Gut. Sag mal, kennst du den von dem Handelsvertreter und der alten Dame mit dem Pudel?«

Seine Stimme klang ihm unnatürlich und dumm in den Ohren, und er schwieg. Dabei fiel ihm ein, daß er die Heckentiere eigentlich nicht mochte. Es war ihm schon immer ein wenig pervers erschienen, eine ganz normale Hecke so zurechtzustutzen, daß sie etwas darstellte, was sie nun einmal nicht war. An einer Straße in Vermont gab es auf einem Hügel eine Hecke, die man zu einem Plakat mit Eiskremreklame zurechtgeschnitten hatte. Die Natur zum Verhökern von Eiskrem zu mißbrauchen, war eine Sünde. Es war grotesk.

(Du bist nicht hier, um zu philosophieren, Torrance.)

Wahr. Nur allzu wahr. Er schnitt an den Ohren des Kaninchens entlang und fegte die losen Zweige und Blätter auf das Gras. Die Heckenschere summte so ekelhaft metallisch, wie es anscheinend alle batteriegetriebenen Geräte tun. Die Sonne strahlte hell, aber sie brachte keine Wärme, und jetzt glaubte man schon eher, daß es schneien würde.

Er arbeitete schnell. Wenn man bei einem solchen Job zuviel überlegte, machte man gewöhnlich Fehler. Das wußte er. Er fuhr mit der Schere über das »Gesicht« des Kaninchens (aus dieser Nähe sah es überhaupt nicht wie ein Gesicht aus, aber er wußte, daß, aus zwanzig Schritten Entfernung gesehen, Licht und Schatten eines andeuteten; den Rest erledigte die Phantasie des Betrachters) und ließ die Schere dann den Bauch entlangsummen.

Als er fertig war, schaltete er die Schere aus, ging zum Spielplatz hinüber und drehte sich rasch um. Er betrachtete sein Werk. Ja, das Kaninchen sah gut aus. Nun war der Hund an der Reihe.

»Aber wenn es mein Hotel wäre«, sagte er, »würde ich euch alle abhacken, ihr verdammte Bande.« Das würde er wirklich. Sie einfach abhacken, und wo sie gestanden hatten, neue Grassoden auftragen und kleine Metalltische mit hübschen, bunten Sonnenschirmen aufstellen. Dann konnten die Leute auf dem Rasen des Overlook in der Sommersonne ihren Cocktail trinken. Gin-Fizz mit Schlehensaft, Margarita und Pink Lady und wie die schlappen Touristengetränke alle hießen. Vielleicht auch Rum mit Tonic. Jack nahm das Taschentuch aus der hinteren Tasche und rieb sich damit langsam die Lippen.

»Na, na«, sagte er leise. Daran durfte man überhaupt nicht denken.

Er wollte zur Hecke zurückgehen, aber einem plötzlichen Impuls folgend, ging er zum Spielplatz hinüber. Es war komisch, aber aus Kindern wurde man nie klug. Er und Wendy hatten erwartet, daß Danny ganz wild auf den Spielplatz sein würde, denn dort gab es alles, was sich ein Kind nur wünschen konnte. Aber soweit Jack wußte, war der Junge kaum sechsmal dort gewesen, wenn überhaupt. Wenn er einen Spielgefährten gehabt hätte, wäre es wohl anders gewesen.

Die Pforte knarrte ein wenig, als er sie öffnete, und dann knirschte der Kies unter seinen Schritten. Erst ging er zu dem Miniaturhaus, das ein naturgetreues Modell des Overlook darstellte. Es reichte ihm bis an die Oberschenkel, ungefähr Dannys Größe. Jack hockte sich auf den Boden und schaute durch die Fenster im dritten Stock.

»Der Riese ist gekommen, um euch aus dem Bett zu holen und euch alle aufzufressen«, sagte er mit hohler Stimmer. »Nun verabschiedet euch schön.« Aber auch das war nicht sehr witzig. Das Haus war leicht zu öffnen; man brauchte es nur auseinanderzuschieben, denn es hatte ein Scharnier. Das Innere enttäuschte ihn. Die Wände waren gestrichen, aber sonst war das Haus leer. Das mußte es natürlich sein, denn wie sollten die Kinder sonst hineinkriechen können? Die Spielzeugmöbel, die vielleicht im Sommer zu dem Haus gehörten, hatte man gewiß in den Geräteschuppen gepackt. Er schob das Haus wieder zusammen und hörte das leise Klicken, als sich der Riegel schloß.

Er ging zur Rutsche, legte die Schere ab und schaute kurz zum Parkplatz hinüber, um zu sehen, ob Wendy und Danny zurückgekommen waren. Dann kletterte er hinauf und setzte sich. Dies war die Rutsche für größere Kinder, aber sie war immer noch zu schmal für seinen Erwachsenenhintern. Wie lange war es wohl her, daß er zuletzt auf einer Rutsche gewesen war? Zwanzig Jahre? Es konnte unmöglich so lange her sein. Jedenfalls kam es ihm nicht so vor. Aber vielleicht war es sogar noch länger her. Er konnte sich daran erinnern, daß ihn sein Vater, als er in Dannys Alter war, zum Vergnügungspark nach Berlin mitgenommen hatte, und er hatte alles ausprobiert – Rutsche, Schaukel, Wippe, alles. Er und sein Vater aßen dann einen Hotdog und kauften anschließend an einem Karren Erdnüsse, mit denen sie sich auf eine Bank setzten. Schwärme von Tauben trippelten vor ihren Füßen hin und her.

»Verdammte Aasvögel«, sagte sein Dad dann. »Nur nicht füttern, Jacky.« Aber am Ende fütterten sie sie doch und amüsierten sich darüber, wie die Tauben den Nüssen hinterherrannten, gierig hinterherrannten. Jack erinnerte sich nicht, daß sein Vater je seine Brüder zum Park mitgenommen hatte. Jack war Vaters Liebling gewesen, obwohl der Alte ihn verprügelte, wenn er betrunken war, was sehr häufig vorkam. Aber Jack hatte ihn noch geliebt, als die übrige Familie ihn nur noch haßte und fürchtete.

Er stieß sich mit den Händen ab und rutschte nach unten, aber er war nicht zufrieden. Die lange unbenutzte Rutsche war nicht glatt genug, und er erreichte nicht die zu wahrem Vergnügen nötige Geschwindigkeit. Außerdem war sein Hintern für dieses Ding einfach zu dick. Seine Erwachsenenfüße schlugen in der leichten Bodenvertiefung auf, in der schon Tausende von Kinderfüßen vor ihm gelandet waren. Er stand auf, wischte sich den Hosenboden ab und schaute zur Heckenschere hinüber. Aber statt zu den Tierskulpturen zurückzugehen, schlenderte er zu den Schaukeln, die ihn ebenfalls enttäuschten. Die Ketten hatten seit Saisonende Rost angesetzt und quietschten, als ob sie Schmerzen hätten. Jack nahm sich vor, sie im Frühjahr zu ölen.

Hör lieber auf, riet er sich. Um zu beweisen, daß du kein Kind mehr bist, brauchst du nicht diesen Spielplatz.

Aber er ging zu den Betonringen hinüber – sie waren für ihn zu schmal, und er ließ sie links liegen und ging an den Sicherheitszaun, der das Gelände umgab. Er griff an den Zaun und schaute durch die Maschen, und die Sonne malte ihm mit Hilfe des Drahts Streifen ins Gesicht, so daß es aussah, als säße er hinter Gittern. Er erkannte das selbst und rüttelte am Zaun. Mit gequältem Gesichtsausdruck flüsterte er: »Laßt mich hier raus! Laßt mich hier raus!« Aber auch das war überhaupt nicht komisch. Es war Zeit, sich wieder an die Arbeit zu machen.

In diesem Augenblick hörte er hinter sich das Geräusch.

Er drehte sich schnell um und runzelte die Stirn. Er war ganz verlegen. Was, wenn jemand ihn gesehen hatte, wie er hier im Kinderland herumgealbert hatte? Er schaute zu den Rutschen hinüber, zu den Wippen und zu den Schaukeln, in denen nur der Wind saß. Er sah die Pforte, die den Spielplatz vom Rasen mit seinem Kunstgarten trennte – die Löwen hockten um den Pfad herum, als wollten sie ihn beschützen, das Kaninchen hielt den Kopf gesenkt, als wollte es Gras fressen, der Büffel schien angriffslustig zu sein, und der Hund duckte sich drohend. Jenseits setzte sich die Rasenfläche fort, und da lag das

Hotel selbst. An der Westseite des Overlook erkannte er die Einfriedigung der Roque-Anlage.

Alles war so, wie es vorher gewesen war. Aber warum hatte seine Haut im Gesicht und an den Händen dann angefangen zu jucken? Und warum richteten sich ihm die Haare im Nacken auf, als ob sich dort die Haut plötzlich zusammengezogen hätte?

Er schielte wieder zum Hotel hinauf, aber das war keine Lösung. Mit dunklen Fenstern stand es ganz einfach da, und aus dem Schornstein kräuselte sich ein dünner Rauchfaden, der vom Feuer im Foyer stammte.

(Du solltest lieber anfangen, alter Junge, sonst kommen sie zurück und fragen sich, was du die ganze Zeit getan hast.)

Natürlich mußte er jetzt etwas tun, denn Schnee war zu erwarten, und vorher mußte er diese verdammten Hecken schneiden. Das war Teil seines Arbeitsvertrages. Außerdem würden sie es nicht wagen –

(Wer würde nicht? Was würde nicht? Was zu tun wagen?)

Er ging zur Heckenschere, die unten an der Rutsche lag, zurück. Das Knirschen seiner Tritte im Kies erschien ihm abnorm laut. Selbst seine Hoden schienen zu schrumpfen, und sein Gesäß wurde immer schwerer.

(Mein Gott, was ist das nur?)

Er blieb bei der Schere stehen, traf aber keine Anstalten, sie aufzuheben. Es hatte sich doch etwas verändert. Am Kunstgarten. Und es war so einfach und leicht zu sehen, daß er das Ding einfach nicht aufhob. Komm, schalt er sich, du hast doch das verdammte Kaninchen eben gestutzt. Was ist also ...

(das ist es)

Er hielt den Atem an.

Das Kaninchen saß auf allen vieren und fraß Gras. Sein Bauch berührte den Boden. Dabei hatte es noch vor kaum zehn Minuten auf den Hinterläufen gesessen, natürlich hatte es, er hatte doch seine Ohren gestutzt ... und seinen Bauch.

Sein Blick schoß zu dem Hund hinüber. Als er den Weg entlanggegangen war, hatte er aufrecht gesessen, als ob er um einen Keks bettelte. Inzwischen hatte er sich geduckt und den Kopf schiefgelegt, und sein gestutztes Maul schien stumm zu knurren. Und die Löwen –

(Oh nein, nein, nein! Das konnte nicht stimmen!)

die Löwen standen näher am Weg. Die beiden an der rechten Seite hatten unbemerkt die Positionen gewechselt und standen enger zusammen. Der Schwanz des einen ragte fast in den Weg hinein. Als er an ihnen vorbei und durch die Pforte gegangen war, hatte dieser Löwe rechts gestanden, und Jack war sicher, daß er den Schwanz um sich gerollt hatte.

Sie bewachten nicht mehr den Weg; sie blockierten ihn.

Jack schlug sich die Hand vor die Augen und nahm sie wieder weg. Das Bild hatte sich nicht geändert. Er stieß einen langen Seufzer aus, zu leise, um als Stöhnen bezeichnet zu werden. Als er noch trank, hatte er immer Angst gehabt, daß so etwas einmal geschehen könnte. Aber wenn man ein schwerer Trinker war, nannte man es einfach Delirium tremens – das gute alte DT. Ray Milland in *Das verlorene Wochenende*, der die Käfer aus der Wand kriechen sieht.

Wie nannte man es, wenn man stocknüchtern war?

Die Frage war rhetorisch gemeint, aber sein Verstand beantwortete sie dennoch:

(Man nannte es Geisteskrankheit.)

Er starrte die Heckentiere an und merkte, daß sich noch etwas geändert hatte. Der Hund war nähergekommen. Er duckte sich nicht mehr, sondern schien Laufstellung eingenommen zu haben, die Muskeln der Hinterläufe angespannt, ein Vorderlauf vorgesetzt, der andere hinten. Der Rachen aus Gesträuch war weit geöffnet, und die gestutzten Zweige darin wirkten scharf und bösartig. Und jetzt glaubte Jack, im Laubwerk sogar Augen zu erkennen, die ihn unverwandt ansahen.

Warum müssen sie überhaupt beschnitten werden? dachte er hysterisch. *Sie sind doch schon perfekt*

Wieder ein leises Geräusch.

Instinktiv trat er einen Schritt zurück, als er zu den Löwen hinübersah. Einer der beiden auf der rechten Seite hatte sich an dem anderen vorbei nach vorn geschoben. Er hielt den Kopf gesenkt. Eine seiner Vordertatzen hatte schon fast den niedrigen Zaun erreicht. Lieber Gott, was kommt jetzt?

(Jetzt springt er über den Zaun und frißt dich, wie es in bösen Märchen geschieht.)

Es war wie bei dem Spiel, das sie als Kinder gespielt hatten.

Einer war »dran«. Er drehte den anderen den Rücken zu und zählte bis zehn. Während er zählte, schlichen sich die anderen an ihn heran. Wenn er bei zehn war, fuhr er herum, und wer sich dann noch bewegte, schied aus. Die anderen standen wie Statuen, bis wer »dran« war, ihnen den Rücken zukehrte und erneut zu zählen anfing. Sie kamen ihm immer näher, und endlich, irgendwo zwischen fünf und zehn, fühlte man eine Hand an seinem Rücken...

Etwas rasselte im Kies.

Ruckartig fuhr sein Kopf herum, und er sah, daß der Hund schon den halben Weg heraufgelaufen war und mit klaffendem Maul direkt hinter den Löwen stand. Vorher war er nur eine Hecke gewesen, die man ganz grob so zurechtgeschnitten hatte, daß sie wie ein Hund aussah, aber diese Definition stimmte nicht mehr, wenn man näher herantrat. Jetzt aber erkannte Jack, daß aus der Hecke ein Schäferhund geworden war. Und diese Hunde waren oft sehr bösartig. Man konnte Schäferhunde zum Töten abrichten. Ein leises, raschelndes Geräusch.

Der Löwe von der linken Seite stand jetzt genau am Zaun; sein Maul berührte ihn. Er schien Jack anzugrinsen. Jack sprang drei Schritte zurück. In seinem Kopf spürte er ein dumpfes Pochen, und er hörte seinen eigenen rasselnden Atem. Jetzt hatte sich auch der Büffel bewegt. Hinter dem Kaninchen und um es herum war er im Kreis nach rechts gelaufen. Er hielt den Kopf gesenkt, seine grünen Heckenhörner zeigten auf Jack. Aber Jack konnte sie nicht alle auf einmal im Auge behalten. Das war das Problem.

Er stieß einen winselnden Laut aus und merkte in seiner Konzentration gar nicht, daß er ein Geräusch machte. Seine Augen sprangen von einem Heckentier zum anderen. Er wollte *sehen*, wie sie sich bewegten. Der Wind wurde stärker und ließ das dichte Zweigwerk ächzen. Welches Geräusch würde sich wohl ergeben, wenn sie ihn faßten? Aber das wußte er natürlich. Ein schnappendes, ein reißendes, ein knackendes Geräusch.

Es wäre –

(Nein nein Nein Nein ICH WILL DIES ALLES NICHT GLAUBEN!)

Er hielt sich die Augen zu, griff sich ins Haar, an die Stirn. Und lange blieb er so stehen, bis die Angst so stark wurde, daß er es nicht mehr aushalten konnte. Er ließ mit einem Aufschrei die Arme sinken.

Der Hund saß aufrecht, als ob er um etwas bettelte. Der Büffel schaute ohne jedes Interesse zur Roque-Anlage hinüber, wie er es getan hatte, als Jack mit der Schere kam. Das Kaninchen saß mit hocherhobenen Löffeln, um jedes Geräusch einzufangen, auf den Hinterläufen und zeigte seinen frisch gestutzten Bauch. Die Löwen standen, wo sie immer gestanden hatten, zu beiden Seiten des Wegs.

Wie erstarrt blieb Jack noch eine Zeitlang stehen, und sein Atem wurde ruhiger. Er griff nach seinen Zigaretten und ließ vier davon aus der Schachtel fallen. Er bückte sich, um sie aufzusammeln, und ließ dabei doch nicht die Augen von den Heckentieren, weil er Angst hatte, daß sie sich wieder bewegen könnten. Er fand die Zigaretten und steckte drei achtlos in die Packung zurück. Die vierte steckte er an. Nach zwei tiefen Zügen warf er sie weg und trat sie aus. Er hob die Heckenschere auf.

»Ich bin sehr müde«, sagte er, und jetzt schien dieses Selbstgespräch ganz normal. Es kam ihm überhaupt nicht mehr verrückt vor. »Es war die Belastung. Die Wespen... das Stück... und wie Al am Telefon mit mir geredet hat. Aber es geht schon wieder.«

Er schleppte sich zum Hotel zurück. Irgend etwas in ihm versuchte, ihn dazu zu veranlassen, einem Umweg um die Heckentiere herum zu machen, aber er ging zwischen ihnen hindurch den Weg hinauf. Ein schwacher Wind schüttelte die Blätter. Sonst geschah nichts. Er hatte sich das alles nur eingebildet. Er hatte entsetzliche Angst gehabt, aber das war jetzt vorbei.

In der Küche des Overlook nahm er zwei Exedrintabletten, blieb noch einen Augenblick und ging dann nach unten, um sich mit einigen Papieren zu beschäftigen, bis er hörte, daß der Lieferwagen auf den Hof fuhr. Er ging hinunter, um die beiden zu begrüßen. Er fühlte sich wohl. Warum sollte er seine Halluzinationen erwähnen? Er hatte entsetzliche Angst gehabt, aber das war jetzt vorbei.

24
Schnee

Es dämmerte.

Im schwindenden Licht standen sie vor dem Eingang, Jack in der Mitte, seinen linken Arm um Dannys Schulter, seinen rechten um Wendys Hüfte gelegte. Gemeinsam schauten sie zu, wie ihnen die Entscheidung abgenommen wurde.

Der Himmel war schon um halb drei bewölkt gewesen, und eine Stunde später hatte es angefangen zu schneien, und diesmal brauchte man keinen Meteorologen, um zu wissen, daß es ernst wurde. Dies war kein Schauer, der schmolz oder weggeblasen wurde, wenn abends Wind aufkam. Erst hatte es ganz leise geschneit, und alles wurde ganz gleichmäßig von Schnee bedeckt, aber jetzt – es schneite schon eine Stunde – kam der Wind von Nordwest und fegte den Schnee gegen den Eingang und an die Seitenwände des Overlook, und auch die Auffahrt zum Hotel war weiß. Die Heckentiere waren kaum noch zu sehen, aber als Wendy nach Hause gekommen war, hatte sie ihn wegen seiner guten Arbeit gelobt. Meinst du wirklich, hatte er gefragt und dann nichts mehr gesagt. Jetzt lagen die Hecken unter einem weißen Mantel begraben, der ihre Konturen kaum noch ahnen ließ.

Seltsamerweise dachten sie alle drei an verschiedene Dinge, gemeinsam aber war ihnen ein Gefühl der Erleichterung. Sie hatten alle Brücken hinter sich abgebrochen.

»Wird es je wieder Frühling werden?« murmelte Wendy.

Jack hielt sie fester. »Eher, als du denkst. Was meinst du, wollen wir nicht reingehen und eine Kleinigkeit essen? Hier draußen ist es kalt.«

Sie lächelte. Den ganzen Nachmittag war Jack so abwesend erschienen. Irgendwie seltsam. Jetzt sprach er wieder wie sonst. »Ist mir recht. Was meinst du dazu, Danny?«

»Oh ja.«

Gemeinsam gingen sie hinein und ließen den Wind draußen, der die ganze Nacht heulen würde – ein Geräusch, das sie noch recht gut kennenlernen sollten. Schneeflocken wirbelten und tanzten vor dem Eingang. Hoch aufragend stellte sich das

Overlook den Naturgewalten, wie es das schon seit einem dreiviertel Jahrhundert getan hatte. Die Simse unter den dunklen Fenstern waren jetzt von Schnee bedeckt, und dem Hotel war es gleichgültig, daß es jetzt von der Außenwelt abgeschnitten war. Vielleicht hatte es sich sogar darauf gefreut. In ihm gingen die drei jetzt ihren abendlichen Beschäftigungen nach, wie Mikroben in den Eingeweiden eines Ungeheuers.

25

In Zimmer 217

Anderthalb Wochen später lagen sechzig Zentimeter weißer und verharschter Schnee auf dem Gelände des Hotels Overlook. Die Heckenmenagerie war bis auf halbe Höhe in Schnee begraben, und das auf den Hinterläufen festgefrorene Kaninchen schien aus einem weißen Teich aufzuragen. Einige Schneewehen waren fast zwei Meter hoch, und der Wind veränderte sie ständig, formte sie zu gewundenen Dünen. Zweimal war Jack unbeholfen auf Schneeschuhen zum Geräteschuppen gelaufen, um eine Schaufel zu suchen, mit der er den Platz vor dem Eingang schneefrei halten wollte. Er fand sie, aber dann gab er auf. Er schaufelte nur vor dem Eingang den Schnee weg, und Danny machte es Spaß, von links oder von rechts die Schneehaufen hinunterzuschlittern und auf dem Weg zu landen. Die wirklich hohen Schneewehen lagen an der Westseite des Overlook; einige von ihnen waren bis zu sechs Meter hoch, und jenseits hatte der Wind den Rasen leergefegt, so daß das Gras wieder zu sehen war. Die Fenster im Erdgeschoß waren nicht mehr zu sehen, und die Aussicht aus dem Speisesaal, die Jack bei Saisonschluß so bewundert hatte, glich jetzt einer leeren Kinoleinwand. Seit acht Tagen war das Telefon ausgefallen, und das CB-Radio in Ullmans Büro war jetzt ihre einzige Verbindung zur Außenwelt.

Es schneite jetzt jeden Tag. Manchmal gab es nur kurze Schauer, die eine neue Puderschicht auf den glitzernden, verharschten Schnee zauberten, und manchmal ging es wirklich los, und der Wind erreichte eine Stärke, daß es sich anhörte, als schrie eine Frau, und das alte Hotel ächzte selbst noch in seinem Schneebett in allen Fugen. Die nächtlichen Temperaturen blieben unter zwölf Grad minus, und obwohl das Thermometer am Lieferanteneingang der Küche am frühen Nachmittag nur vier Grad minus anzeigte, sorgte der schneidende Wind dafür, daß man kaum ohne Ski-Brille ins Freie gehen konnte. Aber wenn die Sonne schien, gingen sie trotzdem alle nach draußen, wobei sie sich besonderes dick anzogen und über ihren Handschuhen Fäustlinge trugen. Nach draußen zu gehen war fast ein Zwang; um das Hotel herum zog sich die Doppelspur von Dannys Schlitten. Die Zusammenstellungen wechselten ständig; mal saß Danny auf dem Schlitten, und seine Eltern zogen; dann nahm Daddy Platz und lachte, wenn Wendy und Danny versuchten, ihn zu ziehen (sie schafften es nur auf verharschtem Schnee). Wenn Neuschnee gefallen war, ging es überhaupt nicht; dann wieder setzten Mommy und Danny sich auf den Schlitten; ein anderes Mal ließ Wendy sich ziehen, während ihre Männer sich mühten und wie Zugpferde schnauften und so taten, als sei Wendy viel zu schwer für sie.

Bei diesen Ausflügen um das Haus wurde viel gelacht, aber die heulende, unpersönliche Stimme des Windes, hohl und alles übertönend, ließ ihr Gelächter blechern und gezwungen klingen.

Sie hatten Karibuspuren im Schnee gesehen, und einmal sahen sie die Tiere selbst. Fünf Karibus standen reglos jenseits des Sicherheitszauns. Sie hatten sich an Jacks Zeiss-Ikon-Feldstecher abgewechselt, um sie besser sehen zu können, und sie zu betrachten hatte Wendy unheimliche und unwirkliche Gefühle eingeflößt: Sie standen bis zum Bauch im Schnee, und ihr wurde klar, daß von nun an bis zum Tauwetter im Frühling die Straße mehr den Karibus als ihnen gehörte. Alles, was der Mensch hier oben erschaffen hatte, war jetzt neutralisiert. Sie war überzeugt, daß auch die Karibus das wußten. Sie hatte das Fernglas zurückgegeben und etwas von Essen zubereiten gesagt, und dann war sie in die Küche gegangen und hatte geweint. Sie mußte loswerden, was sich in ihr aufgestaut hatte und sie so bedrängte, als griffe eine große Hand nach ihrem Herzen. Sie dachte an die Karibus. Sie dachte an die Wespen, die Jack unter der Glasschüssel vor den Lieferanteneingang gestellt hatte, damit sie erfrieren sollten.

An Nägeln hingen im Geräteschuppen eine Menge Schneeschuhe, und Jack fand für jeden von ihnen ein passendes Paar, obwohl Dannys ein wenig zu groß war. Jack konnte mit seinen gut umgehen. Obwohl er seit seiner Kindheit in Berlin, New Hampshire, keine Schneeschuhe mehr unter den Füßen gehabt hatte, lernte er es rasch wieder. Wendy war nicht sonderlich interessiert. Wenn sie auch nur fünfzehn Minuten auf den Dingern herumgelaufen war, taten ihr schon Beine und Knöchel entsetzlich weh. Danny aber hatte viel Spaß daran und gab sich große Mühe, den Trick zu lernen. Er fiel zwar noch oft hin, aber Jack freute sich über seine Fortschritte und meinte, daß Danny bis zum Februar ihnen beiden etwas vormachen würde.

Schon morgens war es bewölkt gewesen, und mittags spuckte der Himmel wieder Schnee. Das Radio kündigte weitere dreißig Zentimeter an und sang das Hosianna des Schnees, jenes großen Gottes der Skiläufer in Colorado. Wendy, die im Schlafzimmer an einem Schal strickte, wußte genau, was die Skiläufer mit all dem Schnee tun konnten. Sie wußte genau, wo sie ihn sich hinstecken konnten.

Jack war im Keller. Er war runtergegangen, um die Heizung und die Kesselanlage zu überprüfen – seit sie vom Schnee eingeschlossen waren, hatte er diese Kontrollgänge zu einer Art Ritual erhoben –, und nachdem er sich vergewissert hatte, daß alles in Ordnung war, hatte er im Keller die Glühbirne festgeschraubt, sich auf einen alten staubigen Feldstuhl gesetzt und die alten Papiere und Dokumente durchgeblättert, wobei er sich ständig mit dem Taschentuch den Mund abwischte. Der fast ständige Aufenthalt in geschlossenen Räumen hatte seine Herbstbräune bleichen lassen, und als er über die vergilbten, knisternden Papiere gebeugt dasaß, das wirre, rötlichblonde Haar in der Stirn, machte er einen leicht verrückten Eindruck. Er hatte zwischen den Rechnungen, Versandpapieren und Quittungen einige merkwürdige Dinge gefunden. Beunruhigende Dinge. Ein blutbeschmiertes Stück Bettlaken. Einen offenbar mit dem Messer zerschlitzten Teddybär. Ein zerknülltes Stück violettes Briefpapier, an dem noch ein Hauch von Parfüm hing, ein angefangener und nicht beendeter Brief in verblaßter blauer Tinte: »*Liebster Tommy, Ich kann hier oben nicht so gut nachdenken, wie ich gehofft hatte, ich meine natürlich über uns beide, über wen sonst? Ha ha ha. Immer kommt etwas dazwischen. Ich habe seltsame Träume gehabt über Dinge, die hier nachts herumpoltern. Es ist nicht zu glauben, und*« Das war alles. Die Notiz trug das Datum vom 27. Juni 1934. Er fand eine Handpuppe, die entweder eine Hexe oder einen Zauberer darstellte – jedenfalls hatte das Ding lange, spitze Zähne und einen spitzen Hut. Die Puppe hatte zwischen Erdgasquittungen und Quittungen für Tafelwasser gelegen.

Er fand ein auf die Rückseite einer Speisekarte geschriebenes Gedicht: »*Medoc – Bist du hier? Mich überkam wieder das Schlafwandeln, mein Lieber. – Die Pflanzen bewegen sich unter dem Teppich.*«

Die Speisekarte trug kein Datum, und unter dem Gedicht stand kein Name, wenn es überhaupt ein Gedicht war. Ihm kam es so vor, als seien alle diese Dinge Teile eines Puzzle-Spiels, die, wenn er die richtigen Verbindungsstücke fand, zusammenpassen würden. Also suchte er weiter, und immer wenn der Brenner hinter ihm wieder ansprang, wischte er sich die Lippen.

Danny stand wieder vor Zimmer 217.

Den Hauptschlüssel hatte er in der Tasche. In einer Art trunkener Gier starrte er die Tür an, und sein Oberkörper schien unter seinem Flanellhemd zu zittern und zu zucken. Er summte leise und tonlos.

Er hatte nicht herkommen wollen, nicht nach der Geschichte mit dem Schlauch vom Feuerlöscher. Er hatte Angst davor, hierherzukommen. Er hatte Angst, weil er schon wieder den Hauptschlüssel genommen und seinem Vater nicht gehorcht hatte.

Aber er *hatte* herkommen wollen. Neugierde

(hat schon viele Katzen umgebracht)

Neugierde hatte ihn wie an einem Angelhaken hergezogen, eine Art eindringlicher Sirenengesang, dem man nicht widerstehen konnte. Und hatte nicht Mr. Hallorann gesagt, daß hier nichts sei, das ihm etwas tun würde?

(Du hast es versprochen.)

(Versprechen machte man, um sie zu brechen.)

Er stürzte sich auf diesen Gedanken. Es war, als ob er von außen gekommen sei, wie ein summendes Insekt und leise schmeichelnd.

(Versprechen machte man, um sie zu brechen, mein lieber Drom, sie zu brechen, zu zersplittern, zu zertrümmern, zu zerschlagen. ACHTUNG!)

Sein nervöses Summen ging in ein leises, atonales Lied über: »Lou, Lou, skip to m'Lou, skip to m'Lou my daaaarlin . . .«

Hatte Mr. Hallorann nicht recht gehabt? Und war das nicht schließlich auch der Grund dafür gewesen, daß er, Danny, geschwiegen und zugelassen hatte, daß sie jetzt vom Schnee eingeschlossen waren?

Schließ einfach die Augen, und es wird verschwinden.

Was er in der Präsidentensuite gesehen hatte, war auch verschwunden. Und die Schlange war nur der Schlauch des Feuerlöschers gewesen, der auf den Teppich gefallen war. Ja, selbst das Blut in der Präsidentensuite war harmlos gewesen, etwas, das lange bevor er geboren wurde, geschehen war, lange bevor man überhaupt an ihn dachte, und das jetzt erledigt war. Wie ein Film, den nur er sehen konnte. Es gab nichts im Hotel, absolut nichts, das ihm etwas tun konnte, und wenn er sich das selbst beweisen konnte, indem er in dieses Zimmer ging, warum sollte er es dann nicht tun?

»Lou, Lou, skip to m'Lou . . .«

(Neugierde hat schon viele Katzen umgebracht, mein lieber Drom, Drom, mein Lieber, aber wenn seine Neugierde befriedigt war, würde er gesund und munter zurückkommen, von Kopf bis Fuß; von oben bis unten würde er gesund und munter sein. Er wußte, daß diese Dinge wie schreckliche Bilder sind, die einem nicht wehtun können, aber oh, mein Gott . . .)

(Großmutter, was hast du für große Zähne, und ist das nun ein Wolf in einem BLAUBARTpelz oder ein BLAUBART in einem Wolfspelz, und ich bin so)

(froh, daß du gefragst hast, denn Neugierde hat schon viele Katzen umgebracht, und es war die HOFFNUNG auf Befriedigung seiner Neugierde, die ihn hergebracht hatte.)

Er war den Flur entlanggegangen und leise über den blauen

Dschungelteppich gehuscht. Beim Feuerlöscher war er stehengeblieben, hatte die Messingdüse in den Rahmen zurückgesteckt, sie unter Herzklopfen wiederholt mit dem Finger angestoßen und geflüstert: »Komm doch und tu mir was. Komm doch und tu mir was, du schäbiger Arsch. Das kannst du nicht, was? Heh? Du bist nur ein schäbiger Wasserschlauch. Du kannst nichts tun als da rumliegen. Komm doch her, komm doch her!« Er hatte sich wahnsinnig stark gefühlt. Und nichts war geschehen. Es war eben doch nur ein Schlauch, nur Leinen und Messing, und man konnte ihn in Stücke hacken, ohne daß er sich beschweren würde. Er würde weder zucken noch sich schlängeln noch den Teppich mit grünem, schleimigem Blut beschmieren, denn er war nur ein Schlauch, kein Bauch, kein Rauch, nicht Glasknöpfe oder Seidenschleifen und auch keine Schlange, die zusammengerollt schlief . . . und er war weitergerannt, war weitergerannt, weil er

(»Ich habe mich verspätet«, sagte das weiße Kaninchen.)

Das weiße Kaninchen war. Ja. Draußen beim Spielplatz war jetzt ein weißes Kaninchen. Früher war es grün gewesen, aber jetz war es weiß, als ob es sich in den stürmischen Schneenächten so oft erschrocken hätte, daß es alt geworden war . . .

Danny nahm den Hauptschlüssel aus der Tasche und ließ ihn ins Schloß gleiten.

»Lou, Lou . . .«

(Das weiße Kaninchen war auf dem Weg zu einer Krocket-Partie gewesen, der Krocket-Partie der Roten Königin, mit Störchen als Schlägern und Igeln als Bällen.)

Er berührte den Schlüssel und ließ die Finger über ihn gleiten. Seine Stirn war ganz trocken, und ihm war übel. Er drehte den Schlüssel, und das Schloß ließ sich leicht entriegeln.

(SCHLAGT IHM DEN KOPF AB! SCHLAGT IHM DEN KOPF AB! SCHLAGT IHM DEN KOPF AB!)

(dies Spiel ist kein Krocket, obwohl die Schläger zu kurz sind, dies Spiel ist)

(WUUUMMMMM! Direkt ins Tor.)

(SCHLAGT IHM DEN KOPF AB!!!!)

Danny stieß die Tür auf. Sie knarrte nicht einmal, sondern öffnete sich ganz leicht. Es war ein kombiniertes Wohn- und Schlafzimmer, und obwohl der Schnee nicht so weit hochreichte – die höchsten Wehen lagen einen Meter unter den Fenstern des zweiten Stocks –, war es dunkel im Raum, denn Daddy hatte vor zwei Wochen alle Läden an der Wetterseite geschlossen.

Er stand an der Tür, tastete nach rechts und fand den Schalter. Unter einer Glaskuppel an der Decke flammten zwei Birnen auf. Danny trat ein und schaute sich um. Das Zimmer war mit einem dicken, flauschigen Teppich von unaufdringlichem Rosa ausgelegt. Eine beruhigende Farbtönung. Ein Doppelbett mit einer weißen Überdecke. Ein Schreibpult

(Bitte, sagt mir: Warum ist ein Rabe wie ein Schreibpult?)

stand an dem großen, mit Läden verschlossenen Fenster. Während der Saison hätte der Schreibende eine herrliche Aussicht auf die Berge, die er seinen Leuten zu Hause beschreiben konnte.

Danny wagte sich weiter vor. Hier war nichts, absolut nichts. Nur ein kalter, leerer Raum, kalt deswegen, weil Daddy heute den Ostflügel beheizte. Ein Schreibtisch. Ein Schrank, dessen geöffnete Tür den Blick auf ein paar Hotelkleiderbügel freigab, die Sorte, die man nicht stehlen kann. Auf einem kleinen Tisch lag eine Bibel. Zur Linken sah er die Tür zum Badezimmer. Der große Spiegel an ihrer Außenseite zeigte ihm sein Bild in ganzer Länge. Er sah blaß aus. Die Tür war nur angelehnt, und –

Er sah seinen Doppelgänger langsam nicken.

Ja, dort mußte es sein, was immer es war. Dort drinnen. Im Badezimmer. Sein Doppelgänger trat vor, als ob er aus dem Spiegelglas fliehen wollte. Er streckte die Hand aus und drückte sie gegen Dannys Hand. Dann verschwand er in einem Winkel, als Danny die Tür zum Bad öffnete. Er schaute hinein.

Ein langer, schmaler Raum, altmodisch wie ein Pullman-Wagen. Der Fußboden hatte winzige, weiße, sechseckige Fliesen. Am hinteren Ende eine Toilette mit hochgeklapptem Dekkel. Zur Rechten ein Waschbecken mit einem Spiegel darüber, hinter dem sich vermutlich die Hausapotheke befand. Zur Linken eine riesige weiße Badewanne mit Klauenfüßen, um die der Vorhang zugezogen war. Danny betrat das Badezimmer und ging wie im Traum zur Wanne hinüber, als ob er sich gar nicht mehr in seinem Körper befände, als sei es einer der angenehmeren Träume, die Tony ihm beschert hatte, vielleicht würde er sogar etwas Schönes sehen, wenn er den Vorhang beiseitezog, etwas, das Daddy verloren oder Mommy vergessen hatte, etwas, das die beiden glücklich machen würde –

Er zog den Vorhang zurück.

Die Frau in der Wanne war schon lange tot. Sie war aufgedunsen und purpurrot, und ihr aufgetriebener Leib hob sich wie eine Insel aus Fleisch zwischen einem Eisrand aus dem Wasser. Ihre Augen fixierten Danny, glasig und groß wie Murmeln. Sie grinste, die purpurnen Lippen fratzenhaft verzerrt. Ihre Brüste ragten hoch, und das Wasser umspülte ihr Schamhaar. Wie Krebsscheren umklammerten die erstarrten Hände an beiden Seiten den weißen Porzellanrand der Wanne.

Danny kreischte auf. Aber kein Laut drang aus seiner Kehle; der Schrei versank tief in der Dunkelheit seines Inneren, wie ein Stein, den man in einen Brunnen wirft. Er taumelte zurück und hörte seine Schritte auf den kleinen, sechseckigen Fliesen, und im gleichen Augenblick konnte er seinen Urin nicht mehr halten, der unaufhaltsam aus ihm herausfloß.

Die Frau setzte sich aufrecht.

Immer noch grinsend, ihre Murmelaugen auf ihn gerichtet, setzte sie sich aufrecht. Ihre toten Handflächen verursachten auf dem Porzellan ein quietschendes Geräusch. Ihre Brüste pendelten wie Wassersäcke, und ganz leise zerbrach das dünne Eis. Sie atmete nicht. Sie war eine Leiche und schon viele Jahre tot.

Danny drehte sich um und rannte. Mit aus den Höhlen quellenden Augen schoß er durch die Badezimmertür. Seine Haare hatten sich aufgerichtet wie die Stacheln eines Igels, den man als Ball mißbrauchte.

(Krocket oder Roque?)

Kein Laut drang aus seiner Kehle. Er raste zur Flurtür, die jetzt geschlossen war. Er trommelte dagegen und dachte keinen Augenblick daran, daß sie unverschlossen war und er nur den Knopf zu drehen brauchte, um hinauszugelangen. Sein Mund stieß ohrenbetäubende Schreie aus, die außerhalb des menschlichen Hörbereichs lagen. Er konnte nur gegen die Tür trommeln und zuhören, wie sich die Frau ihm näherte, mit gedunsenem Leib, trockenem Haar und ausgestreckten Händen – ein Etwas, das vielleicht schon jahrelang ermordet in dieser Badewanne gelegen hatte, einbalsamiert als grauenhafte Zauberei.

Die Tür ging nicht auf. Sie ging und ging nicht auf.

Und dann hörte er Dick Halloranns Stimme, so plötzlich und unerwartet und ruhig, daß seine Stimmbänder sich lösten und er leise zu schreien anfing – nicht vor Angst, sondern vor Erleichterung.

(Ich glaube nicht, daß sie dir etwas tun können ... sie sind wie Bilder in einem Buch ... schließ die Augen, dann verschwinden sie.)

Er senkte die Lider. Seine Hände ballten sich zu Fäusten. Seine Schultern hoben sich unter der angestrengten Konzentration:

(Hier ist nichts, hier ist überhaupt nichts, NICHTS IST HIER, HIER IST NICHTS)

Die Zeit verging. Und als er sich gerade beruhigen wollte, als ihm gerade einfiel, daß die Tür nicht verschlossen war und er das Zimmer verlassen konnte, klammerten sich die seit Jahren feuchten, gedunsenen und nach Fisch riechenden Hände sanft um seinen Hals, und unerbittlich zog es ihn herum, und er starrte in jenes tote, purpurfarbene Gesicht.

Teil Vier
Eingeschneit

26

Traumland

Das Stricken machte sie schläfrig. Heute hätte sogar Bartók sie ermüdet, und aus dem kleinen Plattenspieler klang keine Musik von Bartók, denn sie hatte eine Bachplatte aufgelegt. Ihre Hände bewegten sich immer langsamer, und zu der Zeit, da ihr Sohn die Bekanntschaft der langjährigen Bewohnerin von Zimmer 217 machte, war Wendy mit dem Strickzeug auf dem Schoß eingeschlafen. Garn und Nadeln hoben sich im langsamen Rhythmus ihrer Atemzüge. Ihr Schlaf war tief und traumlos.

Auch Jack Torrance war eingeschlafen, aber sein Schlaf war leicht und unruhig, und er wurde von Träumen gequält, die zu lebhaft waren, als daß es bloße Träume sein konnten – gewiß waren sie lebhafter als alle Träume, die er je gehabt hatte.

Als er in zu je hundert gebündelten Milchrechnungen blätterte – es mußten Tausende gewesen sein –, waren ihm die Augen schwer geworden. Dennoch überflog er jede einzelne, denn er hatte Angst, wenn er nicht gründlich war, genau die Information über das Overlook zu übersehen, die er brauchte, um die mystische Verbindung herzustellen, die es irgendwo geben mußte. Er kam sich vor wie ein Mann, der mit dem Kabel in der Hand in einem dunklen Raum, der ihm nicht vertraut war, die Steckdose suchte. Wenn er sie fand, würde er wunderbare Dinge erfahren.

Er hatte sich mit Al Shockleys Anruf und seinen dringenden Wünschen auseinandergesetzt und war zu einem Entschluß gekommen; sein seltsames Erlebnis auf dem Spielplatz hatte ihm das erleichtert. Das hatte irgendeiner Art von Zusammenbruch verdammt ähnlich gesehen, und er war überzeugt, daß diese Halluzination eine Revolte seines Verstandes gegen die Anmaßung darstellte, mit der Al von ihm verlangt hatte, sein Buchprojekt aufzugeben. Sie war vielleicht ein Signal dafür gewesen, daß man seine Selbstachtung nur bis zu einem bestimmten Punkt verletzen konnte, ehe sie völlig auseinanderbrach. Er würde das Buch schreiben. Wenn es das Ende seiner Freundschaft mit Al bedeutete, ließ es sich eben nicht ändern. Er würde die Biographie des Hotels schreiben, ohne etwas zu beschönigen, und in der Einleitung würde er von seiner Halluzination berichten, wie sich die Heckentiere bewegt hatten. Der Titel, den er ins Auge gefaßt hatte, klang vielleicht nicht nach Geistesblitz, aber als Arbeitstitel mochte er hinreichen: *Ein seltsamer Ort, die Geschichte des Overlook Hotels*. Gewiß, er wollte nichts beschönigen, aber rachsüchtige Gefühle sollten in dem Buch keinen Niederschlag finden. Er dachte nicht daran, es Stuart Ullman, George Hatfield oder seinem eigenen Vater (diesem widerlichen und brutalen alten Trunkenbold) heimzuzahlen. Auch sonst niemandem. Er würde das Buch schreiben, weil das Overlook ihn faszinierte – gab es eine einfachere oder ehrlichere Erklärung? Er würde es aus dem einzigen Grund schreiben, aus dem je große Literatur entstand, ob Dichtung oder Sachbuch: Die Wahrheit kommt an den Tag. Früher oder später. Er würde es schreiben, weil er es schreiben mußte.

Fünfhundert Gallonen Vollmilch. Hundert Gallonen Magermilch. Bezahlt. Abgebucht. Hunderfünfzig Liter Orangensaft. Bezahlt.

Er ließ sich tiefer in den Sessel gleiten und hielt immer noch ein Bündel Rechnungen in der Hand, aber seine Augen sahen nicht mehr das Gedruckte. Sie starrten ins Leere. Nur langsam bewegten sich seine Lider und wurden immer schwerer. Seine Gedanken lösten sich vom Overlook, und plötzlich dachte er an seinen Vater, der im Gemeindehospital in Berlin Pfleger gewesen war. Ein hochgewachsener Mann. Ein fetter Kerl von über einsneunzig. Er war auch dann noch größer, als Jack seine Endgröße von einsdreiundachtzig erreicht hatte – natürlich war der alte Mann zu der Zeit schon tot. »Du bist der Zwerg aus dem ganzen Wurf«, pflegte der Alte zu sagen, wobei er lachte und Jack in die Rippen stieß. Es hatte noch zwei weitere Brüder gegeben, die größer als ihr Vater waren, und dann war da noch Becky, nur fünf Zentimeter kleiner als Jack, obwohl sie als Kind immer größer gewesen war als er.

Jacks Beziehungen zu seinem Vater hatte sich wie eine schöne Blume entwickelt, die, als sie voll erblüht war, das böse Gift in ihrem Blütenkelch zum Vorschein kommen ließ. Bis er sieben Jahre alt war, hatte er diesen fettleibigen Mann unkritisch geliebt, und das trotz aller Prügel und eines gelegentlichen blauen Auges.

Er erinnerte sich an samtene Sommerabende, das Haus war ruhig, der älteste Bruder Brett mit seinem Mädchen ausgegangen, der mittlere Bruder las irgend etwas, Becky saß mit Mutter im Wohnzimmer vor dem altersschwachen Fernsehgerät; und er selbst saß, nur mit seiner Pyjamajacke bekleidet, auf dem Flur und tat so, als spielte er mit seinen Autos. In Wirklichkeit wartete er darauf, daß die Tür aufgerissen wurde und sein Vater ihn lautstark begrüßte. Wie deutlich hatte Jack das Bild vor sich: Der große Mann, dessen rosige Kopfhaut unter dem Bürstenhaarschnitt zu sehen war, trug, wenn er nach Hause kam, meistens noch seine Berufskleidung und sah in seinem weißen Kittel wie ein überdimensionales Gespenst aus. Sein Hemd, das manchmal blutbespritzt war, trug er ständig offen, und die Aufschläge seiner zu langen Hose fielen über seine schwarzen Schuhe.

Sein Vater nahm ihn dann auf und warf ihn hoch in die Luft, so schnell, daß er im Kopf den Luftdruck zu spüren glaubte, und dabei schrien beide »Fahrstuhl! Fahrstuhl!« Aber es hatte auch Abende gegeben, da sein Vater ihn in seinem Suff zwar hochgeworfen, aber nicht wieder aufgefangen hatte, so daß er hinter seinem Vater auf dem Fußboden landete. Manchmal schüttelte sein Vater ihn nur, und Jack roch dann den Bierdunst in seinem Atem.

Die Quittungen glitten ihm aus der Hand und segelten durch die Luft, um träge auf dem Fußboden zu landen; hinter seinen nun geschlossenen Lidern hatte er das Bild seines Vaters vor Augen. Er gab sich einen Ruck und hob die Lider, aber wie die Quittungen oder wie fallende Blätter segelte auch sein Bewußtsein langsam davon.

Das war die erste Phase seiner Beziehung zu seinem Vater gewesen, und als sie endete, erkannte er, daß Becky und seine Brüder, die alle älter waren, den Vater haßten, und daß seine Mutter, eine schwer einzuordnende Frau, die selten laut sprach, ihn nur deshalb noch ertrug, weil ihre katholische Erziehung ihr das vorschrieb. In jenen Tagen war es Jack nicht einmal seltsam vorgekommen, daß der Vater jede Meinungsverschiedenheit mit den Kindern durch seine Fäuste zu seinen Gunsten entschied, und es hatte Jack auch nicht gewundert, daß seine Liebe zu ihm ständig mit Angst verbunden war: Angst vor dem Fahrstuhlspiel, bei dem er sich jeden Abend die Knochen brechen konnte; Angst vor den groben Scherzen seines Vaters an dessen freien Tagen, die jederzeit in wildes Gebrüll umschlagen konnten, gefolgt von Schlägen mit seiner »guten rechten Hand«; und er erinnerte sich, daß er beim Spielen manchmal Angst davor hatte, daß der Schatten seines Vaters sich plötzlich über ihn legen könnte. Gegen Ende dieser Phase fiel ihm auf, daß Brett seine Freundinnen nie mit nach Hause brachte und Mike und Becky mit ihren Freunden und Freundinnen das Haus ebenfalls mieden.

Als Jack neun war, erfuhr seine Liebe eine starke Beeinträchtigung. Vater hatte seine Frau mit einem Stock krankenhausreif geschlagen. Bei einem Autounfall hatte er sich vor einem Jahr eine Gehbehinderung zugezogen und benutzte seitdem einen Stock, den er kaum je aus der Hand legte. Er war lang und schwarz und dick und hatte einen goldenen Knauf. Jetzt, im Schlaf, duckte Jack sich, als wollte er einem Schlag ausweichen, und er erinnerte sich dabei an das Geräusch, wenn der Stock durch die Luft sauste, ein mörderisches Zischen, und wenn er gegen die Wand krachte oder auf Fleisch klatschte. Er hatte Mutter ohne jeden Grund geschlagen, plötzlich und ohne Vorwarnung. Sie hatten abends zu Tisch gesessen. Der Stock hatte neben seinem Stuhl gestanden. Es war Sonntagabend, für Daddy der Abschluß eines dreitägigen Wochenendes, das er in seinem unnachahmlichen Stil mit Saufen zugebracht hatte. Es gab Brathuhn mit Erbsen und Kartoffelbrei. Daddy saß mit vollgehäuftem Teller oben am Tisch und war im Begriff einzunicken. Mutter reichte die Teller herum. Und plötzlich war Daddy hellwach gewesen, und seine Augen funkelten vor Wut.

Er schaute von einem Familienmitglied zum anderen, und seine Stirnader schwoll, immer ein schlechtes Zeichen. Eine seiner großen, sommersprossigen Hände lag auf dem Goldknauf des Stocks und streichelte ihn. Er sagte etwas von Kaffee – bis heute war Jack ganz sicher, daß sein Vater »Kaffee« gesagt hatte. Mutter wollte gerade antworten, als auch schon der Stock durch die Luft zischte und sie schwer im Gesicht traf. Blut spritzte ihr aus der Nase, und ihre Brille fiel in die Soße. Wieder fuhr der Stock nieder und traf sie auf den Kopf, daß ihr die Haut aufplatzte. Mutter war zu Boden gestürzt. Vater war vom Stuhl aufgesprungen und um den Tisch herumgerannt. Er schwang den Stock und bewegte sich mit der grotesken, raschen Behendigkeit der Dicken. Sein Gesicht zuckte, als er zu ihr sprach, wie er bei solchen Ausbrüchen auch zu den Kindern zu sprechen pflegte. »Bei Gott, du kriegst jetzt deine Prügel. Du gottverdammtes Hundevieh. Du Welpe. Komm und hol dir deine Prügel ab.« Mehrere Male drosch er noch auf sie ein, bis Brett und Mike ihn festhielten, von ihr wegzerrten und ihm den Stock entwanden. Jack

(der kleine Jacky, er war jetzt der kleine Jacky, der auf einem mit Spinnweben bedeckten Feldstuhl saß und im Schlaf vor sich hin murmelte)

wußte genau, wie viele Schläge es gewesen waren, denn jedes Klatschen des Stocks auf den Körper seiner Mutter hatte sich seinem Gedächtnis wie mit einem Meißel eingegraben. Siebenmal hatte es geklatscht. Nicht mehr, nicht weniger. Er und Becky hatten geweint und ungläubig auf Mutters Brille gestarrt, die im Kartoffelbrei lag, ein zerbrochenes Glas mit Soße beschmiert. Brett hatte Daddy vom Flur her angeschrien und ihm gesagt, daß er ihn umbringen würde, wenn er sich bewegte. Und Daddy hatte immer wieder gesagt: »Du verdammter kleiner Hund. Verdammter kleiner Welpe. Gib mir meinen Stock. Verdammtes Hundevieh. Gib ihn mir.« Und Brett hatte hysterisch den Stock geschwungen und gesagt: »Ja, ja, ich gebe ihn dir, wenn du dich nur einen Schritt bewegst. Ich gebe dir alles, was du brauchst und zwei extra. Ich gebe dir *reichlich.*« Benommen und mit geschwollenem Gesicht war Mutter langsam wieder aufgestanden. Sie hatte an vier oder fünf Stellen geblutet, und sie hatte etwas Schreckliches gesagt, vielleicht die einzigen Worte seiner Mutter, an die er sich ganz genau erinnern konnte: »Wer hat die Zeitung? Daddy will die Witze lesen. Regnet es schon?« Und dann war sie wieder auf die Knie gesunken, und das Haar hing ihr ins geschwollene und blutende Gesicht. Mike rief den Arzt an und brabbelte irgend etwas in die Muschel. Ob er sofort kommen könne? Es handele sich um ihre Mutter. Nein, er könne nicht sagen, was los sei. Nicht am Gemeinschaftstelefon. Er müsse aber *kommen*. Der Doktor kam und brachte Mommy in das Krankenhaus, in dem Daddy sein ganzes Leben lang gearbeitet hatte. Daddy, inzwischen ein wenig ernüchtert (oder vielleicht nur mit der List eines in die Enge getriebenen Tieres), erzählte dem Arzt, sie sei die Treppe hinuntergefallen. Das Tischtuch war blutig, denn er hatte versucht, ihr damit das Gesicht abzuwischen. Und war ihre Brille ganz durch das Wohnzimmer ins Eßzimmer geflogen, um auf dem Kartoffelbrei und der Soße zu landen? fragte der Arzt mit einem schrecklichen sarkastischen Grinsen. War es tatsächlich so, Mark? Ich habe von Leuten gehört, die mit ihren Goldplomben Radiosender empfangen können, und ich habe einen Mann gesehen, dem man zwischen die Augen geschossen hatte und der überlebte und darüber berichten konnte, aber dies hier ist neu für mich. Aber Daddy hatte nur den Kopf geschüttelt und gesagt, er wisse von nichts; sie mußte die Brille verloren haben, als er sie durch das Eßzimmer trug. Angesichts der Ungeheuerlichkeit dieser Lüge standen die vier Kinder schweigend und wie benommen daneben. Vier Tage später gab Brett seinen Job in der Fabrik auf und ging zur Armee. Jack hatte immer empfunden, daß er es nicht nur wegen der plötzlichen, sinnlosen Prügel getan hatte, die der Vater bei Tisch verabreicht hatte, sondern auch deshalb, weil Mutter im Krankenhaus Vaters Geschichte bestätigt hatte, während der Gemeindepfarrer ihr die Hand hielt. Angewidert hatte Brett sie ihrem Schicksal überlassen. 1965 war er in der Provinz Dong Ho gefallen. Zu der Zeit hatte Jack gerade angefangen zu studieren, und er beteiligte sich aktiv an Demonstrationen gegen den Vietnamkrieg. Bei den Aufmärschen mit ständig wachsender Teilnehmerzahl schwenkte er das blutige Hemd seines Bruders, aber wenn er sprach, hatte er nicht Bretts Gesicht vor Augen – es war das Gesicht seiner Mutter, ihr bestürztes, verständnisloses Gesicht, und er hörte sie fragen: »Wer hat die Zeitung?«

Mike verschwand drei Jahre später, als Jack zwölf war – mit einem reichlich bemessenen Stipendium ausgestattet, nahm er sein Studium auf. Ein Jahr später starb Jacks Vater plötzlich an einem Schlaganfall, der ihn ereilte, als er gerade einen Patienten für die Operation vorbereitete. Er war in seiner weißen Hospitalkleidung zusammengebrochen und möglicherweise schon tot gewesen, bevor er auf den schwarzroten Krankenhausfliesen aufschlug. Drei Tage später lag der Mann, der Jacks Leben bestimmt hatte, dieser weiße Geistergott, unter der Erde.

Auf dem Grabstein stand *Unser lieber Vater Mark Antony Torrance.* Dem hätte Jack eine Zeile hinzufügen können: *Er konnte gut Fahrstuhl spielen.*

Es hatte eine Menge Geld von der Versicherung gegeben. Es gibt Leute, die Versicherungen sammeln wie andere Münzen oder Briefmarken, und so ein Typ war Mark Torrance gewesen. Das Versicherungsgeld traf ein, und die Beitragszahlungen hörten auf, und es kamen auch keine Schnapsrechnungen mehr ins Haus. Fünf Jahre lang waren sie reich gewesen. Fast reich...

In seinem leichten, unruhigen Schlaf sah er sein Gesicht wie in einem Spiegel vor sich, nicht das Gesicht seines Vaters, sondern sein eigenes, die großen Augen und den unschuldig verzerrten Mund eines kleinen Jungen, der auf dem Flur mit seinen Autos spielt und auf seinen Daddy wartet, auf den weißen Geistergott wartet, auf den Fahrstuhl wartet, in dem er eine schwindelerregende Fahrt antreten würde durch den Salz- und Sägemehldunst der ausgeatmeten Kneipenluft, immer in der Angst, krachend auf dem Fußboden zu landen, wobei ihm dann zerbrochene Uhrfedern aus den Ohren quellen würden, während sein Vater vor Lachen brüllte, und es

(verwandelte sich in Dannys Gesicht, das so ähnlich aussah wie früher sein eigenes, wenn auch seine Augen blau waren und Dannys wolkengrau, aber auch Dannys Mund war verzerrt und seine Gesichtsfarbe hell; er sah Danny in Trainingshosen in seinem Arbeitszimmer, alle seine Papiere durchweicht, und wie ein Nebel der Bierdunst... dann schrecklicher Lärm, alles in Gärung, auf Hefeschwingen, der Atem der Tavernen... das

Knacken von Knochen... seine eigene Stimme... trunkenes Gejammer, *Danny, ist alles in Ordnung, Doc?...* Oh Gott, oh Gott, dein armer kleiner Arm... und das Gesicht verwandelte sich in)

(Mutters bestürztes Gesicht, das unter dem Tisch hervorkam, angeschwollen und blutend, und Mutter sagte)

(»– von deinem Vater. Ich wiederhole: eine ungeheuer wichtige Durchsage deines Vaters. Bitte stell sofort Jacks Fröhliche Welle ein. Ich wiederhole, stell bitte sofort die Frequenz der Fröhlichen Stunde ein. Ich wiederhole –«)

Dann löste sich alles langsam auf. Das Echo körperloser Stimmen hallte wie durch einen langen, öden Korridor zu ihm herüber.

(Immer kommt etwas dazwischen, lieber Tommy...)

(Medoc, bist du hier? Mich überkam wieder das Schlafwandeln, mein Lieber. Was ich fürchte, sind die unmenschlichen Ungeheuer...)

(»Entschuldigen Sie bitte, Mr. Ullman, aber ist dies nicht das...«)

...Büro mit seinen Aktenschränken, Ullmans großem Schreibtisch, und Blankoformularen für Reservierungen im nächsten Jahr schon säuberlich zurechtgelegt – dieser Ullman denkt auch an alles –, und die Schlüssel hingen alle ordentlich an ihren Haken.

(außer einem, welchem, außer welchem Schlüssel, der Hauptschlüssel – Hauptschlüssel, wer hat den Hauptschlüssel? Wenn er nach oben ginge, würde er es vielleicht herausbekommen)

und das mit einem Radio kombinierte Funkgerät stand an Ort und Stelle.

Er schaltete es an. Kurze, knackende CB-Geräusche. Er ging auf eine andere Frequenz und glitt die Skala entlang. Musikfetzen, die eindringlichen Worte eines Priesters an seine Gemeinde, ein Wetterbericht. Und dann eine Stimme, die er sofort wieder einstellte. Es war die Stimme seines Vaters.

»–bring ihn um. Du mußt ihn umbringen, Jacky, und sie auch. Denn ein wahrer Künstler muß leiden. Denn ein Mann tötet, was er liebt. Sie werden sich immer wieder gegen dich verschwören, versuchen, dich zurückzuhalten und dich hinabzuziehen. Genau in diesem Augenblick ist dein Sohn, wo er nicht sein sollte. Er übertritt Verbote. Ja, das tut er. Er ist ein gottverdammter kleiner Hund. Schlag ihn dafür mit dem Stock, Jacky, schlag ihn halb tot. Trink 'ne Kleinigkeit, Jacky, mein Junge, und dann spielen wir das Fahrstuhlspiel. Und dann geh ich mit, wenn du ihn verprügelst. Ich weiß, daß du es schaffst, natürlich schaffst du es. Du mußt ihn umbringen. Du mußt ihn umbringen, Jacky, und sie auch. Denn ein wahrer Künstler muß leiden. Denn ein Mann tötet –«

Die Stimme seines Vaters wurde immer lauter und höher, sie machte ihn rasend, sie hatte überhaupt nichts Menschliches mehr, sie kreischte und wütete und machte ihn verrückt, es war die Stimme des Geistergottes, des Schweinegottes, die ihn aus dem Radio heraus direkt traf, und –

»Nein!« brüllte er zurück. »Du bist *tot*, du liegst in deinem Grab. In mir bist du nicht mehr vorhanden!« Denn er hatte sich seinen Vater aus dem Herzen gerissen, und es war nicht recht, daß er zurückkam, daß er, zweitausend Meilen von der Stadt in New England entfernt, in der er gelebt hatte und gestorben war, durch dieses Hotel kroch.

Jack hob das CB-Radio hoch auf und schleuderte es mit aller Gewalt auf den Fußboden. Die Trümmer spritzten nach allen Seiten, und zerbrochene Röhren, zerrissene Drähte und Glassplitter lagen überall im Büro, als sei ein Fahrstuhlspiel schiefgegangen, und seines Vaters Stimme war weg, und es gab nur noch Jacks Stimme, die laut in die nüchterne Sachlichkeit des Büros hineinbrüllte:

»– tot, du bist tot, du bist tot!«

Und dann über seinem Kopf Wendys hastende Schritte und ihre erschrockene, ängstliche Stimme: »Jack? *Jack?*«

Er stand da und schaute auf das zertrümmerte Radio. Jetzt war das Schneemobil ihre einzige Verbindung zur Außenwelt.

Er hielt sich die Hände vor die Augen und griff sich an die Schläfen. Er hatte wieder Kopfschmerzen.

27
Katatonisch

Wendy rannte ohne Schuhe den Korridor entlang und die Haupttreppe hinunter, wobei sie zwei Stufen auf einmal nahm. Sie schaute nicht zu der Treppe hinüber, die zum zweiten Stock führte, aber wenn sie es getan hätte, wäre ihr Danny nicht entgangen, der dort oben stand und mit leeren Augen in irgendeine Ferne blickte. Er hatte den Daumen im Mund, sein schweißnasses Hemd klebte ihm am Körper, und am Nacken und dicht unter dem Kinn hatte er geschwollene rote Flecken.

Jack schrie nicht mehr, aber das konnte ihr die Angst nicht nehmen. Seine Stimme, laut und heftig, wie sie sie von früher kannte, hatte sie aus dem Schlaf gerissen, und sie glaubte immer noch zu träumen – aber sie wußte, daß sie wach war, und das vergrößerte ihr Entsetzen. Halb fürchtete sie, Jack im Büro verwirrt und betrunken vorzufinden, während Danny sich am Boden wand.

Sie stieß die Tür auf, und Jack stand da und rieb sich mit den Fingern die Schläfen. Sein Gesicht war kalkweiß. Das kombinierte Radio und CB-Funkgerät lag zerschmettert auf dem mit Glassplittern übersäten Boden.

»Wendy?« fragte er unsicher. »Wendy –«

Seine Verwirrung schien immer größer zu werden, und in diesem Augenblick sah sie sein wahres Gesicht, das er sonst so meisterhaft verbergen konnte, ein Gesicht, das verzweifelte Not verriet, das Gesicht eines Tieres, das sich in einer Schlinge gefangen hatte, die es nicht begriff und aus der es sich nicht befreien konnte. Dann fingen seine Muskeln an zu arbeiten und zuckten unter der Haut. Die Lippen zitterten kraftlos, und sein Adamsapfel bewegte sich auf und ab.

Ihre anfängliche überraschte Verwirrung wich tiefer Erschütterung: Er weinte. Sie hatte ihn schon weinen sehen, aber noch nie, seit er nicht mehr trank ... und auch damals nur, wenn er sehr betrunken war und ein erbärmlich schlechtes Gewissen hatte. Er konnte seine Gefühle sonst gut verbergen, und als sie jetzt sah, daß er seine Selbstkontrolle verlor, kam die alte Angst zurück.

Er ging auf sie zu, und Tränen standen ihm in den Augen. Er schüttelte den Kopf, als wollte er diesen Gefühlsansturm abwehren. Zitternd atmete er tief ein und schluchzte dann qualvoll auf. Mit seinen Hush-Puppies stolperte er über die Trümmer des Radiogerätes und fiel ihr fast in die Arme, so daß sein Gewicht sie taumeln ließ. Sein Atem traf ihr Gesicht, aber sie roch keinen Alkohol. Natürlich nicht; hier oben gab es keinen.

»Was ist passiert?« Sie hielt ihn fest, so gut sie konnte. »Was ist los, Jack?«

Aber vorläufig konnte er nur schluchzen und sich an sie klammern, daß es ihr fast den Atem nahm. In einer hilflosen Abwehrgeste wandte sie das Gesicht ab. Er schluchzte jetzt so wild, daß er am ganzen Körper zitterte und sich unter seinem karierten Wollhemd alle Muskeln anspannten.

»Jack? Was? Sag mir doch, was du hast!«

Endlich wurden seine Schluchzer zu unzusammenhängenden Worten, die erst zu verstehen waren, als er keine Tränen mehr hatte.

». . . ein Traum, ich glaube, es war ein Traum, aber er war so wirklich, daß ich . . . es war meine Mutter. Sie sagte, daß Daddy im Radio sprechen würde, und ich . . . er sagte . . . er sagte mir, ich sollte . . . ich weiß nicht, aber er *schrie* . . . und da habe ich das Radio kaputtgemacht . . . damit er das Maul hält. Er sollte nur das Maul halten. Er ist tot. Ich will nicht einmal von ihm träumen. Er ist tot. Mein Gott, Wendy, mein Gott. Einen solchen Alptraum habe ich noch nie gehabt. Das möchte ich nie wieder erleben. Mein Gott! Es war entsetzlich.«

»Bist du denn im Büro eingeschlafen?«

»Nein . . . nicht hier. Unten im Keller.« Er richtete sich ein wenig auf und befreite sie von seinem Gewicht.

»Ich habe alte Papiere durchgesehen. Milchrechnungen. Furchtbar langweilig. Ich muß wohl eingenickt sein. Und dann fing ich an zu träumen. Ich muß im Schlaf nach oben gegangen sein.«

Ihm mißlang ein Lachen. »Wieder ist etwas zum ersten Mal geschehen.«

»Wo ist Danny, Jack?«

»Das weiß ich nicht. Ist er nicht bei dir?«

»War er nicht . . . bei dir im Keller?«

Er sah ihren Blick, und sein Gesicht verhärtete sich. »Das darf ich wohl nie vergessen, nicht wahr, Wendy?«

»Jack –«

»Noch an meinem Totenbett wirst du dich über mich beugen und sagen: ›Das geschieht dir recht. Weißt du noch, wie du Danny den Arm gebrochen hast?‹«

»Jack!«

»Jack was?« fragte er wütend und richtete sich hoch auf. »Willst du etwa abstreiten, daß du das denkst? Daß ich ihm wehgetan habe? Daß ich ihm einmal wehgetan habe und es jederzeit wieder tun könnte?«

»Ich will nur wissen, wo er ist. Das ist alles!«

»Dann geh doch los und schrei dir deine blöde Zunge aus dem Hals. Dann wird sich das ja klären.«

Sie wandte sich ab und ging zur Tür.

Er sah sie gehen und verharrte einen Augenblick wie angewachsen, ein mit Glasscherben übersätes Stück Löschpapier in der Hand. Dann ließ er es in den Papierkorb fallen und ging hinterher. Er holte sie in der Rezeption ein, legte ihr die Hände auf die Schultern und drehte sie zu sich herum. Ihr Gesichtsausdruck wirkte bemüht gleichgültig.

»Wendy, es tut mir leid. Es war der Traum. Ich habe mich so aufgeregt. Verzeihst du mir?«

»Natürlich«, sagte sie, aber ihr Gesichtsausdruck veränderte sich nicht. Mit steifen Schultern entwand sie sich ihm. Sie ging weiter ins Foyer hinein und rief: »Heh Doc, wo bist du?«

Die Antwort war Schweigen. Sie ging zur Doppeltür, die vom Foyer nach draußen führte, und trat auf den Weg hinaus, den Jack freigeschaufelt hatte. Er war wie ein Graben. Der zur Seite geschaufelte Schnee reichte ihr bis zu den Schultern. Wieder rief sie Danny, und ihr Atem hing in der Luft wie eine weiße Feder. Als sie wieder zurückkam, sah sie besorgt aus.

Jack war sehr ärgerlich, aber er beherrschte sich und fragte ganz ruhig: »Bist du *sicher*, daß er nicht in seinem Zimmer ist und schläft?«

»Ich sagte dir doch, daß er irgendwo spielte, als ich strickte. Ich konnte ihn unten hören.«

»Bist du denn auch eingeschlafen?«

»Was hat denn das damit zu tun? Ja. *Danny!*«

»Hast du in seinem Zimmer nachgesehen, bevor du nach unten kamst?«

»Ich –« Sie schwieg.

Er nickte. »Das habe ich mir fast gedacht.«

Er eilte die Treppe hinauf, ohne auf sie zu warten. Sie folgte ihm, so schnell sie konnte, aber er nahm zwei Stufen auf einmal. Als er den ersten Stock erreicht hatte, blieb er so abrupt stehen, daß sie fast gegen ihn gerannt wäre. Mit aufgerissenen Augen stand er wie angewurzelt.

»Was –?« Sie folgte seinem Blick.

Mit ausdruckslosen Augen stand Danny oben auf der Treppe zum zweiten Stock, den Daumen im Mund. Die Druckstellen an seinem Hals waren im Schein der Flurbeleuchtung grausam sichtbar.

»Danny!« kreischte sie.

Das löste Jacks Lähmung, und sie rannten zusammen die Treppe hinauf. Wendy sank neben Danny auf die Knie und riß den Jungen in die Arme. Danny ließ es mit sich geschehen, aber er umfaßte sie nicht. Es war, als hielte sie ein gepolstertes Brett im Arm, und in ihrem Mund lag der süßliche Geschmack des Grauens. Er lutschte weiter an seinem Daumen und schaute gleichgültig an ihnen vorbei zur Treppenspindel.

»Danny, was ist passiert?« fragte Jack. Er streckte die Hand aus, um die geschwollene Stelle an Dannys Hals zu berühren. »Wer hat dich –«

»Faß ihn nicht an!« zischte Wendy. Sie umklammerte Danny ganz fest und war schon halb die Treppe hinuntergelaufen, bevor Jack auch nur aufstehen konnte. Er wußte nicht, wie ihm geschah.

»Was? Wendy, was zum Teufel ist denn –«

»Hände weg! Ich bring' dich um, wenn du ihn noch einmal anfaßt!«

»Wendy –«

»Du verdammtes Schwein!«

Sie wandte sich ab und rannte die restlichen Stufen zum ersten Stock hinunter. Dannys Kopf wippte dabei auf und ab, aber er behielt den Daumen im Mund. Seine Augen waren wie eingeseifte Fenster. Unten an der Treppe bog sie nach rechts, und Jack hörte sie den Korridor entlanggehen. Die Schlafzimmertür wurde zugeschlagen, der Riegel vorgeschoben, und der Schlüssel drehte sich im Schloß. Dann hörte er gedämpft, wie Wendy versuchte, Danny zu trösten.

Jack blieb noch eine ganze Weile stehen. Es war so viel in so kurzer Zeit geschehen, daß er buchstäblich wie gelähmt war. Er war noch halb im Traum, und alles erschien unwirklich. Es war, als hätte er eine mäßige Dosis Meskalin genommen. Hatte er tatsächlich Danny verletzt, wie Wendy glaubte? Auf seines Vaters Verlangen versucht, seinen Sohn zu erwürgen? Nein. Er würde Danny niemals wehtun.

(Er ist die Treppe hinuntergefallen, Doktor.)

Er würde Danny nie etwas antun.

(Ich konnte doch nicht wissen, daß das Gerät mit dem Insektenvertilgungsmittel nicht funktionieren würde.)

Nie im Leben war er absichtlich bösartig gewesen, wenn er nüchtern war.

(Außer als du George Hatfield fast totschlugst.)

Wendy saß mit Danny auf dem Schoß in dem zu weich gepolsterten Sessel am Fenster, hielt ihn fest und leierte die alten, sinnlosen Trostworte herunter, die man sofort wieder vergißt. Er hatte sich ohne Protest, aber auch ohne Vergnügen auf ihrem Schoß zusammengerollt und schaute nicht einmal zur Tür, als Jack irgendwo auf dem Flur laut »Nein!« schrie.

Ihre Verwirrung hatte sie ein wenig zurückgedrängt, aber jetzt erkannte sie dahinter etwas weit Schlimmeres. Panik.

Sie zweifelte nicht daran, daß Jack es getan hatte. Sein Leugnen war für sie ohne Bedeutung. Sie hielt es für durchaus möglich, daß Jack im Schlaf versucht hatte, Danny zu erwürgen, genauso wie er im Schlaf das CB-Radio zertrümmert hatte. Er erlebte gerade eine Art Zusammenbruch. Aber was konnte sie tun? Sie konnte sich hier ja nicht für immer einschließen. Sie würden zum Beispiel essen müssen.

Es gab eigentlich nur eine Frage, und die stellte sie sich ganz pragmatisch und mit eiskaltem Verstand. Als Mutter stellte sie sich diese Frage, und sie hatte nichts zu tun mit der engen Bindung zwischen Mutter und Kind, sondern konzentrierte sich auf Jack. Es ging um die Bewahrung ihres Sohnes und erst in zweiter Linie um Selbsterhaltung. Und die Frage lautete:

(Wie gefährlich ist er?)

Er hatte seine Tat geleugnet. Er war über Dannys Verletzungen und seine leise, aber unerbittliche Entrückung entsetzt gewesen. Wenn er es getan hatte, war ein anderer Teil von ihm dafür verantwortlich gewesen. Die Tatsache, daß er es im Schlaf getan hatte, war – auf perverse Weise – sogar entmutigend. Konnte man ihm noch zutrauen, daß er sie von hier wegbringen würde? Weg aus diesem Hotel? Und danach ...

Danny und sie mußten nur wohlbehalten Dr. Edmonds Büro erreichen. An die fernere Zukunft mochte sie noch nicht denken. Das konnte sie auch vorläufig gar nicht. Die gegenwärtige Krise reichte ihr fürs erste.

Sie summte Danny etwas vor und wiegte ihn an ihrer Brust. Ihre Finger an seinen Schultern registrierten, daß sein Hemd feucht war, aber sie leiteten die Information nur flüchtig an ihr Gehirn weiter. Wenn sie es bewußt zur Kenntnis genommen hätte, wäre ihr eingefallen, daß Jacks Hände, als er sie im Büro weinend umarmt hatte, trocken gewesen waren. Dann hätte sie vielleicht umdenken können. Aber ihre Gedanken beschäftigten sich mit anderen Dingen. Sie mußte eine Entscheidung treffen – sollte sie mit Jack reden oder nicht?

In Wirklichkeit war es keine echte Entscheidung. Allein konnte sie nichts unternehmen, nicht einmal Danny ins Büro hinuntertragen und über das CB-Radio um Hilfe rufen. Er hatte einen erheblichen Schock erlitten. Man mußte ihn schnell von hier wegschaffen, bevor bleibender Schaden entstand. Sie wollte einfach nicht glauben, daß dieser bleibende Schaden schon eingetreten sein konnte.

Dennoch machte es ihr schwer zu schaffen, und sie suchte nach einer Alternative. Auf keinen Fall wollte sie Danny wieder Jacks Zugriff aussetzen. Sie wußte genau, daß sie eine falsche Entscheidung getroffen hatte, als sie gegen ihr (und Dannys) Gefühl gehandelt und gezögert hatte, bis sie eingeschneit waren ... Jacks wegen. Ein weiterer Fehler war es gewesen, den Gedanken an eine Scheidung zu verwerfen. Die Vorstellung, daß sie vielleicht im Begriff war, etwas zu tun, das sie jeden Tag und jede Minute ihres Lebens bereuen würde, lähmte sie.

Eine Schußwaffe gab es nicht. An den Magnetschienen in der Küche hingen Messer, aber dazwischen lauerte Jack.

Während sie versuchte, die richtige Entscheidung zu treffen, die Alternative zu finden, fiel ihr die bittere Ironie ihrer Gedanken gar nicht auf: vor einer Stunde hatte sie geschlafen und war fest überzeugt gewesen, daß die Dinge gut standen und sich noch verbessern würden. Jetzt erwog sie die Möglichkeit, mit einem Schlachtermesser auf ihren Mann loszugehen, wenn er zwischen sie und ihren Sohn geriet. Endlich stand sie mit Danny im Arm auf. Ihre Beine zitterten. Es gab keine andere Möglichkeit. Sie mußte annehmen, daß Jack in wachem Zustand normal war und daß er ihr helfen würde, Danny nach Sidewinder zu Dr. Edmonds zu bringen. Und wenn Jack irgend etwas tat *außer* ihr zu helfen, dann helfe ihm Gott!

Sie ging an die Tür und schloß auf. Sie rückte Danny in ihrem Arm zurecht, öffnete und trat auf den Korridor hinaus.

»Jack?« rief sie nervös und bekam keine Antwort.

In wachsender Angst ging sie zur Treppe hinüber, aber Jack war nicht da. Und als sie am Treppenabsatz stand und nicht wußte, was sie tun sollte, kam ein Singen von unten, sonor, böse und als bittere Satire:

»Roll me over
In the clo-ho-ver,
Roll me over, lay me down an' do it again.«

Diese Laute machten ihr viel mehr Angst, als sein Schweigen es getan hatte, aber sie wußte noch immer keine Alternative. Sie ging die Treppe hinunter.

28

»Sie war es!«

Jack hatte auf der Treppe gestanden und den singenden und anheimelnden Geräuschen gelauscht, die gedämpft durch die geschlossene Tür drangen, und nun verwandelte sich seine Verwirrung in Wut. Nichts hatte sich wirklich verändert. Jedenfalls was Wendy anbetraf. Er könnte zwanzig Jahre lang auf Alkohol verzichten, und wenn er abends heimkam und sie ihn an der Tür umarmte, würde er immer noch sehen und spüren, wie sie die Nase krauszog, um in seinem Atem einen Hauch von Scotch oder Gin zu wittern. Sie würde immer das Schlimmste vermuten. Wenn er und Danny im Auto mit einem blinden und besoffenen Fahrer zusammenstoßen würden, der kurz vor der Kollision einen Schlaganfall erlitten hatte, würde sie im stillen Jack die Schuld an Dannys Verletzungen geben und sich von ihm abwenden.

Ihr Gesicht, als sie Danny von ihm weggerissen hatte – er mußte immer wieder an den Anblick denken, und plötzlich hatte er Lust, den Zorn, den er in ihrem Gesicht gesehen hatte, mit der Faust wegzuwischen.

Verdammt nochmal, sie hatte kein Recht dazu!

Ja, vielleicht am Anfang. Er war ein Säufer gewesen, er hatte schreckliche Dinge getan. Danny den Arm zu brechen, war wirklich schlimm gewesen. Wenn ein Mann sich aber ändert, verdient er es dann nicht, daß seine Anstrengungen früher oder später anerkannt werden? Und wenn man ihm diese Anerkennung verweigert, verdient er dann noch Vorwürfe? Wenn ein Vater seine jungfräuliche Tochter ständig beschuldigt, mit allen Jungen der Schule zu bumsen, darf er sich nicht wundern, wenn sie es endlich leid ist und beschließt, ihrem Ruf gerecht zu werden. Und wenn eine Frau insgeheim – oder ganz offen – glaubt, daß ihr völlig abstinenter Mann ein Säufer ist . . .

Er stand auf und ging langsam zur Treppe, wo er kurz stehen blieb. Er zog das Taschentuch hervor und wischte sich damit die Lippen. Er überlegte, ob er hinuntergehen sollte. Er konnte an die Schlafzimmertür trommeln und verlangen, eingelassen zu werden, um sich seinen Sohn anzusehen. Sie hatte nicht das Recht, so verdammt anmaßend zu sein.

Nun, irgendwann *mußte* sie herauskommen, wenn sie sich und Danny nicht eine radikale Diät verordnet hatte. Bei diesem Gedanken verzog sich sein Mund zu einem häßlichen Grinsen. Sollte sie doch zu ihm kommen. Er konnte warten.

Er ging ins Erdgeschoß hinunter und blieb unschlüssig in der Rezeption am Schreibtisch stehen. Dann wandte er sich nach rechts. Er ging in den Speisesaal und blieb an der Tür stehen.

Die leeren Tische mit den sauberen weißen Decken unter den durchsichtigen Folien glänzten ihn an. Der Saal lag jetzt verlassen da, aber

(Dinner um 20.00 Uhr
Demaskierung und Tanz um Mitternacht)

Jack ging zwischen den Tischen auf und ab und vergaß für kurze Zeit seine Frau und seinen Sohn, vergaß den Traum, das zertrümmerte Radio und die blutunterlaufenen Stellen an Dannys Hals. Er ließ die Finger über die glatte Plastikfolie gleiten und versuchte sich vorzustellen, wie es an jenem Augustabend im Jahre 1945 gewesen sein mochte, als der Krieg gewonnen war und die Menschen die Zukunft so schön wie ein Traumland vor sich liegen sahen. Die hellen und bunten japanischen Lampions säumten die ganze Auffahrt, und goldenes Licht ergoß sich aus den hohen Fenstern, die jetzt zugeschneit waren. Kostümierte Männer und Frauen, hier eine Prinzessin in ihrem Flitter, dort ein Kavalier in Stulpenstiefeln, überall funkensprühendes Geschmeide und funkensprühender Witz, Tanzen, reichlichfließender Alkohol, zuerst Wein, dann Cocktails, immer angeregtere Gespräche, und dann von dem Podium mit der Band der Schrei: »Die Masken ab! Demaskierung!«

(Und der Rote Tod hatte sie alle in seiner Gewalt . . .)

Dann stand er plötzlich an der anderen Seite des Speisesaals vor den Türen zur Colorado Lounge, in der an jenem Abend im Jahre 1945 wohl alle Getränke frei waren.

(An die Bar, Partner, Getränke auf Kosten des Hauses.)

Er ging durch die Tür in die tiefen Schatten der Bar hinein. Und etwas Seltsames geschah. Er war schon einmal hier gewesen, um die Inventarliste, die Ullman ihm gegeben hatte, zu vergleichen, und er wußte, daß die Bar völlig ausgeräumt war. Die Regale waren leer gewesen. Aber jetzt, beim schwachen Licht, das aus dem Speisesaal hereinfiel (der selbst wegen der Schneewehen vor den Fenstern ziemlich dunkel war), glaubte er ganze Reihen von Flaschen zu erkennen, die ganz schwach schimmerten. Selbst die drei auf Hochglanz polierten Bierhähne tropften. Ja, er konnte das Bier sogar *riechen*, dieses feuchte, gärige und heftige Aroma, das schon seinem Vater, wenn er abends nach Hause kam, immer angehaftet hatte.

Mit weit aufgerissenen Augen suchte er den Wandschalter, und die gedämpfte und intime Barbeleuchtung ging an, Kreise von Zwanzig-Watt-Birnen auf den drei Wagenrädern, die von der Decke hingen.

Alle Regale waren leer. Auf ihnen hatte sich noch nicht einmal Staub abgesetzt. Die Bierhähne und die darunterliegenden Abflußbleche waren trocken. Links und rechts ragten die hohen Rücklehnen der samtgepolsterten Nischen auf, eigens dazu konstruiert, den in ihnen sitzenden Paaren eine möglichst intime Atmosphäre zu schaffen. Am anderen Ende des mit einem roten Teppich ausgelegten Raumes standen vierzig Barhocker um eine hufeisenförmige Theke herum. Die Hocker waren lederbezogen, und jeder trug ein Brandzeichen wie bei Rindern – ein H in einem Kreis, ein B zwischen zwei Strichen, ein W und ein B.

Er ging hinüber und schüttelte dabei verwirrt den Kopf. Es war wie neulich auf dem Spielplatz ... aber es hatte keinen Sinn, darüber nachzudenken. Dennoch hätte er schwören können, die Flaschen gesehen zu haben, vage zwar, wie man bei zugezogenen Vorhängen die Möbel im Zimmer wahrnimmt, aber er hatte einen schwachen Schimmer vom Glas gesehen. Nun blieb nur der Biergeruch, und Jack wußte, daß sich dieser Geruch nach einiger Zeit im Holzwerk jeder Bar der Welt festsetzte und sich von keinem Reinigungsmittel entfernen läßt. Und doch, dieser Geruch war penetrant ... fast frisch.

Er setzte sich auf einen der Hocker und stützte seine Ellbogen auf die Lederkante der Theke. Links stand eine Schale für Erdnüsse – jetzt natürlich leer. Seit neunzehn Monaten saß er zum ersten Mal wieder in einer Bar, und das verdammte Ding war trocken – zu seinem Glück. Trotzdem durchströmte ihn eine gewaltige Welle bitterer Nostalgie, und das physische Verlangen nach einem Drink schien aus dem Magen durch die Kehle in den Mund zu steigen, wo jede Faser nach etwas Feuchtem und Langem und Kaltem lechzte.

Voll wilder und unsinniger Hoffnung schaute er noch einmal zu den Regalen hinüber, aber die Regale waren so leer wie zuvor. Er grinste vor Schmerz und Enttäuschung. Langsam ballte er die Fäuste und verursachte dabei winzige Kratzer an der Lederkante der Bar.

»Hallo, Lloyd«, sagte er. »Wenig los, heute abend, was?«

Lloyd stimmte zu und fragte ihn, was er trinken wolle.

»Ich bin wirklich froh, daß Sie mich das fragen«, sagte Jack, »wirklich froh. Denn ich habe zwei Zwanziger und zwei Zehner in der Brieftasche und hatte schon Angst, daß sie noch im April dort stecken. Es gibt hier keine einzige Kneipe, können Sie sich das vorstellen? Und ich dachte, es gäbe sogar auf dem Mond Kneipen.«

Lloyd hatte Verständnis.

»Passen Sie auf«, sagte Jack. »Sie stellen mir zwanzig Martini hin. Genau zwanzig. Einen für jeden Monat, seit ich trocken bin, und dann noch einen extra. Das können Sie doch machen, nicht wahr? Oder haben Sie zuviel zu tun?«

Das verneinte Lloyd.

»Gut, alter Junge. Dann stellen Sie die Martini alle in einer Reihe an die Bar, und ich nehme einen nach dem andern. Des weißen Mannes Bürde, Lloyd, alter Junge.«

Lloyd machte sich an die Arbeit. Jack griff in die Tasche, aber statt seiner Brieftasche hatte er die Exedrinflasche in der Hand. Seine Brieftasche lag im Schlafzimmer auf dem Schreibtisch, und seine geizige Frau hatte ihn aus dem Schlafzimmer ausgesperrt. Schöner Zustand, Wendy. Du verfluchtes Miststück.

»Ich bin gerade ein bißchen knapp«, sagte Jack. »Wie steht's mit meinem Kredit in diesem Laden?«

Das sei kein Problem, meinte Lloyd.

»Das ist super! Ich mag Sie, Lloyd. Sie waren schon immer der Beste. Der beste Barkeeper zwischen Barre und Portland, Maine. Oder meinetwegen auch Portland, *Oregon*.«

Lloyd bedankte sich für das Kompliment.

Jack löste den Verschluß der Exedrinflasche, schüttelte zwei Tabletten heraus und schnippte sie sich in den Mund. Sofort erfuhr er wieder den vertrauten bitteren Geschmack.

Er hatte plötzlich das Gefühl, daß die Leute ihn neugierig und ein wenig verächtlich beobachteten. Die Nischen hinter ihm waren besetzt – grauhaarige bessere Herren und hübsche junge Mädchen, alle kostümiert, beobachteten seine traurige Übung in den dramatischen Künsten mit kalter Belustigung.

Jack fuhr auf seinem Hocker herum.

Alle Nischen waren leer. Sie erstreckten sich von der Tür aus nach beiden Seiten, und zu seiner Linken machten sie einen Bogen um die hufeisenförmige Bar herum. Die Sitze und Lehnen waren ledergepolstert, und in jeder stand ein glänzender schwarzer Formica-Tisch, darauf ein Aschenbecher mit einem Streichholzheftchen. Jede Nische war mit dem eingestanzten Wort *Colorado Lounge* markiert.

Er drehte sich wieder um und verzog das Gesicht, als er die schon aufgelösten Tabletten herunterschluckte.

»Lloyd, Sie sind ein Wunderknabe«, sagte er. »Sie haben schon alles eingeschenkt. Ihr Tempo wird nur von der seelenvollen Schönheit Ihrer neapolitanischen Augen übertroffen.«

Jack betrachtete die zwanzig imaginären Getränke. Kondenströpfchen liefen an den Gläsern herab, und in jedem lag eine dicke, grüne, auf ein Stäbchen gespießte Olive. Fast roch er den Gindunst.

»Trocken«, sagte er. »Haben Sie schon jemals die Bekanntschaft eines Gentleman gemacht, der auf den Wagen der Abstinenz gehüpft ist?«

Lloyd räumte ein, daß er solche Männer von Zeit zu Zeit getroffen habe.

»Und haben Sie je die Bekanntschaft mit einem solchen Mann erneuert, nachdem er wieder runtergesprungen war?«

Daran konnte sich Lloyd nicht recht erinnern.

»Das war also nicht der Fall«, sagte Jack. Er legte seine Hand um das erste Glas, hob es an den geöffneten Mund und drehte die Faust nach oben. Er schluckte und warf das imaginäre Glas über die Schulter nach hinten. Die Leute in ihren Kostümen waren zurückgekommen. Sie beobachteten ihn und lachten hinter vorgehaltenen Händen. Er spürte ihre Anwesenheit. Wenn hinter der Bar statt der verdammten leeren Regale Spiegel gewesen wären, hätte er sie sehen können. Sollten sie ruhig gaffen. Zur Hölle mit ihnen. Sollte doch gaffen, wer gaffen wollte.

»Nein, das war nicht der Fall«, sagte er zu Lloyd. »Wenige Männer kommen je von diesem sagenhaften Wagen zurück, aber diejenigen, die doch zurückkommen, können eine schreckliche Geschichte erzählen. Wenn man aufspringt, ist es der schönste und sauberste Wagen, den man je sah, mit hohen Rädern, damit man sich weit über der Gosse befindet, wo all die Betrunkenen liegen, mit ihren braunen Taschen und ihren Flaschen voll Fusel und billigem Whiskey, von dem einem der Kopf platzt. Von diesen Leuten bist du weit weg. Sie werfen dir böse Blicke zu und sagen dir, daß du mit der Komödie aufhören oder sie in einer anderen Stadt inszenieren sollst. Von der Gosse aus ist es der schönste Wagen, dcn du je gesehen hast, Lloyd, alter Junge. Ringsum mit Fahnen geschmückt, eine Blaskapelle voraus, an jeder Seite drei Tambourmajoretten, die ihre Tambourstöcke wirbeln und ihre Slips blitzen lassen. Mann, du mußt auf diesen Wagen, weg von den Säufern, die an ihrer eigenen Kotze riechen, damit sie nicht nüchtern werden, und die in der Gosse nach Kippen stochern, die noch zwei Zentimeter Tabak am Filter haben.«

Er leerte die nächsten beiden imaginären Gläser und warf auch sie über die Schulter nach hinten. Fast konnte er hören, wie sie zerklirrten, und er wollte verdammt sein, wenn er nicht schon ein bißchen high war. Es war das Exedrin.

»Du steigst also auf«, erklärte er Lloyd, »und wie froh du dann bist. Mein Gott, ja, das steht fest. Der Wagen ist der schönste im ganzen Festzug, und alle stehen an der Straße und klatschen und jubeln und winken, und alles nur für dich. Nur die Besoffenen in der Gosse klatschen nicht. Diese Kerle waren mal deine Freunde, aber das liegt jetzt alles hinter dir.«

Er hob die leere Faust an den Mund und schluckte gierig den nächsten Drink. Er machte Fortschritte. Er hatte vier erledigt, und sechzehn waren übrig. Sollten sie doch gaffen, wenn es ihnen Spaß macht. Photographiert mich, Leute, dann habt ihr mehr davon. Er schwankte ein wenig auf seinem Hocker.

»Dann fängt man an, die Dinge richtig zu sehen, Lloyd, mein Junge. Dinge, die man von der Gosse aus nicht erkennen konnte. Daß zum Beispiel der Wagenboden nur aus gewöhnlichem Fichtenholz gezimmert ist, so frisch noch, daß das Harz herausläuft, und zöge man seine Schuhe aus, würde man sich Splitter in die Sohlen rennen. Daß zum Beispiel die langen Bänke mit den hohen Lehnen die einzige Ausstattung des Wagens sind und nicht einmal Sitzkissen haben und eigentlich nichts anderes sind als Kirchenstühle, auf denen alle paar

Meter Gesangbücher liegen. Daß zum Beispiel die Leute, die auf dem Wagen in den Kirchenstühlen sitzen, diese komischen Vögel mit Spitzenkragen und langem Gewand sind, deren Haar so straff nach hinten geknotet ist, daß man es schreien hört. Und ihre Gesichter sind flach und blaß und glänzend, und sie singen fromme Lieder, und vorn dieses stinkende blonde Weib, das auf der Orgel spielt und ihnen sagt, daß sie lauter singen sollen, immer lauter. Und jemand drückt dir ein Gesangbuch in die Hand und sagt, ›Sing schon, Bruder. Wenn du auf diesem Wagen bleiben willst, mußt du morgens, mittags und abends singen. Besonders abends.‹ Und dann weißt du, was der Wagen wirklich ist, Lloyd. Er ist eine Kirche mit vergitterten Fenstern, eine Kirche für Frauen, und für dich ein Gefängnis.«

Er schwieg. Lloyd war weg. Schlimmer noch, er war nie da gewesen. Die Getränke hatte es nie gegeben. Nur die konstümierten Leute in den Nischen. Er konnte fast ihr unterdrücktes Lachen hören, wenn sie die Hand vor den Mund hielten und auf ihn zeigten, wobei ihre Augen tückisch glitzerten.

Er wirbelte herum. »Lassen Sie mich –«

(allein?)

Alle Nischen waren leer. Das Gelächter war erstorben wie das Rascheln von Herbstlaub, wenn der Wind sich legt. Mit großen, dunklen Augen starrte Jack in die leere Lounge. Tief in ihm entstand eine kalte Gewißheit, und diese Gewißheit war, daß er den Verstand verlor. Er hatte das Bedürfnis, sich den nächsten Barhocker zu schnappen, ihn umzudrehen und wie ein Berserker in der Bar zu wüten. Statt dessen drehte er sich wieder zur Bar um und fing grölend an zu singen:

»Roll me over
In the clo-ho-ver,
Roll me over, lay me down and do it again.«

Er sah Dannys Gesicht vor sich, nicht Dannys normales Gesicht, lebhaft und wach, mit strahlenden Augen, sondern das katatonische, widerwärtige Gesicht eines Fremden. Stumpfe, glanzlose Augen, einen Mund, der lächerlich babyhaft am Daumen lutschte. Was tat er nur? Er hockte hier herum wie ein schmollender Teenager und sprach mit sich selbst, während sein Sohn sich da oben aufführte wie jemand, der in die Gummizelle gehört; der sich so aufführte, wie Wally Hollis es von Vic Stenger behauptet hatte, bevor dieser von den Männern mit den weißen Kitteln abgeholt wurde.

(Aber ich habe keine Hand gegen ihn erhoben! Gottverdammt, ich habe es nicht getan!)

»Jack?« Die Stimme klang ängstlich und zögernd.

Er war so erschrocken, daß er fast vom Barhocker gefallen wäre, als er herumfuhr. Wendy stand in der Tür, und Danny hing in ihren Armen wie eine Wachspuppe aus einer Horror-Show. Jack hatte stark das Empfinden, daß hier eine Szene im Theater gestellt wurde; es war kurz bevor der Vorhang nach dem zweiten Akt eines Problemstücks fiel, das so schlecht aufgezogen war, daß man sogar vergessen hatte, die Regale dieser Lasterhöhle mit Flaschen zu bestücken.

»Ich habe ihn nicht angefaßt«, sagte Jack mit belegter Stimme. »Seit ich ihm den Arm gebrochen habe schon nicht mehr. Ich habe ihn nicht einmal geschlagen. Nie!«

»Jack, das spielt doch jetzt keine Rolle. Was –«

»Es spielt eine Rolle!« brüllte er und ließ krachend die Faust auf die Theke niedersausen, daß die Erdnußschale hochsprang. *»Es spielt eine Rolle, verdammt nochmal, es spielt eine Rolle!«*

»Jack, wir müssen ihn aus den Bergen fortschaffen. Er ist –«

Danny bewegte sich in ihren Armen. Sein schlaffer, leerer Gesichtsausdruck brach auf wie Eis über einer Wasserfläche. Seine Lippen zuckten, als ob er etwas Seltsames schmeckte. Seine Augen wurden ganz groß. Er hob die Hände, als ob er sie sich vors Gesicht halten wollte, und ließ sie wieder sinken.

Plötzlich wurde er in ihren Armen ganz starr. Er bog den Rücken, daß Wendy taumelte. Und plötzlich schrie er. Wilde, gellende Schreie drangen ihm aus der Kehle und hallten im Erdgeschoß von allen Seiten zurück. Es war, als ob hundert Dannys auf einmal schrien.

»Jack!« schrie sie entsetzt. *»Oh Gott, Jack, was ist mit ihm los?«*

Er glitt vom Hocker, von der Hüfte abwärts wie gelähmt und erschrocken wie noch nie in seinem Leben. In welchem Loch hatte sein Sohn gestochert? In welchem dunklen Nest? Und was hatte ihn da gestochen?

»Danny!« brüllte er. »Danny!«

Danny sah ihn. Er riß sich so wild von seiner Mutter los, daß sie ihn nicht mehr halten konnte, und sie stolperte und wäre fast in eine der Nischen gefallen. Wie ein stumpfer Pfeil schoß er in Jacks Arme, daß er fast das Gleichgewicht verloren hätte. Wütend packte er seinen Vater und schien wie ein Boxer auf ihn einschlagen zu wollen, aber dann ergriff er Jacks Gürtel, und seine Tränen liefen über das Hemd seines Vaters.

Daddy, sie war es.

Jack schaute langsam auf und sah Wendy ins Gesicht. Seine Augen waren wie kleine Silbermünzen.

»Wendy?« Seine Stimme klang weich, beinahe wie Schnurren. »Wendy, was hast du mit ihm gemacht?«

Wendy starrte ihn ungläubig und wie betäubt an. Ihr Gesicht war leichenblaß. Sie schüttelte den Kopf.

»Oh Jack, du müßtest doch wissen, daß ich –«

Draußen hatte es wieder angefangen zu schneien.

29

Küchengespräch

Jack trug Danny in die Küche. Immer noch schluchzte der Junge wild und klammerte sich ohne aufzuschauen an Jacks Brust. In der Küche nahm Wendy ihm Danny ab. Sie konnte es noch immer nicht fassen.

»Jack, ich weiß nicht, wovon er redet. Bitte, das mußt du mir glauben.«

»Ich glaube es dir ja«, sagte er, aber er mußte sich selbst gegenüber zugeben, daß es ihm ein gewisses Vergnügen machte, so rasch und unerwartet die Rollen vertauscht zu sehen. Aber seine Wut auf Wendy war verflogen. Es war nur ein kurzes Aufwallen gewesen. In seinem tiefsten Innern wußte er, daß Wendy sich eher mit Benzin übergießen und anzünden würde, als Danny ein Haar zu krümmen.

Der große Teekessel stand auf der hinteren Flamme, und das Wasser kochte bei schwacher Hitze. Jack ließ einen Teebeutel in seine große Keramiktasse fallen und goß bis zur Hälfte heißes Wasser darauf.

»Du hast doch Sherry, nicht wahr?« fragte er Wendy.

»Was? . . . ja, natürlich. Zwei oder drei Flaschen.«

»In welchem Fach?«

Sie zeigte es ihm, und Jack nahm eine Flasche heraus. Er goß einen kräftigen Schuß in die Teetasse, stellte den Sherry weg und füllte die Tasse mit Milch auf. Er gab drei Teelöffel Zucker hinzu und rührte um. Dann brachte er Danny das Getränk, der nicht mehr so heftig schluchzte, wenn er auch noch schniefte. Seine Schultern bebten leise, und seine weitaufgerissenen Augen blickten starr.

»Ich will, daß du dies trinkst, Doc«, sagte Jack. »Es wird scheußlich schmecken, aber du wirst dich dann besser fühlen. Trinkst du das für Daddy?«

Danny nickte und nahm die Tasse. Er trank einen kleinen Schluck, verzog das Gesicht und sah Jack fragend an. Jack nickte, und Danny trank weiter. Wendy empfand sofort wieder die alte Eifersucht. Ihr zu Gefallen hätte Danny das Zeug nie im Leben getrunken. Und dann kam der unangenehme, sogar schreckliche Gedanke: Hatte sie glauben *wollen,* daß Jack es getan hatte? War sie *so* eifersüchtig? Dies war die Denkweise ihrer Mutter, und das war das Schlimme bei der ganzen Sache. Sie erinnerte sich, daß ihr Daddy sie an einem Sonntag in den Park mitgenommen hatte, und sie war von der zweiten Sprosse des Spielbaums gefallen und hatte sich beide Knie aufgeschlagen. Als ihr Vater sie nach Hause brachte, hatte ihre Mutter ihn angekreischt: *Was hast du getan? Warum hast du nicht aufgepaßt? Was bist du nur für ein Vater!*

(Sie hatte ihn ins Grab getrieben; als er sich von ihr scheiden ließ, war es zu spät.)

Sie hatte Jack gegenüber nicht einmal den leisesten Zweifel gelten lassen. Ihre Wangen brannten, aber sie wußte mit quälender Endgültigkeit, daß sie, wenn so etwas sich wiederholte, genauso denken und handeln würde. Dies Erbteil ihrer Mutter würde ihr ewig anhaften.

»Jack«, begann sie und war nicht sicher, ob sie um Verzeihung bitten oder sich rechtfertigen wollte. Sie wußte, daß beides sinnlos war.

»Nicht jetzt«, sagte er.

Danny brauchte fünfzehn Minuten, um den halben Inhalt

der großen Tasse auszutrinken, und dann hatte er sich sichtlich beruhigt. Er zitterte kaum noch.

Jack legte seinem Sohn feierlich die Hände auf die Schultern. »Danny, glaubst du, daß du uns jetzt genau erzählen kannst, was du erlebt hast? Es ist sehr wichtig.«

Danny schaute erst Jack, dann Wendy, dann wieder seinen Vater an. In dem Schweigen, das folgte, wurden sie sich ihrer Situation so recht bewußt: das Heulen des Windes draußen, der aus Nordwest neuen Schnee herantrieb; das Knarren und Ächzen des alten Hotels unter dem aufkommenden Sturm. Die Tatsache, daß sie völlig isoliert waren, traf Wendy mit unerwarteter Intensität; es war fast wie ein Schlag in die Magengrube.

»Ich will ... euch alles sagen«, sagte Danny. »Ich wollte, ich hätte es schon früher getan.« Er nahm die Tasse auf und hielt sie, als ob ihre Wärme ihn tröstete.

»Und warum hast du es denn nicht getan, mein Sohn?« Jack strich ihm zärtlich das wirre, verschwitzte Haar aus der Stirn.

»Weil Onkel Al dir den Job besorgt hat. Und ich wußte nicht, wieso es hier gleichzeitig gut und schlecht für dich sein kann. Es war ...« Er sah seine Eltern hilfesuchend an. Er fand nicht die richtigen Worte.

»Ein Dilemma«, sagte Wendy leise. »Wenn man nur zwischen zwei unangenehmen Dingen wählen kann?«

»Ja, das ist es.« Er nickte erleichtert.

Wendy sagte: »An dem Tag, als du die Hecken geschnitten hast, haben Danny und ich uns während der Fahrt darüber unterhalten. Am Tag, als der erste richtige Schnee fiel. Erinnerst du dich?«

Jack nickte. Der Tag, an dem er die Hecken geschnitten hatte, war ihm nur allzu deutlich in Erinnerung.

Wendy seufzte. »Wir haben uns wohl nicht lange genug unterhalten. Was meinst du, Doc?«

Danny schüttelte den Kopf. Er bot ein Bild des Elends.

»Worüber genau habt ihr gesprochen?« fragte Jack. »Ich bin nicht sicher, ob mir das Ganze gefällt. Aber was immer es war, ich verstehe es nicht. Ich habe das Gefühl, als ginge ich erst nach der Pause in einen Film.«

»Wir haben über dich gesprochen«, sagte Wendy ruhig. »Und wir haben vielleicht nicht alles mit Worten gesagt, aber wir wußten es beide. Ich, weil ich deine Frau bin, und Danny, weil er ... nun, er versteht die Dinge eben.«

Jack schwieg.

»Danny hat es richtig ausgedrückt. Es schien hier gut für dich zu sein. Du standest nicht mehr unter dem Druck, der dich in Stovington so unglücklich gemacht hatte. Du konntest mit den Händen arbeiten und deine Gedanken auf dein Schreiben konzentrieren. Dann ... ich weiß nicht genau, wann ... schien es hier schlecht für dich zu sein. Die ganze Zeit, die du im Keller zugebracht hast, um diese alten Papiere durchzusehen ... Du fingst an, im Schlaf zu sprechen –«

»Im Schlaf?« fragte Jack erschrocken, und sein Gesicht nahm einen wachsamen Ausdruck an.

»Das meiste versteht man nicht. Einmal mußte ich ins Badezimmer, und da sagtest du ›Zur Hölle damit, das wird doch nie jemand erfahren‹. Einmal hast du mich sogar aufgeweckt. Du hast ganz laut geschrien ›Die Masken ab, die Masken ab, die Masken ab.«

»Mein Gott«, sagte er und fuhr sich mit der Hand übers Gesicht.

Er sah krank aus.

»All die alten Gewohnheiten aus der Zeit, als du noch trankst. Das Exedrinkauen. Und dann wischst du dir dauernd den Mund. Morgens hast du schlechte Laune. Und dein Stück hast du auch noch nicht fertiggeschrieben, oder?«

»Nein. Noch nicht, aber das ist nur eine Frage der Zeit. Ich habe an etwas anderes gedacht ... ein neues Projekt –«

»Dieses Hotel. Deswegen hat doch Al Shockley dich angerufen. Er wollte, daß du das Projekt aufgibst.«

»Woher weißt du das denn?« bellte Jack. »Hast du gelauscht? Du –«

»Nein«, sagte sie. »Selbst wenn ich gewollt hätte, wäre das nicht möglich gewesen, und das müßtest du eigentlich wissen. An dem Abend waren Danny und ich unten. Das Telefon, das du benutzt hast, ist das einzige im Hotel, das funktioniert, weil es direkt an die Leitung draußen angeschlossen ist. Das hast du mir selbst gesagt.«

»Wie konntest du dann wissen, was Al mir gesagt hat?«

»Danny hat es mir erzählt. Danny wußte es. Genauso wie er

manchmal Dinge findet, die wir verlegt haben, oder weiß, daß jemand an Scheidung denkt.«

»Der Arzt hat doch gesagt –«

Sie schüttelte ungeduldig den Kopf. »Der Arzt hat nur Scheiße geredet. Das wissen wir beide. Wir haben es die ganze Zeit gewußt. Danny *weiß* die Dinge einfach. Und jetzt fürchte ich...« Sie betrachtete die Druckstellen an Dannys Hals.

»Wußtest du wirklich, daß Onkel Al mich angerufen hat, Danny?«

Danny nickte. »Er war richtig wütend, Daddy. Weil du Mr. Ullman angerufen hast. Der hat ihn dann angerufen. Onkel Al will nicht, daß du etwas über das Hotel schreibst.«

»Mein Gott«, sagte Jack wieder.

»Die Druckstellen, Danny. Wer hat versucht, dich zu erwürgen?«

Dannys Gesicht verdunkelte sich. »Sie«, sagte er. »Die Frau in dem Zimmer. In Nummer 217. Die tote Dame.« Seine Lippen fingen wieder an zu zittern, und er griff nach der Tasse und trank.

Über seinen gesenkten Kopf hinweg tauschten Jack und Wendy einen erschrockenen Blick.

»Weißt du etwas darüber?« fragte er sie.

Sie schüttelte den Kopf. »Nein. Darüber nicht.«

»Danny?« Er faßte dem verängstigten Jungen unters Kinn. »Versuch, es uns zu erzählen, mein Sohn. Wir sind doch bei dir.«

»Ich wußte, daß es hier schlecht ist«, sagte Danny leise. »Das wußte ich schon in Boulder, denn Tony hat mir Träume darüber geschickt.«

»Was für Träume?«

»Ich kann mich nicht mehr an alles erinnern. Er zeigte mir das Overlook bei Nacht, und vorn sah ich einen Schädel mit gekreuzten Knochen. Und ich hörte ein Stampfen. Etwas... ich weiß nicht mehr was... lief hinter mir her. Ein Ungeheuer. Tony zeigte mir auch Drom.«

»Was ist denn das, Doc?«

Er schüttelte den Kopf. »Das weiß ich nicht.«

»Meinst du vielleicht Rum?« fragte Jack. »Eine Flasche Rum?«

Wieder schüttelte Danny den Kopf. »Ich weiß nicht. Als wir

herkamen, hat Mr. Hallorann sich in seinem Auto mit mir unterhalten. Er sieht auch Dinge.«

»Sieht Dinge?«

»Es ist ....« Danny vollführte mit den Händen eine weitausholende Geste. »Es bedeutet, die Dinge zu verstehen. Dinge zu wissen. Manchmal sieht man Dinge. Wie ich zum Beispiel wußte, daß Onkel Al angerufen hatte. Und Mr. Hallorann wußte, daß ihr mich Doc nennt. Als Mr. Hallorann in der Armee war, hat er einmal Kartoffeln geschält, und da wußte er, daß sein Bruder bei einem Eisenbahnunfall umgekommen war. Und als er zu Hause anrief, stimmte es.«

»Gott im Himmel«, flüsterte Jack. »Das hast du doch nicht alles erfunden, Danny?«

Danny schüttelte heftig den Kopf. »Nein, das schwöre ich bei Gott.« Und dann fügte er mit einem Anflug von Stolz hinzu: »Mr. Hallorann sagte, daß er noch nie einen Menschen getroffen hat, der die Dinge so gut sieht wie ich. Wir konnten uns unterhalten und brauchten dabei kaum den Mund aufzumachen.« Wieder sahen seine Eltern einander an. Sie waren ehrlich verblüfft.

»Mr. Hallorann hat mit mir allein gesprochen, weil er sich Sorgen machte«, fuhr Danny fort. »Er sagte, dies ist ein schlechter Ort für Leute, die Dinge sehen können. Er hat selbst Dinge gesehen. Und ich habe auch etwas gesehen. Gleich nachdem ich mit ihm gesprochen hatte. Als Mr. Ullman uns herumführte.«

»Und was war das?« fragte Jack.

»In der Präsidentensuite. An der Wand neben der Tür zum Schlafzimmer. Eine ganze Menge Blut und anderes Zeug. Schmieriges Zeug ... es muß Gehirn gewesen sein.«

»Oh mein Gott«, sagte Jack.

Wendy war jetzt sehr blaß, ihre Lippen waren fast grau.

»Dies Hotel«, sagte Jack, »gehörte früher ein paar üblen Typen. Es waren Kriminelle aus Las Vegas.«

»Ganoven?« fragte Danny.

»Ja, Ganoven.« Er sah Wendy an. »1966 wurde ein Gangsterboß namens Vito Gienelli zusammen mit seinen Leibwachen hier ermordet. Darüber war ein Bild in der Zeitung. Danny hat dieses Bild eben beschrieben.«

»Mr. Hallorann hat auch noch andere Dinge gesehen«, berichtete Danny. »Einmal auf dem Spielplatz. Und einmal etwas ganz Schlimmes in Zimmer 217. Ein Stubenmädchen sah es auch und wurde gefeuert, weil sie darüber redete. Dann ging Mr. Hallorann in das Zimmer, und er hat es auch gesehen, aber er hat nicht darüber geredet, weil er seinen Job nicht verlieren wollte. Er hat mir nur gesagt, daß ich nicht hineingehen darf. Aber ich habe es doch getan. Denn er hat auch gesagt, daß die Dinge, die man hier sieht, einem nicht wehtun können.« Die letzten Worte hatte er mit leiser und rauher Stimme fast geflüstert. Danny berührte die Schwellungen an seinem Hals.

»Und was war mit dem Spielplatz?« fragte Jack in bemüht gleichgültigem Tonfall.

»Das weiß ich nicht. Er sagte Spielplatz. Die Heckentiere.«

Jack fuhr zusammen, und Wendy sah ihn neugierig an.

»Hast du da unten irgend etwas gesehen, Jack?«

»Nein«, sagte er. »Nichts.«

Danny schaute ihn an.

»Nichts«, sagte er, diesmal ruhiger. Und das stimmte. Er war einer Illusion zum Opfer gefallen. Das war *alles*.

»Danny, du mußt uns noch von der Frau erzählen«, sagte Wendy sanft.

Und Danny erzählte es ihnen, aber seine Worte kamen in zyklischen Ausbrüchen, und in seiner Eile, alles loszuwerden, plapperte er manchmal unverständliches Zeug. Während er sprach, schmiegte er sich immer enger an seine Mutter.

»Ich ging hinein«, sagte er. »Ich hatte den Hauptschlüssel gestohlen und ging hinein. Ich konnte nicht anders. Ich mußte es wissen. Und sie ... die Dame ... lag in der Wanne. Sie war tot. Ganz geschwollen. Sie war ... sie hatte nichts an.« Er schaute unglücklich seine Mutter an. »Sie stand auf und wollte mich packen. Das weiß ich genau. Ich habe es gefühlt. Sie dachte nicht einmal, nicht so, wie du denkst oder wie Daddy denkt. Es war schwarz ... ihr Denken war Wehtun ... wie an dem Abend die Wespen in meinem Zimmer! Sie wollte nur wehtun. Wie die Wespen.«

Er schluckte, und für einen Augenblick trat Schweigen ein. Sie dachten alle drei an die Wespen.

»Da rannte ich«, sagte Danny. »Ich rannte, aber die Tür war

zu. Ich hatte sie aufgelassen, aber sie war zu. Ich dachte nicht daran, sie einfach wieder aufzumachen und rauszurennen. Ich hatte zuviel Angst. Da hab' ich nur ... ich hab' mich gegen die Tür gelehnt und die Augen zugemacht und an Mr. Hallorann gedacht. Er hat gesagt, daß die Dinge wie Bilder in einem Buch sind, und wenn ich ... ich mir immer wieder sagte ... *du bist nicht da, geh weg, du bist nicht da* ... würden sie verschwinden. Aber das funktionierte nicht.«

Seine Stimme klang jetzt hysterisch.

»Sie packte mich ... drehte mich um ... und ich konnte ihre Augen sehen ... oh, was für Augen ... und sie fing an, mich zu würgen ... ich konnte sie riechen ... ich konnte riechen, wie tot sie war ...«

»Hör auf jetzt, pssst«, sagte Wendy erschrocken. »Hör auf, Danny. Es ist ja schon gut. Es –«

Sie wollte schon wieder mit ihrem albernen Gesumme anfangen. Das Wendy Torrance-Allzweckgesumme.

»Laß ihn ausreden«, sagte Jack knapp.

»Mehr war nicht«, sagte Danny. »Ich wurde ohnmächtig. Entweder weil sie mich würgte oder aus Angst. Als ich wieder zu mir kam, träumte ich, daß du meinetwegen mit Mommy Streit hattest und daß du wieder das Schlimme tun wolltest, Daddy. Dann wußte ich, daß es gar kein Traum war ... und ich war wieder wach ... und ... ich hab in die Hose gemacht. Ich habe die Hose naßgemacht wie ein Baby.« Er ließ seinen Kopf gegen Wendys Brust sinken und weinte leise. Schlaff hingen seine Hände herab.

Jack stand auf.

»Paß auf ihn auf.«

»Was willst du tun?« In ihrem Gesicht lag Entsetzen.

»Ich gehe hinauf in das Zimmer, oder was dachtest du, daß ich tun will? Kaffee trinken?«

»Nein! Tu's nicht, Jack. Bitte, tu's *nicht*!«

»Wendy, wenn sich hier sonst noch jemand im Hotel aufhält, müssen wir es wissen.«

»Wag es nicht, uns alleinzulassen!« kreischte sie ihn an. Sie schrie so laut, daß ihr der Speichel von den Lippen sprühte.

Jack sagte: »Du lieferst eine bemerkenswerte Imitation deiner Mutter.«

Sie brach in Tränen aus und konnte sich nicht die Hände vor die Augen halten, weil sie Danny auf dem Arm hatte.

»Es tut mir leid«, sagte Jack. »Aber ich muß es tun. Ich bin der gottverdammte Hausmeister. Dafür werde ich bezahlt.«

Sie schluchzte nur noch heftiger, aber er kümmerte sich nicht darum, sondern verließ die Küche, wobei er sich mit dem Taschentuch den Mund wischte. Die Tür fiel hinter ihm ins Schloß.

»Mach dir keine Sorgen, Mommy«, sagte Danny. »Ihm kann nichts passieren. Er sieht die Dinge nicht. Nichts hier kann ihm wehtun.«

Unter Tränen sagte sie: »Nein, das glaube ich auch nicht.«

30

Erneuter Besuch in Zimmer 217

Er nahm den Fahrstuhl nach oben, und es war ein seltsames Gefühl, denn seit ihrem Einzug hatte keiner von ihnen den Fahrstuhl benutzt. Er legte den Messinggriff um, und ächzend und vibrierend stieg die Kabine im Schacht nach oben. Das Messinggitter rasselte wie verrückt. Er wußte, daß Wendy eine geradezu klaustrophobische Angst vor dem Fahrstuhl hatte. Sie stellte sich vor, wie sie alle drei zwischen zwei Stockwerken hängenblieben, während draußen die Winterstürme tobten. Sie sah sie immer magerer und schwächer werden und verhungern. Oder sich gegenseitig essen, wie es bei der Reisegesellschaft in den Rocky Mountains geschehen war. Er hatte in Boulder einmal einen Aufkleber gesehen: RUGBYSPIELER ESSEN IHRE EIGENEN TOTEN. Er dachte an einen anderen Aufkleber: DU BIST WAS DU ISST. Oder an verschiedene Gerichte auf einer Speisekarte. Willkommen im Speisesaal des Overlook, Stolz der Rocky Mountains. Essen Sie luxuriös auf dem Dach der Welt. Menschenlende über Streichhölzern gebraten, *La Spécialité de la Maison*. Wieder zuckte das verächtliche Lächeln über sein Gesicht. Als die Zahl zwei an der Schachtwand auftauchte, riß er den Messinggriff wieder herum, und knarrend kam die Kabine zum Stehen. Er nahm die Exedrinflasche aus der Tasche, schüttelte sich drei Tabletten in die Hand und öffnete die Fahrstuhltür. Im Overlook gab es nichts, vor dem er Angst hatte. Das Gefühl hatte er ganz deutlich, das Overlook war *simpático*.

Als er den Korridor entlang ging, warf er sich die Tabletten in den Mund und zerkaute sie einzeln. Er bog in den kurzen Gang ein, der vom Hauptkorridor abzweigte. Die Tür zu Zimmer 217 war angelehnt, und der Hauptschlüssel steckte im Schloß. Er erkannte schon von weitem das weiße Metallschild, an dem er befestigt war.

Er runzelte die Stirn, und Ärger, sogar Wut kam in ihm auf. Wie immer die Sache ausgegangen war, der Junge war ungehorsam gewesen. Er hatte ihm gesagt, und zwar mit Nachdruck, daß er bestimmte Örtlichkeiten im Hotel nicht betreten durfte: den Geräteschuppen, den Keller und alle Gästezimmer. Sobald Danny sich von seinem Schrecken erholt hatte, würde er mit ihm darüber reden. Es gab viele Väter, die mehr getan hätten als bloß reden. Sie hätten eine kräftige Tracht Prügel verabreicht. Vielleicht brauchte Danny das auch. Wenn der Junge sich erschrocken hatte, war es wirklich seine eigene Schuld. Er ging an die Tür, zog den Hauptschlüssel ab, steckte ihn in die Tasche und trat ein. Die Deckenbeleuchtung war eingeschaltet. Er sah, daß das Bett unbenutzt war, und ging direkt zur Badezimmertür. Eine seltsame Neugierde war in ihm erwacht. Obwohl Watson keine Namen oder Zimmernummern erwähnt hatte, war Jack ganz sicher, daß dies das Zimmer war, in dem die Frau des Anwalts mit ihrem Beschäler gewohnt hatte, daß dies das Badezimmer war, in dem man sie, voll von Barbituraten und Schnaps aus der Colorado Lounge, tot aufgefunden hatte.

Er stieß die mit Spiegelglas verkleidete Badezimmertür auf und ging hinein. Hier war das Licht ausgeschaltet. Er schlug gegen den Schalter und sah sich den wie ein Pullman-Wagen ausgestatteten Raum an. Der Stil der Jahrhundertwende, vielleicht in den Zwanzigern ein bißchen aufgemöbelt. Es war der gleiche Stil, in dem alle Badezimmer des Overlook ausgestattet waren, außer denen im dritten Stock – die waren ausgesprochen byzantinisch eingerichtet, wie es Politikern, Filmstars und anderen hohen Tieren zusteht.

Der in blassem Rosa gehaltene Duschvorhang war zugezogen, und nur die Klauenfüße der Wanne waren zu sehen.

(Dennoch, die Heckentiere *hatten* sich bewegt)

Und zum ersten Mal verließ ihn das Gefühl der Sicherheit (fast Frechheit), das ihn erfüllt hatte, seit Danny zu ihm gerannt war und geschrien hatte *»Sie war es! Sie war es!«* Ein kalter Finger legte sich ihm an den Rücken und kühlte ihn um zehn Grad ab. Weitere kamen hinzu und drangen bis zu seiner *Medulla Oblongata* vor. Sie spielten auf seinem Rückgrat wie auf einem Dschungelinstrument.

Seine Wut auf Danny verflog, und als er herantrat und den Duschvorhang zur Seite riß, empfand er mit seinem Sohn nur Mitgefühl, denn er selbst hatte jetzt Angst. Sein Mund war wie ausgetrocknet.

Die Wanne war trocken und leer.

Erleichterung und Gereiztheit machten sich in einem Schrei Luft, der sich wie eine kleine Explosion anhörte. Die Wanne war am Ende der Saison sorgfältig gescheuert und ausgewischt worden; außer den Rostflecken unter den beiden Wasserhähnen glänzte sie nur so. Schwach, aber deutlich nahm er den Geruch eines Reinigungsmittels wahr, eines von der Art, die einem noch Monate nach Gebrauch in die Nase stechen.

Er bückte sich und fuhr mit den Fingern über den Boden der Wanne. Knochentrocken. Nicht eine Spur von Feuchtigkeit. Entweder hatte der Junge eine Halluzination gehabt, oder er hatte gelogen. Er wurde wieder wütend. Da erregte die Badematte auf dem Fußboden seine Aufmerksamkeit. Er betrachtete sie stirnrunzelnd. Was hatte die Matte hier zu suchen? Sie sollte zusammen mit den übrigen Laken und Handtüchern und Kopfkissenbezügen unten im Wäscheschrank liegen. Alle Wäsche müßte sich unten befinden. Nicht einmal die Betten in den Gästezimmern waren bezogen. Man hatte die Matratzen in Plastikfolien eingehüllt und darüber eine Tagesdecke gebreitet. Danny könnte sie heraufgeholt haben – mit dem Hauptschlüssel ließen sich auch die Wäscheschränke öffnen –, aber warum? Er rieb mit den Fingern daran. Auch die Matte war knochentrocken.

Er ging an die Badezimmertür zurück und blieb dort stehen. Es war alles in Ordnung. Der Junge hatte geträumt. Alles lag oder stand an seinem Platz. Zugegeben, daß die Badematte hier lag, war merkwürdig, aber die logische Erklärung war, daß irgendein Zimmermädchen sie bei Saisonende in der Eile vergessen hatte. Abgesehen davon war alles –

Seine Nasenlöcher weiteten sich. Ein Desinfektionsmittel. Dieser selbstgerechte Geruch. Sauberer-als-du. Und –

Seife?

Sicherlich nicht. Aber als der Geruch erst einmal identifiziert war, gab es keinen Zweifel mehr. Seife. Nicht die kleinen Riegel, die man in Hotels oder Motels vorand. Es war ein leichter, parfümierter Duft. Damenseife. Eine Art rosiger Duft. Camay oder Lowila, die Sorte, die Wendy in Stovington immer benutzt hatte.

(Es ist nichts. Du bildest es dir nur ein.)

(Genau wie die Heckentiere. Dennoch: sie haben sich bewegt.)

(Sie haben sich nicht bewegt!)

Mit ruckartigen Schritten ging er zur Zimmertür und fühlte dabei das unregelmäßige Pochen in den Schläfen, das Kopfschmerzen ankündigte. Zuviel war heute geschehen, bei weitem zuviel. Er würde den Jungen nicht schlagen oder durchschütteln. Er würde einfach mit ihm sprechen. Aber, bei Gott, er wollte aus Zimmer 217 kein zusätzliches Problem machen. Nicht wegen einer trockenen Badematte und eines leichten Seifengeruchs. Er –

Plötzlich hörte er hinter sich ein metallisch rasselndes Geräusch. Es kam in dem Augenblick, als seine Hand sich um den Türknopf schloß, und ein Beobachter hätte denken können, der Metallknopf sei statisch aufgeladen. Jack zuckte zusammen, seine Augen weiteten sich, sein Gesicht war eine einzige Fratze.

Als er sich wieder in der Gewalt hatte, wenigstens ein bißchen, ließ er den Türknopf los und drehte sich vorsichtig um. Seine Gelenke knackten. Mit bleiernen Schritten ging er zur Badezimmertür zurück.

Der Duschvorhang, den er zurückgezogen hatte, um in die Wanne zu schauen, war jetzt zugezogen. Das metallische Rasseln, das sich für ihn wie das Klappern von Knochen in einer Gruft angehört hatte, war von den Vorhangringen an der Metallschiene verursacht worden. Jack starrte auf den Vorhang. Sein Gesicht kam ihm wie mit Wachs bestrichen vor, außen nur tote Haut, und in ihm war kaltes Entsetzen. Wie damals auf dem Spielplatz.

Irgend etwas war hinter dem rosa Plastikvorhang. Irgend etwas war in der Wanne. Undeutlich und dunkel erkannte er durch den Vorhang eine fast amorphe Gestalt. Es konnte alles mögliche sein. Ein Lichteffekt. Der Schatten der Duschvorrichtung. Eine Frau, die schon lange tot war und die im Bad zurückgelehnt, ein Stück Lowila in der erstarrten Hand, geduldig auf irgendeinen Liebhaber wartete.

Jack gab sich den Befehl, kühn den Vorhang wegzureißen, um festzustellen, was sich dahinter verbarg. Statt dessen drehte er sich mit ruckartigen, marionettenhaften Bewegungen um und ging in das kombinierte Wohn- und Schlafzimmer zurück. Sein Herz hämmerte.

Die Tür zum Korridor war geschlossen.

Eine endlose, reglose Sekunde lang starrte er die Tür an. Er konnte sein Entsetzen jetzt schmecken. Es war der Geschmack verfaulter Kirschen, den er hinten in der Kehle hatte.

Mit den gleichen ruckartigen Bewegungen ging er an die Tür und zwang seine Finger dazu, sich um den Knopf zu schließen.

(Sie wird sich nicht öffnen.)

Aber sie tat es.

Mit einer tastenden Geste schaltete er das Licht aus, trat auf den Flur hinaus und zog, ohne sich umzuschauen, die Tür ins Schloß. Aus dem Innern des Zimmers schien undeutlich ein dumpfes und zugleich quietschendes Geräusch zu kommen, als ob jemand rasch aus der Wanne stieg, um einen Besucher zu begrüßen, als ob dieser Jemand oder dieses Etwas wüßte, daß der Besucher im Begriff war zu gehen, bevor es zum Austausch von Höflichkeiten gekommen war, und jetzt rasch an die Tür eilte, purpurn und grinsend, um den Besuch wieder hereinzubitten. Vielleicht für immer.

Waren das Schritte, die sich der Tür näherten, oder hatte er nur sein eigenes Herzklopfen in den Ohren?

Er fummelte am Hauptschlüssel. Er schien sich im Schloß nicht drehen zu wollen. Er griff fester zu, und plötzlich drehte sich der Schlüssel ganz leicht. Er trat zurück und lehnte sich im Korridor gegen die Wand. Er stieß einen Seufzer der Erleichterung aus und schloß die Augen, und nun fielen ihm all die alten Redensarten ein, es mußten Hunderte sein,

(nicht alle Tassen im Schrank haben, nicht ganz da sein, einen an der Waffel haben, balla-balla-plem-plem, meschugge)

und sie bedeuteten alle dasselbe: *den Verstand verlieren.*

»Nein«, wimmerte er und war sich kaum bewußt, daß er wimmerte, mit geschlossenen Augen wie ein kleines Kind wimmerte. »Oh mein Gott, nein. Bitte nein.«

Aber unter dem Gewirr dieser chaotischen Gedanken, während sein Herz wie ein Schmiedehammer schlug, hörte er, daß leise und vergeblich am Türknopf gedreht wurde, daß etwas Eingesperrtes hilflos versuchte, herauszukommen. Etwas, das ihn kennenlernen wollte, etwas, das den Wunsch hatte, mit seiner Familie bekanntgemacht zu werden, während um sie herum der Sturm heulte und das weiße Tageslicht sich in schwarze Nacht verwandelte. Wenn er die Augen öffnete und den Türknopf sich bewegen sah, würde er verrückt werden. So ließ er sie geschlossen, bis nach einiger Zeit Stille herrschte.

Jack zwang sich dazu, die Augen zu öffnen, halb überzeugt, daß sie vor ihm stehen würde, wenn er es tat, Aber der Korridor war leer.

Dennoch fühlte er sich beobachtet.

Er betrachtete das Gucklock in der Mitte der Tür und fragte sich, was wohl geschehen würde, wenn er hindurchblickte, wenn er hineinstarrte. Was würde er dann sehen? Auge in Auge?

Seine Füße bewegten sich

(Füße, versagt mir jetzt nicht den Dienst)

bevor er es merkte. Sie trugen ihn von der Tür weg und verursachten auf dem blauschwarzen Dschungelteppich flüsternde Geräusche, als er zum Hauptkorridor zurückging. Er blieb auf halbem Wege stehen und schaute zum Feuerlöscher hinüber. War das Leinen des Schlauchs nicht ein wenig anders angeordnet als vorher? Er war ganz sicher, daß die Messingdüse, als er heraufkam, zum Fahrstuhl gezeigt hatte. Jetzt zeigte sie in die entgegengesetzte Richtung.

»Das habe ich überhaupt nicht gesehen«, sagte Jack Torrance laut. Sein Gesicht war weiß und verstört, und sein Mund versuchte immer wieder zu lächeln.

Aber er fuhr nicht mit dem Fahrstuhl nach unten. Der sah zu sehr wie ein geöffneter Rachen aus. Viel zu sehr. Er benutzte die Treppe.

31

Das Urteil

Er betrat die Küche und sah Wendy und Danny an. Er warf den Schlüssel hoch, daß die Kette gegen das Metallschild klirrte, und fing ihn wieder auf. Danny sah blaß und erschöpft aus. Er sah, daß Wendy geweint hatte; ihre Augen waren gerötet und hatten dunkle Schatten. Sekundenlang empfand er Freude darüber. Er litt nicht als einziger, das stand fest.

Sie sahen ihn an, ohne etwas zu sagen.

»Da ist nichts«, sagte er und war erstaunt, daß seine Stimme so frisch klang. »Überhaupt nichts.«

Er warf den Schlüssel noch ein paarmal in die Luft und lächelte beruhigend. Er sah die Erleichterung in ihren Gesichtern, und ihm fiel ein, daß er nie im Leben einen Drink so nötig gehabt hatte wie jetzt.

32

Das Schlafzimmer

Am späten Nachmittag holte Jack ein Kinderbett aus dem Geräteschuppen und stellte es in eine Ecke ihres Schlafzimmers. Wendy hatte erwartet, daß es die halbe Nacht dauern würde, bis der Junge einschlief, aber Danny war schon eingenickt, als »Die Waltons« erst halb zu Ende waren, und fünf Minuten nachdem sie ihn ins Bett gelegt und zugedeckt hatten, schlief er reglos und fest, eine Hand unter seiner Wange. Wendy saß neben seinem Bett und beobachtete ihn. Sie hatte einen Finger in die Taschenbuchausgabe von *Cashelmara* gesteckt, um die Seite nicht zu verschlagen. Jack saß an seinem Schreibtisch und beschäftigte sich mit seinem Stück.

»Oh, Scheiße«, sagte er.

Wendy schaute von Danny auf. »Was?«

»Nichts.«

Seine Stimmung wurde immer schlechter, als er in dem Stück blätterte. Wie hatte er nur glauben können, es sei gut. Es war kindisch. Ähnliches war schon tausendmal geschrieben worden. Schlimmer noch, er hatte keine Ahnung, wie das Ende aussehen sollte. Am Anfang hatte er es sich einfach vorgestellt.

In einem Wutanfall reißt Denker einen Feuerhaken vom Kamin und erschlägt den heiligen Gary damit. Dann stellt er sich breitbeinig über die Leiche und schreit ins Publikum: »Es ist hier irgendwo, und ich *werde* es finden!«

Dann, während das Licht langsam erlischt und der Vorhang langsam fällt, sehen die Zuschauer Garys Leiche mit dem Gesicht nach unten vorn auf der Bühne liegen, und Denker geht an die Bücherschränke im Bühnenhintergrund und reißt fieberhaft Bücher aus den Regalen, betrachtet sie und wirft sie zur Seite. Er hatte gedacht, daß dies etwas so Altes sei, daß es schon wieder als neu gelten konnte, ein Spiel, dessen Neuartigkeit allein ausreichen müßte, ihm eine längere Aufführungszeit am Broadway zu garantieren: eine Tragödie in fünf Akten.

Aber zu der Tatsache, daß sein Interesse an der Geschichte des Overlook Hotels ihn von seinem Stück abgelenkt hatte, war etwas anderes hinzugekommen. Er hatte seinen Charakteren gegenüber entgegengesetzte Gefühle entwickelt. Das war etwas ganz Neues. Gewöhnlich mochte er seine Charaktere, die guten wie die bösen. Er war froh darüber. Es erlaubte ihm, beide Seiten zu sehen und die jeweiligen Motive klarer zu erkennen. Seine Lieblingsgeschichte, die er an eine kleine Illustrierte im südlichen Maine verkauft hatte, war ein Stück mit dem Titel »Der Affe ist da, Paul DeLong« gewesen. Dieser DeLong, der von seinen Freunden und Bekannten Affe genannt wurde, pflegte Kinder zu belästigen und war im Begriff, sich das Leben zu nehmen. Jack empfand große Sympathie für Paul und hatte Verständnis für dessen ausgefallene Bedürfnisse, zumal er wußte, daß ›Affe‹ nicht als einziger für die drei Lustmorde verantwortlich war, die er begangen hatte. Da waren die Eltern gewesen, der Vater ein Schläger wie sein eigener Vater, die Mutter eine unterwürfige Haussklavin wie seine eigene Mutter. Ein homosexuelles Erlebnis an der Oberschule. Öffentliche Demütigung. Noch schlechtere Erfahrungen an der Universität. Nachdem er sich zwei kleinen Mädchen, die aus einem Schulbus ausstiegen, in unsittlicher Weise gezeigt hatte, wurde er verhaftet und in eine geschlossene Anstalt gesteckt. Schlimmer noch; er wurde nach einiger Zeit wieder auf freien Fuß gesetzt, weil der Anstaltsdirektor, ein Mann namens Grimmer, zu dem Schluß gekommen war, daß er harmlos sei. Zwar hatte Grimmer gewußt, daß Affe DeLong von der Norm abweichende Symptome zeigte, aber er hatte ein positives Gutachten erstellt und ihn gehen lassen. Auch Grimmer hatte Jacks Mitgefühl. Er leitete mit zu wenig Personal eine mit zu geringen Mitteln ausgestattete Institution und versuchte, den Laden mit Spucke und Draht zusammenzuhalten, und mit den lächerlich geringen finanziellen Zuwendungen von seiten einer Legislatur, die ständig auf den Wähler starrte. Grimmer wußte, daß Affe sich im Umgang mit anderen Menschen normal verhalten konnte, daß er sich nicht in die Hose machte, daß er nicht versuchte, die Mitinsassen mit der Schere zu erstechen. Er hielt sich auch nicht für Napoleon. Der Psychiater, der mit DeLongs Fall befaßt war, schätzte die Chance, daß Affe es draußen schaffen würde, sehr hoch ein, und außerdem wußten er und Grimmer, daß ein Mann bei längerem Anstaltsaufenthalt diese Abgeschlossenheit schließlich genauso braucht wie ein Drogensüchtiger seinen Stoff. Im übrigen hielten andere Fälle sie genügend in Atem. Paranoide, Schizoide, Zykloide, Semikatatoniker, Leute, die behaupteten, mit fliegenden Untertassen im Weltraum gewesen zu sein, Frauen, die die Sexualorgane ihrer Kinder mit Feuerzeugen angesengt hatten, Alkoholiker, Pyromanen, Kleptomanen, Manisch-depressive und Selbstmordgefährdete. Das Leben ist hart, Baby. Wenn du nicht fest zusammengeschraubt bist, fängst du schon an zu rasseln und zu klappern und auseinanderzufallen, bevor du das dreißigste Lebensjahr erreicht hast. Jack hatte Verständnis für Grimmers Problem. Die Eltern der Mordopfer hatten seine Sympathie. Natürlich auch die ermordeten Kinder selbst. Und Affe DeLong. Sollte doch der Leser irgendwo die Schuld suchen. Damals hatte Jack nicht richten wollen. Der Mantel des Moralisten stand ihm schlecht zu Gesicht.

Mit derselben optimistischen Grundhaltung hatte er angefangen, *Die kleine Schule* zu schreiben. Aber in der letzten Zeit hatte er die Seiten gewechselt, und, was das schlimmste war, er hatte angefangen, seinen Helden Gary Benson zu hassen. Ursprünglich als intelligenter Junge konzipiert, dem Geld eher Fluch als Segen war, ein Junge, der etwas leisten wollte, um sich die Zulassung zu einer guten Universität selbst zu verdienen, anstatt sich von seinem Vater protegieren zu lassen, war er für Jack jetzt ein selbstgefälliger Stümper, ein Fordernder vor dem Altar der Wissenschaft statt ihr aufrichtiger Diener, nach außen der Inbegriff aller Pfadfindertugenden, innerlich zynisch, ohne jeden Glanz und nur mit verschlagener animalischer Listigkeit ausgestattet. Das ganze Stück hindurch redete er Denker mit »Sir« an, genau wie Jack seinen Sohn gelehrt hatte, ältere und angesehene Leute mit »Sir« anzureden. Er war überzeugt, daß Danny die Anrede ganz aufrichtig verwendete, und das hatte Gary anfangs auch getan, aber als Jack mit Akt V angefangen hatte, war ihm aufgegangen, daß Gary das Wort ironisch benutzte und äußerlich verbindlich auftrat, während er sich innerlich über Denker lustig machte und ihm in Gedanken Fratzen schnitt. Denker, der nie das gehabt hatte, was Gary besaß. Denker, der sein Leben lang hart gearbeitet hatte, nur um Direktor einer einzigen kleinen Schule zu werden. Der jetzt dieses hübschen, unschuldig wirkenden reichen Jungen wegen vor dem Ruin stand. Jack hatte Denker nicht viel anders gesehen, als er die eitlen kleinen südamerikanischen Caesaren in ihren Bananenkönigreichen sah, die Andersdenkenden in der nächsten Squash- oder Handballhalle an die Wand stellen ließen; als fanatischen Eiferer, wenn auch auf verhältnismäßig kleinem Niveau, der aus jeder seiner Launen einen Kreuzzug macht. Jacks Stück hatte anfangs einen Mikrokosmos darstellen sollen, in dem der Mißbrauch von Macht demonstriert wurde. Jetzt aber neigte er mehr und mehr dazu, Denker als tragische Figur zu sehen, und die Tragödie war nicht die intellektuelle Folter an Gary Benson, sondern die Vernichtung eines freundlichen alten Lehrers und Schuldirektors, der die zynische Bosheit dieses Ungeheuers in Gestalt eines Jungen nicht durchschaut.

Er hatte das Stück nicht zu Ende schreiben können.

Und jetzt betrachtete er finster das Manuskript und überlegte, ob es eine Möglichkeit gab, die Situation noch zu retten. Er glaubte eigentlich nicht daran. Er hatte ein Stück angefangen, und es hatte sich irgendwie in ein anderes verwandelt. Zur Hölle damit. So oder so war es nichts Neues. So oder so war es ein Haufen Scheiße. Und warum ließ er sich ausgerechnet heute abend damit verrückt machen? Nach dem, was er heute erlebt hatte, war es kein Wunder, daß er nicht klar denken konnte.

»– ihn hier wegbringen?«

Er schaute auf und blinzelte. »Was?«

»Ich fragte, wie wir ihn von hier wegbringen können. Er muß hier weg, Jack.«

Einen Augenblick waren seine Gedanken so durcheinander, daß er gar nicht wußte, wovon sie redete. Aber dann verstand er und lachte auf.

»Du redest, als sei das gar kein Problem.«

»Ich meinte nicht –«

»Kein Problem, Wendy. Ich zieh' mich rasch in der Telefonzelle unten im Foyer um und fliege ihn auf meinem Rücken nach Denver. Supermann Jack Torrance nannten sie mich, als ich meine große Zeit hatte.«

Sie sah ihn gekränkt an. »Mir ist das Problem bekannt, Jack. Das Radio ist kaputt. Der Schnee ... aber du mußt auch Dannys Problem sehen. Mein Gott, verstehst du das denn nicht? Er hatte einen Starrkrampf, Jack! Wenn er nun nicht wieder aufgewacht wäre?«

»Ist er aber«, sagte Jack kurz. Er war natürlich selbst entsetzt über Dannys leeren Blick und seinen erschöpften Zustand gewesen. Jedenfalls zuerst. Aber je länger er darüber nachdachte, umso mehr fürchtete er, daß Danny nur geschauspielert hatte, um einer Bestrafung zu entgehen. Schließlich war er ungehorsam gewesen.

»Trotzdem«, sagte sie und setzte sich neben seinem Schreibtisch auf das Bett. In ihrem Gesicht drückten sich Überraschung und Sorge aus. »Jack, die Quetschungen am Hals! Etwas hat ihn verletzt! Und davon muß er weg!«

»Schrei nicht«, sagte er. »Ich habe Kopfschmerzen, Wendy, also bitte ... schrei nicht.«

»Gut«, sagte sie und senkte die Stimme. »Ich werde nicht schreien. Aber ich verstehe dich nicht, Jack. Es ist jemand außer uns im Hotel, und dieser Jemand ist nicht gerade sehr angenehm. Wir müssen nach Sidewinder. Nicht nur Danny, sondern wir alle. Schnell. Und du... du sitzt da und liest dein *Stück*!«

»Wir müssen hier weg, wir müssen hier weg. Das sagst du immer wieder. Du mußt tatsächlich denken, daß ich Supermann bin.«

»Ich denke, du bist mein Mann«, sagte sie leise und betrachtete ihre Hände.

Wut flackerte in ihm auf. Er schleuderte das Manuskript auf die Tischplatte, daß die Seiten auseinanderfielen und die untersten zerknittert wurden.

»Es ist Zeit, daß man dir ein paar grundsätzliche Wahrheiten nahebringt, Wendy. Du scheinst sie noch nicht verinnerlicht zu haben, wie die Soziologen sagen. Sie klappern in deinem Kopf herum wie Billardbälle. Du mußt sie in die Löcher schießen. Du mußt endlich begreifen, daß *wir eingeschneit sind*.«

Danny begann sich in seinem Bett zu regen. Er drehte sich im Schlaf um und zuckte unruhig. Das hat er immer getan, wenn wir uns stritten, dachte Wendy traurig.

»Weck ihn bitte nicht, Jack«

Er schaute zu Danny hinüber, und die Röte verschwand aus seinem Gesicht. »Okay. Es tut mir leid, wenn es sich wütend anhörte. Aber es galt nicht dir. Ich selbst habe das CB-Radio kaputtgemacht. Wenn jemand die Schuld hat, dann bin ich es. Es war unsere einzige Verbindung zur Außenwelt. Bitte, holen Sie uns, Mister Ranger. Wir können hier nicht länger bleiben.«

»Nein«, sagte sie und legte ihm eine Hand auf die Schulter. Er lehnte den Kopf gegen ihren Arm, und mit der anderen Hand strich sie ihm übers Haar. »Ich kann deinen Ärger gut verstehen, nach dem, was ich dir vorgeworfen habe. Manchmal bin ich wie meine Mutter. Ich kann ein Biest sein. Aber du mußt verstehen, daß es Dinge gibt... die man schwer verwindet. Das mußt du verstehen.«

»Du meinst seinen Arm?« Seine Lippen wurden zu einem Strich.

»Ja«, sagte Wendy und sprach rasch weiter: »Aber es geht nicht nur um dich. Ich mache mir Sorgen, wenn er draußen spielt. Ich habe schon Angst davor, daß er sich nächstes Jahr ein Zweirad wünscht, wenn auch eins mit kleinen Rädern. Ich mache mir Sorgen um seine Zähne und um seine Augen und um das, was er ›Dinge sehen‹ nennt. Ich mache mir nur noch Sorgen. Er ist so klein und zerbrechlich und... und etwas in diesem Hotel ist hinter ihm her. Und wenn es ihn haben will, können auch wir ihm nicht helfen. Deshalb müssen wir ihn wegschaffen, Jack. Ich weiß es! Ich spüre es! *Wir müssen ihn wegschaffen!*«

Ihre Hand hatte sich fast schmerzhaft um seine Schulter gekrampft, aber er rückte nicht von ihr weg. Seine Hand fand ihre linke Brust und er streichelte sie über ihrem Hemd.

»Wendy«, sagte er und schwieg. Sie wartete, wie er darauf reagieren wollte. Seine kräftige Hand an ihrer Brust fühlte sich gut und tröstlich an. »Ich könnte ihn vielleicht auf Schneeschuhen hinunterbringen. Ein Stück des Weges könnte er selbst gehen, aber die meiste Zeit würde ich ihn tragen müssen. Es würde auch zwei oder drei Übernachtungen im Freien bedeuten. Wir müßten etwas bauen, auf dem wir Vorräte und Schlafsäcke mitnehmen könnten. Wir haben noch das kleine Radio und könnten uns einen Tag aussuchen, an dem der Wetterbericht für drei Tage gutes Wetter voraussagt. Aber wenn die Voraussage falsch ist, könnten wir sterben.« Er hatte leise und beherrscht gesprochen.

Ihr Gesicht war blaß geworden.

Es glänzte und sah fast gespenstisch aus. Er streichelte ihr immer noch die Brust und rieb mit dem Daumen zärtlich über die Warze.

Sie machte ein leises Geräusch – er wußte nicht, ob es eine Reaktion auf seine Worte oder den sanften Druck an ihrer Brust war. Er schob seine Hand ein wenig höher und knöpfte ihr den obersten Blusenknopf auf. Wendy bewegte die Beine. Ganz plötzlich schienen ihr die Jeans auf irritierende, aber doch angenehme Weise zu eng zu werden.

»Es würde auch bedeuten, dich alleinzulassen, denn dein Schneeschuhlaufen ist nicht der Rede wert. Drei Tage lang würdest du über uns im Ungewissen sein. Wäre dir das lieb?«

Seine Hand glitt an den zweiten Knopf und legte den Ansatz ihrer Brüste frei.

»Nein«, sagte sie mit belegter Stimme. Sie schaute zu Danny hinüber. Er lag jetzt ruhig und hatte wieder den Daumen im Mund. Das war also in Ordnung. Aber Jack ließ irgend etwas unerwähnt. Es gab noch etwas anderes . . . aber was?

»Wenn man nichts von uns hört«, sagte Jack und beschäftigte sich mit dem dritten und vierten Knopf, »wird ein Ranger aus dem Park oder irgendein Jagdaufseher hereinschauen, um zu sehen, wie es uns geht. Und dann sagen wir einfach, daß wir nach unten wollen. Der wird dann schon dafür sorgen.« Ihre nackten Brüste lagen jetzt vor ihm, und er beugte sich vor und legte seine Lippen über eine der Warzen. Sie war hart und aufgerichtet. Er ließ seine Zunge darübergleiten, wie sie es so gern mochte. Wendy stöhnte leise und bog sich ihm entgegen.

(? Etwas, das ich vergessen habe?)

»Honey?« fragte sie, legte die Hände um seinen Nacken und zog seinen Kopf an sich. »Wie würde der Ranger uns denn von hier wegbringen?«

Er hob leicht den Kopf, um ihr zu antworten, und küßte dann die andere Warze.

»Wenn nicht mit dem Hubschrauber, dann wahrscheinlich mit dem Schneemobil.«

(!!!)

»Aber wir haben doch selbst eins. Ullman sprach davon.«

Einen Augenblick lag sein Mund reglos an ihrer Brust. Dann richtete er sich auf. Ihr Gesicht war leicht gerötet, und ihre Augen strahlten hell. Jacks Gesicht dagegen sah aus, als hätte er eben in einem sehr langweiligen Buch gelesen, statt sich mit seiner Frau dem Vorspiel hinzugeben.

»Und wenn wir ein Schneemobil haben, gibt es kein Problem mehr. Wir können alle drei fahren.«

»Wendy, ich habe in meinem Leben noch kein Schneemobil gefahren.«

»Das dürfte nicht schwer zu lernen sein. Zu Hause in Vermont fahren zehnjährige Kinder damit durchs Gelände . . . obwohl ich nicht weiß, was ihre Eltern davon halten. Und als wir uns kennenlernten, hattest du ein Motorrad.« Das stimmte, eine Honda 350cc. Kurz nachdem er mit Wendy in eine gemeinsame Wohnung gezogen war, hatte er die Maschine gegen einen Saab eingetauscht.

»Ich denke schon, daß ich es lernen könnte«, sagte er langsam. »Ich frage mich nur, in welchem Zustand das Fahrzeug ist. Ullman und Watson ... verwalten das Hotel von Mai bis Oktober. Sie denken nicht so sehr an den Winter. Wahrscheinlich ist es nicht einmal vollgetankt. Und vielleicht gibt es weder Zündkerzen noch eine Batterie. Erhoff dir nicht zuviel, Wendy.«

Sie war jetzt sehr erregt. Sie beugte sich über ihn, und ihre Brüste glitten ihr aus dem Hemd. Er verspürte den plötzlichen Impuls, eine davon zu packen und umzudrehen, bis sie schrie. Vielleicht würde sie dann endlich das Maul halten.

»Benzin ist kein Problem«, sagte sie. »Der VW und Lieferwagen sind beide vollgetankt, und unten ist Benzin für das Notaggregat. Außerdem steht bestimmt ein Kanister draußen im Schuppen, so daß du zusätzlichen Sprit mitnehmen kannst.«

»Ja«, sagte er. »Du hast recht.« In Wirklichkeit gab es drei, zwei mit fünf Gallonen und einen mit drei.

»Ich wette, die Zündkerzen und die Batterie sind auch im Schuppen. Niemand würde das Schneemobil dort abstellen und die Zündkerzen und die Batterie woanders.«

»Nicht sehr wahrscheinlich.« Er stand auf und ging zu Dannys Bett hinüber. Eine Haarsträhne war ihm ins Gesicht gefallen. Jack strich sie ihm zärtlich aus der Stirn. Danny rührte sich nicht.

»Und wenn du es in Gang kriegst, bringst du uns dann weg?« hörte er sie fragen. »Am ersten Tag, an dem gutes Wetter vorausgesagt wird?«

Er antwortete nicht gleich. Er stand da und schaute auf seinen Sohn hinab. Seine gemischten Gefühle lösten sich in eine Welle von Liebe auf. Er war, wie sie gesagt hatte: verletzlich und zerbrechlich. Die blutunterlaufenen Stellen waren deutlich zu sehen.

»Ja«, sagte er. »Ich kriege es schon in Gang, und dann fahren wir so bald wie möglich weg.«

»Gott sei Dank!«

Er drehte sich um. Sie hatte das Hemd ausgezogen und lag auf dem Bett. Ihr Bauch war flach, und ihre Brüste standen unternehmungslustig hoch. Träge spielte sie daran und schnippte mit den Fingern an den Warzen. »Beeilung, Gentleman«, sagte sie leise, »es ist Zeit.«

Dann, als nur noch die Nachttischlampe brannte, die Danny aus seinem Zimmer mitgebracht hatte, lag sie in seinem Arm und fühlte sich wunderbar beruhigt. Sie konnte sich kaum vorstellen, das Overlook mit einem mörderischen blinden Passagier teilen zu müssen.

»Jack?«

»Hmmm?«

»Wie ist das mit ihm passiert?«

Er antwortete ihr nicht direkt. »Er hat etwas. Irgendeine Fähigkeit, die andere Leute nicht haben. Pardon, die meisten anderen Leute. Und vielleicht hat auch das Overlook etwas.«

»Gespenster?«

»Ich weiß nicht. Gewiß nicht im herkömmlichen Sinne. Es liegt irgendwie in der Atmosphäre. Die Gefühle der Leute, die sich hier aufgehalten haben. Gute und böse Dinge. Ich glaube, daß in diesem Sinne jedes Hotel sein Gespenst hat. Besonders alte Hotels.«

»Aber die tote Frau in der Badewanne... Jack, er verliert doch nicht den Verstand?«

Er drückte sie kurz an sich. »Wir wissen, daß er manchmal in... nun, Trance verfällt. Wie soll man es sonst nennen? Und wenn das der Fall ist... sieht?... er manchmal Dinge, die er nicht versteht. Wenn es eine Trance gibt, in der man Dinge voraussieht, sind dies wahrscheinlich Funktionen des Unbewußten. Freud behauptet, daß das Unbewußte nie direkt zu uns spricht. Nur in Symbolen. Wenn du im Traum in einer Bäckerei bist, wo niemand englisch spricht, bedeutet es vielleicht, daß du dir Sorgen machst, wie du deine Familie ernähren sollst. Oder vielleicht auch nur, daß niemand dich versteht. Ich habe mal gelesen, von einem Sturz in den Abgrund zu träumen, weist auf ein Gefühl der Unsicherheit hin. Spiele, kleine Spiele. Das Bewußte auf einer Seite des Netzes, das Unbewußte auf der anderen. Sie schlagen sich Bilder und Vorstellungen wie Bälle zu. Ähnlich ist es bei Geisteskrankheiten, Vorahnungen und dergleichen. Warum sollte es bei der Fähigkeit, etwas im voraus zu wissen, anders sein? Vielleicht hat Danny wirklich Blut an den Wänden der Präsidentensuite gesehen. Für ein Kind in seinem Alter ist die Vorstellung von Blut mit dem Begriff Tod austauschbar. Kindern erschließt sich ein Bild eher als ein Begriff. William Carlos Williams wußte das. Er war Kinderarzt. Wenn wir erwachsen werden, haben wir weniger Schwierigkeiten mit den Begriffen und überlassen die Bilder den Poeten . . . aber ich rede nur so daher.«

»Ich habe es gern, wenn du nur so daherredest.«

»He, gibst du mir das schriftlich?«

»Die Quetschungen am Hals, Jack. Die sind wirklich da.«

»Ja.«

Dann herrschte lange Zeit Schweigen. Sie glaubte schon, daß er eingeschlafen sei, und war selbst dem Einschlafen nahe, als er weitersprach: »Mir fallen zwei Erklärungen ein, und keine von beiden bedingt die Anwesenheit einer vierten Person im Hotel.«

»Und die wären?« Sie stützte sich auf einen Ellbogen.

»Vielleicht Stigmata«, sagte er.

»Stigmata? Ist das nicht, wenn Leute am Karfreitag bluten oder sowas Ähnliches?«

»Ja. Bei Leuten, die tief an die Göttlichkeit Christi glauben, zeigen sich während der Karwoche manchmal dessen Wundmale an Händen und Füßen. Das kam im Mittelalter häufiger vor als heute. Damals glaubte man, diese Leute seien von Gott gesegnet. Ich glaube nicht, daß die katholische Kirche solche Vorkommnisse als Wunder bezeichnet hat, und das war klug. Stigmata unterscheiden sich gar nicht so sehr von gewissen Fertigkeiten der Yogi. Heute weiß man mehr davon als damals. Die Leute, die sich mit den Wechselwirkungen zwischen Körper und Geist befassen – so recht versteht man sie auch heute noch nicht –, sind der Ansicht, daß wir mehr Kontrolle über unsere unwillkürlichen Funktionen haben, als man früher glaubte. Wenn man sich genügend darauf konzentriert, kann man zum Beispiel seinen Herzschlag verlangsamen oder seinen Stoffwechsel beschleunigen. Verstärkt schwitzen oder Blutungen verursachen.«

»Du glaubst also, Danny hat die Quetschungen an seinem

Hals selbst ›herbeigedacht‹? Jack, das kann ich nicht glauben.«

»Es kommt auch mir unwahrscheinlich vor, aber ich halte es für denkbar. Wahrscheinlicher ist, daß er sie sich selbst beigebracht hat.«

»*Sich selbst?*«

»Er ist doch schon früher in ›Trance‹ gefallen und hat sich dabei verletzt. Einmal beim Essen, erinnerst du dich nicht? Ich glaube, es war vor zwei Jahren. Wir waren stinksauer aufeinander. Niemand redete viel. Plötzlich rollte er mit den Augen und fiel mit dem Gesicht in sein Essen. Dann auf den Fußboden. Das müßtest du doch noch wissen.«

»Ja«, sagte sie. »Das weiß ich noch gut. Ich dachte, er hätte Krämpfe.«

»Ein anderes Mal waren wir im Park«, sagte er. »Nur Danny und ich. An einem Samstagnachmittag. Er saß auf der Schaukel. Es war, als sei er erschossen worden. Ich rannte hin und hob ihn auf, und plötzlich kam er wieder zu sich. Er blinzelte mich an und sagte: ›Ich habe mir den Bauch wehgetan. Sag Mommy, daß sie die Fenster zumachen soll, wenn es regnet‹. Und abends regnete es dann in Strömen.«

»Ja, aber –«

»Und dauernd schneidet er sich oder schlägt sich die Ellbogen auf. Seine Schienbeine sehen wie ein Schlachtfeld aus. Und fragt man ihn, wie dies oder jenes passiert ist, sagt er nur: ›Ach, ich habe gespielt‹, und mehr ist nicht aus ihm herauszubekommen.«

»Jack, alle Kinder holen sich Schrammen. Bei kleinen Jungen geht es schon los, wenn sie noch kaum laufen können, und es wird erst besser, wenn sie zwölf oder dreizehn sind.«

»Danny bekommt ganz bestimmt seinen Anteil«, erwiderte Jack. »Er ist ein lebhafter Junge. Aber ich denke an den Park und an den Vorfall beim Essen. Und ich überlege mir, ob seine Schrammen nicht oft davon herrühren, daß er einfach umkippt. Verdammt, das ist ihm doch sogar in Dr. Edmonds Büro passiert!«

»Gut. Aber diese Quetschungen stammen von Fingern. Darauf könnte ich schwören. Die kommen nicht von einem Sturz.«

»Er fällt in Trance«, sagte Jack. »Vielleicht sieht er etwas, das einmal in diesem Raum geschehen ist. Ein Streit. Vielleicht ein

Selbstmord. Heftige Emotionen. Es ist nicht, als ob er einen Film sieht. Er ist in einem stark beeinflußbaren Zustand. Und er steckt mitten drin. Sein Unbewußtes nimmt, was immer geschehen sein mag, symbolisch auf... wie etwa eine tote Frau, die wieder lebt, ein Ungeheuer, eine Untote, ein Geist, nenn es, wie du willst.«

»Du machst mir eine Gänsehaut«, sagte sie mit belegter Stimme.

»Ich mache mir selbst gelegentlich eine. Ich bin kein Psychiater, aber es scheint so gut zu passen. Die wandelnde tote Frau als Symbol für tote Emotionen, totes Leben, das einfach nicht weichen will... aber weil sie eine Figur des Unbewußten ist, ist sie gleichzeitig *er*. Im Zustand der Trance gibt es keinen bewußten Danny. Die Figur des Unbewußten zieht die Fäden. Also legt sich Danny die Hände um den Hals und –«

»Hör auf«, sagte sie. »Ich verstehe das Bild schon. Das ist ja noch viel erschreckender als die Vorstellung, daß ein Fremder hier herumkriecht. Vor einem Fremden kann man weglaufen. Vor sich selbst nicht. Du redest von Schizophrenie.«

»Nur sehr begrenzt«, sagte er, aber er war ein wenig beunruhigt. »Und von ganz besonderer Art. Denn er scheint tatsächlich Gedanken lesen zu können. Und er weiß tatsächlich manchmal Dinge im voraus. Darin kann ich weiß Gott keine Geisteskrankheit erkennen. Im übrigen haben wir alle unser Quentchen Schizophrenie in uns. Ich denke, wenn Danny älter wird, bekommt er die Dinge in den Griff.«

»Wenn du recht hast, müssen wir ihn unbedingt hier wegbringen. Was er auch hat, in diesem Hotel wird es schlimmer.«

»Das würde ich nicht sagen«, widersprach er. »Wenn er nicht gegen meine ausdrücklichen Anweisungen gehandelt hätte, wäre er überhaupt nicht in dieses Zimmer gegangen, und das Ganze wäre nicht passiert.«

»Mein Gott, Jack! Willst du damit sagen, daß halb erwürgt zu werden... die gerechte Strafe für seinen Ungehorsam war?«

»Nein... nein. Natürlich nicht. Aber –«

»Kein Aber«, sagte sie und schüttelte energisch den Kopf. »Die Wahrheit ist, daß wir nur raten. Wir haben keine Ahnung, wann er hinter der nächsten Ecke wieder in eine dieser Lufttaschen... einen dieser Horrorfilme hineinstolpert, oder wie wir es auch nennen wollen. Er muß hier *weg.*« Sie lachte kurz auf. »Als nächstes sehen auch wir noch Dinge.«

»Red keinen Unsinn«, sagte er, und in der Dunkelheit des Raumes sah er die Heckenlöwen sich auf dem Weg zusammendrängen, den sie nicht mehr bewachten, sondern blockierten. Hungrige Novemberlöwen. Kalter Schweiß trat ihm auf die Stirn.

»Du hast wirklich nichts gesehen?« fragte sie. »Ich meine, als du in diesem Zimmer warst. Hast du da wirklich nichts gesehen?«

Die Löwen waren verschwunden. Jetzt sah er einen blaßrosa Duschvorhang mit einem dahinter kauernden Schatten. Die geschlossene Tür. Das gedämpfte, hastige Geräusch, das vielleicht von Schritten verursacht war. Sein schreckliches Herzklopfen, als er sich mit dem Schlüssel abmühte.

»Nichts«, sagte er, und das stimmte. Er war nervös gewesen, hatte nicht gewußt, was los war. Er hatte keine Chance gehabt, in Ruhe eine Erklärung für die Verletzungen am Hals seines Sohnes zu finden. Er war selbst ganz schön beeinflußbar gewesen. Halluzinationen konnten ansteckend sein.

»Und du hast es dir nicht anders überlegt? Ich meine das mit dem Schneemobil?«

Seine Hände ballten sich plötzlich zu Fäusten.

(Hör auf mit deiner verdammten Nörgelei!)

»Das haben wir doch alles schon besprochen, nicht wahr? Schlaf jetzt. Es war ein harter Tag.«

»Das kann man wohl sagen«, erwiderte sie. Das Bettzeug raschelte, als sie sich umdrehte und ihm die Schulter küßte. »Ich liebe dich, Jack.«

»Ich liebe dich auch«, sagte er, aber er sprach die Worte nur mechanisch. Er hielt die Hände immer noch zu Fäusten geballt. Es fühlte sich an, als hätte er Felsbrocken an den Armen hängen. Er spürte seinen Pulsschlag in den Schläfen. Sie hatte kein Wort darüber verloren, was aus ihnen werden sollte, *nachdem* sie das Hotel verlassen hatten. Kein Wort. Immer nur Danny dies und Danny das und Jack, ich hab' solche Angst. Oh ja, sie hatte Angst vor allerlei Gespenstern und springenden Schatten, eine Menge Angst. Aber es gab keinen Mangel an wirklichen Gespenstern. Sie würden mit sechzig Dollar in der

Tasche und den Sachen, die sie auf dem Leib trugen, in Sidewinder ankommen. Sie hatten nicht einmal einen Wagen. Selbst wenn es in Sidewinder eine Pfandleihe gab, was nicht der Fall war, hatten sie nichts zu versetzen als Wendys Verlobungsring für neunzig Dollar und das Sony-Radio. Ein Pfandleiher würde ihnen vielleicht zwanzig Dollar geben. Ein *freundlicher* Pfandleiher. Es gab keinen Job, nicht einmal Teilzeit oder Saison. Er konnte höchstens für drei oder vier Dollar Auffahrten freischaufeln. Man mußte sich das Bild vorstellen: Jack Torrance, dreißig Jahre alt, der schon für den *Esquire* geschrieben und den Traum gehegt hatte – einen durchaus realistischen Traum, wie er meinte –, innerhalb der nächsten zehn Jahre ein nicht unbedeutender amerikanischer Schriftsteller zu werden, klingelt mit einer Schaufel auf der Schulter an Haustüren ... das Bild stand ihm plötzlich viel deutlicher vor Augen als die Heckentiere, und er ballte die Fäuste noch fester und fühlte, wie ihm die Fingernägel in die Handfläche drangen, bis es blutete. Jack Torrance steht Schlange, um seine sechzig Dollar in Lebensmittelgutscheine umzutauschen, steht Schlange vor der Methodistenkirche in Sidewinder, um gespendete Sachen in Empfang zu nehmen und von den Einheimischen abfällige Blicke zu ernten. Jack Torrance erklärt Al, daß sie leider hätten gehen müssen. Sie hätten die Kesselanlage abgestellt und das Overlook mit allem Drum und Dran Vandalen oder Dieben auf Schneemobilen überlassen. Und das alles, Al, *attendez-vous,* weil es da oben Gespenster gibt, und die sind hinter meinem Sohn her. Good-bye, Al. Gedanken an Kapitel vier; der Frühling kommt für Jack Torrance. Was dann? Was dann nur? Sie könnten es mit dem VW noch bis zur Westküste schaffen. Eine neue Benzinpumpe würde genügen. Fünfzig Meilen westlich und alles bergab. Man könnte fast den Gang rausnehmen und nach Urah rollen. Dann weiter nach dem sonnigen Kalifornien, dem Land der Orangen und der guten Möglichkeiten. Mit seinem gediegenen Ruf als Alkoholiker, prügelnder Lehrer und Gespensterjäger konnte er sich aussuchen, was ihm gefiel. Aufsichtsingenieur – er konnte Greyhound-Busse reinigen. Automobilgewerbe – in einem Gummianzug Wagen waschen. Vielleicht die Kunst der feinen Küche – Tellerwäscher in einem Restaurant. Oder vielleicht eine verantwortungsvollere Tätigkeit wie Tankwart. Dabei hatte man noch den intellektuellen Anreiz, Geld wechseln und Gutscheine ausschreiben zu dürfen. *Ich kann Sie fünfundzwanzig Stunden wöchentlich zum Mindestlohn beschäftigen.*

Blut tröpfelte von seinen Handflächen. Wie Stigmata, oh ja. Er verstärkte den Druck seiner Nägel, und es tat höllisch weh. Seine Frau neben ihm schlief. Warum auch nicht? Sie hatte keine Probleme. Er hatte ihr versprochen, sie und Danny von diesem großen, bösen Buhmann wegzuschaffen, und es gab keine Probleme. *Du siehst also, Al, da habe ich gedacht, es sei das beste –*

(sie zu töten.)

Aus dem Nichts stieg der Gedanke, nackt und schmucklos. Der Impuls, sie aus dem Bett zu stoßen, nackt und verwirrt und noch halb im Schlaf, ihren Hals zu packen wie den grünen Ast einer jungen Espe und sie zu würgen, die Daumen an der Kehle, die Finger in ihr Genick gedrückt, ihren Kopf immer wieder auf die Fußbodenbretter zu schmettern, daß es krachte. Das sollte ein Tanz werden, Baby, ein Schütteln und Rasseln und Rollen. Sie sollte das bekommen, was ihr zustand, alles, bis sie tot war.

Schwach nahm er irgendwo ein gedämpftes Geräusch wahr, das von außerhalb seiner wütenden rasenden Innenwelt kam. Er schaute sich im Zimmer um. Danny wälzte sich wieder unruhig in seinem Bett und zerwühlte die Decken. Er stöhnte leise; es war ein schwacher, erstickter Laut. Ein Alptraum? Eine purpurne, schon lange tote Frau, die ihn durch gewundene Hotelflure verfolgte? Irgendwie glaubte er es nicht. Etwas anderes jagte Danny in seinen Träumen. Etwas Schlimmeres.

Jack hatte seine böse emotionale Sperre durchbrochen. Er stand auf und ging zu dem Jungen hinüber, und er fühlte sich krank und schämte sich. Er mußte an Danny denken, nicht an Wendy und nicht an sich selbst. Nur an Danny. Und wie er die Tatsachen auch hinbog, er wußte in seinem tiefsten Innern, daß Danny von hier weggeschafft werden mußte. Er strich dem Jungen die Decke glatt und legte ihm auch die Steppdecke vom Fußende über. Danny hatte sich wieder beruhigt. Jack berührte die Stirn des schlafenden Kindes.

(Welche Ungeheuer mochten in diesem kleinen Kopf herumspuken?)

Sie war mäßig warm. Und er schlief wieder friedlich. Seltsam.

Jack ging ins Bett und versuchte zu schlafen, aber es war zwecklos.

Es war unfair, daß die Dinge sich so entwickelt hatten. Sie schienen vom Pech verfolgt zu sein. Sie hatten es also nicht abschütteln können, indem sie hergekommen waren. Und wenn sie morgen nachmittag in Sidewinder eintrafen, hatte sich die einmalige Gelegenheit in Luft aufgelöst. Und wenn sie nun nicht fortgingen? Wenn sie es irgendwie durchstanden? Das wäre schon ein Unterschied. Das Stück würde fertig werden. Irgendwie würde ihm schon ein geeigneter Schluß einfallen. Seine Unsicherheit über die Charaktere könnte dem ursprünglich geplanten Schluß sogar eine reizvolle Doppeldeutigkeit verleihen. Vielleicht würde das Stück sogar einiges Geld einspielen, das war nicht unmöglich. Aber selbst wenn nicht, Al schaffte es vielleicht, die Leute in Stovington zu überreden, ihn wieder einzustellen. Das würde natürlich eine Probezeit bedeuten, vielleicht sogar eine von drei Jahren, aber wenn es ihm gelang, nüchtern zu bleiben und intensiv zu schreiben, brauchte er vielleicht keine drei Jahre in Stovington zu bleiben. Natürlich hatte es ihm schon vorher in Stovington nicht besonders gefallen. Er hatte sich unterdrückt und wie lebendig begraben gefühlt, aber das war eine unreife Reaktion gewesen. Wie konnte ein Mann auch an seiner Lehrtätigkeit Freude haben, wenn er die ersten drei Stunden jeden zweiten Tag mit einem Kater durchstehen mußte, von dem ihm fast der Schädel platzte? Aber so würde es nie wieder werden. Er würde mit seiner Verantwortung besser fertig werden. Davon war er überzeugt. Mitten in diesen Gedanken löste sich seine Angespanntheit, und er schlief allmählich ein. Sein letzter Gedanke folgte ihm wie eine dröhnende Glocke in den Schlaf:

Ich könnte hier meine Ruhe finden. Endlich. Wenn sie mich nur lassen.

Als er aufwachte, stand er im Bad von Zimmer 217.

(Ich bin im Schlaf hierher gegangen – warum? – hier sind keine Radios zu zertrümmern)

Im Badezimmer brannte Licht, das Zimmer hinter ihm lag in tiefem Dunkel. Der Duschvorhang vor der Badewanne mit den Klauenfüßen war vorgezogen. Die Badematte daneben war naß und lag in Falten.

Er fing an, sich zu fürchten, aber das Traumähnliche dieser Furcht zeigte ihm, daß sie nicht wirklich bestand. Dennoch war sie damit nicht beseitigt. So viele Dinge im Overlook schienen wie Träume.

Er bewegte sich zur Wanne hin, jedoch so, daß er gleich wieder fortlaufen konnte.

Er riß den Vorhang zurück.

Nackt und fast schwerelos im Wasser treibend lag George Hatfield. In seiner Brust steckte ein Messer. Das Wasser um ihn herum war hellrosa gefärbt. Sein Penis trieb schlaff im Wasser wie Tang.

»George –« hörte er sich sagen.

Bei dem Wort schlug George die Augen auf. Sie waren silbrig, keine menschlichen Augen. Georges Hände, weiß wie Fischbäuche, tasteten sich an die Seiten der Wanne, und er zog sich in sitzende Position. Genau zwischen den Brustwarzen ragte das Messer aus seiner Brust. Die Wunde hatte keine Ränder.

»Sie haben die Uhr vorgestellt«, sagte George, und seine Augen glänzten silbrig.

»Nein, George, das habe ich nicht getan. Ich –«

»Ich stottere nicht.«

George stand jetzt und fixierte ihn immer noch mit diesem silbrigen Blick, der nichts Menschliches hatte, aber sein Mund hatte sich zu einer lächelnden Grimasse verzerrt. Er hob ein Bein über den Porzellanrand der Wanne. Ein weißer, faltiger Fuß stellte sich auf die Badematte.

»Erst haben Sie versucht, mich auf meinem Fahrrad zu überfahren, dann haben Sie die Uhr vorgestellt, und dann haben Sie versucht, mich zu erdolchen, aber *ich stottere immer noch nicht.*« George kam auf ihn zu, mit ausgestreckten Händen, die Finger leicht gekrümmt. Er roch modrig und feucht wie totes Laub, auf das es geregnet hatte.

»Es war nur zu Ihrem Besten«, sagte Jack und trat einen Schritt zurück. »Ich habe die Uhr zu Ihrem eigenen Besten vorgestellt. Im übrigen weiß ich, daß Sie bei Ihrer Abschlußarbeit gemogelt haben.«

»Ich mogele nicht ... und ich stottere nicht.«

Georges Hände berührten Jacks Hals.

Jack drehte sich um und rannte, rannte mit dieser schwebenden und schwerelosen Trägheit, die man aus Träumen kennt. »Sie haben es doch getan! Sie haben doch gemogelt!« kreischte er vor Angst und Wut, als er durch das Zimmer rannte. »Ich werde es beweisen!«

Georges Hände lagen wieder an seinem Hals. Jacks Herz schwoll vor Angst, bis er glaubte, es würde platzen. Und dann endlich fand seine Hand den Türknopf. Er drehte sich, und Jack stieß die Tür auf. Er stürzte nicht auf den Korridor im zweiten Stock hinaus, sondern direkt in den Kellerraum hinter dem Mauerbogen. Das spinnwebverhangene Licht brannte, und darunter stand sein Feldstuhl. Deutlich erkannte er seine starren geometrischen Formen, und um ihn herum zog sich eine Miniaturbergkette von Kartons und Kisten und mit Draht verschnürten Bündeln von Akten und Rechnungen und Gott weiß was sonst noch. Ein Gefühl der Erleichterung durchströmte ihn.

»Ich werde es finden!« hörte er sich schreien. Er packte einen feuchten, vermoderten Pappkarton, der in seinen Händen aufriß und einen Wasserfall vergilbten Papiers ausspuckte. »Es muß hier irgendwo sein! *Ich werde es finden!*« Er griff mit den Händen in den Haufen Papier, und als er sie wieder herauszog, hatte er ein trockenes Wespennest in der einen Hand, eine Kontrolluhr in der anderen. Die Uhr tickte und war über ein elektrisches Kabel mit einem Bündel Dynamit verbunden. »Hier!« kreischte er. »Hier, nimm das!«

Seine Erleichterung verwandelte sich in Triumph. Ihm war mehr gelungen, als George zu entkommen; er hatte gewonnen. Diese Gegenstände hatten die Eigenschaft von Talismanen, und solange er sie in den Händen hielt, würde George ihn nie wieder berühren. George würde entsetzt die Flucht ergreifen.

Er drehte sich um, damit er George die Stirn bieten konnte, und in diesem Augenblick umklammerten Georges Hände seinen Hals und drückten zu. Er konnte nicht mehr atmen. George hatte ihm völlig die Luft abgeschnürt.

»Ich stottere nicht«, flüsterte George hinter ihm.

Er ließ das Wespennest fallen, und die Wespen kochten daraus hervor wie eine wütende braungelbe Wolke. Seine Lungen brannten. Sein schwankender Blick fiel auf die Kontrolluhr, und das Triumphgefühl kehrte zurück, zusammen mit einer anschwellenden Woge gerechten Zorns. Statt die Uhr mit dem Dynamit zu verbinden, lief die Schnur jetzt zum Goldknauf eines dicken schwarzen Stocks. Er sah genauso aus wie der, den sein Vater seit seinem Autounfall immer mit sich geführt hatte.

Jack ergriff ihn, und die Schnur löste sich. Der Stock fühlte sich schwer und angenehm an, als er ihn in der Hand hielt. Er riß ihn hoch, um nach hinten auszuholen, und auf dem Weg nach oben streifte der Stock den Draht, an dem die Glühbirne hing, und das Licht begann hin und her zu schwingen, so daß die düsteren Schatten des Raumes sich unheimlich über Fußboden und Wände bewegten. Als der Stock niedersauste, traf er etwas Hartes. George kreischte. Der Griff an Jacks Kehle löste sich.

Er riß sich von George los und wirbelte herum. George war auf die Knie gesunken, hielt den Kopf gesenkt und hatte die Hände im Genick verschränkt. Zwischen seinen Fingern quoll Blut hervor.

»Bitte«, flüsterte George demütig. »Schonen Sie mich, Mr. Torrance.«

»Du wirst jetzt deine Abreibung bekommen«, grunzte Jack. »Bei Gott, das wirst du. Du kleiner Hund. Du schäbiges kleines Vieh. Bei Gott, jetzt gleich!«

Während das Licht über ihm schwankte und die Schatten tanzten und flatterten, schwang er den Stock und schlug immer wieder zu. Sein Arm hob und senkte sich mechanisch wie eine Maschine. Georges blutige Finger, die er schützend über den Kopf gehalten hatte, glitten herab, und Jack ließ den Stock immer wieder auf Georges Nacken, Schultern, Rücken und Arme niedersausen. Aber der Stock war eigentlich kein Stock mehr; er schien jetzt ein Schläger mit einer Art gestreiftem Griff zu sein. Der Kopf des Schlägers hatte eine harte und eine weiche Seite. Das Ende, mit dem er zuschlug, war von Blut und Haaren verklebt, und das klatschende Geräusch des Schlägers auf der Haut war jetzt zu einem dumpfen Dröhnen geworden, das hallend von den Wänden zurückgeworfen wurde. Seine eigene Stimme hatte den gleichen Klang angenommen, ein körperloses Brüllen. Und dennoch hörte sie sich paradoxerweise schwächer an, undeutlich und lallend... als ob er betrunken wäre.

Die kniende Gestalt hob langsam den Kopf, wie um ihn anzuflehen. Sie hatte kein Gesicht, sondern eine Maske von Blut, aus der die Augen angestrengt blickten. Jack hob den Schläger zu einem letzten, pfeifenden Schlag, der nicht mehr zu stoppen war, als er erkannte, daß das Gesicht des Bittenden nicht George gehörte, sondern Danny. Es war das Gesicht seines Sohnes.

»Daddy –«

Krachend fuhr der Schläger herab. Er traf Danny genau zwischen die Augen und schloß sie für immer. Und irgendwo schien etwas zu lachen –

(Nein!)

Als er aus dem Traum erwachte, stand er nackt über Dannys Bett, mit leeren Händen, der ganze Körper schweißglänzend. Sein letzter Aufschrei hatte nur in seinen Gedanken stattgefunden. Er wiederholte ihn, diesmal flüsternd.

»Nein. Nein, Danny. Niemals.«

Er ging auf Beinen, die sich in Gummi verwandelt hatten, zu seinem Bett zurück. Wendy lag in tiefem Schlaf. Die Uhr am Bett zeigte viertel vor fünf. Bis sieben lag er schlaflos. Dann hörte er, daß Danny sich regte. Jack stand auf und zog sich an. Es war Zeit, nach unten zu gehen. Er mußte sich um die Kesselanlage kümmern.

33

Das Schneemobil

Irgendwann nach Mitternacht, während sie alle unruhig schliefen, hatte es aufgehört zu schneien, nachdem frische zwanzig Zentimeter gefallen waren. Die Wolken waren aufgerissen, und ein frischer Wind hatte sie weggefegt. Jack stand im staubigen

Sonnenlicht, das durch das schmutzige Fenster an der Ostseite des Geräteschuppens in den Raum fiel.

Der Schuppen war etwa so lang wie ein Güterwagen und ungefähr so hoch. Er roch nach Fett, Öl und Benzin und – ein schwacher, nostalgischer Geruch – nach frischem Gras. Aufgereiht wie Soldaten bei der Parade, standen an der Südwand vier Motorrasenmäher. Zwei davon gehörten zu den Typen, auf denen man fahren kann, und sahen wie kleine Traktoren aus. Daneben lagen Geräte zum Ausheben von Löchern, in die Pfähle eingerammt werden sollten, abgerundete Spaten für die Arbeit am Rasen, eine Kettensäge, die Heckenschere und eine lange, dünne Eisenstange, an der oben eine rote Fahne angebracht war. Caddy, hol mir den Ball in weniger als zehn Sekunden, dann fällt ein Vierteldollar für dich ab. Yes, *Sir*.

An der Ostwand, wo die Sonne am stärksten einfiel, lehnten drei Tischtennistische wie ein betrunkenes Kartenhaus. Die Netze waren abgenommen worden und hingen vom Regal herab. In der Ecke waren Scheiben für das Shuffleboard aufgeschichtet, und da lag auch eine Roque-Ausrüstung – die Tore mit Draht zusammengebunden, die bunden Bälle in eine Art Eierkarton verpackt (seltsame Hennen habt ihr hier oben, Watson... ja, und du solltest die Tiere unten auf dem Rasen sehen, hahaha), und in einem Gestell standen zwei Schläger.

Er ging hinüber und trat dabei über eine alte Achtzellenbatterie (die zweifellos einmal unter der Haube des Hotelwagens gestanden hatte) und ein paar zusammengerollte Kabel hinweg. Er nahm einen der Schläger aus dem Gestell und hielt ihn vor dem Gesicht hoch wie ein Ritter, der vor dem Aufbruch in die Schlacht seinen König grüßt.

Bruchstücke seines Traums (jetzt ganz verworren und abgeschwächt) kamen zurück, irgend etwas im Zusammenhang mit George Hatfield und dem Stock seines Vaters, gerade genug, daß er sich beunruhigte und, absurderweise, ein schlechtes Gewissen hatte, weil er mit einem Roque-Schläger in der Hand hier herumstand. Nicht, daß Roque heute noch sehr verbreitet war, sein modernerer Vetter, das Krocket – eher eine Version für Kinder –, war heute populärer. Roque aber... das mußte ein tolles Spiel gewesen sein. Jack hatte im Keller ein altes verschimmeltes Regelbuch gefunden, das noch aus den frühen

Zwanzigern stammte, als hier einmal ein nordamerikanisches Roque-Turnier stattgefunden hatte. Ein tolles Spiel.

(Schizophren)

Er blickte düster und lächelte dann. Ja, es war ein schizophrenes Spiel. Der Schläger brachte das deutlich zum Ausdruck. Ein weiches und ein hartes Ende. Ein Spiel der Finesse und Zielgenauigkeit, gleichzeitig ein Spiel roher Kraft.

Er schwang den Schläger durch die Luft... sssssstt. Er lächelte, als er das kräftige, zischende Geräusch hörte, mit dem das Gerät durch die Luft sauste.

Dann stellte er es zurück und wandte sich nach links, und was er sah, ließ ihn die Stirn runzeln.

Das Schneemobil stand fast genau in der Mitte des Geräteschuppens. Es war noch ziemlich neu, aber Jack gefiel das Ding überhaupt nicht. An der Motorhaube stand in schwarzen Buchstaben *Bombardier Skidoo.* Die Buchstaben waren nach hinten geneigt, was vermutlich eine Vorstellung von Geschwindigkeit vermitteln sollte. Auch die Kufen waren schwarz, und an jeder Seite der Motorhaube verliefen schwarze Rohre. Aber die eigentliche Farbe des Gefährts war ein grelles, höhnisches Gelb, und gerade das gefiel Jack nicht. Wie das Ding da mit seiner gelben Grundfarbe, den schwarzen Rohren und Kufen und den schwarz gepolsterten Sitzen im offenen Cockpit in der Sonne stand, sah es aus wie eine riesige mechanische Wespe. Wenn es in Betrieb war, würde es sich auch so anhören. Es würde jaulen und summen, zum Stechen bereit. Aber wie sollte das Fahrzeug auch sonst aussehen? Jedenfalls segelte es nicht unter falscher Flagge. Denn wenn es seine Aufgabe erledigt hatte, würde den Torrances manches wehtun. Ihnen allen. Und bis zum Frühling würde die Familie Torrance so viele Schmerzen erleiden, daß Dannys Wespenstiche sich wie die zärtlichen Küsse einer Mutter ausnehmen mußten.

Er zog sein Taschentuch heraus, wischte sich damit den Mund und ging zum Skidoo hinüber. Er betrachtete das Fahrzeug mit finsteren Blicken und steckte sein Taschentuch wieder ein. Eine plötzliche Bö ließ den Geräteschuppen in allen Fugen ächzen. Er schaute aus dem Fenster und sah den Wind blitzende Schneekristalle gegen die verschneite Rückseite des Hotels fegen und sie hoch in den harten blauen Himmel wirbeln.

Der Wind ließ nach, und er wandte sich wieder der Maschine zu. Sie war wirklich ein widerliches Ding. Fast erwartete man, am hinteren Ende einen biegsamen Stachel herausragen zu sehen. Er hatte diese verdammten Schneemobile noch nie gemocht. Sie zerrissen die Kathedralenstille des Winters in Millionen knatternde Fragmente. Sie schreckten die Wildtiere auf. Sie stießen in ungeheuren blauen Schwaden einen alles verpestenden Ölqualm aus. Sie waren vielleicht das letzte groteske Spielzeug des ausklingenden Zeitalters der fossilen Brennstoffe, das man Zehnjährigen zu Weihnachten schenkte.

Er erinnerte sich an einen Zeitungsartikel, den er in Stovington gelesen hatte, eine Geschichte, die sich irgendwo in Maine zugetragen hatte. Ein Junge rast mit über dreißig Meilen in der Stunde mit einem Schneemobil einen Weg entlang, den er noch nie befahren hat. Nachts und mit ausgeschalteten Scheinwerfern. Zwischen zwei Pfählen war eine starke Kette mit einem Schild DURCHFAHRT VERBOTEN gespannt. Es hieß, das Kind habe sie aller Wahrscheinlichkeit nach nicht gesehen. Vielleicht sei der Mond gerade hinter einer Wolke gewesen. Die Kette hatte dem Jungen den Kopf abgerissen. Als er die Geschichte las, war Jack fast froh gewesen, und jetzt, während er diese Maschine inspizierte, kam dieses Gefühl wieder.

(Wenn Danny nicht gewesen wäre, hätte es ihm viel Vergnügen gemacht, sich einen dieser Schläger zu greifen, die Haube zu öffnen und einfach zuzuschlagen, bis –)

Er stieß die aufgestaute Luft in einem langen Seufzer wieder aus. Wendy hatte recht. Sie hatte vollkommen recht. Und dieses Fahrzeug jetzt zu zerstören, wäre ausgesprochen töricht. Es wäre fast so, als schlüge er seinen eigenen Sohn tot.

Er fluchte laut.

Dann ging er hinten an das Fahrzeug und öffnete den Tankverschluß. Er fand auf einem der Regale, die in Brusthöhe um die Wand liefen, einen Ölmeßstab und ließ ihn durch die Öffnung gleiten. Nur ein halber Zentimeter des Stabs war naß. Nicht viel, aber genug, um auszuprobieren, ob das verdammte Ding funktionierte. Später konnte er Treibstoff aus dem VW und dem Lieferwagen absaugen.

Er schraubte den Tank zu und öffnete die Haube. Keine Zündkerzen und keine Batterie. Er ging wieder zum Regal und wühlte darin herum und schob verschiedene Gegenstände zur Seite, Schraubenzieher, verstellbare Schlüssel, einen Vergaser, der aus einem der alten Rasenmäher stammte, Plastikschachteln mit Schrauben und Nägeln verschiedener Größen. Das Regal war fettig von altem Öl, und der Staub von Jahren klebte wie ein Pelz darauf. Er faßte es nicht gern an.

Er fand einen kleinen ölbeschmierten Kasten mit der lakonischen Aufschrift *Skid*. Er schüttelte ihn und hörte das Rasseln. Zündkerzen. Er hielt eine von ihnen gegen das Licht und versuchte, den Abstand zu schätzen, um nicht erst das Meßgerät suchen zu müssen. Verdammt, dachte er wütend, und ließ die Kerze in den Kasten fallen. Wenn der Abstand nicht stimmt, haben wir eben Pech gehabt.

Hinter der Tür stand ein Hocker. Er zog ihn heran, setzte sich und installierte die vier Zündkerzen. Dann schob er die kleinen Gummikappen darüber. Anschließend ließ er die Finger spielerisch über den Magnetzünder gleiten. Sie haben immer gelacht, wenn ich mich an das Klavier setzte.

Zurück an das Regal! Diesmal fand er nicht, was er suchte – eine kleine Batterie. Es mußte eine mit drei oder vier Zellen sein. Er fand Steckschlüssel, eine Schachtel mit Bohrern und Bohreinsätzen und Beutel mit Rasendünger, aber keine Batterie für das Schneemobil. Es störte ihn nicht im geringsten. Im Gegenteil, er war froh darüber. Er war erleichtert. Ich habe getan, was ich konnte, Captain, aber ich bin nicht durchgekommen. Großartig, mein Sohn, ich werde Sie für den Silbernen Stern und das Purpurne Schneemobil vorschlagen. Sie sind eine Zierde Ihres Regiments. Vielen Dank, Sir. Ich hab's immerhin versucht.

Er fing an, »Red River Valley« zu pfeifen, wenn auch ein wenig zu schnell, als er die letzten paar Meter Regal durchstöberte. Sein Pfeifen malte kleine weiße Wolken in die Luft. Er hatte jetzt eine ganze Runde um den Schuppen gemacht, aber das Ding war einfach nicht da. Vielleicht hatte jemand die Batterie geklaut. Vielleicht sogar Watson. Er mußte laut lachen. Der alte Trick, seine Firma zu beklauen. Ein paar Büroklammern, ein paar hundert Bögen Papier, und wer wird schon eine Tischdecke vermissen... und wie wär's mit dieser feinen Schneemobilbatterie? Die könnte man vielleicht mal gebrauchen. In den Sack damit. Jeder hat schließlich klebrige Finger. Als Kinder nannten wir das, Rabatt, unter der Jacke mitzunehmen.

Er ging zum Schneemobil zurück und trat im Vorbeigehen kräftig gegen die Seite des Fahrzeugs. Das wär's also. Er mußte es nur noch Wendy erzählen. Tut mir leid, Baby, aber –

In der Ecke neben der Tür stand eine Kiste. Der Hocker hatte darauf gestanden. Auf dem Deckel, in Bleistift geschrieben, die Abkürzung *Skid.*

Er betrachtete die Kiste, und das Lächeln erstarb ihm auf den Lippen. Sehen Sie, Sir, da kommt die Kavallerie. Sieht so aus, als ob man Ihre Rauchsignale doch gesehen hat.

Es war nicht fair.

Gottverdammt, das war einfach nicht fair.

Etwas – Glück, Schicksal, Vorsehung – hatte versucht, ihn zu retten. Ein seltenes Glück. Aber dann hatte das gewohnte Pech Jack Torrance wieder ereilt. Die schlechten Karten waren noch nicht alle verteilt.

Eine graue, dumpfe Welle der Erbitterung stieg ihm in die Kehle. Seine Hände ballten sich wieder zu Fäusten.

(Das war nicht fair, verdammt nochmal, das war nicht fair!)

Hätte er nicht woanders hinschauen können? Warum hatte er keinen Krampf im Genick gehabt, warum hatte ihn die Nase nicht gejuckt? Warum war ihm nichts ins Auge geflogen? Irgend so eine Kleinigkeit. Dann hätte er die Kiste nie gesehen.

Nun, er hatte sie überhaupt nicht gesehen. Das war alles. Er hatte nur eine Halluzination gehabt. Genau wie gestern vor jenem Zimmer im zweiten Stock. Genau wie auf dem Spielplatz bei der gottverdammten Heckenmenagerie. Ein vorübergehender Schwächeanfall. Weiter nichts. Man muß sich das vorstellen: Ich dachte doch tatsächlich, in der Ecke hätte die Batterie für das Schneemobil gestanden! Jetzt steht da nichts. Es muß eine Frontneurose sein, Sir. Es tut mir leid. Kopf hoch, mein Sohn. Das passiert uns allen früher oder später.

Er stieß die Tür so hart auf, daß fast die Scharniere abgebrochen wären, und holte seine Schneeschuhe herein. Dicke Schneeklumpen hingen daran. Er stieß sie so kräftig auf den Boden, daß der Schnee in einer Wolke aufstob. Er stellte den linken Fuß auf den linken Schuh ... und blieb so stehen.

Auf der Rampe, an der die Milch angeliefert wurde, sah er Danny. Er sah aus, als wollte er einen Schneemann bauen. Ohne viel Erfolg; der Schnee war zu kalt, um zu haften. Dennoch versuchte er es unentwegt dort draußen an diesem strahlenden Vormittag. Ein kleines Bündel von einem Jungen auf dem glitzernden Schnee und unter dem glitzernden Himmel. Er hatte sich die Mütze verkehrt aufgesetzt wie Carlton Fiske.

(Woran, in Gottes Namen, hast du gedacht?)

Die Antwort kam sofort.

(Ich? Ich habe an mich selbst gedacht.)

Er erinnerte sich plötzlich daran, wie er gestern abend im Bett gelegen und den Mord an seiner Frau in Betracht gezogen hatte.

In diesem Augenblick war ihm alles klar. Das Overlook bedrängte nicht nur Danny. Es bedrängte auch ihn. Nicht Danny war das schwächste Glied, sondern er selbst. Er selbst war der Verletzliche, er war derjenige, den man biegen und verdrehen konnte, bis etwas brach.

(Bis ich aufgebe und schlafe ... und wenn ich das tue, und falls ich das tue)

Er schaute zu den Fensterreihen hoch, und die Sonne warf aus den vielen einzelnen Scheiben einen Glanz zurück, der ihn fast blendete, aber er wandte den Blick nicht ab. Zum ersten Mal bemerkte er, wie sehr sie Augen glichen. Sie warfen die Sonne zurück und behielten ihre eigene Dunkelheit. Sie schauten nicht Danny an, sondern ihn.

In diesen wenigen Sekunden verstand er alles. Er erinnerte sich an ein bestimmtes Schwarzweißbild, das er als Kind im Religionsunterricht gesehen hatte. Die Nonne hatte es ihnen auf einer Staffelei präsentiert und es ein Wunder Gottes genannt. Die Klasse hatte es verständnislos betrachtet und nur ein Durcheinander von Weiß und Schwarz erkannt, sinnlos und ohne Plan. Dann hatte eins der Kinder aus der zweiten Reihe atemlos gesagt: »Das ist Jesus!« Und dieses Kind bekam ein druckfrisches Neues Testament geschenkt und dazu noch einen Kalender, weil es das Bild zuerst erkannt hatte. Die anderen starrten jetzt noch angestrengter, unter ihnen Jack Torrance. Eins nach dem anderen hatten die Kinder den Heiland auf dem Bild erkannt. Ein Mädchen geriet sogar in Ekstase und kreischte schrill: »Ich sehe Ihn! Ich sehe Ihn!« Auch sie erhielt ein Testament. Am Ende hatten alle das Gesicht Jesu in dem Gewirr von Schwarz und Weiß erkannt, nur Jack nicht. Er strengte sich immer mehr an, jetzt ein wenig ängstlich, und etwas in ihm dachte zynisch, daß alle anderen nur so getan hatten, um Schwester Beatrice zu gefallen. Andererseits war er insgeheim davon überzeugt, daß er das Bild nicht erkannte, weil Gott erkannte hatte, daß er der größte Sünder der ganzen Klasse sei. »Siehst du es nicht, Jack?« fragte Schwester Beatrice ihn auf ihre freundliche, aber traurige Art. Ich sehe deine Titten, hatte er in wütender Verzweiflung gedacht. Er schüttelte den Kopf, aber dann heuchelte er Aufregung und rief: »Oh ja, jetzt erkenne ich es! Es *ist* Jesus!« Und die ganze Klasse hatte gelacht und applaudiert, und er empfand Triumph, Scham und Angst. Später, als alle anderen den Keller der Kirche schon verlassen hatten, war er noch geblieben und hatte sich das sinnlose schwarzweiße Durcheinander, das Schwester Beatrice auf der Staffelei zurückgelassen hatte, noch einmal angesehen. Er haßte es. Genau wie er hatten auch alle anderen nur so getan, als hätten sie es gewußt. Es war alles ein großer Betrug. »So eine verdammte Scheiße«, hatte er geflüstert, und als er sich zum Gehen wandte, hatte er aus dem Augenwinkel Jesus gesehen mit seinem traurigen, klugen Gesicht. Mit klopfendem Herzen war Jack stehengeblieben. Alles hatte plötzlich seine Richtigkeit, und er hatte das Bild in angstvoller Bewunderung angestarrt und nicht glauben wollen, daß er es zuerst nicht erkannt hatte. Die Augen, die Schatten auf der sorgenumwölkten Stirn, die feingeschnittene Nase, die Lippen, die Mitleid ausdrückten. Und er schaute Jack Torrance an. Was ihm vorher als sinnloses Gekritzel erschien, wurde plötzlich als gelungene Schwarzweißradierung, die das Gesicht unseres Erlösers zeigte, erkennbar. Jacks ängstliche Verwunderung verwandelte sich in Entsetzen. Er hatte geflucht vor einem Bild des Herrn. Er würde verdammt werden. Er würde zu den Sündern in die Hölle fahren. Das Gesicht Christi war die ganze Zeit in dem Bild gewesen. Die ganze Zeit.

Jetzt, da er in der Sonne stand und seinen Sohn im Schatten des Hotels spielen sah, wußte er, daß es alles stimmte. Das

Hotel verfolgte Danny, vielleicht sie alle, ganz gewiß aber Danny. Die Hecken hatten sich wirklich bewegt. In Zimmer 217 war wirklich eine tote Frau, eine Frau, die vielleicht nur ein Geist und meistens harmlos war, eine Frau aber, die jetzt eine akute Gefahr darstellte. Wie ein boshaftes Uhrwerk war sie aufgezogen und durch Dannys Phantasie in Bewegung gesetzt worden ... und durch seine eigene. War es Watson gewesen, der ihm erzählt hatte, daß eines Tages auf der Roque-Anlage ein Mann tot umgefallen war? Oder war es Ullman gewesen? Das war unwichtig. Im dritten Stock hatte es einen Mord gegeben. Wie viele alte Streitigkeiten, Selbstmorde, Schlaganfälle? Wie viele Morde? Lauerte Grady mit seiner Axt irgendwo im Westflügel und wartete nur darauf, daß Danny ihn aufschreckt, um dann aus dem Balkenwerk zum Vorschein zu kommen?

Der blutunterlaufene Ring um Dannys Hals.

Die flimmernden, undeutlich zu erkennenden Flaschen in der verlassenen Lounge.

Das CB-Radio.

Die Träume.

Die Sammelmappe im Keller.

(Medoc, bist du hier? Mich überkam wieder das Schlafwandeln, mein Lieber ...)

Plötzlich gab er sich einen Ruck und warf die Schneeschuhe wieder nach draußen. Er zitterte am ganzen Körper. Er schlug die Tür zu und hob die Kiste mit der Batterie auf. Sie glitt ihm aus den zitternden Fingern.

(oh Gott, wenn sie jetzt zerbrochen ist)

und fiel mit einem dumpfen Laut auf die Seite. Er riß den Deckel auf und wuchtete die Batterie heraus, ohne sich um vielleicht auslaufende Säure zu kümmern. Aber die Batterie war nicht gesprungen. Sie war heil. Ein leiser Seufzer entfuhr seinen Lippen.

Vorsichtig trug er sie zum Skidoo und stellte sie auf das Halteblech vor dem Motor. Er fand einen verstellbaren Schlüssel im Regal und befestigte die Batteriekabel rasch und ohne Schwierigkeiten. Sie war geladen; er brauchte das Ladegerät nicht einzusetzen. Als er das positive Kabel anklemmte, hatte es geknistert und einen leichten Ozongeruch gegeben. Als er fertig war, trat er einen Schritt zurück und wischte sich an seiner verblichenen Drelljacke nervös die Hände. Es müßte funktionieren. Nichts sprach dagegen. Nichts, außer daß dies alles zum Overlook gehörte. Und das Overlook wollte sie nicht gehen lassen. Ganz und gar nicht. Das Overlook machte sich einen Höllenspaß. Es konnte einen kleinen Jungen terrorisieren und einen Mann und eine Frau gegeneinander aufhetzen, und wenn es seine Karten richtig ausspielte, würden sie bald wie unwirkliche Schatten aus einem Roman von Shirley Jackson durch die Korridore des Overlook huschen, mit dem Unterschied, daß, was immer sich in Hill House bewegte, allein war, während sie im Overlook nicht allein sein würden. Oh nein, sie würden hier viel Gesellschaft haben. Aber es gab eigentlich keinen Grund, warum das Schneemobil nicht anspringen sollte. Außer natürlich –

(Außer er selbst wollte immer noch nicht gehen.)

Ja, das wäre ein Grund.

Er stand da und betrachtete das Skidoo, und sein Atem gefror zu kleinen weißen Federn. Er wollte, daß es so sein sollte, wie es gewesen war. Als er in den Schuppen gekommen war, hatte er keine Zweifel gehabt. Er hatte da schon gewußt, daß der Entschluß, von hier wegzugehen, falsch war. Wendy hatte nur Angst vor dem Buhmann, den ihr hysterischer Sohn ihr vorgegaukelt hatte. Jetzt plötzlich konnte er ihren Standpunkt verstehen. Es war wie bei seinem Stück, seinem verdammten Stück. Er wußte nicht mehr, auf wessen Seite er stand oder wie sich die Dinge entwickeln würden. Wenn man in dem Gewirr von Schwarz und Weiß erst einmal das Gesicht eines Gottes sah, war nichts mehr zu machen – man sah es immer. Andere mochten lachen und sagen, da sei nichts außer einem Durcheinander von Farben; man selbst würde *immer* die Augen Christi unseres Herrn auf sich gerichtet sehen. Man hatte sein Gesicht in einem Gestaltensprung erkannt, bei dem sich Bewußtes und Unbewußtes zu einem erschreckenden Augenblick des Begreifens mischten. Man würde es immer sehen. Man war dazu verdammt, es immer zu sehen.

(Mich überkam wieder das Schlafwandeln, mein Lieber . . .)

Bis er Danny im Schnee hatte spielen sehen, war alles in Ordnung gewesen. Es war Dannys Schuld. Alles war Dannys

Schuld gewesen. Er war es, der Dinge sehen konnte, oder was immer es war. Es war nicht gut. Es war ein Fluch. Wenn er und Wendy allein hier gewesen wären, hätten sie den Winter ganz angenehm verbringen können. Keine Qualen und keine nervliche Überlastung.

(Ich will hier nicht weg? Ich kann nicht?)

Das Overlook wollte nicht, daß sie gingen, und er selbst wollte es auch nicht. Nicht einmal Danny wollte es. Vielleicht war Jack schon ein Teil des Overlook. Vielleicht hatte das Overlook, dieser große, redselige Samuel Johnson, ihn sich als seinen Boswell erwählt. Sie sagen, der neue Hausmeister schreibt? Engagieren Sie ihn. Es wird Zeit, daß wir unsere Geschichte erzählen. Zuerst allerdings müssen wir seine Frau und sein rotznasiges Gör loswerden. Er soll sich nicht ablenken lassen. Wir wollen nicht –

Er stand neben dem Führersitz des Schneemobils, und sein Kopf fing wieder an zu schmerzen. Worum ging es? Gehen oder bleiben. So einfach war das. Sollen wir gehen, oder sollen wir bleiben?

Und wenn wir gehen, wie lange wird es dauern, bis wir in Sidewinder das Pennerasyl finden? fragte ihn seine innere Stimme. Diesen traurigen Ort mit dem schäbigen Farbfernseher, vor dem den ganzen Tag die unrasierten Arbeitslosen hocken? Wo die Pisse in den Männerquartieren zweitausend Jahre alt riecht, und wo in den Toilettenbecken ständig eine sich zerfasernde Camelkippe liegt? Wo das Glas Bier dreißig Cent kostet und man es mit Salz verschneidet, und wo in der Musikbox siebzig alte Country-Songs plärren?

Wie lange? Oh Gott, sie würden nur allzu schnell dort landen.

»Ich kann nicht gewinnen«, sagte er ganz leise. Das war es. Es war, als wollte man Patiencen legen, obwohl ein As fehlte.

Entschlossen beugte er sich über den Motorraum und riß den Magnetzünder heraus. Es ging widerlich leicht. Er betrachtete ihn einen Augenblick. Dann trat er vor die Tür des Geräteschuppens und öffnete sie.

Von hier aus hatte man einen ungehinderten Blick auf die in der strahlenden Morgensonne daliegende Bergwelt. Eine ununterbrochene Schneefläche zog sich bis zu den etwa eine

Meile entfernten Tannen hinauf. Er schleuderte den Zünder so weit er konnte in den Schnee hinaus. Er flog viel weiter als beabsichtigt, und im Fallen wirbelte er den Schnee auf. Ein leichter Wind verteilte die Schneekristalle wieder. Verschwinde, sage ich. Laß dich vom Schnee zudecken. Da liegt überhaupt nichts. Es ist alles vorbei. Weg.

Er war mit sich im reinen.

Lange blieb er in der Tür stehen und atmete die reine Bergluft. Dann schloß er sie und ging durch die andere Tür hinaus, um Wendy zu sagen, daß sie bleiben müßten. Vorher lieferte er sich mit Danny noch eine Schneeballschlacht.

34

Die Hecken

Es war der 29. November, drei Tage nach Thanksgiving. Die letzte Woche war gut gewesen, das Dinner zum Fest das beste, das sie innerhalb der Familie je gegessen hatten. Dick Halloranns Truthahn war Wendy hervorragend gelungen, und sie hatten sich alle bis zum Platzen vollgegessen, ohne den Vogel auch nur annähernd zu schaffen. Jack hatte schon gestöhnt, daß sie bis Ende des Winters Truthahn würden essen müssen – Sahnetruthahn, Truthahn-Sandwiches, Truthahn mit Nudeln, Truthahn *surprise*.

Nein, hatte Wendy lächelnd gesagt. Nur bis Weihnachten. Dann ist der Kapaun an der Reihe.

Jetzt stöhnten Jack und Danny gemeinsam.

Die Male an Dannys Hals waren verblaßt, und ihre Ängste schienen mit ihnen verflogen zu sein. Am Feiertag hatte Wendy Danny nachmittags auf dem Schlitten herumgezogen, und Jack hatte an seinem Stück gearbeitet, das jetzt fast fertig war.

»Hast du noch immer Angst, Doc?« hatte sie ihn unverblümt gefragt.

»Ja«, antwortete er nur. »Aber jetzt bleibe ich nur da, wo mir nichts passieren kann.«

»Dein Daddy sagt, daß sich die Ranger früher oder später fragen werden, warum wir noch nicht über das CB-Radio mit ihnen Verbindung aufgenommen haben. Sie werden herkommen, um zu sehen, ob alles in Ordnung ist. Vielleicht gehen wir dann mit ihnen von hier weg. Du und ich. Und Daddy bleibt den Winter über hier. Das will er gern, und er hat dafür gute Gründe. In gewisser Weise, Doc... ich weiß, daß das für dich schwer zu verstehen ist... stehen wir mit dem Rücken zur Wand.«

»Ja«, hatte er zurückhaltend geantwortet.

An diesem strahlenden Nachmittag waren die beiden oben, und Danny wußte, daß sie sich geliebt hatten. Sie schliefen jetzt. Er wußte, daß sie glücklich waren. Seine Mutter hatte noch ein wenig Angst, aber die Einstellung seines Vaters war seltsam. Es war das Gefühl, daß er etwas sehr Schwieriges richtig gemacht hatte. Aber Danny sah nicht genau, um was es sich bei diesem Etwas handelte. Sein Vater hütete das Geheimnis sorgfältig, selbst vor seinen eigenen Gedanken. War es möglich, fragte sich Danny, froh zu sein, etwas getan zu haben, und sich dessen dann so zu schämen, daß man versuchte, nicht daran zu denken? Das war eine beunruhigende Frage. Er hielt so etwas nicht für möglich... bei einem normalen Verstand. Auch als er mit äußerster Konzentration die Gedanken seines Vaters sondiert hatte, brachte das nur ein trübes Bild, wie von einem Polypen, der sich hoch in den kalten blauen Himmel erhob. Und die beiden Male, da er sich ausreichend konzentriert hatte, um dieses Bild zu bekommen, hatte Daddy ihn scharf und furchterregend angestarrt, als wüßte er, was Danny gerade dachte.

Jetzt war er im Foyer und zog sich an, um hinauszugehen. Er ging oft nach draußen, entweder mit dem Schlitten oder mit den Schneeschuhen. Er verließ gern das Hotel. Wenn er draußen in der Sonne war, schien es, als sei ihm ein Gewicht von den Schultern genommen worden.

Danny zog einen Stuhl heran, stellte sich darauf und holte Parka und Schneehose aus dem Schrank, dann setzte er sich auf den Stuhl, um beides anzuziehen. Seine Stiefel standen im Stiefelschrank, und er nahm sie heraus. Als er sie schnürte, streckte er vor lauter Konzentration die Zunge heraus. Er verknotete die Ledersenkel sorgfältig, zog die Fäustlinge an, setzte sich die Skimaske auf und machte sich auf den Weg.

Er stapfte durch die Küche zur Hintertür und blieb dort einen Augenblick stehen. Er war es leid, hinter dem Haus zu spielen, und um diese Tageszeit würde der Schatten des Hotels genau dort liegen, wo er schneeschuhlaufen wollte. Er hielt sich selbst im Schatten des Overlook ungern auf. Er beschloß, sich die Schneeschuhe unterzuschnallen und lieber zum Spielplatz zu gehen. Dick Hallorann hatte ihm zwar gesagt, er solle sich vom Kunstgarten fernhalten, aber die Heckentiere machten ihm weiter keine Sorgen. Sie lagen jetzt unter Schneewehen begraben, und es zeigten sich nur undeutliche Erhöhungen, der Kopf des Kaninchens und der Schwanz eines der Löwen. Wie sie da so schneebedeckt hervorragten, wirkten sie eher lächerlich als beängstigend.

Danny öffnete die Hintertür und holte seine Schneeschuhe von der Rampe. Fünf Minuten später schnallte er sie sich an. Er stand jetzt in der Vorhalle. Daddy hatte ihn gelobt, weil er (Danny) schon gut mit den Schneeschuhen umgehen könne. Er brauche jetzt nur noch die Muskeln und Sehnen seiner Schenkel, Waden und Fußgelenke zu kräftigen. Danny fand, daß seine Fußgelenke immer zuerst müde wurden. Schneeschuhlaufen strengte die Fußgelenke so sehr an wie Schlittschuhlaufen, denn man mußte ständig die Bindung von Schnee befreien. Ungefähr alle fünf Minuten mußte er mit gespreizten Beinen, die Schneeschuhe flach auf dem Schnee, anhalten, um auszuruhen.

Aber auf dem Weg zum Spielplatz brauchte er nicht auszuruhen, denn es ging bergab. Kaum zehn Minuten nachdem er die riesige Schneewehe überwunden hatte, die der Wind vor dem Hotel abgelagert hatte, stand er auf dem Spielplatz an der Rutsche. Er atmete nicht einmal schwer. Der Spielplatz sah im tiefen Schnee viel besser aus als im Herbst, wie eine Skulptur aus dem Märchenland. Die Schaukelketten waren zu bizarren Formen gefroren, und die Sitze der Schaukeln für Kleinkinder lagen auf dem Schnee. Der Kletterbaum war zu einer von tropfenden Eiszapfen bewachten Eishöhle geworden. Vom Mini-Overlook waren nur die Schornsteine zu sehen,

(Ich wünschte, das richtige Overlook wäre genauso im Schnee begraben, nur wir dürften nicht darin sein.)

und die oberen Seiten der Betonringe ragten an zwei Stellen

wie Eskimo-Iglus aus dem Schnee hervor. Danny stapfte hinüber, hockte sich nieder und fing an zu graben. Bald hatte er die dunkle Öffnung des ersten Ringes freigelegt und glitt in den kalten Tunnel. In Gedanken kam er sich wie Patrick McGoohan, der Geheimagent, vor (er hatte zwei Wiederholungen dieses Programms auf dem TV-Kanal von Burlington gesehen, und sein Vater ließ keine einzige aus; er hätte auf jede Party verzichtet, um zu Hause zu bleiben, und »Geheimagent« oder »Die Rächer« sehen zu können, und Danny saß dann mit ihm gemeinsam vor dem Gerät), der in den Schweizer Bergen vor KGB-Agenten auf der Flucht ist. Es hatte dort Lawinen gegeben, und der berüchtigte KGB-Agent Slobbo hatte seine Freundin mit einem Giftpfeil umgebracht. Vielleicht genau am Ende dieses Tunnels. Danny zog seine Automatikpistole und bewegte sich durch den Betontunnel vorwärts, die Augen weit geöffnet und hellwach. Sein Atem dampfte.

Das hintere Ende des Betonrings war fest zugeschneit. Er versuchte, sich hindurchzuwühlen, und war erstaunt (und ein wenig beunruhigt) darüber, wie hart, fast wie Eis, der Schnee war, den das Gewicht neuer Niederschläge ständig zusammengepreßt hatte.

Sein Phantasiespiel brach um ihn zusammen, und er merkte plötzlich, daß er sich in dieser engen Betonröhre eingeschlossen fühlte, und das machte ihn äußerst nervös. Er konnte seinen Atem hören; er klang feucht und hastig und hohl. Er hockte tief unter dem Schnee, und das Loch, das er gegraben hatte, um in den Tunnel zu kriechen, ließ kaum Licht herein. Plötzlich wünschte er sich mehr als alles andere, wieder in der Sonne zu sein, und plötzlich erinnerte er sich daran, daß Mommy und Daddy schliefen und nicht wußten, wo er war, und wenn das Loch, das er gegraben hatte, einstürzte, war er hier gefangen, und das Overlook mochte ihn nicht.

Ein wenig mühsam drehte Danny sich um und kroch durch die Betonröhre zurück, und hinter ihm klapperten hölzern seine Schneeschuhe, und seine Handflächen ließen das im letzten Herbst gefallene tote Laub der Espen rascheln. Er hatte gerade das Ende des Tunnels erreicht und sah den kalten Lichtschimmer von oben hereinfallen, als der Schnee tatsächlich nachgab. Nicht der ganze Schnee kam herab, aber die

Menge reichte, Dannys Gesicht mit Puder zu überziehen und die Öffnung zu verstopfen, durch die er sich in die Röhre hineingeschlängelt hatte, und jetzt saß er in völliger Dunkelheit.

Einen Augenblick war sein Gehirn vor Panik wie gefroren, und er konnte nicht denken. Dann, wie von fern, hörte er Daddy sprechen, der ihm sagte, daß er nie an der Müllkippe in Stovington spielen dürfe, denn es gab dumme Leute, die ihre alten Kühlschränke dort abluden, ohne vorher die Türen abzumachen, und wenn man hineinkroch und die Tür sich schloß, konnte man nicht mehr raus und mußte in der Dunkelheit sterben.

(Du willst doch nicht, daß dir so etwas passiert, nicht wahr, Doc?)

(Nein, Daddy.)

Aber es *war* passiert, sagte ihm sein Verstand, vor Angst rasend, es *war* passiert, er saß hier in der Dunkelheit, er war eingeschlossen, und es war auch so kalt wie in einem Kühlschrank. Und –

(Ich bin nicht allein im Tunnel)

Er keuchte, und sein Atem blieb stehen. Ein fast schläfriges Entsetzen schlich sich durch seine Adern. Ja. ja. Hier unten bei ihm war etwas. Irgendein schreckliches Ding, das sich das Overlook für genau diese Gelegenheit aufgespart hatte. Vielleicht eine riesige Spinne, die sich unter dem toten Laub vergraben hatte, oder eine Ratte... oder vielleicht die Leiche eines kleinen Kindes, das hier auf dem Spielplatz gestorben war. War das je geschehen? Ja, das war schon möglich. Er dachte an die Frau in der Wanne. Das Blut und das Gehirn an der Wand der Präsidentensuite. Die Leiche irgendeines kleinen Kindes, das sich den Schädel gebrochen hatte, als es von einer Kletterstange oder einer Schaukel fiel, und das ihm jetzt in der Dunkelheit grinsend hinterherkroch und einen letzten Spielgefährten für seinen ewigen Spielplatz suchte. Für immer. Gleich würde er es kommen hören.

Am entfernten Ende der Betonröhre hörte Danny das leise Rascheln toter Blätter, als sich etwas auf Händen und Knien auf ihn zu bewegte. Jeden Augenblick würden sich seine kalten Hände um seine Fußgelenke schließen –

Dieser Gedanke löste seine Lähmung. Er wühlte im lockeren

Schnee, der den Eingang des Betonrings blockiert hatte, und schleuderte ihn zwischen den Beinen nach hinten, wie ein Hund, der nach einem Knochen gräbt. Blaues Licht fiel von oben herein, und Danny schoß nach oben wie ein Taucher aus tiefem Wasser. Er stieß sich den Rücken an der Kante des Betonrings. Einer seiner Schneeschuhe hatte sich mit dem anderen verhakt. Schnee ergoß sich in seine Skimaske und in den Kragen seines Parka. Er grub und wühlte sich durch den Schnee. Es schien ihn festhalten zu wollen, ihn nach unten zurückzusaugen, zurück in den Betontunnel, wo das unsichtbare, laubraschelnde *Ding* war, das ihn dort festhalten wollte. Für immer.

Dann war er draußen, das Gesicht der Sonne zugewandt, und er kroch durch den Schnee, kroch fort von dem halb begrabenen Betonring. Er keuchte rauh, und sein schneebedecktes Gesicht sah fast komisch aus – eine lebende Maske der Angst. Er humpelte zum Kletterbaum und setzte sich, um seine Schneeschuhe wieder festzuschnallen und Atem zu schöpfen. Während er die Riemen anzog, starrte er unverwandt zur Öffnung am Ende der Betonröhre hinüber. Er wollte sehen, ob etwas herauskam. Aber es kam nichts, und nach drei oder vier Minuten atmete Danny wieder ruhiger. Was es auch sein mochte, es konnte offenbar das Sonnenlicht nicht vertragen. Es war dort unten eingesperrt und kam vielleicht nur bei Dunkelheit heraus ... oder wenn beide Enden seines röhrenförmigen Gefängnisses von Schnee verstopft waren.

(Aber ich bin jetzt in Sicherheit, ich bin in Sicherheit, und ich gehe einfach zurück.)

Hinter ihm schlug etwas leise auf. Er drehte sich um und schaute zum Hotel hinauf. Aber schon bevor er hinsah,

(Siehst du die Indianer auf dem Bild?)

wußte er, was er sehen würde, denn er kannte dieses Geräusch. So hörte es sich an, wenn eine Lawine vom Hoteldach krachte.

(Siehst du –?)

Ja. Er sah es. Der Schnee war vom Heckenhund herabgefallen. Als Danny herunterkam, war der Hund nur ein harmloser Schneehaufen vor dem Spielplatz gewesen. Jetzt hatte er die Schneedecke abgeworfen und war ein störender grüner Fleck in all dem Weiß. Er hatte sich auf den Hinterpfoten aufgerichtet, als ob er um einen Bissen bettelte.

Aber diesmal wollte Danny sich nicht verrückt machen lassen. Er würde die Ruhe bewahren. Denn jetzt steckte er wenigstens nicht in irgendeinem dunklen Loch. Er war in der Sonne. Und es war nur ein Hund. Es ist ziemlich warm heute, dachte er voll Hoffnung. Vielleicht hatte die Sonne ganz einfach soviel Schnee von dem alten Hund abgetaut, daß der Rest in einem Stück hinuntergefallen war. Mehr war vielleicht gar nicht geschehen.

(Geh nicht dort hin . . . halt dich da weg.)

Die Bindungen seiner Schneeschuhe waren so fest angezogen, wie es nur ging. Er stand auf und starrte zur Betonröhre zurück, die fast völlig von Schnee bedeckt war, und was er dort, wo er herausgekrochen war, sah, ließ ihm das Herz gefrieren. Er sah ein kreisrundes Stück Dunkelheit, einen schwarzen Schatten, der das Loch markierte, das er gegraben hatte, um herauszukommen. Jetzt glaubte er, dort trotz des gleißend hellen Schnees etwas zu erkennen. Etwas bewegte sich. Eine Hand. Die winkende Hand eines verzweifelt unglücklichen Kindes, eine winkende Hand, eine bittende Hand, die Hand eines Ertrinkenden.

(Rette mich, oh bitte, rette mich. Und wenn du mich nicht retten kannst, dann komm wenigstens und spiel mit mir . . . Für immer. Und immer. Und immer.)

»Nein«, flüsterte Danny heiser. Er hatte keine Feuchtigkeit mehr im Mund, und leer und trocken klang auch das Wort. Er spürte, wie sein Verstand ins Wanken geriet, sich vergeblich zu lösen suchte, genauso wie es bei der Frau in diesem Zimmer gewesen war, als sie . . . nein, lieber nicht daran denken.

Ganz fest klammerte er sich an die Wirklichkeit. Er mußte hier raus. Darauf mußte er sich konzentrieren. Ganz ruhig bleiben. Wie der Geheimagent. Würde Patrick McGoohan vielleicht heulen und sich in die Hosen pinkeln wie ein kleines Baby?

Würde Daddy das tun?

Er beruhigte sich ein wenig.

Hinter sich hörte er wieder das leise Geräusch fallenden Schnees. Er drehte sich um und sah, daß der Kopf eines der

Heckenlöwen aus dem Schnee herausschaute und ihn böse anknurrte. Er war viel näher, als er hätte sein dürfen. Er stand fast an der Pforte zum Spielplatz.

Entsetzen stieg in ihm auf, aber er kämpfte dagegen an. Er war der Geheimagent, und er würde entkommen.

Er verließ den Spielplatz und machte den gleichen Umweg, den sein Vater gemacht hatte, als der erste Schnee gefallen war. Er konzentrierte sich auf seine Lauftechnik. Langsame, flache Schritte. Die Füße nicht zu sehr anheben, sonst verliert man die Balance. Die Fußgelenke drehen und den Schnee von der Bindung schütteln. Es schien so *langsam*. Er erreichte die Ecke des Spielplatzes. Hier lag der Schnee hoch aufgeweht, daß er den Zaun überqueren konnte. Er war schon halb drüber, als er mit einem Schneeschuh hängenblieb und fast gestürzt wäre. Seine Arme wirbelten wie Windmühlenflügel, und er konnte eben noch die Balance halten. Er wußte, wie schwer es war, wieder aufzustehen, wenn man erst einmal lag.

Von rechts wieder das Geräusch fallender Schneeklumpen. Er schaute hinüber und sah die beiden anderen Löwen bis an die Vorderpfoten aus dem Schnee herausragen. Sie standen nebeneinander und waren sechzig Schritte entfernt. Die grünen Einschnitte, die ihre Augen darstellten, fixierten ihn. Der Hund hatte ihm den Kopf zugewandt.

(Es passiert nur, wenn man nicht hinsieht.)

»Oh! Heh –«

Seine Schneeschuhe hatten sich verhakt, und trotz seiner wilden Handbewegungen stürzte er nach vorn in den Schnee. Er bekam noch mehr Schnee in den Kragen und oben in seine Stiefel. Er kämpfte sich aus dem Schnee heraus und versuchte, sich wieder auf seine Schneeschuhe zu stellen. Sein Herz hämmerte wie verrückt.

(Geheimagent. Mann, vergiß nicht, daß du Geheimagent bist.)

Er kippte hintenüber. Einen Augenblick lag er da, schaute zum Himmel auf und dachte, es sei leichter, einfach aufzugeben.

Dann dachte er an das Ding in der Betonröhre und wußte, daß er nicht aufgeben durfte. Er kam wieder auf die Füße und starrte zum Kunstgarten hinüber. Die drei Löwen hatten sich, keine vierzig Schritte entfernt, zusammengedrängt. Der Hund war nach rechts ausgeschert, wie um Danny den Rückzug abzuschneiden. Jetzt lag kein Schnee mehr auf den Tieren. Nur um Hals und Maul trugen sie noch eine Manschette aus Pulverschnee. Sie starrten ihn an.

Sein Atem raste jetzt, und die Panik saß ihm wie eine große, sich windende und nagende Ratte hinter der Stirn. Er kämpfte gegen die Panik, und er kämpfte mit seinen Schneeschuhen.

(Daddys Stimme: Nein, kämpf nicht mit ihnen, Doc. Geh auf ihnen wie auf deinen eigenen Füßen. Geh mit *ihnen.)*

(Ja, Daddy.)

Er lief wieder und versuchte, den leichten Rhythmus wiederaufzunehmen, den er mit seinem Daddy geübt hatte. Ganz allmählich schaffte er es, aber mit dem Rhythmus kam auch die Erkenntnis, wie müde er jetzt war, wie sehr ihn die Angst erschöpft hatte. Die Sehnen seiner Schenkel und Waden fühlten sich heiß an und zitterten. Vor sich sah er das Overlook in höhnischer Entfernung. Es schien ihn aus seinen vielen Fenstern anzustarren, als ob es sich um eine Art Wettstreit handle, an dem es beiläufig interessiert war.

Danny schaute über die Schulter zurück und hielt einen Augenblick den Atem an, um dann nur noch gehetzter zu keuchen. Der erste Löwe war nur noch zwanzig Schritte entfernt und arbeitete sich durch den Schnee wie ein Hund, der durch einen Teich schwimmt. Die beiden anderen flankierten ihn und waren fast gleichauf. Sie waren wie ein Armeestoßtrupp, wobei der Hund, der sich links von den Löwen ein wenig abseits hielt, der Späher war. Der erste Löwe hielt den Kopf gesenkt und zeigte seine mächtigen Schultern. Er hatte den Schwanz hochgestellt, als ob er gerade die Luft damit gepeitscht hätte. Danny fand, daß er aussah wie eine riesige Hauskatze, die vergnügt mit der Maus spielt, bevor sie sie tötet.

(– fallen –)

Nein, wenn er jetzt hinfiel, war er tot. Sie würden ihn nie wieder aufstehen lassen. Sie würden sich auf ihn stürzen. Er wedelte wie wild mit den Armen und rannte vorwärts, ständig in Gefahr, das Gleichgewicht zu verlieren. Gehetzt warf er immer wieder einen Blick über die Schulter zurück. Pfeifend ging der Atem durch seine ausgedörrte Kehle.

Die Welt bestand nur noch aus glitzerndem Schnee, den

grünen Hecken und dem flüsternden Geräusch seiner Schneeschuhe. Und da war noch etwas anderes. Ein leises, gedämpftes, trampelndes Geräusch. Er versuchte, schneller zu laufen, aber es gelang nicht. Er lief jetzt über die im Schnee begrabene Auffahrt, ein kleiner Junge, dessen Gesicht im Schatten seiner Parkakapuze kaum zu sehen war. Der Nachmittag war ruhig und hell.

Als er sich wieder umschaute, war der erste Löwe nur fünf Schritte hinter ihm. Er grinste. Sein Maul war aufgerissen, seine Lenden wie eine Feder gespannt. Hinter ihm und den anderen konnte er das Kaninchen sehen, das seinen hellgrünen Kopf jetzt aus dem Schnee herausgestreckt hatte, als ob es ihm sein scheußliches, leeres Gesicht zugewandt hatte, um das Ende der Jagd zu beobachten.

Jetzt, auf dem Rasen vor dem Overlook, zwischen der gewundenen Auffahrt und der Eingangshalle, ließ er seiner Panik freien Lauf und rannte unbeholfen auf seinen Schneeschuhen weiter. Er wagte es nicht mehr, sich umzuschauen, und neigte sich immer weiter vor, wobei er die Arme ausstreckte wie ein Blinder, der nach Hindernissen tastet. Die Kapuze glitt ihm vom Kopf und gab sein schreckensbleiches Gesicht frei, in dem jetzt hektische rote Flecken erschienen. Vor Entsetzen quollen ihm die Augen aus den Höhlen. Die Eingangshalle war jetzt ganz nahe.

Hinter sich hörte er das Knirschen des Schnees.

Lautlos schreiend stürzte er auf die Stufen und kroch auf Händen und Knien die Treppe hoch, während seine Schneeschuhe hinter ihm klapperten.

Er hörte ein reißendes Geräusch und spürte einen plötzlichen Schmerz am Bein. Stoff zerriß. Und noch etwas anderes zerriß – vielleicht in seinem Verstand?

Wütendes Gebrüll.

Geruch von Blut und Immergrün.

Er stürzte der Länge nach zu Boden und schluchzte heiser, im Mund einen vollen, metallischen Geschmack wie nach Kupfer. Donnernd schlug ihm das Herz in der Brust. Blut tröpfelte ihm aus der Nase.

Er hatte keine Ahnung, wie lange er so gelegen hatte, als die Tür zum Foyer aufgerissen wurde und Jack herausstürzte, der nur Jeans und ein paar Hausschuhe trug. Wendy stand hinter ihm.

»*Danny!*« schrie sie.

»Doc! Danny, um Gottes willen! Was ist los? Was ist passiert?«

Daddy half ihm auf. Unter dem Knie war seine Schneehose aufgerissen, und auch die Wollsocke darunter war aufgerissen. An seiner Wade hatte er einen leichten Kratzer... als hätte er sich durch eine dichte Hecke von Immergrün gezwängt und sei in den Zweigen hängengeblieben.

Wieder schaute er über die Schulter zurück. Weit unten auf dem Rasen waren im Schnee vage eine Anzahl Höcker zu sehen. Die Heckentiere. Zwischen ihnen und dem Spielplatz. Zwischen ihnen und dem Weg.

Seine Beine gaben nach. Jack fing ihn auf. Danny begann zu weinen.

35

Das Foyer

Er hatte ihnen alles erzählt, nur nicht, was er erlebt hatte, als der Schnee ihm den Ausgang aus der Betonröhre blockierte. Das brachte er nicht über sich. Und wie hätte er auch dieses schleichende, träge Entsetzen beschreiben sollen, als sich dort unten in der kalten Dunkelheit plötzlich das tote Laub bewegte? Aber er hatte erzählt, daß er den Schnee in Klumpen hatte fallen hören. Daß der Löwe sich mit Kopf und Schultern aus dem Schnee gewühlt und ihn gejagt hatte. Er erzählte ihnen sogar von dem Kaninchen, das sich zuletzt umgedreht und zugeschaut hatte.

Die drei saßen im Foyer. Jack hatte im Kamin ein großes Feuer angezündet. Danny saß in eine Decke gehüllt auf dem kleinen Sofa, auf dem vor Millionen Jahren die drei Nonnen gesessen und wie Mädchen gekichert hatten, während sie auf ihre Abfertigung am Empfang warteten. Aus einem Becher trank er heiße Nudelsuppe. Wendy saß neben ihm und strich ihm übers Haar. Jack hatte sich auf den Fußboden gesetzt und während Danny erzählte, schien sein Gesicht immer ernster zu werden. Zweimal holte er sein Taschentuch aus der Tasche und wischte sich damit die Lippen, die wund aussahen.

»Dann rannten sie hinter mir her«, berichtete Danny. Jack stand auf und trat ans Fenster. Er wandte ihnen den Rücken zu. Danny sah seine Mommy an. »Sie sind mir ganz bis zur Vorhalle hinterhergerannt.« Er bemühte sich angestrengt, ruhig zu sprechen, denn wenn er ruhig blieb, würden sie ihm vielleicht glauben. Mr. Stenger war nicht ruhig geblieben. Er hatte angefangen zu weinen und konnte nicht mehr aufhören, so daß DIE MÄNNER MIT DEN WEISSEN KITTELN gekommen waren, um ihn abzuholen, denn wenn man nicht aufhören konnte zu weinen, bedeutete das, daß man NICHT ALLE TASSEN IM SCHRANK hatte, und wann würde man je zurückkommen? NIEMAND WEISS ES. Sein Parka, die Schneehose und die Schneeschuhe mit den daran klebenden Schneeklumpen lagen auf der Matte vor der großen Doppeltür.

(Ich werde nicht weinen. Nein, das darf nicht passieren.)

Und er glaubte, daß er es schaffen würde, aber er zitterte immer noch. Er starrte in das Feuer und wartete darauf, daß Daddy etwas sagte.

Hohe gelbe Flammen züngelten auf den dunklen Steinen. Ein Tannenzapfen explodierte mit einem Knall, und Funken stoben in den Rauchfang hinauf.

»Danny, komm bitte her.« Jack drehte sich um. Sein Gesicht war unbewegt und totenblaß. Sein Aussehen gefiel Danny überhaupt nicht.

»Jack –«

»Ich will, daß der Junge herkommt.«

Danny glitt vom Sofa und ging zu seinem Daddy.

»Du bist ein guter Junge. Was siehst du jetzt?«

Noch bevor er ans Fenster ging, hatte Danny gewußt, was er sehen würde. Jenseits des Gewirrs von Stiefel-, Schlitten- und Schneeschuhspuren, das den Platz markierte, auf dem sie immer übten, zog sich der schneebedeckte Rasen des Overlook bis zum Kunstgarten und weiter bis zum Spielplatz hin. Auf dem makellosen Weiß erkannte man zwei Spuren. Die eine führte schnurgerade von der Vorhalle zum Spielplatz, die andere in einem gewundenen Bogen wieder zurück.

»Nur meine Spuren, Daddy. Aber –«

»Und was ist mit den Hecken, Danny?«

Dannys Lippen fingen an zu zittern. Er würde jeden Augenblick losheulen. Was, wenn er nicht mehr aufhören konnte?

(Ich will nicht weinen, ich will nicht weinen, ICH WILL NICHT.)

»Jetzt ist alles mit Schnee bedeckt«, flüsterte er. »Aber Daddy –«

»Was ist? Ich habe nichts gehört.«

»Jack, was soll dieses Kreuzverhör! Siehst du denn nicht, wie aufgeregt er ist? Er ist –«

»Halt den Mund! Nun, Danny?«

»Sie haben mich gekratzt, Daddy. Mein Bein –«

»Du mußt dein Bein an der Schneekruste verletzt haben.«

Dann stand Wendy mit blassem und wütendem Gesicht zwischen ihnen. »Was soll er denn bloß tun?« fragte sie Jack. »Einen Mord gestehen? Was ist nur mit dir los?«

Der seltsame Ausdruck in seinen Augen schien sich zu verflüchtigen. »Ich versuche, ihm den Unterschied zwischen etwas Wirklichem und einer Halluzination zu zeigen, weiter nichts.« Er hockte sich neben Danny, so daß ihre Augen auf gleicher Höhe waren, und zog ihn fest an sich. »Danny, in Wirklichkeit ist es gar nicht passiert. Es war wie eine dieser Trancen, die du manchmal hast. Das ist alles.«

»Daddy?«

»Was ist, Dan?«

»Ich habe mein Bein nicht an der Schneekruste verletzt. Da ist gar keine Kruste. Es ist alles Pulverschnee. Er klebt nicht einmal, daß man Schneebälle machen kann. Weißt du nicht mehr, daß wir eine Schneeballschlacht machen wollten und es nicht konnten?«

Er spürte, wie sein Vater erstarrte. »Dann war es eben die Treppe zum Eingang«, sagte er.

Danny rückte von ihm ab. Plötzlich hatte er es. Blitzartig schoß es ihm durch den Kopf, wie er es manchmal erlebte, zum Beispiel bei der Frau, die dem Mann an die Hose wollte. Er starrte seinen Vater mit großen, ängstlichen Augen an.

»Du weißt, daß ich die Wahrheit sage«, flüsterte er und erschrak über seine eigenen Worte.

»Danny –« Jacks Gesicht verhärtete sich.

»Du weißt es, denn du hast es selbst gesehen –«

Mit einem völlig undramatischen Geräusch klatschte Jacks offene Handfläche in Dannys Gesicht. Der Kopf des Jungen fuhr zurück, und die Finger hinterließen rote Streifen wie Brandmale.

Wendy stöhnte auf.

Einen Augenblick waren sie alle drei still. Dann streckte Jack die Hand nach seinem Sohn aus und sagte: »Danny, es tut mir leid, ist alles in Ordnung, Doc?«

»Du hast ihn geschlagen, du Schwein!« schrie Wendy. »Du verdammtes Schwein!«

Sie nahm seinen anderen Arm, und einen Augenblick zerrten beide an Danny.

»Oh, hört doch auf, mich zu ziehen«, kreischte er, und in seiner Stimme lag solche Qual, daß sie ihn beide erschrocken losließen, und dann kamen die Tränen, und weinend brach er zwischen Sofa und Fenster zusammen, und seine Eltern starrten ihn so hilflos an, wie Kinder ein zerbrochenes Spielzeug betrachten mochten, um das sie sich eben noch gestritten hatten. Im Kamin explodierte noch ein Tannenzapfen wie eine Handgranate und ließ sie alle zusammenfahren.

Wendy gab ihm ein Baby-Aspirin, und Jack legte ihn, ohne daß er widersprach, in sein Bettchen und deckte ihn zu. Kurz darauf war er eingeschlafen, den Daumen im Mund.

»Das gefällt mir nicht«, sagte Wendy. »Es war ein Rückfall.«

Jack antwortete nicht.

Sie sah ihn sanft an, ohne Wut, aber auch ohne Lächeln. »Ich soll mich dafür entschuldigen, daß ich dich ein Schwein nannte. Gut. Ich entschuldige mich. Es tut mir leid. Du hättest ihn trotzdem nicht schlagen dürfen.«

»Ich weiß«, murmelte er. »Ich weiß es. Ich habe keine Ahnung, welcher Teufel mich geritten hat.«

»Du hast versprochen, daß du ihn nie wieder schlagen willst.«

Er sah sie wütend an, und dann fiel seine Wut in sich zusammen. Plötzlich erkannte sie voll Mitleid und Entsetzen, wie Jack als alter Mann aussehen würde. So wie jetzt hatte er noch nie ausgesehen.

(So wie jetzt. Wie denn?)

Gescheitert, gab sie sich selbst die Antwort. *Er sieht geschlagen aus.*

Er sagte: »Ich glaubte immer, ich würde meine Versprechen halten können.« Sie ging zu ihm und legte ihm die Hände auf den Arm. »Nun, das ist jetzt vorbei. Und wenn der Ranger hier nach dem rechten sieht, sagen wir ihm, daß er uns mitnehmen soll. Okay?«

»Okay«, sagte Jack, und wenigstens in diesem Augenblick meinte er es auch ernst. So wie er es am Morgen danach immer ernst gemeint hatte, wenn er sein blasses, übernächtigtes Gesicht im Badezimmerspiegel sah. Ich werde damit aufhören, sofort aufhören. Aber dem Morgen folgte der Nachmittag, und am Nachmittag fühlte er sich besser. Und dem Nachmittag folgte der Abend. Wie schon ein bedeutender Denker des zwanzigsten Jahrhundert gesagt hatte, es muß immer wieder Abend werden.

Er ertappte sich bei dem Wunsch, Wendy möge ihn über die Hecken befragen, ihn fragen, was Danny wohl gemeint hatte, als er sagte *Du weißt es, denn du hast es selbst gesehen* – Wenn sie es täte, würde er ihr alles sagen. Alles. Er würde ihr von den Hecken erzählen, von der Frau in jenem Zimmer und sogar von dem Wasserschlauch, der plötzlich anders zu liegen schien. Aber wo endete das Geständnis? Konnte er ihr sagen, daß er den Magnetzünder weggeworfen hatte? Daß sie alle schon in Sidewinder sein könnten, wenn er es nicht getan hätte?

Aber sie sagte nur: »Möchtest du etwas Tee?«

»Ja, eine Tasse Tee wäre sehr gut.«

Sie ging an die Tür, blieb dort stehen und rieb sich den Unterarm. »Es ist genauso meine Schuld wie deine«, sagte sie. »Was taten wir, als er diesen ... Traum hatte, oder was es auch gewesen sein mag?«

»Wendy –«

»Wir haben miteinander geschlafen«, sagte sie. »Wie ein paar Teenager, die es mal wieder gejuckt hat.«

»Hör auf«, sagte er. »Das ist doch nun vorbei.«

»Nein«, antwortete Wendy und sah ihn mit einem seltsam unruhigen Lächeln an. »Es ist nicht vorbei.«

Sie ging hinaus, um Tee zu machen, und ließ Danny in seiner Obhut.

36

Der Fahrstuhl

Jack erwachte aus einem leichten und unruhigen Schlaf, in dem riesige, schwer definierbare Gestalten ihn über endlose Schneefelder in einen anderen Traum hineingejagt hatten: Dunkelheit, und in dieser Dunkelheit ein Durcheinander von mechanischen Geräuschen – Klicken und Klappern, Summen und Rasseln, Knacken und Rauschen.

Dann richtete Wendy sich neben ihm auf, und er wußte, daß es kein Traum war.

»Was ist das?« Ihre Hand, kalt wie Marmor, umschloß sein Handgelenk. Er widerstand dem Impuls, sie abzuschütteln – wie, zum Teufel, sollte er wissen, was das war? Vom beleuchteten Zifferblatt der Uhr auf seinem Nachttisch las er die Zeit ab. Es war fünf Minuten vor zwölf.

Wieder das summende Geräusch. Laut und gleichmäßig. Kaum verändert. Dann ein Klappern, als das Summen aufhörte. Ein rasselnder Knall. Ein Schlagen. Dann fing das Summen wieder an.

Es war der Fahrstuhl.

Auch Danny setzte sich auf. »Daddy? *Daddy?*« Seine Stimme klang schläfrig und ängstlich zugleich.

»Hier sind wir, Doc«, sagte Jack. »Spring zu uns ins Bett. Deine Mommy ist auch wach.«

Das Bettzeug raschelte, als Danny sich zwischen sie setzte. »Das ist der Fahrstuhl«, flüsterte er.

»Ganz recht«, sagte Jack. »Es ist nur der Fahrstuhl.«

»Was heißt denn hier *nur*?« wollte Wendy wissen. Eisige Hysterie überlagerte ihre Stimme. »Es ist mitten in der Nacht. Wer fährt damit?«

Wieder das Summen, das Klicken und das Rasseln. Jetzt genau über ihnen. Das Klappern des sich öffnenden Gitters. Das dumpfe Geräusch, als sich die Türen öffneten und wieder schlossen. Dann wieder das Summen des Motors und das Rauschen der Kabel.

Danny fing an zu wimmern.

Jack schwang die Füße aus dem Bett und auf den Fußboden.

»Wahrscheinlich ein Kurzschluß. Ich werde nachsehen.«

»Wage es nicht, diesen Raum zu verlassen!«

»Sei nicht albern«, sagte er und zog sich seinen Morgenrock über. »Das ist mein Job.«

Einen Augenblick später war sie aufgestanden und zog Danny mit sich. »Wir gehen mit.«

»Wendy –«

»Was ist los?« fragte Danny kläglich. »Was ist los, Daddy?«

Statt zu antworten, wandte er sich wütend und mit starrem Gesicht ab. Er band sich den Gürtel um, öffnete die Tür und trat auf den dunklen Korridor hinaus.

Wendy zögerte einen Augenblick, und eigentlich war es Danny, der sich zuerst bewegte. Rasch holte sie ihn ein, und sie gingen gemeinsam hinaus.

Jack hatte sich nicht um Licht bekümmert. Wendy tastete nach dem Schalter für die vier Deckenleuchten in dem Gang, der zum Hauptkorridor führte. Vor ihnen bog Jack schon um die Ecke. Danny war es, der die Schalter fand. Der Gang zu der Treppe und dem Fahrstuhlschacht war jetzt erleuchtet.

Jack stand reglos vor der geschlossenen Fahrstuhltür. Mit seinem verblichenen karierten Bademantel und den Lederpantoffeln und den vom Schlaf wirren Haarsträhnen wirkte er auf sie wie ein absurder Hamlet des zwanzigsten Jahrhunderts, eine unentschlossene Figur, von der über ihn hereinbrechenden Tragödie so gelähmt, daß er nicht in der Lage war, ihren Lauf zu ändern.

(Mein Gott, denk doch nicht so etwas Verrücktes –)

Danny hatte schmerzhaft fest ihre Hand ergriffen. Er sah sie aufmerksam an, und sein Gesicht verriet Erregung und Besorgnis. Er hatte ihre Gedankengänge verfolgt, erkannte sie. Sie konnte unmöglich wissen, wieviel davon er verstanden hatte, aber sie wurde rot und fühlte sich etwa so, als hätte er sie beim Onanieren ertappt.

»Komm«, sagte sie, und sie gingen zu Jack.

Das Summen und Rasseln und Stampfen war hier lauter zu hören. Es klang schrecklich in seiner Isoliertheit, so, als gehöre es gar nicht hierher. Jack starrte mit fieberhafter Aufmerksamkeit auf die geschlossene Tür. Durch das rautenförmige Fenster der Fahrstuhltür meinte sie, das Durcheinander der Kabel erkennen zu können. Rasselnd hielt der Fahrstuhl ein Stockwerk unter ihnen in Höhe des Foyers. Sie hörten, wie sich mit einem dumpfen Geräusch die Tür öffnete. Und . . .

(Party)

Warum dachte sie an eine Party? Das Wort war ihr ohne jeden Grund eingefallen. Abgesehen von den unheimlichen Geräuschen aus dem Fahrstuhlschacht herrschte im Overlook absolute Ruhe.

(Das muß aber eine Party gewesen sein.)

(???WAS FÜR EINE PARTY???)

Für einen winzigen Augenblick hatte sich in ihren Gedanken eine Vorstellung gebildet, die so wirklich war, daß sie wie eine Erinnerung schien . . . nicht nur eine beliebige Erinnerung, sondern eine, an der man hängt, die man sich für besondere Gelegenheiten aufspart und selten laut erwähnt. Lichter . . . Hunderte, vielleicht Tausende. Lichter und Farben. Das Knallen von Champagnerkorken, eine Vierzig-Mann-Kapelle spielt »In the Mood« von Glenn Miller. Aber Glenn Miller war lange vor ihrer Geburt mit seinem Bomber abgestürzt. Wie konnte sie eine Erinnerung an Glenn Miller haben? Sie schaute zu Danny hinunter und sah, daß er den Kopf schiefgelegt hatte, als ob er etwas hörte, was sie nicht hören konnte. Sein Gesicht war sehr blaß.

Rumms.

Unten hatte sich die Tür geschlossen. Ein jaulendes Summen, als der Fahrstuhl sich nach oben in Bewegung setzte. Zuerst sah sie das Motorgehäuse auf dem Dach der Kabine durch das rautenförmige Fenster, dann das Innere der Kabine durch die ebenfalls rautenförmigen Zwischenräume im Messinggitter. Von der Decke der Kabine kam warmes Licht. Sie war leer. Sie war leer, aber

(am Abend der Party müssen sie sich zu Dutzenden hineingedrängt haben, noch über die zulässige Höchstbelastung hinaus, aber natürlich war er damals noch neu gewesen, und sie hatten alle Masken getragen)

(???WAS FÜR MASKEN???)

Die Kabine hielt über ihnen im dritten Stockwerk an. Wendy sah Danny an. Sein Gesicht bestand nur noch aus Augen. Die ängstlichen, blutleeren Lippen hatte er zu einem dünnen Strich zusammengepreßt.

Über ihnen rasselte das Messinggitter zurück. Mit einem dumpfen Geräusch öffnete sich die Fahrstuhltür, öffnete sich, weil es Zeit war, die Zeit gekommen war, es Zeit war, sich zu verabschieden.

(Gute Nacht . . . gute Nacht . . . ja, es war sehr schön . . . nein, ich kann wirklich nicht bis zur Demaskierung bleiben . . . oh, war das Sheila? . . . der Mönch? . . . ist das nicht witzig, Sheila kommt als Mönch? . . . ja, gute Nacht . . . gute . . .)

Rumms.

Das Getriebe rasselte. Der Motor griff. Die Kabine jaulte nach unten.

»Jack«, flüsterte sie. »Was ist das? Was ist nur mit dem Ding los?«

»Ein Kurzschluß«, sagte er. Sein Gesicht war wie Holz. »Ich sagte dir doch, daß es ein Kurzschluß ist.«

»Ich höre dauernd Stimmen im Kopf!« rief sie. »Was ist das? Was ist nur los? Ich hab' das Gefühl, daß ich verrückt werde.«

»Was für Stimmen?« Er sah sie so freundlich an, daß sie erschrak. Sie wandte sich zu Danny um. »Hast du auch –?«

Danny nickte langsam. »Ja. Und Musik. Wie aus alten Zeiten. Im Kopf.«

Wieder hielt die Fahrstuhlkabine an. Still und verlassen lag das Hotel da. Draußen in der Dunkelheit heulte der Wind um das Dach.

»Vielleicht seid ihr beide verrückt«, sagte Jack im Plauderton. »Ich höre jedenfalls nichts. Höchstens den Fahrstuhl mit seinem elektrischen Schluckauf. Wenn ihr beide im Duett hysterisch werden wollt, bitte sehr. Auf mich dürft ihr dabei aber nicht rechnen.«

Der Fahrstuhl kam wieder nach unten.

Jack ging nach rechts, wo in Brusthöhe ein glasverkleideter Kasten hing. Er schlug mit der bloßen Faust die Scheibe ein. Das Glas klirrte, und von zwei seiner Knöchel tropfte Blut. Er griff hinein und nahm den Schlüssel heraus.

»Nein, Jack. Tu's nicht.«

»Ich mache meine Arbeit. Laß mich in Ruhe, Wendy!«

Sie versuchte, seinen Arm festzuhalten, aber er stieß sie zurück. Ihre Füße verhedderten sich im Saum ihres Morgenrocks, und mit einem häßlichen Klatschen fiel sie auf den

Teppich. Danny schrie auf und sank neben ihr auf die Knie. Jack ging an den Fahrstuhl und steckte den Schlüssel ein.

Die Fahrstuhlkabel verschwanden, und der Boden der Kabine war durch das kleine Fenster zu sehen. Eine Sekunde später drehte Jack den Schlüssel um. Es gab ein kratzendes, kreischendes Geräusch, und der Fahrstuhl stand. Der ausgekuppelte Motor heulte noch einmal laut auf. Dann war der Kontakt unterbrochen, und im Overlook herrschte schauerliche Stille. Umso lauter hörte man draußen den Sturm. Dümmlich starrte Jack auf die graue Fahrstuhltür. Unter dem Schlüsselloch sah er drei Blutflecken von seinen verletzten Knöcheln.

Er sah sich nach Wendy und Danny um. Wendy hatte sich aufgesetzt, und Danny hatte den Arm um sie gelegt. Sie sahen ihn so aufmerksam an, als sei er ein Fremder, den sie noch nie gesehen hatten, vielleicht sogar ein gefährlicher. Er öffnete den Mund, obwohl er gar nicht wußte, was er sagen sollte.

»Wendy . . . es ist doch mein Job.«

»Ich scheiße auf deinen Job«, sagte sie klar und deutlich.

Er wandte sich wieder dem Fahrstuhl zu und fummelte an dem kleinen Spalt rechts an der Tür. Er konnte sie ein kleines Stück öffnen, und dann riß er sie mit aller Gewalt auf.

Die Kabine war auf halbem Weg stehengeblieben. Der Kabinenboden befand sich in Jacks Brusthöhe. Das Deckenlicht bildete einen seltsamen Kontrast zur schmierigen Dunkelheit des Fahrstuhlschachts.

Er schaute lange hin.

»Leer«, rief er. »Ein Kurzschluß, wie ich gesagt habe.« Er hakte die Finger hinter die Tür und wollte sie wieder schließen, als ihm Wendy überraschend kräftig die Hand auf die Schulter legte und ihn zur Seite schob.

»Wendy!« schrie er. Aber Wendy hatte sich schon an den Kabinenboden geklammert und zog sich an ihm hoch, um hineinsehen zu können. Dann, mit einem kräftigen Ruck, versuchte sie ganz hineinzugelangen. Einen Augenblick hing sie in der Schwebe. Ihre Füße pendelten über der Dunkelheit des Schachts, und ein rosa Pantoffel glitt ihr vom Fuß und verschwand in der Finsternis.

»Mommy!« kreischte Danny.

Dann hatte sie es geschafft. Hektische Flecken zeigten sich in ihrem sonst blassen Gesicht. »Und was ist dies, Jack? Ist dies etwa ein Kurzschluß?« Sie warf etwas, und plötzlich wirbelte Konfetti über den Flur, rot und weiß und blau und gelb. *»Und dies?«* Eine grüne, von der Zeit abgebleichte Papierschlange folgte.

»Und dies?« Sie warf etwas hinaus, und es blieb auf dem blauschwarzen Dschungelteppich liegen, eine schwarze, seidene, an den Schläfen mit Gold bestäubte Augenmaske.

»Sieht das für dich wie ein Kurzschluß aus, Jack?« schrie sie ihn an.

Jack trat einen Schritt zurück und schüttelte wie mechanisch den Kopf. Leer starrte die Augenmaske vom konfettibestreuten Teppich zur Decke.

37

Der Festsaal

Es war der erste Dezember.

Danny stand im Festsaal auf einem dickgepolsterten Stuhl und betrachtete die verglaste Uhr auf dem Schmucksims des Kamins. Die Uhr wurde von zwei großen Elefanten aus Elfenbein flankiert. Fast erwartete er, daß sie anfangen würden, sich zu bewegen und zu versuchen, ihn mit den Stoßzähnen zu durchbohren, aber sie blieben reglos. Sie waren »sicher«. Seit der Nacht mit dem Fahrstuhlerlebnis teilte er alles im Overlook in zwei Kategorien ein. Der Fahrstuhl, der Keller, Zimmer 217 und die Präsidentensuite waren »unsicher«. Ihre Wohnung, das Foyer und die Vorhalle waren »sicher«. Anscheinend auch der Festsaal.

(Die Elefanten waren es jedenfalls.)

Was andere Örtlichkeiten betraf, war er sich nicht ganz klar, und folglich mied er sie.

Er schaute auf die Uhr unter der Glaskuppel. Sie war unter Glas, weil alle Zahnräder und Federn freilagen. Um das Uhrwerk herum verlief ein Ring aus Chrom oder Stahl, und direkt unter dem Zifferblatt war eine kleine Achswelle angebracht, die an jedem Ende zwei ineinandergreifende Räder hatte. Die

Zeiger der Uhr standen auf viertel nach XI, und obwohl er keine römischen Ziffern kannte, sah er am Stand der Zeiger, um welche Zeit die Uhr stehengeblieben war. Die Uhr stand auf einem samtverkleideten Sockel, vor dem man, durch das Glas der Kuppel leicht verzerrt, einen sorgfältig ziselierten silbernen Schlüssel erkennen konnte.

Er nahm an, daß die Uhr zu den Dingen gehörte, die er nicht berühren durfte, genauso wie die dekorativen Schürwerkzeuge in ihrer messingeingefaßten Vitrine neben dem Kamin im Foyer oder der großen Porzellanaufsatz auf der Kommode im Speisesaal.

Er empfand das als ungerecht, und plötzlich stieg ein rebellisches Gefühl in ihm auf.

(Es ist doch gleich, ob ich die Sachen berühren darf oder nicht? Völlig gleich. Sie haben mich auch angefaßt und mit mir gespielt, oder etwa nicht?)

Das stimmte. Und sie hatten sich keine besondere Mühe gegeben, ihn nicht zu verletzen.

Danny streckte die Hände aus, packte die Glaskuppel und hob sie ab. Einen Augenblick ließ er die Finger spielerisch über das Uhrwerk gleiten, strich mit dem Zeigefinger über die Räder. Dann nahm er den silbernen Schlüssel. Für einen Erwachsenen wäre er unhandlich klein gewesen, aber ihm lag er gut zwischen den Fingern. Er steckte ihn in das Schlüsselloch in der Mitte des Zifferblatts. Mit einem leisen Klicken, das man eher fühlte als hörte, ließ sich der Schlüssel einführen. Man mußte natürlich rechts herum drehen; im Uhrzeigersinn.

Danny drehte den Schlüssel, bis er auf Widerstand stieß, und zog ihn dann ab. Die Uhr fing an zu ticken. Die Zahnräder bewegten sich. Ein großes Ausgleichsrad fuhr in Halbkreisen hin und her. Wenn man den Kopf stillhielt und die Augen weit aufmachte, sah man, daß sich der Minutenzeiger ganz langsam bewegte, um in ungefähr fünfundvierzig Minuten auf den Stundenzeiger zu treffen. Um XII.

(Und der Rote Tod hielt sie alle in seiner Gewalt)

Er runzelte die Stirn und verscheuchte den Gedanken. Es war ein Gedanke, der für ihn ohne Bedeutung war und ihn nicht betraf.

Wieder streckte er den Zeigefinger aus und schob den Minutenzeiger zur vollen Stunde hoch. Er war neugierig, was geschehen würde. Dies war offensichtlich keine Kuckucksuhr, aber mit der Metallschiene mußte es doch irgendeine Bewandtnis haben.

Er hörte ein leises, knarrendes Klicken, und dann spielte die Uhr den »Donauwalzer« von Strauß. Eine fünf Zentimeter breite Tuchrolle spulte sich ab. Einige Messingschlegel hoben und senkten sich. Von hinten kamen zwei Figuren in Sicht und glitten auf der Stahlschiene vor das Zifferblatt. Es waren Balletttänzer, links ein Mädchen mit bauschigem Rock und weißen Strümpfen und rechts ein Mann in schwarzem Kostüm und Ballettschuhen. In der Mitte trafen sie sich genau vor der VI.

Danny entdeckte, daß die Figuren unter den Achselhöhlen winzige Rillen hatten. In diese Rillen schob sich die Achswelle, und wieder hörte er ein leises Klicken. Die Räder an den Enden der Welle begannen sich zu drehen, und der »Donauwalzer« erklang. Die Tänzer umarmten sich. Der Mann hob das Mädchen hoch über den Kopf und wirbelte über die Welle. Sie lagen jetzt, und der Kopf des Mannes war unter dem kurzen Rock des Mädchens. Das Mädchen drückte ihr Gesicht an die Körpermitte des Mannes. Sie zuckten in mechanischer Ekstase.

Danny zog die Nase kraus. Sie küßten sich zwischen den Beinen. Das machte ihn ganz krank. Einen Augenblick verlief alles rückwärts. Der Mann wirbelte über die Achswelle zurück, und das Mädchen stand wieder aufrecht. Sie schienen einander wissend zuzunicken, während sie die Hände wieder über den Kopf hoben. Sie glitten hinter das Zifferblatt zurück und verschwanden im gleichen Augenblick, als der »Donauwalzer« verklang. Dann begann die Uhr silberhell zu schlagen.

(Mitternacht! Sie schlägt Mitternacht!)

(Hurra für die Masken!)

Danny fuhr herum und wäre fast vom Stuhl gefallen. Der Festsaal war leer. Durch die doppelten Kathedralenfenster hindurch sah er Schnee fallen. Der riesige Teppich des Festsaals (der zum Tanzen natürlich aufgerollt wurde), ein reiches Gewirr von roter und goldener Stickerei, lag ruhig da. Um ihn herum standen Zweiertische, und die dazugehörigen zierlichen Stühle standen umgedreht darauf, und ihre Beine zeigten zur Decke.

Der ganze Raum war leer.

Aber er war nicht wirklich leer. Denn hier im Overlook gingen die Dinge ständig weiter. Hier im Overlook waren alle Zeiten eins. Es gab eine endlose Nacht im August 1945 mit Gelächter und Getränken und einigen erlesenen Gästen, die im Fahrstuhl rauf- und herunterfuhren, die Champagner tranken und die auf Partys üblichen Höflichkeiten austauschten. Es gab zwanzig Jahre später einen Junimorgen, an dem es noch nicht hell war und an dem die Killer die Körper dreier Männer mit Schrotkugeln vollpumpten und ihrem endlosen Todeskampf überließen. In einem Zimmer im dritten Stock rekelte sich eine Frau in der Badewanne und wartete auf Besuch.

Im Overlook hatten alle Dinge eine Art Leben. Es war, als ob das ganze Hotel mit einem silbernen Schlüssel aufgezogen worden wäre. Die Uhr lief. Die Uhr lief.

Er selbst war dieser Schlüssel, dachte Danny traurig. Tony hatte ihn gewarnt, und er hatte die Dinge einfach treiben lassen.

(Ich bin erst fünf!)

rief er, als sei jemand im Saal anwesend.

(Macht es denn nichts aus, daß ich erst fünf bin?)

Er bekam keine Antwort.

Zögernd wandte er sich wieder der Uhr zu.

Er hatte es immer wieder aufgeschoben, Tony zu rufen. Er hatte gehofft, daß irgend etwas passieren würde, das es überflüssig machte, Tony zu rufen. Daß ein Ranger, ein Hubschrauber oder eine Rettungsmannschaft kommen würde. Im Fernsehen geschah das immer rechtzeitig, und die Leute wurden gerettet. Im Fernsehen waren die Ranger und die Sanitäter eine freundliche Kraft, die das Böse, das es in der Welt gab, ausglichen. Wenn Leute in Schwierigkeiten steckten, wurde ihnen geholfen. Sie brauchten sich nicht selbst zu helfen.

(Bitte?)

Keine Antwort.

Keine Antwort, und wenn Tony kam, würde es dann wieder ein Alptraum sein? Die dröhnende, heisere, böse Stimme und Schlangen auf dem blauschwarzen Teppich? Drom?

Oder was sonst?

(Bitte, oh bitte!)

Keine Antwort.

Seufzend und zitternd schaute er auf das Zifferblatt. Räder griffen ineinander. Das Ausgleichsrad schwang hin und her, als wollte es ihn hypnotisieren. Und wenn man den Kopf ganz still hielt, konnte man sehen, wie sich der Minutenzeiger unaufhaltsam von der XII auf die I zu bewegte. Wenn man den Kopf ganz still hielt, konnte man sehen, wie –

Das Zifferblatt war verschwunden. An seiner Stelle klaffte ein rundes schwarzes Loch. Es führte in die Ewigkeit hinab. Es wurde immer größer. Die Uhr war verschwunden, der Raum ebenso. Danny schwankte, und dann stürzte er in die Dunkelheit, die sich schon die ganze Zeit hinter dem Zifferblatt verborgen hatte.

Der kleine Junge brach plötzlich auf dem Stuhl zusammen und blieb in einer unnatürlichen Haltung liegen. Er hatte den Kopf zurückgeworfen und starrte aus leeren Augen gegen die hohe Decke des Festsaals.

Er sank nach unten, immer tiefer nach unten, bis –

– auf den Korridor. Er hockte im Korridor. Als er versucht hatte, die Treppe zu erreichen, war er in die falsche Richtung gegangen, und jetzt UND JETZT –

– sah er, daß er sich in dem kurzen Gang befand, der nur zur Präsidentensuite führte, und das dröhnende Geräusch kam immer näher, der Roque-Schläger pfiff bösartig durch die Luft und krachte gegen die Wand, daß die Seidentapete zerriß und der Putz stob.

(Verdammt, komm da raus! Nimm deine . . .)

Im Korridor war noch eine Gestalt. Sie lehnte sich direkt hinter ihm lässig gegen die Wand. Wie ein Gespenst.

Nein, kein Gespenst, aber ganz in Weiß gekleidet. In Weiß gekleidet.

(Ich finde dich schon, du gottverdammter Hurensohn. DU ZWERG!)

Danny zuckte vor dem Geräusch zusammen. Es kam jetzt den Hauptkorridor im dritten Stock hoch. Bald würde die Gestalt, zu der die Stimme gehörte, um die Ecke kommen.

(Komm her! Komm her, du kleines Miststück!)

Die ganz in Weiß gekleidete Gestalt richtete sich ein wenig auf, nahm die Zigarette aus dem Mundwinkel und wischte sich

Tabakfasern von der vollen Unterlippe. Danny sah, daß es Hallorann war. Er trug nicht den blauen Anzug, den er bei Saisonende getragen hatte, sondern die Berufskleidung eines Kochs.

»Wenn es *wirklich* Schwierigkeiten gibt«, sagte Hallorann, »dann rufst du mich. Ein lautes Gebrüll wie das, mit dem du mich vor ein paar Minuten erschreckt hast. Das würde ich vielleicht sogar unten in Florida hören. Und wenn ich es höre, komme ich angerannt. Ich komme angerannt. Ich komme –«

(Dann komm jetzt. Komm jetzt. Komm JETZT! Oh, Dick, ich brauche dich. Wir alle brauchen dich.)

»– angerannt. Tut mir leid, aber ich muß jetzt laufen. Tut mir leid, Danny, alter Junge, Doc, aber ich muß los. Es war mir ein Vergnügen, Danny, aber ich muß mich beeilen. Ich muß laufen.«

(Nein!)

Aber während er hinsah, wandte sich Dick Hallorann ab, steckte die Zigarette wieder in den Mundwinkel und schritt lässig durch die Wand.

Er ließ ihn allein.

Und in diesem Augenblick kam die Schattengestalt um die Ecke. Sie wirkte riesig im Dämmerlich des Korridors, und nur das rote Funkeln der Augen war deutlich zu erkennen.

(Da bist du ja! Jetzt habe ich dich, du Scheißkerl! Jetzt werd' ich's dir zeigen!)

Die Gestalt taumelte in einem scheußlichen Watschelgang auf ihn zu und riß den Schläger hoch und immer höher. Schreiend wich Danny zurück, und plötzlich war er durch die Wand hindurch, er schlug einen Salto in das Loch hinein, in das Kaninchenloch hinein, in ein Land voller unheimlicher Wunder.

Weit unter ihm stürzte Tony.

(Ich kann nicht mehr kommen, Danny ... er läßt mich nicht in deine Nähe ... keiner von ihnen läßt mich in deine Nähe ... hol Dick ... hol Dick ...)

»Tony!« kreischte er.

Aber Tony war weg, und plötzlich befand er sich in einem dunklen Raum. Er war nicht ganz dunkel. Von irgendwo kam gedämpftes Licht. Es war Mommys und Daddys Schlafzimmer.

Er konnte Daddys Schreibtisch erkennen. Im Zimmer herrschte ein schreckliches Durcheinander. Er war hier schon einmal gewesen. Mommys Plattenspieler lag umgestürzt auf dem Fußboden, ihre Platten lagen auf dem Teppich verstreut, die Matratze hing halb vom Bett, die Bilder waren von den Wänden gefallen. Sein Kinderbett lag wie ein toter Hund auf der Seite. Das Volkswagenmodell bestand nur noch aus purpurnen Plastiktrümmern.

Das Licht fiel durch die halbgeöffnete Badezimmertür herein. Dahinter ragte eine schlaffe Hand über den Wannenrand hinaus, und von den Fingerspitzen tropfte Blut. Und im Spiegel vor der Hausapotheke blitzte immer wieder das Wort DROM auf.

Plötzlich erschien vor dem Spiegel eine riesige Uhr unter einer Glaskuppel. Auf dem Zifferblatt fehlten Zeiger und Ziffern. Nur ein Datum stand in Rot darauf: 2. DEZEMBER. Und dann sah Danny mit vor Entsetzen geweiteten Augen das Wort DROM trübe in der Glaskuppel reflektiert. Und er sah, daß das Wort MORD hieß.

Danny Torrance kreischte laut auf vor Elend und Entsetzen. Das Datum war vom Zifferblatt verschwunden. Das Zifferblatt selbst war verschwunden, und an seiner Stelle erschien ein rundes schwarzes Loch, das sich ständig pupillenartig vergrößerte. Es löschte alles andere aus, und Danny stürzte nach vorn und fiel und fiel –

fiel vom Stuhl.

Schwer atmend blieb er eine Weile auf dem Fußboden des Ballsaals liegen.

DROM
MORD
DROM
MORD

(Und der Rote Tod hielt sie alle in seiner Gewalt!)

(Die Masken ab! Die Masken ab!)

Und hinter jeder schönen glitzernden Maske das bisher verborgene Gesicht der Gestalt, die ihn durch die dunklen Korridore verfolgt hatte, die roten Augen weit aufgerissen, der Blick leer, mörderisch.

Oh, er hatte Angst. Was für ein Gesicht mochte zum Vorschein kommen, wenn die Stunde der Demaskierung heranrückte?

(DICK!)

schrie er so laut er konnte. Sein ganzer Kopf zitterte vor Anstrengung.

(!!! OH DICK, BITTE, BITTE, BITTE, KOMM!!!)

Über ihm zählte die Uhr, die er mit dem silbernen Schlüssel aufgezogen hatte, die Sekunden, die Minuten und die Stunden.

Teil Fünf
Auf Leben und Tod

38

Florida

Mr. Halloranns dritter Sohn, Dick, in weißer Kochkleidung, eine Lucky Strike im Mundwinkel, setzte seine Cadillac-Limousine auf dem Parkplatz hinter dem Gemüsegroßmarkt zurück und fuhr langsam um das Gebäude herum. Masterton, jetzt Mitinhaber, wenn er sich auch den gesetzlich geschützten Schlurfgang, den er sich schon vor dem Zweiten Weltkrieg angewöhnt hatte, nicht nehmen ließ, schob gerade einen Behälter mit Kopfsalat in das Innere des großen, dunklen Gebäudes.

Hallorann drückte auf den Knopf, um das Fenster an der Beifahrerseite zu öffnen, und brüllte: »Diese Avocados sind verdammt zu teuer, du Halsabschneider.«

Masterton schaute über die Schulter zurück, grinste breit genug, daß alle drei Goldzähne zu sehen waren, und brüllte zurück: »Und ich weiß genau, wo du sie dir hinstecken kannst, alter Junge.«

»Solche Sprüche merke ich mir, Alter.«

»Hast du deine Gurken gekriegt?« fragte Masterton.

»Ja.«

»Wenn du morgen früh kommst, gebe ich dir ein paar von den feinsten neuen Kartoffeln, die du je gesehen hast.«

»Ich schicke den Jungen«, sagte Hallorann. »Kommst du heute abend vorbei?«

»Stelle schon den Schnaps kalt.«

»Wird gemacht.«

»Ich komme. Fahr nicht zu schnell. Jeder Bulle von hier bis St. Petes kennt dich schon.«

»Was du nicht alles weißt«, sagte Hallorann grinsend.

»Ich weiß mehr, als du je lernen wirst.«

»Hör dir den frechen Nigger an.«

»Mach, daß du wegkommst, oder ich schmeiß mit Salat.«

»Nur zu. Umsonst nehme ich alles.«

Masterton tat, als ob er werfen wollte. Hallorann duckte sich, schloß das Fenster und fuhr weiter. Er fühlte sich ausgezeichnet. Während der letzten halben Stunde hatte er den Geruch von Orangen in der Nase gehabt, aber das wunderte ihn nicht sehr. Schließlich war er in einem Obst- und Gemüsegroßmarkt gewesen.

Es war halb fünf Uhr nachmittags am 1. Dezember. Der Winter hatte fast das ganze Land mit Frost überzogen, aber hier unten liefen die Männer mit offenen kurzärmeligen Hemden und die Frauen in leichten Sommerkleidern herum. Das von riesigen Grapefruits umrandete Digitalthermometer auf dem Gebäude der First Bank of Florida ließ immer wieder die Temperatur 26 Grad Celsius aufblitzen. Es lebe Florida, dachte Hallorann, Moskitos hin, Moskitos her.

Hinten in seiner Limousine hatte er zwei Dutzend Avocados und je eine Kiste Gurken, Orangen und Grapefruit. Drei Einkaufstaschen voll Bermudazwiebeln, das schönste Gemüse, das der liebe Gott je wachsen ließ. Dann noch hervorragende Süßerbsen, die als Vorgericht serviert wurden und in neun von zehn Fällen wieder zurückkamen. Außerdem eine einzige blaue Hubbard-Squash, die strikt für den persönlichen Gebrauch bestimmt war.

Hallorann hielt auf der Wendespur an der Ampel vor der Vermont Road, und als der grüne Pfeil aufleuchtete, bog er in den State Highway 219 ab und hielt die Nadel auf vierzig, bis die Stadt mit ein paar Tankstellen, Burger Kings und McDonalds hinter ihm verschwand. Heute hatte er nicht viel eingekauft, er hätte Baedecker schicken können, aber der wollte unbedingt das Fleisch einkaufen, und außerdem verzichtete Hallorann ungern auf die kleinen Streitereien mit Masterton. Masterton kam vielleicht heute abend, um ein bißchen fernzusehen und ein wenig von Halloranns Bushmillwhiskey zu trinken. Vielleicht kam er auch nicht. Egal. Aber es war wichtig, ihn gelegentlich zu sehen. Er hatte in der letzten Zeit oft daran gedacht. Es war heute wichtiger als früher, denn sie waren beide nicht mehr jung. Wo sie doch fast sechzig Jahre alt waren (und, wenn man nicht log, sogar noch ein wenig älter). Da mußte man sich schon Gedanken über sein Abtreten machen. Man konnte jederzeit sterben. Und damit hatte er sich schon die ganze Woche beschäftigt. Es quälte ihn nicht, aber er sah es als Tatsache. Sterben gehörte zum Leben. Man mußte hin und wieder daran denken. Man war Mensch und als solcher sterblich. Vielleicht war es schwer, sich mit seinem eigenen Tod vertraut zu machen, aber wenigstens mußte man ihn akzeptieren.

Warum er in der letzten Zeit so oft daran gedacht hatte, wußte er nicht genau, aber ein Grund, warum er diesen Einkauf heute selbst hatte tätigen wollen, war, daß er anschließend in das kleine Büro über Franks Bar und Grill hatte gehen können, in dem ein Anwalt seine Praxis eingerichtet hatte (der Zahnarzt, der noch im letzten Jahr dort gewesen war, hatte wohl Pleite gemacht), ein junger Schwarzer namens McIver. Hallorann hatte diesen McIver aufgesucht, ihm erzählt, daß er sein Testament machen wolle, und gefragt, ob McIver ihm helfen könne. McIver hatte nur gefragt, wann das Dokument vorliegen müsse. Gestern, hatte Hallorann gesagt, den Kopf zurückgeworfen und gelacht. Geht es um irgend etwas Kompliziertes? war McIvers nächste Frage gewesen, die Hallorann verneinen mußte. Er hatte seinen Cadillac, sein Bankkonto – vielleicht neuntausend Dollar –, ein Sparkonto mit einer lächerlich geringen Einlage und einen Schrank voll Kleider. Das alles sollte seine Schwester bekommen. Und wenn Ihre Schwester nun vor Ihnen stirbt? hatte McIver gefragt. Das würde nichts ausmachen, hatte Hallorann geantwortet, dann würde er eben ein neues Testament machen. Das Ganze hatte drei Stunden gedauert – schnelle Arbeit für einen Winkeladvokaten –, und jetzt steckte das Dokument in einem steifen blauen Umschlag in Halloranns Brusttasche.

Er wußte selbst nicht, warum er ausgerechnet an diesem schönen, sonnigen Tag etwas erledigt hatte, was schon vor Jahren hätte erledigt werden müssen. Zumal er sich heute so gut fühlte. Aber er hatte einen Impuls dazu verspürt und nicht nein gesagt. Er folgte eben seinen Eingebungen.

Er hatte die Stadt hinter sich gelassen. Er hatte auf verbotene sechzig Meilen aufgedreht und fuhr auf der linken Spur, um später in Richtung Petersburg abzubiegen. Es wußte aus Erfahrung, daß die Limousine auch noch bei neunzig wie ein Brett auf der Straße lag, und selbst bei hundertzwanzig hatte man noch kein ungemütliches Gefühl. Aber er raste nicht mehr. Der Gedanke, selbst auf einer geraden Strecke hundertzwanzig zu fahren, erschreckte ihn. Er wurde alt.

(Mein Gott, die Orangen riechen aber kräftig. Ob verfaulte dabei sind?)

Insekten knallten gegen die Scheibe. Er stellte einen Soul-Sender aus Miami ein und hörte die leise, klagende Stimme Al Greens

»What a beautiful time we had together,
Now it's getting late and we must leave each other ...«

Er ließ das Fenster herab und warf seine Zigarette nach draußen. Er ließ es offen, um den Orangengeruch loszuwerden. Er trommelte mit den Fingern auf das Steuer und summte die Melodie mit. Seine am Rückspiegel aufgehängte St. Christophorus-Medaille schwang hin und her.

Und plötzlich wurde der Orangengeruch intensiver, und er wußte, daß etwas kam. Etwas kam auf ihn zu. Im Rückspiegel sah er, wie seine Augen sich vor Überraschung weiteten. Und dann brach es über ihn herein, wie ein gewaltiger Schwall, der alles andere auslöschte: die Musik, die Straße vor ihm, seine Vorstellung von sich selbst als einzigartigem Individuum. Es war, als hätte jemand eine psychische Kanone Kaliber fünfundvierzig auf seinen Kopf gerichtet und abgedrückt.

(!!!OH DICK, OH BITTE, BITTE, BITTE, BITTE, KOMM!!!)

Die Limousine war jetzt auf gleicher Höhe mit einem Pinto-Kombiwagen, den ein Mann in Arbeitskleidung steuerte. Der Arbeiter sah, daß der Cadillac im Begriff war, ihm den Weg abzuschneiden, und hupte. Aber der Fahrer des Cadillac reagierte nicht. Der Arbeiter sah einen großen Schwarzen aufrecht am Lenkrad sitzen, die Augen nach oben gerichtet. Später erzählte er seiner Frau, daß es eine der üblichen Afro-Frisuren gewesen sein mußte, aber in dem Augenblick habe es so ausgesehen, als sträubte sich dem Nigger jedes einzelne Haar. Der Mann mußte einen Herzanfall gehabt haben.

Der Arbeiter stieg hart in die Bremse und hatte Glück. Hinter ihm war kein Fahrzeug. Entsetzt sah er, daß der Cadillac seine vordere Stoßstange nur um Millimeter verfehlte.

Die Hand noch immer auf der Hupe, konnte der Arbeiter der schlingernden Limousine gerade noch nach links ausweichen und an ihr vorbeiziehen. Er bedachte den anderen Fahrer mit einigen obszönen Flüchen und artikulierte seine Ansicht, daß alle Neger gefälligst nach Afrika zurückkehren sollten. Er äußerte seine feste Überzeugung, daß die Seele des Niggers einst in der Hölle schmoren würde, und ging sogar so weit, zu behaupten, daß er dessen Mutter aus einem Puff in New Orleans kannte.

Dann war er auf und davon und außer Gefahr und merkte plötzlich, daß er sich in die Hose gepinkelt hatte.

In Halloranns Kopf wiederholte sich ein einziger Gedanke

(KOMM, DICK, BITTE, KOMM, DICK, BITTE)

aber er wurde schwächer, wie man einen Sender nicht mehr hört, wenn man sein Einzugsgebiet verlassen hat. Dumpf wurde ihm bewußt, daß er mit mehr als fünfzig Meilen die Stunde links von der Straße abgekommen war. Er lenkte den Wagen auf die Straße zurück und spürte, wie ihm das Heck wegrutschte, bevor die Antriebsräder wieder griffen.

Vorn rechts lag ein Imbißstand. Hallorann blinkte und bog ab. Sein Herz klopfte, daß es wehtat, und sein Gesicht war ganz grau. Er fuhr auf den kleinen Parkplatz, nahm das Taschentuch heraus und wischte sich die Stirn.

(Mein Gott!)

»Was darf es sein?«

Er erschrak beim Klang der Stimme, aber es war nicht die Stimme Gottes, sondern die einer netten jungen Serviererin, die seine Bestellung entgegennehmen wollte.

»Ja, Baby, ein alkoholfreies Bier und zwei Kugeln Vanilleeis.«

»Yes, Sir.« Sie entfernte sich, und ihr Hüftwackeln unter der roten Nylonuniform war kein schlechter Anblick.

Hallorann lehnte sich im Sitz zurück und schloß die Augen.

Wo sollte er anknüpfen? Seit er hier eingebogen war und seine Bestellung aufgegeben hatte, war alles weg. Er hatte nur bohrende Kopfschmerzen. Als hätte man ihm das Gehirn ausgewrungen und zum Trocknen aufgehängt. Solche Kopfschmerzen hatte Danny ihm schon einmal beigebracht, damals vor Ullmans albernem Laden.

Diesmal aber war es sehr viel lauter gewesen. Damals hatte der Junge nur mit ihm gespielt, dies aber war reine Panik. Jedes Wort war ihm durch Mark und Bein gegangen.

Er betrachtete seine Arme. Es war heiß, aber er hatte eine Gänsehaut. Er hatte dem Jungen gesagt, daß er ihn rufen sollte, wenn er Hilfe brauchte. Daran erinnerte er sich. Und nun rief ihn der Junge.

Wieso hatte er den Jungen überhaupt dort zurücklassen können, hellsichtig wie er war? Das mußte doch Schwierigkeiten geben, vielleicht sogar üble Schwierigkeiten.

Er drehte den Schlüssel um, legte den Rückwärtsgang ein und setzte den Wagen mit quietschenden Reifen auf die Straße zurück.

Die hüftwackelnde Serviererin stand mit ihrem Tablett vor dem Imbißstand.

»Was ist denn mit Ihnen los?« schrie sie. »Brennt es irgendwo?« Aber Hallorann war verschwunden.

Der Manager hieß Queems, und als Hallorann zurückkam, telefonierte er gerade mit seinem Buchmacher. Er wollte sechshundert Dollar auf die Viererwette in Rockaway setzen. Queems legte auf und sah erschöpft aus. Hallorann war völlig klar, wie ein Mann mit diesem Lokal fünfzig Mille im Jahr verdienen konnte und dennoch in abgewetzten Anzügen herumlief. Queems sah Hallorann aus blutunterlaufenen Augen an. Der Whiskey von gestern.

»Probleme, Dick?«

»Leider, Mr. Queems. Ich brauche drei Tage frei.«

In der Brusttasche seines gelben Hemdes hatte Queems eine Packung Kent.

Er fingerte eine heraus und biß mürrisch auf den Filter. Dann zündete er sie an.

»Ich auch«, sagte er. »Was ist denn los?«

»Ich brauche drei Tage frei«, wiederholte Hallorann. »Es geht um meinen Jungen.«

Queems betrachtete Halloranns linke Hand, an der kein Ring zu sehen war.

»Ich bin seit 1964 geschieden«, sagte Hallorann geduldig.

»Dick, Sie wissen, wie es am Wochenende hier zugeht. Wir sind ausgebucht. Bis unters Dach. Selbst die billigen Plätze. Sie können meine Uhr haben, meine Brieftasche und meine Rente. Sie können sogar meine Frau haben, wenn die scharfen Kanten Sie nicht stören. Drei Tage frei kriegen Sie nicht. Ist er denn krank?«

»Yes, Sir«, sagte Hallorann und versuchte, möglichst wehleidig auszusehen. »Angeschossen.«

»Angeschossen!« sagte Queems. Er legte seine Kent in den Aschenbecher mit dem Emblem der Universität von Missouri, an der er Betriebswirtschaft studiert hatte.

»Yes, Sir«, sagte Hallorann düster.

»Jagdunfall?«

»No, Sir«, sagte Hallorann und ließ die Stimme sinken. »Jana, sie lebt mit einem Lastwagenfahrer zusammen. Und der hat meinen Jungen angeschossen. Er liegt im Krankenhaus in Denver, Colorado. Sein Zustand ist kritisch.«

»Wie, zum Teufel, haben Sie das erfahren? Ich dachte, Sie hätten Gemüse eingekauft.«

»Habe ich auch, Sir.» Er hatte im Büro der Western Union einen Avis-Wagen zum Flughafen in Stapleton bestellt und dabei ein Telegrammformular mitgenommen. Jetzt nahm er das zerknüllte Blatt aus der Tasche und hielt es Queems vor die blutunterlaufenen Augen. Er steckte es in die Tasche zurück und sprach jetzt noch leiser. »Das hat mir Jana geschickt. Es steckte in meinem Briefkasten, als ich eben zurückkam.«

»Mein Gott«, sagte Queems. Er sah besorgt aus. Hallorann kannte diesen Gesichtsausdruck. So ungefähr drückte ein weißer Mann sein Mitgefühl aus, wenn es um einen Schwarzen ging oder um dessen geheimnisvollen schwarzen Sohn.

»Ja, okay, Sie kriegen frei«, sagte Queems. »In den drei Tagen macht Baedecker das. Der Kellner kann ihm helfen.«

Hallorann nickte, und sein Gesicht wurde noch länger, aber bei dem Gedanken, daß der Kellner Baedecker helfen sollte, mußte er innerlich lachen. Hallorann bezweifelte, ob der Kellner, selbst wenn er einen guten Tag hatte, beim ersten Anlauf das Pinkelbecken treffen würde.

»Ich möchte das Geld für diese Woche gern gleich haben«, sagte Hallorann.

»Das Ganze tut mir sehr leid. Ich weiß, in welche Schwierigkeiten ich Sie bringe, Mr. Queems.«

Queems verzog das Gesicht. Er sah aus, als wäre ihm eine Gräte im Hals steckengeblieben. »Darüber können wir später reden. Sie können schon Ihre Sachen packen. Soll ich Ihnen einen Flug reservieren?«

»No, Sir, das mache ich selbst.«

»Gut.« Queems stand auf und lehnte sich über den Tisch. Dabei stieg ihm der Rauch seiner Kent in die Nase. Er hustete, und sein dünnes, blasses Gesicht wurde rot. Es fiel Hallorann schwer, ernst zu bleiben. »Hoffentlich ist alles nicht ganz so schlimm. Dick. Rufen Sie mich an, wenn Sie Näheres wissen.«

»Mach' ich.«

Sie gaben sich über den Schreibtisch hinweg die Hand.

Hallorann ging hinunter ins Erdgeschoß und brach in lautes Gelächter aus. Er grinste immer noch und wischte sich mit dem Taschentuch die tränenden Augen, als er einen durchdringenden Orangengeruch wahrnahm. Und dann kam es wie ein Donnerschlag, daß er gegen die rosa Stuckwand taumelte.

(!!!BITTE, KOMM, DICK. BITTE, KOMM, KOMM. SCHNELL!!!)

Nur langsam erholte er sich und ging dann endlich die Außentreppe zu seiner Wohnung hoch. Als er sich bückte, um den Wohnungsschlüssel unter der Matte hervorzuholen, fiel ihm etwas aus der Innentasche. Er dachte noch immer so intensiv an die Stimme, die ihn eben erreicht hatte, daß er nicht einmal wußte, um was es sich bei dem blauen Umschlag handelte. Er drehte ihn um und las das Wort Testament.

(Mein Gott, ist es schon so weit?)

Er wußte es nicht. Es könnte sein. Die ganze Woche schon hatte ihm sein Ende vor Augen gestanden wie eine . . . nun, wie eine

(Los doch, sag's schon)

wie eine Vorahnung.

Der *Tod?* Einen Augenblick schien sein ganzes Leben an ihm vorbeizuziehen, nicht im historischen Sinne, keine Topographie der Höhen und Tiefen, die Mrs. Halloranns dritter Sohn Dick erlebt hatte, sondern sein Leben, wie es jetzt war. Martin Luther King hatte ihnen, kurz bevor eine Kugel ihm ein Märtyrergrab bereitete, gesagt, daß er auf dem Berggipfel gewesen sei. Das konnte Dick von sich nicht behaupten. Nein, kein Berggipfel, aber er hatte nach Jahren der Anstrengung ein sonniges Plateau erreicht. Er hatte gute Freunde. Er hatte jede Referenz, die er brauchte, um überall einen guten Job zu finden. Wenn er nur wollte, verdammt, könnte er sogar einen bequemen Job bekommen, bei dem es keine Probleme gab. Mit seiner schwarzen Hautfarbe hatte er sich abgefunden – gut sogar. Er war über sechzig und konnte es ruhig angehen lassen.

Sollte er das Ende all dessen riskieren – sein *eigenes* Ende – wegen drei Weißen, die er nicht einmal kannte?

Aber war das nicht eine Lüge? Er kannte den Jungen. Mit ihm hatte er mehr gemeinsam als mit guten Freunden, die man vierzig Jahre lang kennt. Er kannte den Jungen, und der Junge kannte ihn, denn sie hatten beide eine Art Scheinwerfer im Kopf, etwas, um das sie nicht gebeten hatten, was ihnen einfach zuteilgeworden war. (*Nein, du selbst hast nur ein Blitzlicht.* Der Junge *hat den Scheinwerfer.*)

Und manchmal war diese Hellsichtigkeit ganz angenehm. Man wußte, welches Pferd gewinnen würde oder wo Daddys Koffer war, wie es der Junge erzählt hatte. Aber das war nur die Soße zum Salat, und darunter steckte neben wohlschmeckenden Gurken auch bitteres Gemüse. Man konnte Schmerz und Tod und Tränen schmecken. Und jetzt hatte der Junge da oben Schwierigkeiten, und er würde hingehen. Des Jungen wegen. Er verstand sich mit dem Jungen. Besonders, wenn sie nicht miteinander sprachen. Er würde also gehen. Wenn er es nicht täte, könnte der Junge vielleicht den Verstand verlieren.

Aber er war auch nur ein Mensch und hätte sich sehr gefreut, wenn dieser Kelch an ihm vorübergegangen wäre.

(Sie war aufgestanden und hatte ihn verfolgt.)

Er hatte gerade ein paar Garnituren Wäsche in seine Reisetasche gepackt, als ihm der Gedanke kam und die Erinnerung ihn, wie immer, erschauern ließ. Er dachte möglichst selten daran.

Das Stubenmädchen, sie hieß Delores Vickery, war hysterisch gewesen. Sie hatte zu den anderen Mädchen darüber geredet und, was schlimmer war, auch zu einigen Gästen. Als Ullman das erfuhr, und das hätte die dumme Kuh sich sagen können, hatte er sie sofort gefeuert. Weinend war sie zu Hallorann gekommen, nicht weil man sie gefeuert hatte, sondern wegen der Dinge, die sie gesehen hatte. Sie sei in das Zimmer 217 gegangen, so erzählte sie, um die Handtücher zu wechseln, und da hatte Mrs. Massey tot in der Badewanne gelegen. Das war natürlich unmöglich. Mrs. Massey war am Tag zuvor diskret fortgeschafft worden und befand sich inzwischen auf dem Flug nach New York – im Laderaum statt in der ersten Klasse, wie sie es gewohnt war.

Hallorann hatte Delores nicht sonderlich gemocht, aber er war noch am selben Abend hinaufgegangen, um nachzuschauen. Sie war ein dunkelhäutiges Mädchen von dreiundzwanzig Jahren, die gegen Saisonende, wenn nicht mehr so viel Betrieb war, auch im Speisesaal servierte. Hallorann hielt sie für hellsichtig, wenn auch nur sehr geringfügig. So lotste sie die Gäste, bei denen sie ein vernünftiges Trinkgeld voraussah, gern an ihre Tische. Sie war sonst faul und alles andere als gescheit, und das bei Ullman, der Faulheit bei seinen Angestellten haßte. So saß sie gern im Wäschemagazin, las eine Illustrierte und rauchte. Aber immer, wenn Ullman einen seiner überraschenden Kontrollgänge machte (und wehe dem Mädchen, das sich dann gerade ausruhte) fand er sie fleißig bei der Arbeit; die Zeitschrift lag dann auf einem hohen Regal unter der Wäsche, und den Aschenbecher hatte sie sicher in ihrer Uniformtasche versteckt. Ja, dachte Hallorann, sie war wirklich eine dumme Schlampe gewesen, aber sie besaß eben das kleine bißchen Hellsichtigkeit, und das hatte ihr aus mancher Klemme geholfen. Was sie aber in Zimmer 217 gesehen hatte, war für sie so erschreckend gewesen, daß sie mehr als froh war, als Ullman ihr die Papiere gab.

Warum war sie zu ihm gekommen? Ein Hellsichtiger kennt den anderen, dachte Hallorann und grinste.

Er war also an jenem Abend zu dem Zimmer hinaufgegangen, das am nächsten Tag wieder belegt werden sollte. Er hatte den Hauptschlüssel aus dem Büro dazu benutzt, und wenn Ullman ihn mit dem Schlüssel erwischt hätte, wäre er auch gefeuert worden.

Der Duschvorhang war zugezogen gewesen. Er hatte ihn zur Seite geschoben, aber er hatte schon vorher geahnt, daß er Mrs. Massey aufgedunsen und purpurn in der halbvollen Wanne würde liegen sehen. Dann hatte er sie mit jagendem Puls angestarrt. Es hatte noch weitere Dinge im Overlook gegeben: ein böser Traum, den er in unregelmäßigen Abständen hatte – eine Art Kostümfest, zu dem er die Speisen bereitet hatte, und als im Festsaal die Aufforderung zur Demaskierung ertönte, kam hinter jeder Maske ein widerliches, totes Insektengesicht zum Vorschein – und dann die Heckentiere. Zweimal, vielleicht auch dreimal hatte er gesehen, wie sie sich bewegten, oder es war ihm wenigstens so vorgekommen. Der Hund saß nicht mehr aufrecht, sondern hatte sich ein wenig geduckt, und die Löwen hatten sich vorwärts bewegt, als wollten sie die Kinder auf dem Spielplatz bedrohen. Voriges Jahr im Mai hatte Ullman ihn auf den Boden geschickt, um die Schürhaken zu suchen, die jetzt im Foyer neben dem Kamin standen. Als er dort oben herumsuchte, waren plötzlich die drei dort aufgehängten Glühbirnen ausgegangen, und er hatte nicht mehr zur Bodenluke zurückfinden können. Er wußte nicht mehr, wie lange er dort herumgestolpert war, sich die Beine an irgendwelchen Gegenständen aufgeschlagen hatte, von immer schlimmerer Panik erfüllt. Er hatte immer stärker das Gefühl gehabt, daß etwas ihn in der Dunkelheit verfolgte. Irgendeine große, unheimliche Gestalt, die einfach aus der Täfelung gekommen war, als die Lichter ausgingen. Und dann war er buchstäblich über den Ring an der Luke gestolpert, hatte die Luke offen gelassen und war verstaubt und aufgelöst nach unten gerannt, mit dem Gefühl, gerade noch einem Unheil entgangen zu sein. Später war Ullman persönlich zu ihm in die Küche gekommen, um ihm zu sagen, daß er die Luke offen und das Licht angelassen habe. Ob Hallorann glaube, die Gäste wollten dort oben Schatzsucher spielen? Ob er wohl glaube, daß der Strom umsonst sei?

Und er vermutete – nein, er war fast sicher –, daß einige Gäste ebenfalls Dinge gehört oder gesehen hätten. Während der drei

Jahre, die er dort verbracht hatte, war die Präsidentensuite neunzehnmal vermietet worden. Sechs der Gäste, die dort gewohnt hatten, waren überstürzt abgereist, und einige hatten unverkennbar krank ausgesehen. Andere Gäste waren ebenso rasch aus ihren Zimmern ausgezogen. Eines Abends im August 1974, es dämmerte gerade, hatte ein Mann, der in Korea mehrfach ausgezeichnet worden war (dieser Mann saß jetzt im Aufsichtsrat dreier bedeutender Firmen und hatte persönlich einen berühmten Fernsehmoderator gefeuert), auf der Roque-Anlage plötzlich hysterisch geschrien. Und es hatte, seit Hallorann im Overlook beschäftigt war, Dutzende von Kindern gegeben, die sich schlicht weigerten, auf den Spielplatz zu gehen. Ein Kind hatte, als es in der Betonröhre spielte, Krämpfe bekommen, aber Hallorann wußte nicht, ob das den tödlichen Sirenengesängen des Overlook zuzuschreiben war – später hatte man sich unter den Angestellten erzählt, das Kind, die einzige Tochter eines gutaussehenden Filmschauspielers, sei eine Epileptikerin unter ärztlicher Betreuung, die an jenem Tag lediglich vergessen hatte, ihre Medizin zu nehmen.

Und als er damals Mrs. Masseys Leiche anstarrte, hatte er zwar Angst verspürt, nicht aber nacktes Entsetzen. Er hatte ja so etwas erwartet. Das Entsetzen kam erst, als sie die Augen öffnete, daß er ihre toten, silbrigen Pupillen sah, und ihn angrinste. Das Entsetzen kam, als

(sie sich aufrichtete und Anstalten machte, ihn zu verfolgen.)

Mit fliegenden Pulsen war er weggerannt und hatte sich nicht einmal sicher gefühlt, als er die Tür hinter sich verschlossen hatte. Während er jetzt seine Reisetasche packte, mußte er sich eingestehen, daß er sich seitdem nirgendwo im Overlook mehr sicher gefühlt hatte.

Und jetzt der Junge – er rief, er schrie um Hilfe.

Er schaute auf die Uhr. Es war siebzehn Uhr dreißig. Er ging an die Wohnungstür, erinnerte sich daran, daß in Colorado jetzt tiefster Winter herrschte, und ging an seinen Schrank zurück. Er zog seinen langen lammfellgefütterten Mantel aus dem Plastikbeutel von der chemischen Reinigung und hängte ihn sich über den Arm. Er schaltete das Licht aus. Hatte er etwas vergessen? Ja, eins. Er nahm das Testament aus der Brusttasche und klemmte es hinter den Rand des Toilettenspiegels. Mit Glück würde er zurückkommen und es wieder an sich nehmen.

Mit Glück.

Er verließ die Wohnung, schloß hinter sich ab, legte den Schlüssel unter die Matte und rannte die Treppe hinunter zu seinem Cadillac.

Auf halbem Wege nach Miami International und weit entfernt von der Telefonanlage, an der Queems oder seine Speichellekker ständig mithörten, hielt er an einem Einkaufszentrum und rief die United Air Lines an. Flüge nach Denver?

Einer um achtzehn Uhr sechsunddreißig. Ob der Gentleman das schaffen würde?

Hallorann schaute auf die Uhr. Sie zeigte achtzehn Uhr zwei. Ja, das würde er. Noch freie Plätze? Ich sehe rasch nach.

Ein Klicken im Apparat, dann zuckersüße Mantovaniklänge. Sie sollten die Wartezeit angenehmer machen, was nicht der Fall war. Hallorann trat von einem Fuß auf den anderen und schaute abwechselnd auf die Uhr und zu einem jungen Mädchen mit einem schlafenden Kind auf dem Rücken hinüber, die einige Einkäufe in ihren Wagen lud. Sie hatte Angst, daß sie später als geplant zu Hause sein würde, daß der Braten anbrennen und ihr Mann – Mark? Mike? Matt? – sauer sein würde.

Eine Minute verging. Zwei. Er wollte schon weiterfahren und es darauf ankommen lassen, als die Angestellte des Buchungsbüros wieder am Apparat war.

Ja, ein Platz sei frei. Eine Annullierung. Allerdings in der ersten Klasse. Ob das etwas ausmache?

Nein, er wolle den Platz.

Bar oder Kreditkarte?

Bargeld, Baby, Bargeld. Ich muß unbedingt fliegen.

Und der Name –?

Hallorann, zwei l, zwei n. Bis gleich.

Er legte auf und eilte hinaus. Der simple Gedanke des Mädchens, ihre Sorge um den Braten, drang immer wieder zu ihm durch, so daß er fast verrückt wurde. So war es manchmal, aus irgendeinem Grund fing man einen Gedanken auf, völlig isoliert, völlig rein und klar . . . und völlig witzlos.

Fast schaffte er es.

Er hatte die Limousine auf achtzig hochgejagt, und der Flughafen war schon in Sicht, als einer der feinsten Männer Floridas ihn stoppte. Er ließ das Fenster hinabgleiten und öffnete schon den Mund, während der Beamte in seinem Buch blätterte.

»Ich *weiß*«, sagte er tröstend. »Es ist eine Beerdigung in Cleveland. Ihr Vater. Eine Hochzeit in Seattle. Ihre Schwester. Ein Feuer in San Jose, bei dem der Bonbonladen Ihres Opas abgebrannt ist. Oder in New York City wartet ein Kommunist aus Kambodscha in einem Schließfach. Ich liebe diese Strecke vor dem Flughafen. Schon als Kind mochte ich in der Schule am liebsten die Märchenstunde.«

»Hören Sie, Officer, mein Sohn ist –«

»Der einzige Teil der Geschichte, den ich erst am Schluß kenne«, sagte der Beamte und fand in seinem Buch die richtige Seite, »sind die Nummer Ihres Führerscheins und Ihre persönlichen Daten. Seien Sie also nett und lassen Sie mich nachsehen.«

Hallorann sah dem Mann in die blauen Augen und überlegte, ob er nicht trotzdem die Geschichte von seinem angeschossenen Sohn erzählen sollte. Aber das würde alles nur schlimmer machen. Der Bulle war nicht Queems. Er zog die Brieftasche.

»Wunderbar«, sagte der Beamte. »Geben Sie mir bitte die Papiere. Ich will nur sehen, wie die Geschichte ausgeht.«

Hallorann nahm den Führerschein und Fahrzeugpapiere heraus und reichte sie dem Verkehrspolizisten.

»Das ist sehr gut. Es ist so gut, daß Sie einen Preis gewinnen.«

»Was?« fragte Hallorann voll Hoffnung.

»Wenn ich die Nummern notiert habe, dürfen Sie für mich einen kleinen Ballon aufblasen.«

»Mein Gott«, stöhnte Hallorann. »Officer, mein Flug –«

»Pssst«, sagte der Beamte. »Schön artig sein.«

Hallorann schloß die Augen.

Er erreichte den Schalter der United um achtzehn Uhr neunundvierzig und hoffte verzweifelt, daß die Maschine Verspätung haben möge. Er brauchte nicht zu fragen. Ein Blick auf die Anzeige genügte. Flug 901 nach Denver, flugplanmäßiger Start um achtzehn Uhr sechsunddreißig, war um achtzehn Uhr vierzig gestartet.

Vor neun Minuten.

»Scheiße«, sagte Hallorann.

Und plötzlich der Orangengeruch, schwer und erstickend. Er hatte gerade noch Zeit, in der Toilette zu verschwinden, als es betäubend und voller Entsetzen über ihn hereinbrach:

(!!!KOMM, BITTE KOMM, DICK, BITTE, BITTE, KOMM!!!)

39

Auf der Treppe

Zu den Dingen, die sie verkauft hatten, um vor dem Umzug von Vermont nach Colorado ihren Barbestand ein wenig aufzufrischen, gehörte auch Jacks Sammlung von zweihundert alten Rock-and-Roll-Alben. Sie hatten einen Dollar das Stück bekommen. Eines von diesen Alben war ein Doppelalbum von Eddie Cochrane mit vier Seiten eingebundener Begleitnotizen von Lenny Kay gewesen, und diese Platten mochte Danny besonders gern. Wendy war oft über die Faszination erstaunt gewesen, die diese Musik eines Jungen, der wild gelebt hatte und jung gestorben war, auf Danny ausübte. Als der Sänger starb, war sie selbst erst zehn gewesen.

Jetzt um viertel nach sieben Ortszeit, während Hallorann in Queems' Office stand und von dem weißen Freund seiner Exfrau erzählte, fand Wendy ihren Sohn auf der Treppe zum ersten Stock. Er warf einen roten Gummiball von einer Hand in die andere und sang eines der Lieder aus dem Album. Seine Stimme war leise und tonlos.

»So I climb one-two flight three flight four«, sang Danny. »Five flight six flight seven flight more . . . when I get to the top, I'm too tired to rock . . .«

Sie stieg die Treppe hinauf, und als sie sich neben ihn setzte, sah sie, daß seine Unterlippe zu doppelter Größe geschwollen war und daß er getrocknetes Blut am Kinn hatte. Ihr Herz schlug schneller vor Angst, aber sie zwang sich, normal zu sprechen.

»Was ist passiert, Doc?« fragte sie, obwohl sie sicher war, es schon zu wissen. Jack hatte ihn geschlagen. Natürlich. Das mußte ja so kommen. Die Räder des Fortschritts; früher oder später war man wieder da, wo man angefangen hatte.

»Ich habe Tony gerufen«, sagte Danny. »Im Festsaal. Ich glaube, ich bin vom Stuhl gefallen. Aber es tut nicht mehr weh. Es fühlt sich nur an ... als ob meine Lippe zu groß wär'.«

»War es wirklich so?« fragte sie und sah ihn besorgt an.

»Daddy hat es nicht getan«, antwortete er. »Heute nicht.«

Sie starrte ihn an, und ihr wurde ganz unheimlich. Der Ball hüpfte von einer Hand in die andere. Er hatte ihre Gedanken gelesen. Ihr Sohn hatte ihre Gedanken gelesen.

»Was ... was hat Tony dir gesagt, Danny?«

»Das ist doch egal.« Sein Gesicht war unbewegt. In seiner Stimme lag eisige Gleichgültigkeit.

»Danny –« Sie packte ihn an den Schultern, härter, als sie beabsichtigt hatte. Aber er zuckte nicht zusammen und versuchte nicht einmal, sie abzuschütteln.

(Oh, wir machen diesen Jungen kaputt. Nicht nur Jack, ich auch, und vielleicht nicht einmal nur wir beide. Jacks Vater und meine Mutter. Sind die auch hier? Warum eigentlich nicht? In diesem Hotel wimmelt es von Gespenstern. Warum nicht ein paar mehr? Gott im Himmel, Danny ist wie einer dieser Koffer, die man im Fernsehen sieht. Sie werden aus Flugzeugen geworfen oder durch Walkmaschinen geschoben. Oder eine Timex-Uhr. Sie werden übel mißhandelt und funktionieren doch noch. Oh, Danny, es tut mir so leid)

»Es ist egal«, wiederholte er. Der Ball sprang von Hand zu Hand. »Tony kann nicht mehr kommen. Sie lassen ihn nicht. Er ist erledigt.«

»Wer läßt ihn nicht?«

»Die Leute im Hotel«, sagte er. Er schaute sie jetzt an, und seine Augen waren alles andere als gleichgültig. Sie waren groß und ängstlich. »Und die ... die *Dinge* im Hotel. Es gibt alle möglichen. Das Haus ist *voll* davon.«

»Du siehst –«

»Ich will nicht sehen«, sagte er leise und widmete sich wieder seinem Gummiball, der im Bogen von einer Hand in die andere sprang. »Aber ich kann sie manchmal spät in der Nacht hören. Sie sind wie der Wind, und oben auf dem Boden heulen sie. Im Keller, auf dem Speicher, in den Zimmern. Überall. Ich dachte, es sei meine Schuld, weil ich so bin, wie ich bin. Der Schlüssel. Der kleine silberne Schlüssel.«

»Danny ... du darfst dich nicht so aufregen.«

»Aber es liegt auch an ihm«, sagte Danny. »Es liegt an Daddy. Und an dir. Es ist hinter uns allen her. Es narrt Daddy, damit er glaubt, daß es am meisten hinter ihm her ist. Es ist am meisten hinter mir her, aber es wird uns alle kriegen.«

»Wenn nur das Schneemobil –«

»Sie lassen ihn nicht«, sagte Danny mit derselben leisen Stimme. »Sie zwangen ihn, ein Teil daraus in den Schnee hinauszuwerfen. Das habe ich aus weiter Ferne geträumt. Und er weiß, daß die Frau wirklich in Zimmer 217 ist.« Er sah sie mit seinen dunklen, ängstlichen Augen an. »Es ist gleichgültig, ob du mir glaubst oder nicht.«

Sie legte einen Arm um ihn.

»Ich glaube dir, Danny. Sag mir die Wahrheit. Will Jack ... will Daddy uns etwas tun?«

»Sie werden versuchen, ihn dazu zu bringen«, sagte Danny. »Ich habe Mr. Hallorann gerufen. Er sagte, wenn ich ihn einmal brauche, soll ich ihn nur rufen. Und das habe ich getan. Aber es war so schrecklich schwer. Es macht mich so müde. Und das Schlimmste, ich weiß nicht, ob er mich hört. Ich glaube nicht, daß er mir antworten kann, denn für ihn ist es zu weit. Und vielleicht ist es auch für mich zu weit. Morgen –«

»Was ist mit morgen?«

Er schüttelte den Kopf. »Nichts.«

»Wo ist er jetzt?« fragte sie. »Dein Daddy?«

»Er ist im Keller. Ich glaube nicht, daß er heute abend nach oben kommt.«

Sie stand plötzlich auf.

»Warte hier auf mich. Fünf Minuten.«

Kalt und verlassen lag die Küche im Schein der Neonlampen, der von der Decke herabfiel. Sie trat an die Magnetleiste, an der die Küchenmesser hingen. Sie nahm das längste und schärfste, wickelte es in ein Handtuch und schaltete im Gehen das Licht aus.

Danny saß auf der Treppe und beobachtete den Weg des roten Balls, den er von einer Hand in die andere warf. Er sang: »She lives on the twentieth floor uptown, the elevator is broken down. So I walk one-two flight three flight four . . .«

(– Lou, Lou, skip to m' Lou)

Sein Gesang brach ab, und er lauschte.

(– Skip to m' Lou my darlin' –)

Die Stimme war in seinem Kopf, so sehr Teil seiner selbst, daß es seine eigenen Gedanken gewesen sein könnten. Sie war leise und unendlich hinterhältig. Sie verspottete ihn. Sie schien zu sagen:

(Oh ja, es wird dir hier gefallen. Versuch's nur, es wird dir gefallen. Versuch's, es wird dir gefallen –)

Jetzt lauschte er intensiv, und er konnte sie wieder hören, die sich versammelnden Geister und Gespenster, vielleicht das Hotel selbst, ein schreckliches Theater, wo jedes nebensächliche Ereignis tödlich enden konnte, wo all die bemalten Monstren wirklich waren, wo die Hecken gehen konnten und wo ein kleiner silberner Schlüssel etwas Unanständiges in Gang setzen konnte. Leise und seufzend wie das Rauschen des Winterwinds, der nachts um das Dach pfiff, jenes tödlich einschläfernden Windes, den die Sommergäste nie hörten. Es war wie das müde Summen der Sommerwespen in einem Nest im Erdboden, schläfrig und tödlich, während sie anfingen aufzuwachen. Sie waren dreitausend Meter hoch.

(Warum ist ein Rabe wie ein Schreibtisch? Je höher um so weniger, natürlich! Noch eine Tasse Tee?)

Es war das Geräusch von Lebewesen, aber keine Stimmen und kein Atem. Ein Philosoph hätte es vielleicht Seelenklang genannt. Dick Halloranns Nana, die vor der Jahrhundertwende im Süden aufgewachsen war, hätte gesagt, es spukt. Einem Psychiater wären vielleicht lange Namen eingefallen – psychisches Echo, Psychokinese oder telesmischer Sport. Aber für Danny war es nur das Geräusch des Hotels, dieses alten Ungeheuers, in dem es ständig knarrte, immer näher um sie herum:

in den alten Korridoren, die nun nicht mehr nur durch den Raum, sondern auch durch die Zeit zurückreichten, hungrige Schatten, unruhige Gäste, die nicht mehr schlafen konnten.

Die Uhr unter der Glaskuppel im Festsaal schlug mit einem langen wohlklingenden Ton sieben Uhr dreißig.

Eine rauhe Stimme, brutal von genossenem Alkohol brüllte: »Die Masken ab, jetzt wird gefickt!«

Wendy blieb mitten im Foyer ruckartig stehen.

Sie sah Danny auf der Treppe sitzen, der immer noch den Ball von einer Hand in die andere warf. »Hast du etwas gehört?« Danny sah sie nur an und warf den Ball weiter von einer Hand in die andere.

In dieser Nacht sollte es für beide wenig Schlaf geben, obwohl sie gemeinsam bei verriegelter Tür schliefen.

Und in der Dunkelheit dachte Danny mit offenen Augen:

(Er will einer von ihnen sein und ewig leben. Genau das will er.)

Wendy dachte:

(Wenn es sein muß, gehe ich mit ihm weiter in die Berge hinauf. Wenn wir schon sterben müssen, dann lieber oben in den Bergen.)

Sie hatte das immer noch ins Handtuch eingewickelte Schlachtermesser unter dem Bett liegen. Sie hatte die Hand immer in seiner Nähe. Sie schliefen unruhig. Das Hotel knarrte um sie herum. Draußen fiel Schnee von einem bleiernen Himmel.

40

Im Keller

(!!!Der Kessel, der gottverdammte Kessel!!!)

Wie ein Schlag fuhr ihm der Gedanke durch den Kopf, und rote Warnlichter blitzten auf. Und auf den Fersen folgte ihnen Watsons Stimme:

(Wenn Sie es vergessen, kriecht die Nadel immer höher, und dann finden Sie und Ihre Familie sich plötzlich auf dem Mond wieder . . . das Ding ist auf zweifünfzig ausgelegt, aber heute würde es schon viel früher hochgehen . . . ich würde mich nicht einmal bei hundertachtzig danebenstellen.)

Er war die ganze Nacht hier unten gewesen, hatte alte Unterlagen gesichtet, von dem nervösen Gefühl besessen, daß die Zeit ihm weglief und er sich beeilen mußte. Immer noch fehlten ihm wesentliche Anhaltspunkte und Wissen über Querverbindungen, wodurch manches aufgehellt werden mochte. Seine Finger waren gelb und staubig von den alten Papierfetzen. Er hatte sich so in die Unterlagen vertieft, daß er die Kesselanlage nicht ein einziges Mal überprüft hatte. Am Vorabend um sechs Uhr hatte er Druck abgelassen, und jetzt war es...

Er schaute auf die Uhr und sprang hoch, wobei er einen Stapel alte Rechnungen umstieß.

Verdammt, es war fünf Uhr morgens.

Hinter ihm sprang die Heizanlage wieder an, und von den Kesseln kam ein ächzendes, pfeifendes Geräusch.

Er rannte hin. Sein Gesicht, das seit einem oder zwei Monaten schmaler geworden war, trug dichte Bartstoppeln, und er sah hohlwangig aus.

Der Druckmesser der Anlage stand auf zweihundertzehn Pfund pro Quadratzoll. Fast kam es ihm vor, als dehnten sich die Kesselwände unter dem tödlichen Druck.

(Sie steigt und steigt... ich würde mich nicht einmal bei hundertachtzig danebenstellen...)

Plötzlich sprach eine kalte, verlockende Stimme zu ihm.

(Laß es doch. Geh zu Wendy und Danny und macht verdammt nochmal, daß ihr hier rauskommt. Laß das Ding doch in die Luft fliegen.)

Er konnte sich die Explosion vorstellen. Ein doppelter Donnerschlag würde diesen Keller in Fetzen reißen. Die Kessel würden in einem orangevioletten Blitz hochgehen, und im ganzen Keller würde es heiße, brennende Metallsplitter regnen. In Gedanken sah er die rotglühenden Metallbrocken wie seltsame Billardkugeln todbringend durch die Luft pfeifen. Einige würden sicherlich sogar durch den Mauerbogen hindurchzischen und die Papierstapel in Brand setzen, und sie würden lichterloh brennen. Das Geheimnis des Overlook zerstören und verbrennen, ein Geheimnis, das keine lebende Seele je würde aufdecken können. Dann die Gasexplosion, ein donnernder Flammenschwall, eine riesige Fackel, die das ganze

Innere des Hotels in eine gigantische Bratröhre verwandeln würde. Die Treppen und Flure und Decken würden brennen wie ein Schloß am Ende eines Frankensteinfilms. Die Flammen würden sich zu den Flügeln ausbreiten, wie eilige Gäste über den schwarzblauen Teppich huschen. Die Seidentapeten würden zerknittern und verkohlen. Es gab keine Sprinkler, nur die altmodischen Wasserschläuche, und es war niemand da, der sie bedienen konnte. Und keine Feuerwehr der Welt konnte hier vor März nächsten Jahres eintreffen. *Burn, Baby, burn.* In zwölf Stunden würden nur noch die Grundmauern stehen.

Die Nadel des Druckmessers war auf zweihundertzwölf gestiegen. Die Kessel knackten und stöhnten wie eine alte Frau, die aus dem Bett aufstehen will. Zischend spielte der Dampf um die Ränder der alten Flickstellen; kleine Tropfen Lötblei fingen an zu sieden.

Er sah nicht. Er hörte es nicht. Seine Hand lag wie angefroren auf dem Ventil, mit dem er den Druck verringern und die Explosion verhindern konnte. Jacks Augen leuchteten wie Saphire aus den Höhlen.

(Es ist meine letzte Chance.)

Das einzige, was sie bis jetzt noch nicht kassiert hatten, war das Geld aus der Versicherung, die Wendy und er im Sommer zwischen ihrem ersten und zweiten Jahr in Stovington gemeinsam abgeschlossen hatten. Vierzigtausend Dollar im Todesfall, die doppelte Summe, wenn er oder sie bei einem Unfall ums Leben kommen.

(Ein Feuer . . . achtzigtausend Dollar.)

Sie hätten noch Zeit, rauszukommen. Selbst wenn sie schliefen, würden sie noch rauskommen. Davon war er überzeugt. Und er glaubte auch nicht, daß die Hecken oder irgend etwas anderes versuchen würde, sie aufzuhalten, wenn das Overlook in Flammen aufging.

(Flammen.)

Die Nadel hinter der schmierigen, fast undurchsichtigen Scheibe war auf zweihundertfünfzehn Pfund pro Quadratzoll geklettert. Noch eine Erinnerung fiel ihm ein. Eine Kindheitserinnerung. In den unteren Zweigen eines Apfelbaums hinter ihrem Haus war ein Wespennest gewesen. Einer seiner Brüder – er wußte nicht mehr genau, welcher – war gestochen worden, als er in dem alten Reifen schaukelte, den Daddy an einen der dickeren Äste des Baums gehängt hatte. Es war Spätsommer gewesen, wenn die Wespen am bösartigsten sind.

Ihr Vater war in seiner weißen Hospitalkleidung und nach Bier riechend gerade nach Hause gekommen. Er hatte die Söhne Brett, Mike und den kleinen Jacky um sich versammelt und ihnen erzählt, daß er mit den Wespen aufräumen wolle.

»Jetzt paßt auf«, hatte er gesagt und dabei gelächelt und ein wenig geschwankt (damals hatte er den Stock noch nicht gehabt, denn der Unfall mit dem Lieferwagen lag noch in ferner Zukunft). »Vielleicht werdet ihr etwas lernen. Mein Vater hat es mir gezeigt.«

Er hatte einen großen Haufen feuchter Blätter zusammengeharkt und sie unter den Zweig geschoben, an dem das Wespennest hing, eine tödlichere Frucht als die geschrumpften, aber schmackhaften Äpfel, die sie in der letzten Septemberhälfte von diesem Baum ernten wollten. Aber das würde noch einen halben Monat dauern. Er zündete die Blätter an. Der Tag war klar und windstill. Die Blätter brannten nicht richtig, sondern schwelten und verursachten einen Geruch – ein Aroma –, an dem er sich jeden Herbst wieder freute, wenn die Männer in Arbeitshosen und leichten Windjacken die Blätter zusammenharkten und verbrannten. Ein süßer, eindringlicher Geruch mit einem leicht bitteren Einschlag. Die schwelenden Blätter produzierten dichte Rauchschwaden, die zu dem Nest aufstiegen und es verhüllten.

Ihr Vater hatte die Blätter den ganzen Nachmittag schwelen lassen und dabei auf der Veranda Bier getrunken und die leeren Black Label-Dosen in den Plastikkücheneimer seiner Frau geworfen, während seine beiden älteren Söhne links und rechts neben ihm saßen und der kleine Jack sich auf der Treppe mit irgendeinem Spielzeug beschäftigte und dabei immer wieder monoton sang: »Your cheating heart ... will make you weep ... your cheating heart ... is gonna tell on you.«

Um viertel vor sechs, kurz vor dem Abendessen, war Daddy wieder zum Apfelbaum gegangen, wobei seine Söhne sich vorsichtig zurückhielten. Er hatte eine Gartenhacke in der Hand. Damit scharrte er die Blätter auseinander und ließ die letzten noch schwelenden Reste zum Verglimmen liegen. Dann hob er die Hacke und schlug nach zwei oder drei vergeblichen Versuchen das Nest vom Ast.

Die Jungen rannten vorsichtshalber zur Veranda zurück, aber Daddy stand ungerührt über dem Nest und betrachtete es. Jacky schlich sich wieder hin, um zuzuschauen. Ein paar Wespen krochen lahm über das Nest, aber sie versuchten nicht, aufzufliegen. Aus dem Inneren des Nests war ein Geräusch zu hören, das man nie vergessen würde: ein tiefes, schwaches Summen wie von Hochspannungsdrähten.

»Warum stechen sie dich nicht, Daddy?« hatte er gefragt.

»Der Rauch macht sie besoffen, Jacky. Hol den Benzinkanister.«

Er rannte, ihn zu holen. Daddy begoß das Nest mit dem gelben Benzin.

»Und jetzt geh ein Stück zurück, Jacky, wenn du dir nicht die Augenbrauen absengen willst.«

Er war schon weg. Von irgendwoher aus seiner weiten Jacke holte Daddy ein Streichholz. Er riß es an seinem Daumennagel an und warf es in das Nest. Es gab eine orangeweiße Explosion, die kaum zu hören war. Daddy trat einen Schritt zurück und kicherte laut. Das Wespennest war total zerstört, und kein Insekt hatte überlebt.

»Feuer«, hatte Daddy gesagt und sich mit einem Lächeln an Jack gewandt. »Feuer tötet alles.«

Nach dem Abendessen waren die Söhne herausgekommen und hatten im Licht der sinkenden Sonne das Nest betrachtet. Aus dem heißen Innern hörte man noch das Knacken von Insektenkörpern, die wie Popcorn platzten.

Der Druckmesser stand auf zweihundertzwanzig. Ein tiefer, metallischer, klagender Laut war aus den Gedärmen dieses Dings zu hören. An hundert Stellen stiegen Dampfsäulen auf wie Stacheln eines Stachelschweins.

(Feuer tötet alles.)

Jack fuhr plötzlich zusammen. Er war eingeschlafen ... und hätte leicht im Jenseits erst wieder aufwachen können. Was, in Gottes Namen, hatte er sich nur gedacht? Es war seine Pflicht, das Hotel unversehrt zu erhalten. Er war schließlich Hausmeister.

An den Händen brach ihm so rasch der Angstschweiß aus,

daß seine Hand zuerst vom Ventil abrutschte. Dann umklammerten seine Finger die Speichen des Rades. Er wirbelte es einmal, zweimal, dreimal herum. Gewaltig zischte der Dampf. Der Atem eines Drachen. Heißer tropischer Nebel stieg vom Kessel auf und hüllte Jack ein. Einen Augenblick lang konnte er nicht einmal die Skala des Druckmessers erkennen, und er glaubte, daß er zu lange gewartet hatte. Das ächzende, klirrende Geräusch im Kessel hatte sich noch verstärkt, und es folgte eine Serie hart stampfender Geräusche und ein Kreischen, als zerrisse Metall. Als sich der Dampf ein wenig verteilt hatte, sah er, daß die Nadel des Druckmessers auf zweihundert gefallen war und immer noch fiel. Der Dampf, der an den gelöteten Stellen herauszischte, verlor an Kraft. Die ächzenden und stampfenden Geräusche wurden leiser.

Einhundertneunzig... einhundertachtzig... einhundertsiebzig...

(Er fuhr bergab, mit neunzig Meilen in der Stunde, als das Pfeifen zum Kreischen wurde –)

Aber er glaubte nicht mehr, daß der Kessel hochgehen würde. Der Druck war jetzt auf hundertsechzig gesunken.

(– man fand ihn in den Trümmern, die Hand noch am Ventil. Der Dampf hatte ihn tödlich verbrüht.)

Schwer atmend und zitternd trat er vom Kessel zurück. Er betrachtete seine Hände und sah, daß sich an den Handflächen Blasen bildeten. Zur Hölle mit den Blasen, dachte er und lachte ein wenig brüchig. Er wäre fast mit der Hand am Ventil gestorben, wie der Ingenieur Casey in *Das Wrack der alten 97*. Schlimmer noch, er hätte gleichzeitig das Overlook getötet. Sein letztes, fürchterliches Versagen. Er hatte als Lehrer versagt, als Autor, als Gatte und Vater. Er hatte sogar als Säufer versagt. Aber das Gebäude in die Luft zu jagen, das einem zur Bewachung anvertraut ist, wäre der Gipfel des Versagens gewesen. Und dies war kein gewöhnliches Gebäude.

Durchaus nicht.

Mein Gott, er brauchte einen Drink.

Der Druck war bis auf achtzig abgefallen. Vorsichtig drehte er mit schmerzenden, blasenbedeckten Händen das Ventil wieder zu. Aber von nun an würde er besonders sorgfältig auf die Anlage achten müssen. Der Zustand der Kessel könnte ernsthaft beeinträchtigt worden sein. Für den Rest des Winters wollte er ihn lieber nicht höher als hundert Pfund pro Quadratzoll fahren. Und wenn es ihnen dabei ein wenig zu kalt wurde, mußten sie es eben lächelnd ertragen.

Zwei der Blasen an seiner Hand waren geplatzt. Die rohen Stellen taten unangenehm weh.

Ein Drink. Ein Drink würde ihm jetzt sehr helfen. Und in diesem verdammten Haus gab es keinen Tropfen außer dem Sherry zum Kochen. In dieser Phase wäre ein Drink Medizin. Nichts anderes, bei Gott. Nur ein Betäubungsmittel – ein wenig stärker als Exedrin. Aber es gab nichts.

Er hatte das Hotel gerettet. Das Hotel würde ihn belohnen wollen. Da war er ganz sicher. Er nahm das Taschentuch aus der hinteren Tasche und ging zur Treppe. Er wischte sich den Mund. Nur ein kleiner Drink. Nur ein einziger. Damit es nicht so wehtat.

Er hatte das Overlook gut bedient, und nun würde das Overlook ihn gut bedienen. Das wußte er genau. Rasch und zielstrebig stieg er die Treppe hoch, mit den schnellen Schritten eines Mannes, der aus einem langen, erbitterten Kampf heimkehrt. Es war fünf Uhr zwanzig Ortszeit.

41

Tageslicht

Mit einem erstickten Keuchen wachte Danny aus einem schrecklichen Traum auf. Es hatte eine Explosion gegeben. Das Overlook brannte ab. Und seine Mommy und er schauten vom Rasen aus zu.

Mommy hatte gesagt:

»Sieh nur, Danny, sieh die Hecken.«

Er hatte hingeschaut, und sie waren alle tot. Ihre Blätter hatten sich in häßliches Braun verwandelt, und ihre verdorrten Zweige ragten auf wie Skelette aus zerstückelten Leichen. Und dann war sein Daddy wie eine Fackel brennend aus den großen Doppeltüren des Overlook hervorgestürzt. Seine Kleidung stand in Flammen, seine Haut hatte eine entsetzliche, dunkle

Farbe angenommen und wurde immer dunkler. Sein Haar war ein brennender Busch.

In diesem Augenblick wachte er auf. Seine Kehle war vor Angst wie zugeschnürt, und seine Hände krallten sich in die Decke. Hatte er geschrien? Er schaute zu seiner Mutter hinüber. Wendy lag auf der Seite, die Decke bis ans Kinn gezogen, und eine Strähne ihres strohblonden Haars fiel ihr über die Wange. Sie sah selbst wie ein Kind aus. Nein, er hatte nicht geschrien.

Er lag im Bett und schaute nach oben, und der Alptraum verflüchtigte sich. Er hatte das merkwürdige Gefühl, daß irgendeine schreckliche Tragödie

(Ein Feuer? Eine Explosion?)

um Haaresbreite abgewendet worden war. Er schickte seine Gedanken aus, um Daddy zu suchen, und er fand ihn. Er stand irgendwo unten. Im Foyer. Danny konzentrierte sich stärker, um die Gedanken seines Vaters zu erkennen. Es war nicht gut, denn Daddy dachte wieder an das Schlimme. Er dachte jetzt

(einer oder zwei könnten nicht schaden, auch wenn die Sonne noch nicht verschwunden ist, weißt du noch, wie wir das immer sagten, Al? Gin und Tonic und Tonic mit Bourbon und einen Spritzer Bitters und Scotch und Soda-Rum und Cola mit sonst was und einen Drink für dich und einen für mich, und die Martinis sind irgendwo auf der Welt gelandet, in Princeton oder Houston oder Stokely oder an irgendeinem anderen verdammten Ort, denn schließlich ist Saison, und keiner von uns ist)

(GEH AUS SEINEN GEDANKEN RAUS, DU KLEINER SCHEISSKERL!)

Entsetzt schauderte er vor dieser Stimme zurück. Weit riß er die Augen auf, und seine Hände krampften sich auf dem Laken zusammen. Es war nicht die Stimme seines Vaters gewesen, aber eine geschickte Nachahmung. Eine Stimme, die er kannte. Rauh und brutal, wenn auch eine Art leerer Humor in ihr mitschwang.

Er warf die Decke zurück und stellte die Füße auf den Boden. Mit den Füßen angelte er seine Hausschuhe und zog sie an. Dann trat er auf den Flur hinaus. Er ging zum Hauptkorridor, und seine Schuhe huschten mit einem leisen Geräusch über den Teppich. Er bog um die Ecke.

Zwischen Danny und der Treppe hockte auf allen vieren ein Mann auf dem Boden.

Danny stand wie angewurzelt.

Der Mann sah zu ihm auf. Er hatte winzige rote Augen und war mit einer Art silbernem Flitterkostüm bekleidet. Ein Hundekostüm, erkannte Danny. Am hinteren Rumpfende hing ein langer Schwanz mit einer Quaste am Ende schlaff herab. Über den Rücken lief ein Reißverschluß bis zum Nacken. Links von ihm lag ein Hunde- oder Wolfskopf mit leeren Augenhöhlen. Er hatte das Maul zu einem sinnlosen Knurren aufgerissen, und zwischen seinen Fangzähnen, die anscheinend aus Pappmaché waren, sah man das blauschwarze Muster des Teppichs.

Der Mund des Mannes, das Kinn und die Wangen waren blutbeschmiert.

Er fing an, Danny anzuknurren. Der Mann grinste, aber das Knurren war echt. Es kam tief aus seiner Kehle, ein abstoßend primitiver Laut. Dann fing er an zu bellen. Auch seine Zähne waren rot gefärbt. Er kroch auf Danny zu und schleifte seinen knochenlosen Schwanz hinter sich her. Der Kopf des Kostümhundes lag unbeachtet auf dem Teppich und starrte ausdruckslos über Danny hinweg.

»Laß mich vorbei«, sagte Danny.

»Ich werde dich fressen, kleiner Junge«, antwortete der Hundemann, und plötzlich kam anhaltendes Gebell aus seinem grinsenden Mund. Es gab menschliche Anklänge in diesen Lauten, aber ihre Wildheit war echt. Das Haar des Mannes war dunkel und schweißverklebt wegen des beengenden Kostüms. Sein Atem roch nach einer Mischung aus Champagner und Scotch.

Danny zuckte zurück, aber er lief nicht weg. »Laß mich durch.«

»Kommt nicht in Frage«, erwiderte der Hundemann. Seine kleinen roten Augen waren aufmerksam auf Dannys Gesicht gerichtet. Er grinste noch immer. »Ich werde dich fressen, kleiner Junge. Und ich denke, ich fange bei deinem dicken, kleinen Schwanz an.«

Er richtete sich auf den Hinterbeinen auf und hüpfte knurrend und in kleinen Sprüngen auf Danny zu.

Das hielten Dannys Nerven nicht aus. Er rannte in den

kleinen Gang, der zu ihrer Wohnung führte, und schaute über die Schulter zurück. Er hörte abwechselnd Heulen und Bellen und Knurren, dazwischen undeutliches Gemurmel und Kichern.

Zitternd stand Danny im Gang.

»Heraus damit!« schrie der betrunkene Hundemann hinter der Ecke. Seine Stimme klang böse und gleichzeitig verzweifelt. »Heraus damit, Harry, du Schweinehund! Mir ist es egal, wieviele Casinos und Fluggesellschaften und Filmgesellschaften du hast! Ich weiß, was du bei dir zu Hause treibst! Heraus damit! Ich lasse nicht locker ... und ich setze nach ... bis Harry Derwent *am Boden liegt*!« Er beendete den Satz mit einem langgezogenen Heulen, das einem das Blut gefrieren ließ und das in einen Schrei der Wut und des Schmerzes überging, bevor es langsam verklang.

Ängstlich wandte sich Danny der geschlossenen Wohnungstür zu. Er öffnete sie und schaute ins Zimmer hinein. Seine Mommy schlief. Sie lag noch genau wie vorher. Außer ihm hatte niemand dies alles gehört.

Er schloß leise die Tür und ging an die Stelle zurück, wo der Gang auf den Hauptkorridor traf. Er hoffte, daß der Hundemann weg sein würde, genau wie das Blut an den Wänden der Präsidentensuite verschwunden war. Er schaute vorsichtig um die Ecke.

Der Mann im Hundekostüm war noch da. Er hatte sich den Hundekopf aufgesetzt, kroch auf allen vieren in der Nähe des Treppenabsatzes herum und schnappte nach seinem eigenen Schwanz. Manchmal sprang er vom Teppich hoch und stieß knurrende Hundelaute aus.

»Wuff! Wuff! Wauwauwauuu! Grrrrr!«

Hohl drangen die Laute aus dem zähnefletschenden Maul des Hundekopfes, und es waren Laute dabei, die man für Schluchzen oder Lachen halten konnte.

Danny ging ins Schlafzimmer zurück, setzte sich auf sein Bett und hielt die Hände vor die Augen. Das Hotel selbst hatte die Verfolgung aufgenommen. Vielleicht waren die Dinge bisher nur zufällig geschehen. Vielleicht waren die Dinge, die er bisher gesehen hatte, *wirklich* nur schreckliche Bilder gewesen, die ihm nichts tun konnten. Aber jetzt kontrollierte das Hotel diese Dinge, und sie *konnten* ihm etwas tun. Das Overlook hatte ihn nicht zu seinem Vater gehen lassen. Es wollte seinen Spaß haben. So hatte es ihm den Hundemann in den Weg geschickt, genau wie es die Heckentiere zwischen ihnen und der Straße aufgestellt hatte.

Aber sein Daddy konnte herkommen. Und früher oder später würde er das auch tun.

Danny fing an zu weinen, die Tränen rollten ihm über die Wangen. Es war zu spät. Sie mußten sterben, sie alle drei, und wenn das Overlook im nächsten Frühjahr wieder öffnete, würden sie hier sein, um zusammen mit den anderen Gespenstern die Gäste zu begrüßen. Mit der Frau in der Wanne. Dem Hundemann. Dem schrecklichen dunklen Ding in der Betonröhre. Sie würden –

(Halt! Sofort aufhören!)

Wütend wischte er sich die Tränen aus den Augen. Er wollte alles tun, damit das nicht passierte. Ihm nicht, Mommy nicht, und auch Daddy nicht.

Er wollte tun, was er konnte.

Er schloß die Augen, und seine Gedanken stiegen auf wie ein harter Kristallpfeil.

(!!!DICK, BITTE KOMM SCHNELL, ES IST GANZ SCHLIMM, DICK, WIR BRAUCHEN DICH!!!)

Und plötzlich, in der Dunkelheit hinter seinen Augen, war das Ding *da*, das ihn im Traum durch die dunklen Korridore des Overlook gejagt hatte, es war wirklich *da*, eine riesige weißgekleidete Gestalt, die prähistorische Keule hoch erhoben:

»Du wirst sofort aufhören! Du gottverdammter Hund! Du wirst sofort aufhören, denn ich bin dein VATER!«

»Nein!« Ruckartig hatte er wieder die Wirklichkeit des Schlafzimmers um sich und starrte mit aufgerissenen Augen ins Leere. Er konnte seine Schreie nicht zurückhalten, und seine Mutter fuhr hoch, das Laken vor die Brust gekrampft.

»Nein, Daddy, nein, nein, nein –«

Und jetzt hörten sie beide das tückische Niedersausen der Keule, die irgendwo ganz in die Nähe die Luft durchschnitt, und als Danny zu seiner Mutter rannte und sich an sie klammerte, erstarb das Geräusch. Danny zitterte wie ein Kaninchen in der Schlinge.

Das Overlook ließ nicht zu, daß er Dick rief. Es wollte eben seinen Spaß haben.

Sie waren allein.

Draußen schneite es heftiger, und der Schnee legte einen dichten Vorhang zwischen sie und die Welt.

42

In der Luft

Dick Halloranns Flug wurde um sechs Uhr fünfundvierzig aufgerufen. Die Boden-Stewardeß hielt ihn bis zum letzten Aufruf um sechs Uhr fünfundfünfzig am Flugsteig fest, wo er nervös seine Reisetasche von der einen Hand in die andere nahm. Sie warteten beide auf einen Mann namens Carlton Vecker, den einzigen Passagier des Fluges 196 der TWA von Miami nach Denver, der noch nicht zur Abfertigung erschienen war.

»Okay«, sagte das Mädchen und gab Hallorann eine Bordkarte für die erste Klasse. »Sie haben Glück gehabt. Sie dürfen an Bord.«

Hallorann stieg hinauf und ließ sich von der mechanisch lächelnden Stewardeß das Ticket abreißen und steckte seinen Abschnitt ein.

»Auf dem Flug wird ein Frühstück serviert«, sagte das Mädchen.

»Wenn Sie vielleicht . . .«

»Nur Kaffee, Baby«, sagte er und ging durch den Gang zu einem Sitz in der Raucherreihe. Er fürchtete immer noch, daß der nicht aufgekreuzte Vecker in letzter Sekunde wie ein Kastenteufel hereinhüpfen würde. Die Frau auf dem Fensterplatz las mit säuerlichem und zweifelndem Gesichtsausdruck das Buch ›*Du selbst könntest dein bester Freund sein*‹. Hallorann legte sich den Gurt an, klammerte seine großen schwarzen Hände um die Armlehnen und versprach dem abwesenden Carlton Vecker, daß er zusätzlich noch fünf starke Männer von der TWA brauchen würde, um ihn, Hallorann, jetzt noch aus diesem Sitz zu zerren. Er schaute ständig auf die Uhr. Die

Minuten bis zum Start um sieben Uhr schienen zu schleichen. Es war zum Verrücktwerden.

Um sieben Uhr fünf informierte die Stewardess die Passagiere, daß der Start sich um wenige Minuten verzögern würde, da das Bodenpersonal eine Verriegelung an der Frachtraumluke überprüfen müsse.

»Verdammte Scheiße«, murmelte Dick Hallorann.

Die hagere Frau neben ihm richtete ihre säuerlichen und zweifelnden Blicke kurz auf ihn und wandte sich dann wieder ihrem Buch zu.

Hallorann hatte die ganze Nacht auf dem Flughafen verbracht und war von Schalter zu Schalter gegangen – United, American, TWA, Continental, Braniff – und war den Angestellten auf die Nerven gefallen. Irgendwann nach Mitternacht, als er in der Kantine gerade seine achte oder neunte Tasse Kaffee trank, hatte er sich gesagt, daß er ein großes Arschloch sei. Warum sollte er die ganze Sache auf seine Schultern nehmen? Es gab schließlich Behörden. Er war an das nächste Telefon gegangen, und von der dritten Telephonistin erfuhr er endlich die Notrufnummer der Rocky Mountain National Park Authority. Der Mann, der seinen Anruf entgegennahm, klang völlig erschöpft. Hallorann hatte einen falschen Namen angegeben und berichtet, daß es im Overlook Hotel westlich von Sidewinder Schwierigkeiten gäbe. Böse Schwierigkeiten.

Man ließ ihn warten.

Der Ranger (Hallorann nahm an, daß es sich um einen Ranger handelte) war nach ungefähr fünf Minuten wieder am Apparat.

»Sie haben ein CB-Gerät«, sagte der Ranger.

»Gewiß haben sie das«, meinte Hallorann.

»Wir haben keinen Notruf von ihnen bekommen.«

»Mann, das spielt doch keine *Rolle*. Sie –«

»In was genau bestehen die Schwierigkeiten, Mr. Hall?«

»Da wohnt eine Familie. Der Hausmeister und seine Familie. Wissen Sie, ich glaube, er ist verrückt geworden. Er könnte seiner Frau und seinem kleinen Jungen etwas antun.«

»Darf ich fragen, woher Sie diese Information haben. Sir?«

Hallorann schloß die Augen. »Wie heißen Sie, mein Junge?«

»Tom Staunton, Sir.«

»Nun, Tom, ich *weiß* es einfach. Ich will mit Ihnen so offen sein wie möglich. Es gibt dort oben schlimmen Ärger. Vielleicht Mord. Kapieren Sie, was ich sage?«

»Mr. Hall, ich muß wirklich wissen, wie Sie –«

»Hören Sie zu«, sagte Hallorann. »Ich sage Ihnen, ich *weiß* es. Vor ein paar Jahren war ein Mann namens Grady dort oben. Er brachte seine Frau und seine beiden Töchter um und beging dann Selbstmord. Und ich sage Ihnen, es wird auch jetzt wieder passieren, wenn ihr Jungs nicht mit dem Hintern hochkommt und es verhindert!«

»Mr. Hall, Sie rufen nicht aus Colorado an.«

»Nein. Aber was spielt das für ein –«

»Wenn Sie nicht in Colorado sind, befinden Sie sich außerhalb der CB-Sendeweite des Overlook Hotels. Wie können Sie also Kontakt mit den Leuten, ääh...« Leises Rascheln von Papier. »Die Familie Torrance. Während ich Sie warten ließ, habe ich versucht anzurufen. Das Telefon ist tot, was nicht ungewöhnlich ist. Zwischen dem Hotel und der Vermittlung in Sidewinder verlaufen fünfundzwanzig Meilen Kabel über der Erde. Ich bin der Ansicht, daß Sie spinnen.«

»Oh Mann, Sie blöder...« Aber seine Verzweiflung war zu groß, als daß er für das Adjektiv ein passendes Substantiv gefunden hätte. Plötzlich kam die Erleichtung. »Rufen Sie sie!« schrie er.

»Sir?«

»Sie haben ein CB-Gerät, und die haben ein CB-Gerät. Setzen Sie sich mit ihnen in Verbindung und fragen Sie, was los ist.«

Eine kurze Stille, während der man das Summen der Drähte hörte.

»Sie haben das auch schon versucht, nicht wahr?« fragte Hallorann. »Sie haben telefoniert, und Sie haben es über CB versucht. Ohne Erfolg. Und Sie glauben immer noch nicht, daß etwas faul ist! Was macht ihr Kerle da oben eigentlich? Sitzt ihr auf dem Arsch und spielt Rommé?«

»Nein, das tun wir nicht«, sagte Staunton wütend. Die Wut in seiner Stimme war zu hören, war eine Erleichterung für Hallorann. Zum ersten Mal hatte er das Gefühl, mit einem Menschen zu sprechen statt mit einem Automaten. »Ich bin allein hier, Sir. Alle anderen Ranger sind im Park. Ebenfalls die

Jagdaufseher und ein paar Freiwillige. Sie sind oben in Hasty Notch und riskieren ihr Leben für drei Arschlöcher mit sechs Monaten Erfahrung, die sich die Nordwand des King's Ram mal ansehen wollten. Sie haben zwei Hubschrauber oben, und die Piloten riskieren ihr Leben, denn wir haben Nacht, und es fängt an zu schneien. Wenn Sie sich immer noch keinen Vers machen können, will ich Ihnen dabei helfen. Erstens, ich habe niemanden, den ich zum Overlook schicken könnte. Zweitens, das Overlook genießt hier keine Priorität. Was im Park geschieht, ist für uns vorrangig. Drittens, bei Tagesanbruch kann keiner der beiden Hubschrauber starten, denn laut nationalem Wetterdienst soll es wie verrückt schneien. Verstehen Sie jetzt die Situation?«

»Ja«, sagte Hallorann leise. »Ich verstehe.«

»Ich denke, ich weiß auch, warum ich sie über CB nicht erreichen konnte. Ich habe keine Ahnung, wie spät es bei Ihnen ist, aber wir haben einundzwanzig Uhr dreißig. Ich nehme an, sie haben abgeschaltet und sind ins Bett gegangen. Wenn Sie jetzt –«

»Ich wünsche Ihren Bergsteigern viel Glück, mein Junge«, sagte Hallorann. »Ich will Ihnen nur noch sagen, daß sie nicht die einzigen sind, die irgendwo da oben festsitzen, weil sie nicht wußten, auf was sie sich einließen.«

Dann hatte er aufgelegt.

Um sieben Uhr zwanzig rollte die TWA 196 schwerfällig vom Standplatz weg auf die Startbahn. Hallorann stieß einen langen, lautlosen Seufzer aus. Carlton Vecker, wo immer du bist, du kannst mich in aller Ruhe –

Flug 196 hob um sieben Uhr achtundzwanzig ab, und um sieben Uhr einunddreißig, als die Maschine Höhe gewann, wurde wieder diese Gedankenpistole in Dick Halloranns Kopf abgeschossen. Ohne Erfolg hob er die Schultern, um den Orangengeruch abzuwehren, und dann fing er an, krampfhaft zu zucken. Er runzelte die Stirn, und vor Schmerz verzog sich sein Gesicht zu einer Grimasse.

(!!!DICK, BITTE, KOMM SCHNELL, ES IST GANZ SCHLIMM, DICK, WIR BRAUCHEN DICH!!!)

Und das war alles. Plötzlich war es weg. Diesmal war es nicht langsam verklungen. Die Verbindung war, wie mit dem Messer abgeschnitten, plötzlich weg. Das machte ihm Angst. Seine Hände umklammerten immer noch die Armlehnen. Die Knöchel waren fast weiß geworden. Sein Mund fühlte sich trocken an. Dem Jungen war etwas passiert. Das wußte er genau. Wenn jemand dem kleinen Jungen etwas getan hatte –

»Reagieren Sie bei einem Start immer so heftig?«

Er sah sich um. Es war die hagere Frau mit der Hornbrille.

»Das war's nicht«, sagte Hallorann. »Ich habe eine Stahlplatte im Kopf. Noch von Korea. Hin und wieder zwickt sie mich. Vibrationen, wissen Sie.«

»Tatsächlich?«

»Ja, Madam.«

»Bei einer Intervention im Ausland zahlt immer der einfache Soldat die Zeche«, sagte die hagere Frau böse.

»So ist das wohl.«

»Ja, so ist es. Dies Land muß seinen dreckigen kleinen Kriegen abschwören. Hinter jedem dreckigen kleinen Krieg, den Amerika in diesem Jahrhundert geführt hat, stecken CIA und Dollardiplomatie.«

Sie schlug ihr Buch auf und fing an zu lesen. Das Rauchverbotszeichen verlosch. Hallorann beobachtete, wie der Boden unter der Maschine zurücksank, und fragte sich, was mit dem Jungen geschehen sein konnte. Er hatte zu ihm ein Gefühl der Zuneigung entwickelt. Von den Eltern hielt Hallorann weniger.

Er hoffte bei Gott, daß sie auf Danny aufpaßten.

43

Getränke auf Kosten des Hauses

Jack stand im Speisesaal vor der Tür, die in die Colorado Lounge führte. Er legte den Kopf schief und lauschte. Er lächelte dünn.

Um sich herum hörte er das Overlook Hotel zum Leben erwachen.

Es war schwer zu sagen, wie er darauf kam, aber er nahm an,

daß seine Wahrnehmungen denen, die Danny von Zeit zu Zeit hatte, ähnlich waren ... wie der Vater, so der Sohn. Lautete so nicht der Volksmund?

Es war keine Wahrnehmung von Bildern oder Geräuschen, obwohl der Unterschied nicht sehr groß war und eigentlich nur in einem hauchdünnen Vorhang bestand, der über die Dinge gebreitet schien. Es war, als läge ein anderes Overlook, nur um wenige Zoll versetzt, in diesem, getrennt von der realen Welt (wenn es überhaupt so etwas wie eine »reale Welt« gab, dachte Jack), mit der es aber allmählich zusammenzufallen schien. Es erinnerte ihn an die 3D-Filme, die er als Kind gesehen hatte. Wenn man ohne die Spezialgläser auf die Leinwand schaute, sah man das Bild doppelt – so wie er jetzt. Aber wenn man die Spezialbrille aufsetzte, ergab es einen Sinn.

Alle Epochen des Hotels hatte er jetzt zusammen. Nur die laufende nicht, die Torrance-Epoche. Und die würde sich bald zu den anderen fügen. Das war gut. Das war sehr gut.

Fast hörte er das arrogante Klingeln der Glocke auf dem Tresen der Rezeption, mit dem die Hotelpagen gerufen wurden, wenn Männer in den modischen Flanellanzügen der Zwanziger eintrafen oder Männer in den nadelgestreiften Zweireihern der vierziger Jahre abreisten. Vor dem Kamin mochten drei Nonnen sitzen, die darauf warteten, daß die Schlange an der Rezeption sich auflöste. Und weiter hinten standen, elegant gekleidet und mit brillantenbesetzten Nadeln in ihren blauweiß gemusterten Krawatten, Charles Grondin und Vito Gienelli und diskutierten Gewinn und Verlust, Leben und Tod. An den Laderampen sah er ein Dutzend Lieferwagen ineinander verschwimmen, wie auf einem doppelt belichteten Photo. Im Festsaal im Ostflügel fanden gleichzeitig ein Dutzend Wirtschaftskongresse statt, zeitlich nur um Zentimeter verschoben. Ein Kostümball, Abendgesellschaften, Hochzeitsempfänge, Geburtstags- und Jubiläumsfeiern. Die Männer unterhielten sich über Neville Chamberlain und den Erzherzog von Österreich. Musik. Gelächter. Trunkenheit. Hysterie. Kaum Liebe, das nicht, aber unterschwellige Sinnlichkeit. Und er konnte fast alles gleichzeitig hören. Die Geräusche schwebten durch das ganze Hotel und ergaben einen anmutigen Mißklang. Im Speisesaal, in dem er stand, wurden hinter ihm

Frühstück, Lunch, Dinner, die Mahlzeiten von siebzig Jahren, alle gleichzeitig, serviert. Er konnte fast . . . nein, das *fast* war zu streichen. Er *konnte* sie hören, leise noch, aber deutlich – so wie man an einem heißen Sommertag den Donner schon in hundert Meilen Entfernung vernehmen kann. Er konnte sie alle hören, die herausgeputzten Fremden. Er spürte ihre Anwesenheit, wie sie auch seine von Anfang an gespürt haben mußten.

Alle Räume des Overlook waren an diesem Morgen besetzt.

Ein volles Haus.

Und jenseits der Türen zur Lounge hing das leise Stimmengewirr der Konversation in der Luft wie träge sich kräuselnder Zigarettenrauch. Kultivierter, intimer. Leises, kehliges Frauenlachen von der Art, wie es sich einem manchmal seltsam vibrierend um Genitalien und Eingeweide legt. Der Klang der Registrierkasse, deren im warmen Halbdunkel weich erleuchtetes Fenster den Preis eines Gin-Fizz, eines Manhattan oder eines anderen Cocktails anzeigte. Die Musikbox, deren Melodien einander zeitlich überschnitten.

Er stieß die Türen auf und ging hindurch.

»Hallo, Jungs«, sagte Jack Torrance leise. »Ich war weg, aber jetzt bin ich wieder hier.«

»Guten Abend, Mr. Torrance«, sagte Lloyd ehrlich erfreut. »Es freut mich, Sie zu sehen.«

»Ich bin froh, daß ich wieder hier bin«, sagte Jack ernst und schwang sich auf einen Hocker zwischen einem Mann in knallblauem Anzug und einer triefäugigen Frau, die ein schwarzes Kleid trug und in die Tiefen ihres Singapore Sling starrte.

»Was darf es sein, Mr. Torrance?«

»Martini«, sagte Jack heiter. Er betrachtete die matt schimmernden Flaschen auf den Regalen hinter der Bar. Jim Beam. Wild Turkey. Gilby's. Sharrod's Private Label. Toro. Seagram's. Er war wieder zu Hause.

»Einen großen Martini bitte«, sagte er. »Die Martinis sind gelandet, Lloyd. Irgendwo auf der Welt.« Er zog die Brieftasche und legte eine Zwanzigdollarnote auf die Bar.

Während Lloyd ihm das Getränk einschenkte, schaute Jack sich um. Alle Nischen waren besetzt. Einige der Gäste trugen Kostüme . . . eine Frau mit durchscheinenden Haremshosen und einem mit Rheinkieseln besetzten Armband, ein Mann mit einem Fuchskopf, der sich listig aus seinem Abendanzug erhob, ein Mann mit einem silbrigen Hundekostüm, der zur allgemeinen Belustigung eine Dame im Sarong mit der Quaste am Ende seines langen Schwanzes an der Nase kitzelte.

»Sie brauchen hier nicht zu bezahlen, Mr. Torrance«, sagte Lloyd und stellte das Getränk auf Jacks Banknote. »Ihr Geld taugt hier nichts. Anweisung vom Manager.«

»Manager?«

Ihn überkam ein leicht unangenehmes Gefühl; dennoch nahm er das Glas, schüttelte es ein wenig und betrachtete die Olive in der kühlen Tiefe des Getränks.

»Natürlich. Der Manager.« Lloyds Lächeln wurde breiter, aber seine Augen lagen tief im Schatten, und seine Haut war gräßlich weiß, wie die Haut einer Leiche. »Später will er sich selbst um das Wohlergehen Ihres Sohnes kümmern. Er ist an Ihrem Sohn interessiert. Danny ist ein talentierter Bursche.«

Die Wacholderdünste vom Gin regten ihn angenehm auf, aber sie schienen ihm auch den Verstand zu benebeln. Danny? Was war das alles mit Danny? Und was hatte er mit einem Drink in der Hand in einer Bar zu suchen?

Er hatte DEN SCHWUR GELEISTET. Er war AUF DEN WAGEN GESTIEGEN. Er hatte DEM ALKOHOL ABGESCHWOREN.

Was konnten sie von seinem Sohn wollen? Was konnten sie von seinem Sohn wollen? Wendy und Danny wußten nichts davon. Er versuchte, in Lloyds Schattenaugen zu sehen, aber es war zu dunkel, zu dunkel, es war, als ob man versuchte, in den leeren Augenhöhlen eines Schädels Emotionen zu erkennen.

(Sie wollen mich ... nicht wahr? Ich bin derjenige. Nicht Danny und nicht Wendy. Ich bin derjenige, dem es hier gefällt. Sie wollten gehen. Ich habe mich um das Schneemobil gekümmert. Es ist unbrauchbar ... ich habe die alten Akten durchgesehen ... den Kesseldruck abgelassen ... gelogen ... praktisch meine Seele verkauft ... was können sie von ihm wollen?)

»Wo ist der Manager?« Er versuchte, so gleichgültig wie möglich zu fragen, aber die Worte kamen ihm wie vom ersten Drink betäubt über die Lippen, eher wie Worte aus einem Alptraum als Worte aus einem schönen Ttaum.

Lloyd lächelte nur.

»Was wollen Sie von meinem Sohn? Danny hat nichts damit zu tun ... nicht wahr?« Er hörte das unverhüllte Flehen in seiner eigenen Stimme.

Lloyds Gesicht schien sich zu verändern, zu zerfließen, sich in etwas Pestilenzartiges zu verwandeln. Die weiße Haut verfärbte sich zu einem hepatitischen Gelb und zeigte Risse. Rote Schwären wurden auf der Haut sichtbar. Blutstropfen sprangen aus Lloyds Stirn wie Schweiß, und irgendwo schlug ein silberhelles Klingeln die Viertelstunde.

(Die Masken ab, die Masken ab!)

»Trinken Sie Ihren Martini, Mr. Torrance«, sagte Lloyd leise. »Die Sache geht uns nichts an. Noch nicht.«

Jack nahm das Glas wieder in die Hand, hob es an die Lippen und zögerte. Er hörte das harte, entsetzliche Knacken, als Dannys Arm brach. Er sah das zertrümmerte Fahrrad über die Kühlerhaube von Als Wagen fliegen. Er sah ein einzelnes Rad auf der Straße liegen, dessen verbogene Speichen wie gerissene Klaviersaiten zum Himmel zeigten.

Er war sich plötzlich bewußt, daß alle Unterhaltung verstummt war.

Er schaute über die Schulter nach hinten. Alle sahen ihn erwartungsvoll an. Sie schwiegen. Der Mann neben der Frau in dem Sarong hatte seinen Fuchskopf abgenommen, und Jack sah, daß es Horace Derwent war, dem das fahlblonde Haar in die Stirn fiel. Auch die Leute an der Bar beobachteten ihn. Die Frau neben ihm sah ihn so angestrengt an, daß sie fast schielte. Das Kleid war ihr von der Schulter gerutscht, und er sah die faltige Warze auf ihrer herabhängenden Brust. Als er ihr ins Gesicht sah, hatte er das Gefühl, daß sie die Frau aus Zimmer 217 sein könnte, die versucht hatte, Danny zu erwürgen. Der Mann mit dem knallblauen Anzug hatte einen Revolver, Kaliber zweiunddreißig mit Perlmuttgriff, aus der Tasche geholt und ließ die Trommel rotieren, als dächte er an russisches Roulett.

(ich will –)

Er merkte, daß seine gelähmten Stimmbänder die Worte nicht artikulieren konnten, und versuchte es noch einmal.

»Ich will mit dem Manager sprechen ... ich glaube, er begreift nicht, daß mein Sohn mit alledem nichts zu tun hat. Er ...«

»Mr. Torrance«, sagte Lloyd, und die Stimme kam mit widerlicher Sanftheit aus dem pestzerstörten Gesicht. »Sie werden zu gegebener Zeit mit dem Manager zusammentreffen. Er hat in der Tat beschlossen, Sie in dieser Angelegenheit zu seinem Sachwalter zu machen. Und jetzt trinken Sie Ihr Glas aus.«

»Trinken Sie Ihr Glas aus«, kam das Echo von allen Seiten.

Er hob das Glas an, und seine Hand zitterte sehr stark. Es war unverdünnter Gin. Er schaute in das Glas, und hineinzuschauen bedeutete schon ertrinken.

Die Frau an seiner Seite fing mit flacher, toter Stimme an zu singen: »Roll... out... the barrel... and we'll have... a barrel... of fun...«

Lloyd stimmte mit ein. Dann der Mann im blauen Anzug. Auch der Hundemann sang mit und schlug dabei mit der Pfote auf den Tisch.

»Now's the time to roll the barrel –«

Derwent schloß sich dem Chor an, die Zigarette lässig im Mundwinkel. Sein rechter Arm lag auf den Schultern der Frau im Sarong, und mit der linken Hand streichelte er ihr sanft und ein wenig zerstreut die rechte Brust. Während er sang, musterte er den Hundemann mit amüsierter Verachtung.

»– because the gang's all here!«

Jack hob das Glas zum Mund und leerte es in drei langen Zügen. Der Gin rauschte ihm die Kehle herab wie ein Zug durch einen Tunnel, explodierte in seinem Magen und schoß ihm sofort in den Kopf, um dort von ihm Besitz zu ergreifen, nachdem Jack sich noch einmal heftig geschüttelt hatte.

Als das vorüber war, fühlte er sich großartig.

»Noch einen, bitte«, sagte er und schob Lloyd das leere Glas hin.

»Gern, Sir«, sagte Lloyd und nahm es. Lloyd sah wieder völlig normal aus.

Der dunkelhäutige Mann mit dem blauen Anzug hatte seinen Zweiunddreißiger weggesteckt. Die Frau rechts starrte wieder in ihren Singapore Sling. Eine ihrer Brüste war jetzt völlig frei und lag auf der Lederverkleidung der Bar. Aus ihrem schlaffen Mund hörte er dümmliches Summen. Dann erhob sich wieder Stimmengewirr.

Der neue Drink stand vor ihm.

»Muchas gracias, Lloyd«, sagte er und hob das Glas.

»Es ist mir immer ein Vergnügen, Sie zu bedienen, Mr. Torrance.«

Lloyd lächelte.

»Sie waren immer einer von den Besten, Lloyd.«

»Vielen Dank, Sir.«

Diesmal trank er langsam, ließ es sich durch die Kehle tröpfeln und warf zum guten Schluß ein paar Erdnüsse hinterher.

Der Drink war weg wie nichts, und er bestellte sich einen neuen. Mr. President, ich habe die Martinis getroffen, und es freut mich, berichten zu können, daß sie sich nicht feindselig verhalten. Während Lloyd den nächsten Drink bereitete, suchte er in seiner Tasche nach Kleingeld für die Musikbox. Er dachte wieder an Danny, aber Dannys Gesicht war jetzt angenehm verschwommen, kaum zu erkennen. Er hatte Danny einmal wehgetan, aber das war, bevor er gelernt hatte, mit Alkohol umzugehen. Die Zeit lag hinter ihm. Nie wieder würde er Danny etwas antun.

Nie wieder. Um alles in der Welt.

44

Partygespräche

Er tanzte mit einer schönen Frau.

Er hatte keine Ahnung, wie spät es war, wie lange er in der Colorado Lounge gewesen war oder wie lange hier im Festsaal. Zeit hatte keine Bedeutung mehr.

Er hatte vage Erinnerungen: er hatte einem Mann zugehört, der früher erfolgreicher Rundfunkkomiker war, und dann einem Varieté-Star aus den Anfangsjahren des Fernsehens, der einen sehr langen und äußerst lustigen Witz über Inzest zwischen siamesischen Zwillingen erzählt hatte; er hatte eine Frau in Haremshosen und mit einem Flitterarmband gesehen, die zu stampfenden Klängen einer Musikbox einen lasziven Striptease hinlegte; er war mit zwei Männern, die Abendanzüge im Schnitt der Jahre vor 1920 trugen, durch das Foyer geschlendert, und die drei hatten dabei ein schmutziges Lied gesungen. Er glaubte sich auch zu erinnern, aus den großen Doppeltüren nach draußen geschaut und japanische Lampions gesehen zu haben, die in elegantem, geschwungenem Bogen die Auffahrt säumten – sie glänzten in weichen Pastellfarben wie dunkle Juwelen. Die große Kuppelleuchte an der Decke der Vorhalle war eingeschaltet, und nächtliche Insekten flirrten und stießen gegen das Glas, und etwas in ihm, vielleicht der letzte, winzige Rest an Nüchternheit, versuchte ihm einzureden, daß es sechs Uhr früh an einem Morgen im Dezember sei. Aber die Zeit war ausgelöscht.

(Die Argumente gegen geistige Umnachtung fallen weg. Mit scharrendem Geräusch – und eines nach dem andern . . .)

Wer hatte das geschrieben? Irgendein Dichter, den er als Student gelesen hatte? Ein junger Dichter, der jetzt Waschmaschinen in Wausau verkaufte oder Versicherungen in Indianapolis? Vielleicht ein origineller Gedanke? Was machte das schon aus?

(Die Nacht ist schwarz-die Sterne stehen hoch-als körperloser Kuchen-schwebt der Mond am Himmel . . .)

Er kicherte hilflos.

»Was ist denn so lustig, Honey?«

Und schon war er wieder im Festsaal. Der große Leuchter strahlte, und um sie herum bewegten sich die Paare, einige in Kostümen, andere nicht, zu den seichten Klängen irgendeiner Nachkriegsband – aber welcher Krieg? Weiß man das genau?

Nein, natürlich nicht. Er wußte nur eins genau: er tanzte mit einer schönen Frau.

Sie war groß und rothaarig, trug ein knappsitzendes weißes Satinkleid und tanzte eng. Weich und angenehm drückte ihr Busen gegen seine Brust. Ihre weiße Hand lag in seiner. Sie trug eine kleine, glitzernde Augenmaske und hatte ihr Haar zur Seite gekämmt. In weichen, glänzenden Wellen floß es zwischen ihrer und seiner Schulter herab. Ihr Kleid war weit ausgestellt, aber er fühlte von Zeit zu Zeit ihre Schenkel an seinen Beinen, und mehr und mehr war er davon überzeugt, daß unter ihrem Kleid eine wunderschöne, glatte, nackte Haut liegen mußte.

(damit ich umso besser deine Erektion spüre, Liebling)

Und er hatte eine gewaltige. Sollte es ihr unangenehm sein, so verbarg sie es jedenfalls gut; sie drängte sich sogar noch enger an ihn.

»Nichts ist lustig, Honey«, sagte er und kicherte wieder.

»Ich mag dich«, flüsterte sie, und er fand, daß ihr Parfüm nach Maiglöckchen duftete, die geheim und verborgen in Spalten wuchsen, die grünes Moos bedeckte – an Stellen, wo es wenig Sonne gab, aber lange Schatten.

»Ich mag dich auch.«

»Wir können nach oben gehen, wenn du willst. Ich müßte eigentlich bei Harry sein, aber er wird mein Fehlen kaum bemerken. Er hat genug damit zu tun, den armen Roger zu ärgern.«

Die Musik verstummte. Applaus prasselte auf, und die Band ging fast ohne Pause zu »Mood Indigo« über.

Jack schaute über ihre nackte Schulter hinweg und sah Derwent am Tisch mit den Erfrischungen stehen. Das Mädchen im Sarong stand neben ihm. Auf dem weißen Rasen, der den Tisch bedeckte, waren Champagnerflaschen in Eiskübeln aufgereiht. Derwent hielt eine schäumende Flasche in der Hand. Eine Gruppe von Leuten hatte sich versammelt, und alle lachten. Vor Derwent und dem Mädchen im Sarong vollführte Roger auf allen vieren alberne Kapriolen. Seinen schlaffen Schwanz zog er hinter sich her. Er bellte.

»Wie spricht der Hund?« rief Harry Derwent.

»Wuff! Wuff!« antwortete Roger. Alle klatschten. Einige der Männer pfiffen.

»Und jetzt mach schön. Mach schön, Hündchen!«

Roger hockte sich aufgerichtet hin. Das Maul der Maske war starres Zähnefletschen. Innerhalb der Löcher rollte Roger krampfhaft fröhlich mit den Augen. Er streckte die Arme aus und ließ die Pfoten hängen.

»Wuff! Wuff!«

Derwent hob die Flasche Champagner, und ein schäumender Niagara ergoß sich über die nach oben gerichtete Maske. Roger schlürfte wie besessen, und wieder applaudierten alle. Einige Frauen kreischten vor Lachen.

»Harry ist vielleicht 'ne Nummer, was?« sagte seine Partnerin zu Jack und drückte ihn fest an sich. »Das sagen alle. Weißt du, er ist bisexuell. Der arme Roger ist nur schwul. Er hat mit Harry mal ein Wochenende in Kuba verbracht ... ach, vor *Monaten*. Jetzt folgt er Harry auf Schritt und Tritt und wackelt mit seinem kleinen Schwanz.«

Sie kicherte. Der leise Duft von Maiglöckchen schwebte auf.

»Aber Harry hält nie auch nur für eine Sekunde mit etwas hinter dem Berg ... wenigstens nicht, was seine Bisexualität anbetrifft ... und Roger ist ganz einfach *verrückt* nach ihm. Harry hat ihm gesagt, er solle zu diesem Maskenball doch als Hündchen kommen, als süßes, kleines Hündchen, dann wolle Harry sich das Ganze noch einmal überlegen, und Roger ist ja so *entsetzlich* blöd, daß er ...«

Wieder verstummte die Musik, und wieder wurde geklatscht. Die Musiker der Band verließen das Podium zu einer kleinen Pause.

»Entschuldige mich, Liebling«, sagte sie. »Da ist jemand, den ich unbedingt ... Darla! Darla, *Liebes*, wo hast du gesteckt?«

Sie fädelte sich in die essende und trinkende Menge ein, und er sah ihr dümmlich nach. Warum hatte er überhaupt mit ihr getanzt? Er wußte es nicht mehr. Die Ereignisse waren ohne jeden Zusammenhang. Erst hier, dann da, dann überall. Ihm drehte sich alles im Kopf. Er roch Maiglöckchen und Wacholderbeeren. Oben am Tisch, auf dem die Erfrischungen standen, hielt Derwent jetzt ein dreieckiges Sandwich hoch. Zum Vergnügen der Umstehenden sollte Roger einen Purzelbaum schlagen. Wieder reckte er seine Hundemaske hoch. Seine Silberflanken bewegten sich im Rhythmus seines Atems. Plötzlich versuchte Roger mit gesenktem Kopf zu springen und sich zu überschlagen. Er sprang nicht hoch genug, und er war auch zu erschöpft; er landete unglücklich auf dem Rücken und schlug mit dem Kopf hart auf die Bodenfliesen. Ein hohles Stöhnen quoll aus der lächerlichen Hundemaske.

Derwent applaudierte als erster. »Versuch's nochmal, Hündchen! Versuch's nochmal!«

Die Umstehenden fielen ein – *versuch's nochmal, versuch's nochmal* –, und Jack taumelte in die entgegengesetzte Richtung. Er fühlte sich irgendwie krank.

Fast wäre er in den Getränkewagen gestürzt, der von einem finster dreinblickenden Mann in einer weißen Messejacke gerade vorbeigerollt wurde. Sein Fuß stieß gegen die Unterkante des Wagens, und die Flaschen klirrten.

»Tut mir leid«, saagt Jack mit belegter Stimme. Er fühlte sich plötzlich wie eingesperrt. Er wollte raus. Das Overlook sollte wieder so sein, wie es vorher war... frei von unerwünschten Gästen. Man zollte ihm, als dem Wegbereiter, nicht den genügenden Respekt; er war nur einer der zehntausend Beifall klatschenden Statisten, ein Hund, der auf Kommando Männchen machte.

»Macht nichts«, sagte der Mann in der weißen Messejacke. Das höfliche, abgehackte Englisch aus dem Mund des Gangsters wirkte ausgesprochen wirklichkeitsfremd. »Möchten Sie etwas trinken?«

»Einen Martini.«

Von hinten brüllendes Gelächter; Roger bellte nach der Melodie »Home on the Range«. Irgendwer klimperte dazu auf einem kleinen Steinway.

Der Bargehilfe drückte ihm das gefrostete Glas in die Hand. Dankbar trank Jack, merkte, wie der Gin zuschlug, wie seine gerade beginnende Nüchternheit wieder abbröckelte.

»Alles in Ordnung, Sir?«

»Bestens.«

»Danke, Sir.«

Der Wagen rollte weiter.

Plötzlich streckte Jack den Arm aus und berührte die Schulter des Mannes.

»Yes, Sir?«

»Verzeihung, aber... wie heißen Sie?«

Der andere zeigte nicht die geringste Überraschung. »Grady, Sir. Delbert Grady.«

»Sie sind doch... ich meine, Sie haben...«

Der Bargehilfe sah ihn höflich an. Jack versuchte es noch einmal, aber sein Mund war klebrig. Vom Gin und einem Gefühl der Unwirklichkeit; jedes Wort fühlte sich an wie ein Eiswürfel.

»Waren Sie hier nicht einmal Hausmeister? Als Sie... als...« Aber er konnte nicht weitersprechen. Er konnte es nicht sagen.

»Aber nein, Sir. Das dürfte wohl nicht stimmen.«

»Aber Ihre Frau... Ihre Töchter...«

»Meine Frau hilft in der Küche aus, Sir. Die Mädchen schlafen natürlich. Es ist doch schon spät.«

»Sie waren der Hausmeister. Sie –« *Sag's doch!* »Sie haben sie umgebracht.«

Gradys Gesicht verriet nur höfliches Erstaunen. »Daran kann ich mich ganz und gar nicht erinnern, Sir.« Jacks Glas war leer. Grady nahm es ihm aus der Hand, ohne daß Jack protestierte, und schenkte nach. Auf seinem Wagen hatte Grady einen kleinen, mit Oliven gefüllten Plastikeimer. Aus irgendeinem Grund erinnerten sie Jack an winzige abgeschlagene Köpfe. Grady spießte einen dieser Köpfe auf, ließ sie ins Glas fallen und reichte Jack das Getränk.

»Aber Sie –«

»*Sie* sind der Hausmeister, Sir«, sagte Grady freundlich. »Sie sind *immer* der Hausmeister gewesen. Das weiß ich genau, Sir. Ich bin ja immer hier gewesen. Der Manager hat uns beide gleichzeitig angeheuert. Stimmt das, Sir?«

Jack nahm einen Schluck. In seinem Kopf drehte sich alles. »Mr. Ullman –«

»Ich kenne keinen Herrn diesen Namens, Sir.«

»Aber er –«

»Der Manager«, sagte Grady. »Das *Hotel*, Sir. Sie wissen doch wohl, wer Sie hier eingestellt hat, Sir.«

»Nein«, sagte Jack dumpf. »Nein, ich –«

»Sie sollten sich mal an Ihren Sohn wenden, Mr. Torrance, Sir. Er versteht alles, aber er hat Sie nicht aufgeklärt. Das war ziemlich ungezogen von ihm, wenn ich das mal sagen darf. Er hat sogar in jeder Weise gegen Sie gearbeitet, nicht wahr? Und dabei ist er noch keine sechs.«

»Ja«, sagte Jack. »Das hat er.« Hinter ihnen schwoll wieder Gelächter auf.

»Man sollte ihn zurechtweisen, wenn ich mir den Ausdruck gestatten darf. Man sollte ihm gut zureden, vielleicht noch ein wenig mehr tun. Meine eigenen Töchter, Sir, mochten das Overlook zuerst auch nicht. Eine von ihnen stahl sogar eine Schachtel Streichhölzer und versuchte, das Hotel in Brand zu stecken. Ich habe die beiden zurechtgewiesen. Ich habe sie äußerst drastisch zurechtgewiesen.« Er lächelte Jack unverbindlich-freundlich an. »Es ist eine traurige, aber wahre Tatsache, daß Frauen die Verantwortung eines Vaters gegenüber seinen Kindern selten kapieren. Ehemänner und Väter haben doch eine gewisse Verantwortung oder etwa nicht, Sir?«

»Ja«, sagte Jack.

»Sie haben das Overlook nicht so geliebt wie ich«, sagte Grady und schenkte nach. Silberblasen stiegen in der erhobenen Ginflasche auf. »Genauso wie Ihre Frau und Ihr Sohn es nicht lieben ... jedenfalls jetzt noch nicht. Aber sie werden es schon liebgewinnen. Sie müssen den beiden erklären, wie falsch sie handeln. Mr. Torrance. Sind Sie nicht meiner Meinung?« »Natürlich.«

Er sah es ein. Er hatte sie zu nachsichtig behandelt. Ehegatten und Väter hatten tatsächlich eine gewisse Verantwortung. Das konnten die beiden natürlich nicht verstehen. An sich war das kein Verbrechen, aber sie *wollten* nicht verstehen. Normalerweise war er ja alles andere als brutal. Aber Strafe mußte sein. Und wenn sein Sohn und seine Frau sich absichtlich gegen ihn stellten, *gegen das, was nach seiner Meinung für sie am besten war,* hatte er dann nicht eine gewisse Pflicht –?

»Ein undankbares Kind ist schlimmer als ein Schlangenzahn«, sagte Grady und reichte ihm sein Getränk. »Ich denke schon, daß der Manager Ihren Sohn in den Griff bekommen könnte. Und mit Ihrer Frau würde ihm das auch gelingen. Sind Sie nicht meiner Ansicht, Sir?«

Er war sich plötzlich nicht mehr sicher. »Ich ... aber ... wenn sie vielleicht einfach weggingen ... ich meine, der Manager ist schließlich hinter *mir* her, nicht wahr? Das stimmt. Weil –« Warum? Jack müßte es eigentlich wissen, aber sein armes Gehirn schaffte es nicht mehr.

»Du böser Hund«, sagte Derwent laut, und das allgemeine Gelächter bildete den Kontrapunkt. »Du böser Hund hast auf den Fußboden gepinkelt.«

»Sie wissen natürlich«, sagte Grady und beugte sich vertraulich vor, »daß Ihr Sohn versucht, einen Fremden ins Spiel zu bringen. Ihr Sohn hat ein besonderes Talent, und das kann der Manager vielleicht dazu benutzen, das Overlook noch weiter ... sagen wir mal, zu bereichern? Ihr Sohn versucht, dieses Talent gegen uns einzusetzen. Er ist eigensinnig, Mr. Torrance, Sir. Eigensinnig.«

»Einen Fremden?« fragte Jack dumm.

Grady nickte.

»Wen?«

»Einen Nigger«, sagte Grady. »Den Koch.«

»Hallorann?«

»Das dürfte sein Name sein, Sir.«

Wieder lachten die Leute hinter ihnen laut auf, und Roger winselte laut und protestierend.

»Ja, ja, ja«, fing Derwent an zu singen. Die anderen um ihn herum fielen ein, aber bevor Jack wußte, was Roger jetzt tun sollte, fing die Band wieder an zu spielen – der Song hieß »Tuxedo Junction«, die Saxophone setzten voll ein, aber die Band spielte ohne Seele.

(Soul? Soul war noch nicht erfunden worden. Oder doch?)

(Ein Nigger ... ein Niggerkoch.)

Ohne zu wissen, was er sagen wollte, öffnete er den Mund. Und er sagte: »Man sagte mir, Sie hätten keine Oberschule besucht, aber Sie reden wie ein gebildeter Mann.«

»Es stimmt, daß meine Schulbildung früh abgebrochen wurde, Sir. Aber der Manager kümmert sich um seine Angestellten. Er findet, daß es sich bezahlt macht. Bildung macht sich immer bezahlt. Finden Sie nicht auch, Sir?«

»Ja«, sagte Jack benommen.

»Sie zeigen zum Beispiel großes Interesse daran, mehr über das Overlook zu erfahren. Sehr klug von Ihnen, Sir. Sehr edel. Man hat für Sie im Keller eine gewisse Sammelmappe hinterlassen –«

»Wer?« fragte Jack gespannt.

»Der Manager, natürlich. Man könnte Ihnen weiteres Material zur Verfügung stellen, wenn Sie es wünschen ...«

»Oh ja. Sehr.« Er versuchte, sich seinen Eifer nicht anmerken zu lassen, aber das mißlang völlig.

»Sie sind ein wahrer Gelehrter«, sagte Grady. »Sie gehen den Dingen auf den Grund. Sie benutzen alle Quellen ...« Er senkte seine fliehende Stirn, griff sich an das Revers seiner Messejacke und wischte mit den Knöcheln irgendeinen für Jack unsichtbaren Schmutz ab.

»Und die Großzügigkeit des Managers kennt keine Grenzen«, fuhr Grady fort. »Sehen Sie mich an. Aus der zehnten

Klasse abgegangen. Überlegen Sie, wieviel weiter Sie selbst in der organisatorischen Struktur des Overlook aufsteigen könnten. Vielleicht ... irgendwann ... bis an die Spitze.«

»Tatsächlich?« flüsterte Jack.

»Aber das hängt eigentlich von Ihrem Sohn ab, nicht wahr?« fragte Grady und zog die Brauen hoch. Die unaufdringliche Geste nahm sich seltsam aus, denn seine Brauen waren buschig und wirkten irgendwie brutal.

»Von Danny?« Jack sah Grady stirnrunzelnd an. »Nein, natürlich nicht. Ich würde doch nicht meinen Sohn über meine Karriere entscheiden lassen. Ganz und gar nicht. Für wen halten Sie mich?«

»Für einen Mann, der sich seiner Sache ganz hingibt«, sagte Grady freundlich. »Ich habe mich vielleicht schlecht ausgedrückt, Sir. Sagen wir einmal, daß Ihre Zukunft hier davon abhängt, wie Sie mit der Widerspenstigkeit Ihres Sohnes fertigwerden.«

»Ich treffe meine eigenen Entscheidungen«, flüsterte Jack.

»Aber Sie werden sich mit ihm auseinandersetzen müssen.«

»Das werde ich auch tun.«

»Und dabei keine Schwäche zeigen.«

»Gewiß nicht.«

»Ein Mann, der seine eigene Familie nicht im Griff hat, dürfte für den Manager kaum von Interesse sein. Ein Mann, der das Verhalten seiner Frau und seines Sohnes nicht kontrollieren kann, wird sich schwerlich selbst kontrollieren können. Schon gar nicht wäre er für eine verantwortliche Position dieser Größenordnung geeignet. Er –«

»Ich sagte doch, daß ich mit ihm fertigwerde!« schrie Jack plötzlich wütend.

»Tuxedo Junction« war verklungen, und die Band hatte noch nicht wieder eingesetzt. Genau in diese Lücke platzte sein Schrei, und schlagartig verstummte hinter ihm die Konversation. Am ganzen Körper fühlte sich seine Haut plötzlich heiß an. Er war ganz sicher, daß alle ihn anstarrten. Sie waren mit Roger fertig. Jetzt würden sie mit ihm anfangen. Platz, leg dich, mach schön. Wenn du dich an die Regeln hältst, halten auch wir uns an die Regeln. Eine verantwortliche Position. Sie wollten, daß er seinen Sohn opferte.

(– jetzt folgt er Harry auf Schritt und Tritt und wackelt mit seinem kleinen Schwanz –)

(Platz. Stell dich tot. Züchtige deinen Sohn.)

»Hier entlang«, sagte Grady. »Hier ist etwas, das Sie vielleicht interessiert.«

Die Unterhaltung war wieder aufgenommen worden. Sie mischte sich mit ihrem eigenen Rhythmus in die Klänge der Band, die eine Swingversion von Lennons und McCartneys »Ticket to Ride« spielte.

(Das habe ich über Supermarktlautsprecher schon besser gehört.)

Er kicherte albern. Er betrachtete seine linke Hand und sah, daß sie einen Drink hielt. Das Glas war halb voll. Er leerte es auf einen Zug. Jetzt stand er vor dem Kamin, und das knisternde Feuer wärmte ihm die Beine.

(ein Feuer? ... im August? ... ja ... und nein ... alle Zeiten auf einmal.)

Auf dem Sims stand zwischen zwei Elfenbeinelefanten eine Uhr unter einer Glaskuppel. Die Zeiger standen auf einer Minute vor Mitternacht. Hatte Grady ihm diese Uhr zeigen wollen? Er wollte ihn fragen und drehte sich um, aber Grady war weg.

Mitten in »Ticket to Ride« spielte die Band einen blechernen Tusch.

»Die Stunde ist da!« verkündete Horace Derwent. »Es ist Mitternacht! Die Masken ab! Die Masken ab!«

Er wollte sich umdrehen, um zu sehen, welche berühmten Gesichter sich hinter dem Flitter, der Farbe und den Masken verbargen, aber er stand wie angewurzelt und konnte den Blick nicht von der Uhr abwenden. Die Zeiger hatten sich vereinigt und standen oben.

»Die Masken ab! Die Masken ab!« nahmen die Gäste den Ruf auf.

Silberhell fing die Uhr an zu schlagen. Auf der Stahlschiene unterhalb des Zifferblatts erschienen zwei Figuren, die eine von links, die andere von rechts. Jack beobachtete sie fasziniert. Er hatte die Demaskierung ganz vergessen. Das Uhrwerk surrte. Räder drehten sich und griffen ineinander. Das Messing glänzte hell. Das Ausgleichsrad bewegte sich mit äußerster Präzision hin und her.

Eine der Figuren war ein Mann, der auf den Zehenspitzen stand und so etwas wie eine kleine Keule in der Hand hielt. Die andere war ein kleiner Junge mit einer Narrenkappe. Die Figuren glitzerten und waren phantastisch genau gearbeitet. Vorn an der Kappe des Jungen las er das eingravierte Wort NARR.

Die beiden Figuren glitten auf die beiden Enden einer metallenen Achswelle. Irgendwo wurde ein Straußwalzer geklimpert. Ein verrückter Werbespruch ging ihm zu der Melodie durch den Kopf: *Kauft Hundenahrung wuff-wuff, wuff-wuff, kauft Hundenahrung . . .*

Die Stahlkeule in den Händen des Vaters sauste auf den Kopf des Jungen herab. Der Sohn brach nach vorn zusammen. Die Keule fuhr hoch und sauste wieder herab. Immer wieder. Die flehend erhobenen Hände des Jungen sanken herab. Aus seiner hockenden Stellung sackte der Junge zusammen und lag jetzt. Immer noch hob sich die Keule und sauste wieder herab, und das alles zur lustig geklimperten Straußmelodie. Und man glaubte zu sehen, wie es im Gesicht des Vaters arbeitete, wie der Vater den Mund öffnete und schloß, während er seinen bewußtlos geschlagenen Sohn anbrüllte.

Ein Blutspritzer erschien an der Innenseite der Glaskuppel. Ein weiterer folgte. Dann noch zwei.

Jetzt spritzte die rote Flüssigkeit auf wie ein obszöner Regenschauer, traf das Glas der Kuppel und floß an ihm herab, so daß man nicht mehr erkennen konnte, was im Innern vor sich ging, und in das Scharlachrot mischten sich graue Gehirnfetzen und Knochensplitter. Und immer noch sah er, wie sich die Keule hob und wieder herabsauste, während das Uhrwerk sich drehte und die Räder dieser sinnreich konstruierten Maschinerie ineinandergriffen.

»Die Masken ab! Die Masken ab!« kreischte Derwent hinter ihm, und irgendwo heulte ein Hund in menschlichen Lauten.

(Aber ein Uhrwerk kann nicht bluten, ein Uhrwerk kann nicht bluten.)

Die ganze Kuppel war blutbespritzt, und er konnte in dem Blut Haarbüschel erkennen, sonst Gott sei Dank nichts, aber ihm wurde übel, denn immer noch hörte er die Keule niedersausen, er konnte die Schläge durch das Glas hören, genauso wie er die Klänge des »Donauwalzers« hörte. Aber die Geräusche waren nicht mehr das mechanische Klingen einer mechanischen Keule, die auf einen mechanischen Kopf trifft, sondern das weiche, dumpfe Geräusch einer richtigen Keule, die auf eine schwammige, elastische Masse trifft, auf eine Ruine, die einmal etwas anderes gewesen –

»DIE MASKEN AB!«

(– der Rote Tod hatte sie alle in seiner Gewalt!)

Mit einem elenden, immer lauter werdenden Schrei wandte Jack sich ab und taumelte mit ausgestreckten Händen. Er flehte die Gespenster des Hotels an, doch aufzuhören. Sie konnten ihn haben, Danny und Wendy, sie konnten die ganze Welt haben, wenn sie nur aufhörten und ihm einen Rest Verstand, ein wenig Klarsicht ließen.

Der Festsaal war leer.

Die Stühle mit ihren dünnen Beinen standen umgedreht auf den mit Plastikfolien abgedeckten Tischen. Der rote Teppich mit seinem Goldmuster lag schützend über dem spiegelblanken Parkett. Das Podium für die Kapelle war leer. Dort stand nur ein abgerüsteter Mikrophonständer, und an der Wand lehnte eine verstaubte Gitarre ohne Saiten. Schwach fiel das Morgenlicht durch die hohen Fenster herein. Morgenlicht.

Immer noch drehte sich ihm alles im Kopf, und immer noch fühlte er sich betrunken, aber als er sich wieder dem Sims zuwandte, war sein Drink verschwunden. Dort standen nur noch die Elfenbeinelefanten . . . und die Uhr.

Schwankend ging er durch das kalte, schattige Foyer und durch den Speisesaal. Sein Fuß verhakte sich hinter einem Tischbein, und er schlug lang hin. Polternd stürzte der Tisch um. Er war hart mit der Nase aufgeschlagen, und sie fing an zu bluten. Er stand auf, zog das schwarze Blut hoch und wischte sich mit dem Handrücken die Nase. Er ging zur Colorado Lounge hinüber und schob sich durch die Tür. Die Flügel knallten gegen die Wand.

Der Raum war leer . . . aber die Bar war voll ausgestattet. Gott sei gelobt. Glas und die silberne Umrandung der Etiketten schimmerten in der Dunkelheit.

Vor sehr langer Zeit, so erinnerte er sich, hatte er sich einmal darüber geärgert, daß hinter der Bar keine Spiegel angebracht waren. Jetzt war er froh darüber. Beim Hineinschauen hätte er nur einen weiteren Säufer gesehen, der wieder vom Wagen gestiegen war. Blutende Nase, unordentliches Hemd, wirre Haare, Stoppelbart.

(So ist es, wenn man die ganze Hand in das Nest hineinsteckt.)

Plötzlich fühlte er sich grenzenlos einsam. Er stieß einen Schrei der Verzweiflung aus und wünschte sich von ganzem Herzen, tot zu sein. Seine Frau und sein Sohn waren oben und hatten sich gegen ihn in der Wohnung verbarrikadiert. Die andern waren alle gegangen. Die Party war vorüber.

Er torkelte an die Bar. »Zur Hölle, Lloyd, wo sind Sie?« kreischte er.

Keine Antwort. In dieser gut gepolsterten

(Zelle)

kam nicht einmal ein Echo zurück, um ihm wenigstens die Illusion zu geben, daß er sich in Gesellschaft befand.

»Grady!«

Keine Antwort. Nur die Flaschen standen in Habachtstellung.

(Platz. Stell dich tot. Hol. Stell dich tot. Mach schön. Stell dich tot.)

»Ach, was soll's, ich bediene mich selbst, verdammt nochmal.«

Er hatte kaum die Bar erreicht, als er das Gleichgewicht verlor und mit dem Kopf aufschlug. Es gab ein dumpfes Geräusch. Er kam hoch, hockte auf Händen und Knien, unkoordiniert bewegte er die Augen. Undeutliches Murmeln. Dann brach er zusammen, drehte das Gesicht auf die Seite und atmete schwer. Fast war es ein Schnarchen.

Der Wind draußen heulte jetzt stärker und trieb den immer dichter fallenden Schnee vor sich her. Es war jetzt acht Uhr dreißig.

45

Stapleton Airport, Denver

Um acht Uhr einunddreißig, Mountain Standard Time, brach eine Frau in der TWA-Maschine Flug 196 in Tränen aus und äußerte lautstark die Ansicht, die vielleicht von einigen anderen Passagieren und selbst einigen Besatzungsmitgliedern geteilt wurde, daß die Maschine abstürzen würde.

Die hagere Frau, die neben Hallorann saß, schaute von ihrem Buch auf und gab eine kurze Charakteranalyse: »Dummkopf.« Dann vertiefte sie sich wieder in ihr Buch. Sie hatte während des Fluges zwar einige alkoholische Getränke zu sich genommen, aber die schienen sie nicht im mindesten aufgetaut zu haben.

»Wir stürzen ab!« schrie die Frau mit schriller Stimme. »Ich weiß es einfach!«

Eine Stewardeß eilte zu ihr und hockte sich neben sie. Hallorann dachte bei sich, daß sich nur Stewardessen und junge Hausfrauen mit einiger Anmut hinhocken konnten, das war ein seltenes und wunderbares Talent. Er dachte immer noch darüber nach, während die Stewardeß leise auf die Frau einredete und sie allmählich beruhigen konnte.

Hallorann wußte nicht, was die anderen Passagiere empfanden, er selbst hatte jedenfalls schreckliche Angst. Draußen vor dem Fenster nur ein weißer Vorhang. Windböen, die von nirgendwo zu kommen schienen, packten die Maschine und schleuderten sie wild hin und her. Die Triebwerke waren auf volle Kraft geschaltet, um entgegenzuwirken, und das Ergebnis war, daß der Fußboden vibrierte. In der Touristenklasse hinter ihm stöhnten schon einige Leute, und eine Stewardeß eilte mit einer Handvoll neuer Spucktüten nach hinten. Drei Reihen vor Hallorann hatte sich ein Mann in seinen *National Observer* erbrochen und verschämt gegrinst, als die Stewardeß kam und ihm half, sich notdürftig zu reinigen. »Macht doch nichts«, tröstete sie ihn. »Mir geht es mit dem *Reader's Digest* ähnlich.«

Hallorann war oft genug geflogen, um zu vermuten, was los war. Sie hatten starken Gegenwind gehabt, das Wetter über Denver hatte sich plötzlich und unerwartet verschlechtert, und jetzt war es ganz einfach zu spät, der Wetterfront noch auszuweichen.

(Verdammt, das ist ja wie eine verrückte Kavallerieattacke.)

Der Stewardeß war es offenbar gelungen, die hysterische Frau etwas zu beruhigen. Sie schniefte und trompetete in ihr Spitzentaschentuch, aber sie verzichtete darauf, den übrigen Passagieren ihre Ansicht über das mögliche Ende des Fluges um die Ohren zu schlagen. Die Stewardeß klopfte ihr noch einmal ermutigend auf die Schulter und stand auf. In diesem Augenblick machte die Maschine einen gewaltigen Satz. Die Stewardeß stolperte rückwärts und landete auf dem Schoß des Mannes, der vorher in seine Zeitung gekotzt hatte. Dabei zeigte sie ausnehmend hübsche Schenkel in Nylonstrümpfen. Der Mann zwinkerte ihr zu und tätschelte ihre Schulter. Sie lächelte zwar zurück, aber Hallorann glaubte doch, Nervosität zu erkennen. Es war ein verdammt unangenehmer Flug gewesen.

Mit einem leisen Klicken leuchtete das NO SMOKING-Zeichen auf.

»Hier spricht der Kapitän«, sagte eine leise Stimme mit Südstaatenakzent. »Vor uns liegt Stapleton International Airport. Wir setzen zur Landung an. Ich bedaure den etwas rauhen Flug. Auch die Landung wird vielleicht etwas hart sein, aber ernsthafte Schwierigkeiten sind nicht zu erwarten. Legen Sie bitte die Gurte an, und beachten Sie das Rauchverbot. Wir wünschen Ihnen einen angenehmen Aufenthalt in Denver, und wir hoffen –«

Wieder traf eine harte Bö die Maschine, die wie ein Fahrstuhl durchsackte. Hallorann drehte sich der Magen um. Einige Leute – durchaus nicht nur Frauen – kreischten auf.

»– daß wir Sie bald auf einem unserer nächsten Flüge begrüßen dürfen.«

»Verdammt unwahrscheinlich«, sagte jemand hinter Hallorann.

»Albern«, sagte die Frau mit dem hageren Gesicht und klappte ihr Buch zu. »Wenn man die Schrecken eines dreckigen kleinen Krieges kennt ... wie Sie ... oder ein Gefühl für das zutiefst Unmoralische einer Intervention durch CIA und Dollardiplomatie hat ... wie ich ... verblaßt eine harte Landung zu *völliger Bedeutungslosigkeit*. Habe ich recht, Mr. Hallorann?«

»Und ob, Madam«, sagte er und starrte in den treibenden Schnee.

»Wie reagiert Ihre Stahlplatte denn darauf, wenn ich fragen darf?«

»Oh, mein Kopf macht mir keine Schwierigkeiten«, sagte Hallorann. »Nur mein Magen nimmt es übel.«

»Was für ein Jammer.« Sie schlug ihr Buch wieder auf.

Der Landeanflug führte durch dichtes Schneetreiben. Hallorann dachte an einen Unfall, der sich vor ein paar Jahren auf dem Logan Airport in Boston ereignet hatte. Die Verhältnisse waren ähnlich gewesen. Nur, daß statt Schnee dichter Nebel die Sicht blockiert hatte. Die Maschine hatte mit dem Fahrwerk am Ende des Landestreifens einen Begrenzungswall gestreift. Was von den neunundachtzig Passagieren noch übriggeblieben war, konnte man mit dem Inhalt eines Schmortopfes vergleichen.

Wenn es nur um ihn selbst ginge, wäre es ihm gleichgültig. Er war ziemlich allein auf der Welt, und zu seiner Beerdigung würden nur die Leute kommen, mit denen er gearbeitet hatte, und Masterton, der alte Schuft, der wenigstens auf sein Wohl trinken würde. Aber der Junge... der Junge verließ sich auf ihn. Vielleicht war er, Hallorann, die einzige Hilfe, die der Junge erwarten konnte, und es gefiel ihm gar nicht, daß sein letzter Ruf so abrupt aufgehört hatte. Er mußte dauernd daran denken, wie sich die Heckentiere bewegt hatten...

Eine dünne weiße Hand legte sich auf seine.

Die Frau mit dem scharfgeschnittenen Gesicht hatte ihre Brille abgenommen.

Ohne sie wirkte ihr Gesicht viel weicher.

»Hier passiert nichts«, sagte sie.

Hallorann lächelte und nickte.

Wie angekündigt landete die Maschine hart, sie gewann den Boden mit einer Wucht, daß Illustrierte aus den Netzen fielen und Plastikbecher aus der Kombüse wirbelten. Diesmal schrie keiner, aber Hallorann hörte, daß Zahnprothesen aufeinander klapperten wie Zigeunerkastagnetten.

Dann heulten die Turbinen im Rückschub auf und brachten die Maschine zum Stehen. Die Aggregate wurden leiser, und man hörte die Stimme des Piloten über das Intercom. »Ladies and Gentlemen, wir sind auf Stapleton Airport gelandet. Bleiben Sie bitte sitzen, bis die Maschine endgültig steht. Ich danke Ihnen.«

Die Frau neben Hallorann klappte ihr Buch zu und stieß einen langen Seufzer aus. »Wir müssen einen weiteren Tag bestreiten, Mr. Hallorann.«

»Madam, wir sind mit diesem noch nicht fertig.«

»Wahr. Sehr wahr. Hätten Sie Lust, mit mir in der Lounge einen Drink zu nehmen?«

»Das würde ich gern tun, aber ich habe eine dringende Verabredung.«

»Sehr dringend?«

»Sehr«, sagte Hallorann ernst.

»Hoffentlich handelt es sich um etwas, das die allgemeine Situation ein wenig verbessert.«

»Das hoffe ich selbst sehr«, sagte Hallorann und lächelte. Sie lächelte zurück, und das ließ sie plötzlich zehn Jahre jünger aussehen.

Weil er nur seine Reisetasche hatte, war Hallorann früher als die anderen am Hertz-Schalter. Durch die Scheiben sah er, daß es immer noch unablässig schneite. Der Wind trieb weiße Wolken vor sich her, und die Leute, die zum Parkplatz wollten, mußten sich regelrecht durchkämpfen. Einem Mann wurde der Hut vom Kopf geweht, und er konnte Hallorann nur leid tun. Die Kopfbedeckung wirbelte hoch in der Luft davon, und der Mann starrte ihr hilflos nach.

(Das kannst du vergessen, Mann. Das Ding fällt erst in Arizona wieder runter.)

Dann ein anderer Gedanke:

(Wenn es schon in Denver so schlimm ist, wie soll es dann erst westlich von Boulder aussehen?)

Daran sollte man vielleicht lieber nicht denken.

»Kann ich etwas für Sie tun, Sir?« fragte ihn das Mädchen in der gelben Hertz-Uniform.

»Ja, wenn Sie einen Wagen für mich haben«, sagte Hallorann und grinste.

Gegen eine überdurchschnittliche Gebühr bekam er einen überdurchschnittlichen Wagen, einen silberschwarzen Buick Electra. Stil war ihm gleichgültig. Er dachte eher an die steilen Straßen in den Bergen; irgendwo würde er sich Schneeketten beschaffen müssen.

Ohne sie würde er nicht weit kommen.

»Wie schlimm ist es denn?« fragte er, als sie ihm den Vertrag zum Unterschreiben reichte.

»Der schlimmste Sturm seit 1969«, sagte sie fröhlich. »Müssen Sie denn weit fahren, Sir?«

»Weiter, als mir Spaß macht.«

»Wenn Sie wollen, Sir, kann ich die Texaco-Station an der Abzweigung zur Route 270 anrufen. Die können Ihnen Ketten geben.«

»Das wäre ein Segen, Liebes.«

Sie nahm den Hörer auf und wählte eine Nummer. »Die Jungs erwarten Sie.«

»Vielen Dank.«

Als er den Schalter verließ, sah er die Frau mit dem hageren Gesicht in einer Schlange stehen. Sie wartete auf ihr Gepäck und las dabei in ihrem Buch. Hallorann zwinkerte ihr zu, als er vorbeiging. Sie sah auf und lächelte. Sie machte das Friedenszeichen.

(er hatte es vorausgesehen)

Er schlug sich den Kragen hoch und lächelte. Er nahm die Tasche in die andere Hand und gab den Gruß zurück. Er fühlte sich jetzt viel besser. Es tat ihm leid, daß er ihr diese alberne Geschichte von der Stahlplatte in seinem Kopf erzählt hatte. In Gedanken wünschte er ihr alles Gute, als er in den heulenden Schneesturm hinaustrat, und war überzeugt, daß sie ihm das gleiche wünschte.

Die Gebühr für die Schneeketten war nicht die Welt, aber Hallorann gab dem Mann zehn Dollar extra, um nicht so lange warten zu müssen. Immerhin wurde es fast zehn Uhr, bis er endlich wegkam. Er hörte das monotone Geräusch der Ketten an den großen Rädern des Buick und das gleichmäßige Klicken des Scheibenwischers.

Die Auffahrt zur Autobahn war eine einzige Katastrophe. Selbst mit den Schneeketten konnte er nicht schneller als dreißig Meilen fahren. Er sah Wagen, die von der Straße abgekommen waren und wie groteske Skelette dalagen. Wagen mit Sommerreifen schafften es nicht. Im Pulverschnee drehten die Räder durch. Hier unten im Flachland (wenn man fünfzehnhundert Meter über dem Meeresspiegel Flachland nennen konnte) war es der erste schwere Sturm in diesem Winter, und es konnte nur noch schlimmer werden. Manche Leute waren darauf nicht vorbereitet, und Hallorann verfluchte diese Idioten, während er an ihnen vorbeizog. Er schaute in den Rückspiegel, ob

(nichts durch den Schnee raste)

die linke Spur frei war und ihm nicht etwa jemand in seinen schwarzen Arsch fuhr.

Noch mehr Pech hatte er an der Auffahrt zur Route 36 am Denver-Boulder-Schlagbaum. Die 36 führt nach Estes Park, wo sie auf die 7 trifft. Diese Straße, Uplands Highway genannt, führt durch Sidewinder am Overlook Hotel vorbei und über die westlichen Hänge nach Utah. Die Auffahrt war durch einen umgekippten Sattelschlepper blockiert. Hell leuchtende Warnlampen standen um das Wrack herum wie Kerzen auf einem Geburtstagskuchen.

Er hielt an und drehte das Fenster herunter. Ein Polizist mit über die Ohren gezogener Pelzkappe winkte ihn mit weibehandschuhter Hand in den Verkehr Richtung Norden über die 25 ein.

»Da können Sie nicht durch!« schrie er Hallorann an. »Zwei Abfahrten weiter auf die 91, dann bei Broomfield wieder auf die 36!«

»Ich könnte doch links vorbei«, schrie Hallorann zurück. »Das wär' sonst ein Umweg von zwanzig Meilen. Sie spinnen doch!«

»Ich werd' Ihnen helfen«, schrie der Polizist. »Diese Auffahrt ist gesperrt und damit basta!«

Hallorann setzte zurück, wartete auf eine Lücke und setzte seinen Weg auf Route 25 fort. An den Verkehrsschildern sah er, daß es noch hundert Meilen bis Cheyenne, Wyoming, war, und wenn er nicht auf seine Abfahrt achtete, würde er dort landen.

Er wagte nicht, schneller als fünfunddreißig zu fahren; die Scheibenwischer wurden schon so kaum mit dem Schnee fertig, und die Verkehrssituation war verrückt. Ein Umweg von zwanzig Meilen. Er fluchte, und erneut hatte er das Gefühl, daß es für den Jungen zu spät werden könnte. Es war keine Zeit zu verlieren. Gleichzeitig ahnte er mit fatalistischer Sicherheit, daß er von diesem Trip nicht zurückkehren würde. Er schaltete das Radio ein und stieß auf eine Wetterdurchsage.

»– schon fünfzehn Zentimeter, und mit weiteren dreißig Zentimetern Neuschnee wird im Gebiet um Denver gegen Abend gerechnet. Die Polizei rät, den Wagen in der Garage zu lassen, wenn keine dringenden Fahrten unternommen werden müssen, und teilt mit, daß die meisten Bergpässe schon geschlossen sein dürften. Wachsen Sie also Ihre Ski, und bleiben Sie auf Empfang –« Wütend schaltete Hallorann das Gerät ab.

46

Wendy

Um die Mittagszeit, als Danny ins Bad gegangen war, um die Toilette zu benutzen, nahm Wendy das mit dem Handtuch umwickelte Messer unter ihrem Kissen hervor, steckte es in die Tasche ihres Bademantels und ging an die Tür zum Bad.

»Danny?«

»Ja?«

»Ich gehe nach unten und mache uns etwas zu essen, okay?«

»Okay. Soll ich runterkommen?«

»Nein, ich bring's rauf. Wie wär's mit einem Käseomelett und etwas Suppe?«

»Fein.«

Sie zögerte noch ein wenig vor der verschlossenen Tür. »Danny, bist du sicher, daß alles in Ordnung ist?«

»Ja«, sagte er. »Aber sei vorsichtig.«

»Weißt du, wo dein Vater ist?«

Er antwortete mit einer merkwürdig tonlosen Stimme: »Nein, aber es ist schon in Ordnung.«

Sie unterdrückte den Impuls, noch mehr zu fragen. Das Ding existierte, und sie wußten, was es war, aber darüber zu reden, hätte Danny nur noch mehr Angst gemacht . . . und ihr selbst.

Jack hatte den Verstand verloren. Sie hatten auf Dannys Bett gesessen, als der Sturm am Morgen gegen acht Uhr wieder heftig lostobte, und hatten ihn unten brüllen und von einem Raum in den anderen stolpern hören. Das meiste war aus dem Festsaal gekommen. Jack hatte gesungen, Jack hatte gestritten.

Einmal hatte Jack aufgeschrien, und sie hatten einander starr vor Entsetzen angesehen. Endlich hatten sie ihn ins Foyer zurückstolpern hören. Wendy meinte einen Knall gehört zu haben, als sei er gestürzt oder als sei eine Tür gewaltsam aufgerissen worden. Seit etwa acht Uhr dreißig – das war dreieinhalb Stunden her – herrschte Schweigen.

Sie ging den kurzen Gang entlang, bog in den Hauptkorridor ein und ging zur Treppe. Dort blieb sie einen Augenblick stehen und schaute in das Foyer hinunter. Es schien niemand dort zu sein, aber der graue Tag und die Schneewehen ließen einen großen Teil des Raums im Halbdunkel. Danny konnte sich irren. Vielleicht hockte Jack hinter einem Stuhl oder einer Couch ... vielleicht in der Rezeption ... und wartete darauf, daß sie herunterkam ...

Sie feuchtete sich die Lippen. »Jack?«

Keine Antwort.

Ihre Hand tastete nach dem Griff des Messers, und sie machte sich auf den Weg nach unten. Sie hatte oft an das Ende ihrer Ehe gedacht, durch Scheidung, durch Jacks Tod bei einem Autounfall, wenn er betrunken war (in Stovington hatte sie diese Vision regelmäßig gehabt, wenn sie in der Dunkelheit bis zwei oder drei Uhr wach lag), und gelegentlich hatte sie davon geträumt, daß irgendein Prinz auf sie aufmerksam wurde und sie Danny in den Sattel seines schneeweißen Renners hob und mit ihnen davonsprengte. Aber sie hätte sich niemals vorstellen können, daß sie einmal wie ein gejagter Verbrecher über dunkle Flure und Treppen schleichen würde, ein Messer in der Hand und bereit, es gegen Jack zu richten.

Eine Welle der Verzweiflung erfaßte sie bei dem Gedanken, und sie mußte mitten auf der Treppe stehenbleiben und sich an das Geländer klammern, denn die Beine drohten unter ihr wegzuknicken.

(Gib's doch zu. Es ist nicht einfach Jack. Er ist nur das einzige Stück Realität, an dem man alles andere aufhängen kann, die Dinge, die man nicht glauben kann und die man zu glauben doch gezwungen ist. Das mit den Heckentieren, die Papierschlange im Fahrstuhl, die Maske)

Sie versuchte, den Gedanken auszuschalten, aber es war zu spät.

(und die Stimmen.)

Denn von Zeit zu Zeit war es ihr vorgekommen, als sei dort unten kein einzelner Verrückter, der schrie und sich in seinem kranken Hirn mit Phantomen unterhielt. Von Zeit zu Zeit hatte sie andere Stimmen und Musik und Gelächter gehört – oder doch zu hören geglaubt. Wie ein Radiosignal, das schwindet und dann wiederkommt. Einmal hörte sie, wie Jack sich mit einem Mann namens Grady unterhielt (der Name kam ihr bekannt vor, aber sie konnte keinen Zusammenhang herstellen), dem er in das Schweigen hinein Fragen stellte, mit lauter Stimme, als wollte er Hintergrundgeräusche übertönen. Und dann traten unheimlich plötzlich andere Geräusche auf und schienen sich irgendwie einzufügen – eine Tanzkapelle, Leute, die klatschten, ein Mann, der amüsiert, aber mit gebieterischer Stimme jemanden dazu veranlassen wollte, eine Rede zu halten. Dreißig Sekunden, vielleicht auch eine Minute lang hatte sie das gehört. Es hatte gereicht, sie vor Entsetzen fast sterben zu lassen. Dann hörte sie nur noch Jack, der in demselben Kommandoton sprach, den sie aus seiner Säuferzeit kannte. Aber im Hotel gab es nichts zu trinken außer dem Sherry in der Küche. Stimmte das nicht? Ja, aber wenn sie sich einbilden konnte, daß es im Hotel Stimmen gab und Musik, konnte sich Jack dann nicht einbilden, sich betrunken zu haben?

Der Gedanke gefiel ihr nicht. Kein bißchen.

Wendy stand jetzt im Foyer und schaute sich um. Das samtene Seil, das den Festsaal absperrrte, war niedergerissen, die Pfosten, an denen es hing, waren umgekippt, als ob jemand achtlos dagegen gestolpert war. Weiches Licht fiel von draußen herein. Ihr Herz klopfte, als sie die Tür zum Festsaal öffnete und hineinschaute. Leer. Niemand war da. Sie hörte nur dieses komische, kaum wahrzunehmende Geräusch, das in allen großen Räumen schwebt, sei es eine Kathedrale oder ein Spielsalon.

Sie ging zur Rezeption, blieb unentschlossen stehen und hörte, wie der Wind draußen heulte. Es war der schlimmste Sturm, den sie bisher erlebt hatten, und er schien noch stärker zu werden. Irgendwo im Westflügel war die Verriegelung eines Fensterladens zerbrochen, und der Laden knallte immer wieder gegen die Wand. Wie auf einem Schießstand, wo nur einer schießt.

(Jack, darum solltest du dich wirklich kümmern. Sonst könnte etwas hereinkommen.)

Was sollte sie tun, wenn er jetzt plötzlich vor ihr auftauchte? Wenn er jetzt plötzlich hinter dem Tresen in der Rezeption hervorsprang wie ein mörderischer Kastenteufel, ein grinsender Kastenteufel, ein Hackbeil in der Hand und keinen Verstand im Kopf? Würde sie starr vor Entsetzen stehenbleiben, oder war sie Mutter genug, für ihren Sohn bis zum letzten Blutstropfen zu kämpfen? Sie wußte es nicht. Allein der Gedanke daran machte sie krank – sie hatte das Gefühl, als sei ihr ganzes Leben ein langer Traum gewesen, der sie ohne ihr Zutun eingeschläfert und diesem entsetzlichen Alptraum zugetrieben hatte. Sie war zu weich. Wenn es Ärger gab, schlief sie am liebsten ein. Nie war sie gefordert worden. Jetzt aber war es soweit. Eine schwere Prüfung. Jetzt durfte sie wirklich nicht mehr schlafen. Oben wartete ihr Sohn auf sie.

Sie nahm das Messer fest in die Hand und schaute über den Tresen.

Nichts.

Sie seufzte erleichtert.

Sie warf noch einen Blick in das Büro, bevor sie in die Küche ging und das Licht anschaltete. Ständig fürchtete sie, daß sich eine Hand plötzlich auf ihre legte. Aber nichts geschah. Sie stand in Halloranns Küche – jetzt *ihre* Küche – und sah die blaßgrünen Fliesen, das blitzende Chrom. Sie hatte ihm versprochen, seine Küche in gutem Zustand zu halten, und das hatte sie bisher getan. Hier schien Danny sich wohlzufühlen. Hier sah er sich nicht bedroht. Dies war Halloranns Reich, und das gab auch ihr ein wenig Trost. Danny hatte Hallorann gerufen, und oben in der Wohnung, neben Danny, während ihr Mann unten randalierte, war das für sie ein Hoffnungsschimmer gewesen. Jetzt, da sie in Halloranns Küche stand, verdichtete sich diese Hoffnung. Vielleicht war er schon unterwegs, Sturm oder nicht. Konnte das sein?

Sie ging zum Vorratsraum und schob den Riegel zurück. Sie nahm eine Dose Tomatensuppe vom Regal und schloß die Tür. Die schloß hermetisch. Ratten und Mäuse hatten hier keine Chance. Man mußte nicht fürchten, in Reis, Mehl oder Zucker ihren Dreck zu finden.

Sie öffnete die Dose und kippte den leicht gelierten Inhalt in die Kasserolle. Sie ging an den Kühlschrank und holte Milch und Eier für das Omelett raus. Dann ging sie in den Tiefkühlraum, wo der Käse lag. Das war alles die übliche Routine. Daraus hatte ihr Leben bestanden, und jetzt war das Overlook Teil ihres Lebens geworden. Und sie war etwas beruhigt, denn in der Küche war sie in ihrem Element.

Sie ließ Butter in der Bratpfanne zerlaufen, verdünnte die Suppe mit Milch und schlug die Eier in die Pfanne.

Plötzlich hatte sie das Gefühl, daß jemand hinter ihr stand und ihr an die Kehle greifen wollte.

Sie fuhr herum und griff nach dem Messer. Niemand da.

(Reiß dich zusammen, Mädchen!)

Sie rieb Käse in die Pfanne und rührte um. Sie stellte die Gasflamme kleiner. Die Suppe war schon heiß. Zusammen mit den Bestecken stellte sie den Topf auf ein großes Tablett und holte Teller und Salz und Pfeffer. Als das Omelett anfing zu blubbern, ließ Wendy es auf einen Teller gleiten und stülpte den anderen darüber.

(Jetzt zurück, woher du gekommen bist. Küchenbeleuchtung abschalten. Durch das Büro. Am Schalter vorbei und zweihundert Dollar kassieren.)

Sie blieb an der Rezeption stehen und setzte das Tablett neben der silbernen Glocke ab.

Sie stand im dunklen Foyer. Nachdenklich.

(Es hat keinen Zweck, die Tatsachen zu verdrängen, Mädchen. Es gibt noch Realitäten, so verrückt die Situation auch erscheinen mag. Und eine davon ist, daß du die einzige bist, die in dieser grotesken Lage die Verantwortung trägt. Du mußt auf einen Sohn aufpassen, der noch keine sechs Jahre alt ist. Und dein Mann, was auch mit ihm geschehen sein mag und selbst wenn er gefährlich ist . . . bist du nicht auch für ihn verantwortlich? Selbst, wenn das nicht der Fall ist: Heute ist der zweite Dezember. Wenn kein Ranger kommt, bist du hier noch vier Monate lang von der Außenwelt abgeschnitten. Selbst, wenn sie sich wundern, warum wir uns noch nicht über CB-Funk gemeldet haben, wird heute keiner kommen . . . auch morgen nicht . . . vielleicht erst nach Wochen. Willst du wochenlang mit dem Messer in der Tasche in die Küche schleichen, um das Essen zu bereiten? Bei jedem Schatten zusammenzucken? Glaubst du im Ernst, du könntest Jack aus der

Wohnung fernhalten, wenn er hinein will? Er hat den Hauptschlüssel, und ein harter Tritt reicht aus, den Riegel abzubrechen.)

Sie ließ das Tablett auf dem Tisch stehen, ging langsam zum Speisesaal hinüber und sah sich um. Er war leer. Um einen einzigen Tisch standen Stühle. Es war der Tisch, an dem sie gegessen hatten, bevor ihnen der öde leere Saal Beklemmungen verursachte.

»Jack?« rief sie zögernd.

In diesem Augenblick trieb ein Windstoß Schnee gegen die Fensterläden, aber ihr war, als sei da etwas gewesen. Ein unterdrücktes Stöhnen.

»Jack?«

Sie hörte keinen Laut. Aber an der Tür zur Colorado Lounge sah sie im Dämmerlicht einen schwachen Schimmer. Jacks Feuerzeug.

Sie nahm allen Mut zusammen und stieß die Türflügel weit auf. Der Gingeruch war so stark, daß sie die Luft anhielt. Man konnte es eigentlich nicht einen Geruch nennen, aber zweifellos hing ein Gindunst im Raum. Allerdings waren die Regale leer. Wo, um Himmels willen, hatte er das Zeug gefunden? Hatte irgendwo eine versteckte Flasche gestanden? *Wo?*

Wieder ein Stöhnen, leise, aber deutlich hörbar. Wendy ging an die Bar.

»Jack?«

Keine Antwort.

Sie schaute über die Bar hinweg, und da lag er. Er war bewußtlos und, nach dem Geruch zu urteilen, total besoffen. Er mußte versucht haben, über die Bar zu steigen, und war dabei gestürzt. Ein Wunder, daß er sich nicht das Genick gebrochen hatte. Ihr fiel ein altes Sprichwort ein: Kinder und Betrunkene haben einen Schutzengel. Amen.

Dennoch war sie nicht wütend auf ihn; als sie ihn da so liegen sah, kam er ihr wie ein ungezogener, übermüdeter kleiner Junge vor, der sich zuviel vorgenommen hatte und jetzt auf dem Wohnzimmerteppich eingeschlafen war. Er hatte das Trinken aufgegeben, und es war nicht Jack, der beschlossen hatte, wieder damit anzufangen, außerdem hatte es hier überhaupt keinen Alkohol gegeben. Wo hatte er ihn also her?

Auf der hufeisenförmigen Bar standen in Abständen leere,

mit Stroh umwickelte Weinflaschen, in die man Kerzen hineingesteckt hatte. Sie nahm eine hoch und schüttelte sie. Halb erwartete sie, den Gin darin gluckern zu hören.

(neuer Wein in alten Flaschen)

Aber da war nichts. Sie stellte die Flasche wieder hin.

Jack bewegte sich. Sie ging um die Bar herum, fand die Klapptür und ging hinein, wobei sie einen Blick auf die chromglänzenden Zapfhähne warf. Sie waren trocken, aber als sie nahe an ihnen vorbeiging, konnte sie Bier riechen, naß und frisch, wie einen feinen Nebel.

Als sie Jack erreichte, rollte er sich herum, öffnete die Augen und sah sie an. Einen Augenblick hatte er einen völlig leeren Blick, dann wurde er wieder klar.

»Wendy?« fragte er. »Bist du das?«

»Ja«, sagte sie. »Glaubst du, du schaffst es bis nach oben? Wenn du den Arm um mich legst? Jack, wo hast du –«

Er packte brutal ihren Knöchel.

»Jack, was machst du –«

»Jetzt hab' ich dich«, sagte er und fing an zu grinsen. Der abgestandene Geruch nach Gin und Oliven um ihn herum weckte in ihr wieder das alte Entsetzen, ein schlimmeres Entsetzen, als irgend ein Hotel für sich allein je auslösen konnte. Das schrecklichste war, daß alles wieder so war wie früher: sie und ihr betrunkener Mann.

»Jack, ich will doch helfen.«

»Oh ja, du und Danny wollt nur *helfen.*« Er verstärkte schmerzhaft seinen Griff. Er hielt sie immer noch fest, als er wacklig auf die Knie kam. »Du wolltest uns allen hier heraushelfen. Aber jetzt ... hab' ... ich dich!«

»Jack, mein Knöchel. Du tust mir weh –«

»Das war erst der Anfang, du *Saustück.*«

Sie war bei diesem Ausdruck so gelähmt, daß sie sich nicht bewegte, als er ihren Knöchel losließ, sich aufrichtete und schwankend vor ihr stand.

»Du hast mich nie geliebt«, sagte er. »Du willst, daß wir weggehen, weil du weißt, daß ich dann erledigt bin. Hast du jemals an meine Ver ... Ver ... Verantwortung gedacht? Einen Scheißdreck hast du getan. Du bist genau wie deine Mutter, du verdammte Schlampe!«

»Hör auf«, rief sie weinend. »Du weißt nicht, was du redest. Du bist betrunken. Ich weiß nicht, wieso, aber du bist betrunken.«

»Oh, ich weiß es sehr gut. Du und er. Das kleine Biest da oben. Ihr heckt etwas gegen mich aus. Stimmt das nicht?«

»Nein, nein! Wir hecken überhaupt nichts aus. Wovon redest –«

»Du Lügnerin!« brüllte er. »Oh, ich weiß recht gut, wie ihr das macht. Wenn ich sage: ›Wir bleiben hier, und ich mache meine Arbeit‹, sagst du ›ja, Liebling‹, und er sagt ›ja, Daddy‹, und dann macht ihr eure Pläne. Ihr wolltet das Schneemobil benutzen. Das habt ihr geplant. Aber ich wußte es. Ich habe es mir gedacht. *Glaubtet ihr, ich würde nicht darauf kommen? Habt ihr mich für so dumm gehalten?«*

Sie starrte ihn an, unfähig, auch nur ein Wort zu sagen. Er würde sie umbringen, und dann würde er Danny umbringen. Und dann würde das Hotel vielleicht zufrieden sein und ihm gestatten, sich selbst umzubringen. Genau wie der andere Hausmeister. Genau wie

(Grady)

Sie war vor Entsetzen wie betäubt, als ihr jetzt bewußt wurde, mit wem Jack sich im Festsaal unterhalten hatte.

»Du hast meinen Sohn gegen mich aufgehetzt. Das war das schlimmste.« Sein Gesichtsausdruck wurde ganz wehleidig. »Mein kleiner Sohn. Jetzt haßt auch er mich. Dafür hast du gesorgt. Du warst schon immer eifersüchtig, stimmt das nicht? Genau wie deine Mutter. Du warst nicht zufrieden, bevor du nicht alles kaputt gemacht hast. *War das nicht so?«*

Sie konnte nicht sprechen.

»Aber ich werde es dir schon zeigen«, sagte er und versuchte, ihr die Hände um die Kehle zu legen.

Sie trat einen Schritt zurück, dann noch einen, und er torkelte gegen sie. Sie dachte an das Messer in ihrer Tasche und wollte danach greifen, aber er umfaßte sie mit dem linken Arm. Sie nahm scharfen Gingeruch wahr und roch seinen sauren Schweiß.

»Muß bestraft werden«, grunzte er. »Gezüchtigt ... hart gezüchtigt.«

Mit der rechten Hand griff er ihr an die Kehle.

Als ihr der Atem wegblieb, empfand sie nur noch Panik. Jetzt griff auch seine linke Hand nach ihrer Kehle, und sie hätte das Messer erreichen können, aber sie vergaß es. Sie hob die Hände und zerrte vergeblich an seinen stärkeren.

»Mommy!« schrie Danny von irgendwo. »Daddy, hör auf! Du tust Mommy weh!« Er schrie durchdringend. Es war ein hoher, kristallener Laut, den sie von weither hörte.

Rote Lichtblitze sprangen vor ihren Augen wie Ballettänzer. Der Raum wurde dunkler. Sie sah ihren Sohn über die Bar klettern und sich seinem Vater gegen die Schulter werfen. Plötzlich war eine der Hände, die ihr die Luft abdrückten, weg, und er stieß Danny knurrend zur Seite. Der Junge fiel gegen die leeren Regale und sank benommen zu Boden. Und wieder hatte Jack beide Hände an ihrer Kehle. Die roten Blitze wurden schwarz.

Danny wimmerte leise. Ihre Kehle brannte. Jack brüllte ihr ins Gesicht. »Dir werde ich helfen, du verdammtes Miststück. Dir werd' ich zeigen, wer hier der Boß ist. Dir werd' ich –«

Aber alle Geräusche verhallten wie in einem langen Korridor. Ihr Widerstand wurde schwächer. Ihre Hand löste sich von seiner und sank herab wie die Hand einer Ertrinkenden.

Sie berührte eine Flasche – eine der mit Stroh umwickelten Weinflaschen, die als dekorative Kerzenhalter dienten. Ohne sehen zu können, ergriff sie mit letzter Kraft die Flasche und fühlte die Wachstropfen daran.

(oh Gott, wenn sie mir aus der Hand gleitet.)

Sie riß die Flasche hoch und schlug zu. Sie wußte, wenn sie nur Schulter oder Arm traf, war ihr Ende gekommen.

Aber die Flasche traf Jack Torrance am Kopf und zersplitterte. Der Boden der Flasche war dick und hart, und das Geräusch, mit dem sie gegen seinen Schädel knallte, ähnelte dem eines Medizinballs, den man auf harten Boden wirft. Jack taumelte zurück und rollte mit den Augen. Der Griff an ihrem Hals lockerte sich, dann ließ er sie ganz los. Er streckte die Hände aus, als wollte er sich festhalten, und stürzte krachend auf den Rücken.

Wendy holte lange und schluchzend Luft. Fast wäre sie selbst umgefallen, aber sie hielt sich an der Bar fest. Sie war kaum bei Bewußtsein. Sie hörte Danny weinen, aber sie hatte keine Ahnung, wo er war. Es hörte sich an, als weinte er in einer Echokammer. Verschwommen sah sie, daß Blut auf das dunkle Holz der Bar tropfte. Es mußte von ihrer Nase sein, dachte sie. Sie räusperte sich und spuckte auf den Fußboden. Eine Schmerzwelle fuhr ihr durch die Kehle, aber dann war es nur noch ein dumpfer Druck, der gerade noch zu ertragen war.

Ganz allmählich bekam sie sich wieder in die Gewalt.

Sie ließ die Barkante los, drehte sich um und sah Jack ausgestreckt daliegen. Neben ihm die zersplitterte Flasche. Er sah aus wie ein gefällter Riese. Danny hockte mit beiden Händen im Mund unter dem Tisch mit der Registrierkasse und starrte seinen bewußtlosen Vater an.

Unsicher ging Wendy zu ihm hinüber und berührte seine Schulter. Danny fuhr vor ihr zurück.

»Danny, hör zu –«

»Nein, nein«, murmelte er mit heiserer Männerstimme. »Daddy hat dir wehgetan ... du hast Daddy wehgetan ... Daddy hat dir wehgetan ... ich will jetzt schlafen. Danny will schlafen.«

»Danny –«

»Schlafen, schlafen. Gute Nacht.«

»Nein!«

Wieder spürte sie stechenden Schmerz in der Kehle. Sie kämpfte dagegen an. Aber Danny öffnete die Augen und sah seine Mutter mißtrauisch an.

Sie zwang sich dazu, ruhig zu sprechen, und sah ihn dabei unverwandt an. Ihre Stimme war leise und rauh, fast ein Flüstern. Das Sprechen bereitete ihr Schmerzen. »Hör zu, Danny, es war nicht dein Daddy, der mir wehgetan hat. Und ich habe nicht ihm wehgetan. Das Hotel ist in ihn hineingefahren, Danny. *Das Overlook ist in deinen Daddy gefahren.* Verstehst du mich?«

Jetzt lag wieder ein gewisses Begreifen in Dannys Augen.

»Das schlimme Zeug«, flüsterte er. »Aber vorher war davon doch gar nichts hier?«

»Nein. Das Hotel hat es hingestellt. Das ...« Sie brach ab und bekam einen Hustenanfall. Wieder spuckte sie ein wenig Blut. Es kam ihr vor, als sei ihre Kehle auf den doppelten Umfang angeschwollen. »Das Hotel hat ihn dazu gezwungen, es zu trinken. Hast du die Leute gehört, zu denen er heute morgen sprach?«

»Ja . . . die Leute vom Hotel . . .«

»Ich habe sie auch gehört, und das bedeutet, daß das Hotel stärker wird. Es will uns allen wehtun. Aber ich glaube . . . ich hoffe, daß es das nur durch deinen Daddy tun kann. Er war der einzige, den das Hotel einfangen konnte. Verstehst du mich, Danny? Es ist so schrecklich wichtig, daß du mich verstehst.«

»Das Hotel hat Daddy gefangen.« Er sah Jack an und seufzte hilflos.

»Ich weiß, daß du deinen Daddy liebhast. Ich habe ihn auch lieb. Wir dürfen nicht vergessen, daß das Hotel ihm genau so wehtun will wie uns beiden.« Und davon war sie auch überzeugt. Mehr noch, daß Danny es vielleicht war, auf den das Hotel es wirklich abgesehen hatte, der Grund, warum das Hotel so weit ging, vielleicht der Grund, warum es so weit gehen *konnte*. Es konnte sogar sein, daß Danny ihm auf irgendeine Weise durch seine Hellsichtigkeit die Kraft dazu gab, so wie eine Batterie die elektrische Ausrüstung eines Autos funktionieren läßt. Wie man mit einer Batterie einen Wagen starten kann. Wenn sie hier herauskamen, würde das Overlook vielleicht in seinen früheren halb unbewußten Zustand zurückfallen, in dem es nicht mehr tun konnte, als die psychisch empfindsameren Gäste mit Spukbildern zu narren. Ohne Danny war es nicht viel mehr als ein Geisterhaus in einem Vergnügungspark, wo man Klopfen hörte oder die Phantomgeräusche einer Maskerade, und vielleicht dann und wann etwas Ungewöhnliches sah. Aber wenn es Danny . . . Dannys Hellsichtigkeit oder seine Lebenskraft oder seinen Geist . . . wie immer man es nennen wollte . . . in sich aufnahm – was würde es dann sein?

Der Gedanke ließ sie frieren.

»Ich wünschte, Daddy ginge es besser«, sagte Danny, und die Tränen fingen wieder an zu fließen.

»Ich auch«, sagte sie und zog Danny fest an sich. »Und, Honey, deshalb mußt du mir helfen, deinen Daddy irgendwo unterzubringen. Da, wo das Overlook ihn nicht mehr dazu zwingen kann, uns etwas zu tun, und wo er sich auch selbst nichts tut. Dann . . . wenn dein Freund Dick kommt, oder ein

Ranger aus dem Park, können wir ihn von hier wegbringen lassen. Und dann wird es ihm vielleicht wieder besser gehen. Vielleicht wird es uns allen wieder besser gehen, wenn wir stark und mutig sind, wie du, als du ihm auf den Rücken gesprungen bist. Verstehst du das?« Sie sah ihn fast flehentlich an und überlegte, wie seltsam es war; er hatte Jack nie ähnlicher gesehen als in diesem Augenblick.

»Ja«, sagte er und nickte. »Ich glaube ... wenn wir hier wegkommen ... wird alles wieder sein, wie es früher war. Wo können wir ihn denn lassen?«

»Im Vorratsraum. Da sind genügend Lebensmittel, und draußen an der Tür ist ein starker Riegel. Es ist auch warm dort, und wir können die Sachen aus dem Kühlschrank und dem Tiefkühlraum essen. Es ist genug für uns alle drei da, bis Hilfe kommt.«

»Sollen wir es jetzt tun?«

»Ja, jetzt gleich. Bevor er aufwacht.«

Danny hielt die Klapptür auf, während sie einen Augenblick Jacks Atemzügen lauschte. Er atmete langsam, aber regelmäßig. Nach dem Geruch zu urteilen, mußte er eine Menge getrunken haben ... und er war aus der Übung. Wenn er jetzt bewußtlos war, konnte man es wohl ebenso dem Alkohol wie dem Schlag mit der Flasche zuschreiben.

Sie nahm seine Beine und fing an, ihn über den Fußboden zu schleifen. Sie war jetzt fast sieben Jahre mit ihm verheiratet, und er hatte zahllose Male auf ihr gelegen – Tausende Male –, aber sie hatte nie gewußt, wie schwer er war. Ihr pfeifender Atem tat ihr in der Kehle weh. Dennoch fühlte sie sich besser als in den letzten Tagen. Sie lebte. Wenn man so knapp dem Tode entgangen war, empfand man das als Geschenk. Und auch Jack lebte. Nicht geplant, sondern durch puren Zufall hatten sie vielleicht die einzige Möglichkeit entdeckt, wie sie alle hier heil herauskommen konnten.

Schwer atmend blieb sie einen Augenblick stehen und hielt sich Jacks Beine gegen die Hüften.

»Ist alles in Ordnung, Mommy? Ist er ... ist er zu schwer?«

»Ich schaffe es schon.« Sie schleifte ihn weiter. Danny hielt sich neben Jack. Eine Hand war ihm von der Brust gerutscht, und liebevoll legte Danny sie wieder an ihren Platz.

»Sollen wir wirklich, Mommy?«

»Ja. Es ist das beste, Danny.«

»Es ist, als ob wir ihn ins Gefängnis tun.«

»Es ist ja nur für eine Zeitlang.«

»Okay. Schaffst du es auch wirklich?«

»Ja.«

Aber noch war es nicht geschafft. Als Wendy Jack über die Schwelle zog, hatte Danny den Kopf seines Vaters gehalten, hatte ihn aber weggleiten lassen, so daß er auf die Fliesen aufschlug. Jack fing an zu stöhnen und sich zu bewegen.

»Du mußt Rauch verwenden«, murmelte Jack rasch. »Jetzt lauf und hol mir den Benzinkanister.«

Wendy und Danny tauschten ängstliche Blicke.

»Hilf mir«, sagte sie leise.

Eine Weile stand Danny wie gelähmt neben dem Gesicht seines Vaters. Dann bewegte er sich ruckartig zu ihr hinüber und half ihr, das linke Bein zu halten. Sie schleiften ihn in alptraumhaften Zeitlupenbewegungen über den Küchenfußboden, und das Insektensurren der Neonleuchten und ihr eigenes angestrengtes Atmen waren die einzigen Geräusche.

Als sie den Vorratsraum erreichten, ließ Wendy Jacks Füße los und mühte sich mit dem Riegel ab. Danny schaute zu Jack hinab, der jetzt wieder völlig schlaff dalag. Das Hemd war ihm während des Transports aus der Hose gerutscht, und Danny fragte sich, ob Daddy wohl zu betrunken war, um zu frieren. Es schien verkehrt, ihn wie ein wildes Tier in den Vorratsraum zu sperren, aber er hatte gesehen, was er Mommy hatte antun wollen. Schon oben hatte er gewußt, daß Daddy das tun würde, und im Kopf hatte er sie streiten hören.

(Wenn wir doch nur alle hier herauskönnten. Wenn doch alles nur ein Traum wäre, den er in Stovington gehabt hatte. Oh, wenn doch . . .)

Der Riegel klemmte.

Wendy zog, so hart sie konnte, aber er bewegte sich nicht. Sie konnte den verdammten Riegel einfach nicht zurückschieben. Es war dumm und unfair . . . als sie hineingegangen war, um die Suppe zu holen, hatte sie das Ding ohne Schwierigkeiten öffnen können. Und jetzt bewegte es sich nicht. Was sollte sie tun? Sie konnten ihn nicht gut in den Tiefkühlraum schaffen;

dort würde er erfrieren oder ersticken. Aber wenn sie ihn draußen ließen und er aufwachte ...

Wieder bewegte sich Jack auf dem Fußboden.

»Ich werde mich darum kümmern«, sagte er. »Ich verstehe.«

»Er wacht auf, Mommy!« warnte Danny.

Schluchzend riß sie jetzt mit beiden Händen am Riegel.

»Danny?« Es lag etwas Drohendes in Jacks Stimme, wenn er auch noch ein wenig lallte. »Bist du das, Doc, alter Junge?«

»Schlaf nur, Daddy«, sagte Danny nervös. »Es ist Bettzeit.« Er schaute zu seiner Mutter hinüber, die sich mit dem Riegel abmühte, und sah sofort, was los war. Sie hatte vergessen, den Bolzen zu drehen, bevor sie ihn zurückschob, so daß er noch eingerastet war.

»Hier«, sagte er leise und schob ihre zitternden Hände weg; seine zitterten allerdings nicht viel weniger. Er schlug mit der Hand auf die Verriegelung, und der Bolzen ließ sich leicht zurückziehen.

»Schnell«, sagte er und schaute nach unten. Jacks Lider zuckten, und dann sah Daddy ihn direkt an, seltsam ausdruckslos und nachdenklich.

»Du hast es kopiert«, sagte Daddy zu ihm. »Ich weiß, daß du es getan hast. Aber es ist hier irgendwo. Und ich werde es finden. Das verspreche ich dir. Ich werde es finden.« Seine Worte wurden wieder undeutlicher.

Wendy stieß die Tür zum Vorratsraum mit dem Knie auf und spürte kaum den würzigen Duft der getrockneten Früchte, der ihr entgegenschlug. Sie nahm Jacks Füße und schleifte ihn hinein. Sie atmete röchelnd und war mit ihrer Kraft am Ende. Als sie an der Kette zog, mit der das Licht eingeschaltet wurde, blinzelte Jack wieder und schlug die Augen auf.

»Was machst du da, Wendy? Was machst du?«

Sie trat über ihn hinweg.

Er war schnell; erstaunlich schnell. Eine Hand schoß vor, und sie mußte zur Seite springen und fiel fast aus der Tür, um seinem Griff auszuweichen. Dennoch erwischte er ein Stück von ihrem Bademantel. Es gab ein surrendes Geräusch, als der Stoff riß. Er hockte jetzt auf Händen und Knien, und das Haar fiel ihm in die Augen. Er sah aus wie ein großes Tier. Ein großer Hund ... oder ein Löwe.

»Zur Hölle mit euch beiden. Ich weiß, was ihr wollt. Aber ihr werdet es nicht bekommen. Dies Hotel... gehört mir. Mich wollen sie. Mich! Mich!«

»Die Tür, Danny!« kreischte sie. *»Die Tür zu!«*

Mit einem Knall warf er die schwere Holztür zu, gerade als Jack zusprang. Die Tür war ins Schloß gefallen, und Jack hämmerte vergeblich dagegen.

Dannys kleine Hände griffen nach dem Bolzen. Wendy war zu weit weg, um helfen zu können; in Sekunden würde sich herausstellen, ob es gelang, Jack einzusperren, oder ob er freikam. Danny griff vorbei, fand den Bolzen wieder und verriegelte ihn in dem Augenblick, als die Sperrklinke darunter wie wild auf und ab bewegt wurde. Dann blieb sie oben, und es gab eine Reihe dumpfer Geräusche, als Jack sich mit der Schulter gegen die Tür warf. Der Bolzen der Verriegelung, gut acht Millimeter Durchmesser, hielt stand. Wendy atmete ganz langsam aus.

»Laßt mich hier raus!« tobte Jack. »Laß mich raus! Danny, verdammt, ich bin dein Vater und will hier raus! *Du tust jetzt, was ich dir sage!«*

Danny bewegte die Hand automatisch zum Bolzen, aber Wendy nahm sie und drückte sie gegen ihre Brust.

»Willst du wohl auf deinen Daddy hören, Danny! Du tust jetzt, was ich dir sage, oder du bekommst eine Tracht Prügel, die du nie vergessen wirst! Mach die Tür auf, oder ich schlage dir deinen gottverdammten Schädel ein.«

Blaß wie die Wand sah Danny seine Mutter an.

Hinter der soliden Eichentür hörte man Jack wütend schnaufen.

»Wendy, du läßt mich jetzt sofort raus! Auf der Stelle! Du billige kaltfotzige Groschenhure! Du läßt mich raus! Ich meine es ernst! Laß mich raus, und dir passiert nichts. Wenn nicht, mach' ich Hackfleisch aus dir. Ich richte dich so zu, daß deine eigene Mutter dich nicht erkennt! *Und jetzt mach die Tür auf!«*

Danny stöhnte auf. Wendy schaute ihn an und sah, daß er jeden Augenblick in Ohnmacht fallen konnte.

»Komm, Doc«, sagte sie und war selbst erstaunt, daß ihre Stimme so ruhig klang. »Das ist nicht dein Daddy, der da redet. Denk daran. Das ist das Hotel.«

»Komm zurück und laß mich raus! SOFORT!« brüllte Jack. Es gab ein kratzendes Geräusch, als er mit den Fingernägeln die Innenseite der Tür bearbeitete.

»Es ist das Hotel«, sagte Danny. »Es ist das Hotel. Ich werde daran denken.« Aber er schaute über die Schulter zurück, und sein Gesicht war eingefallen und entsetzt.

47

Danny

Es war drei Uhr am Nachmittag eines langen, langen Tages.

Sie saßen auf dem großen Bett in ihrer Wohnung. Wie unter einem Zwang drehte Danny das purpurne VW-Modell, aus dessen Dach das Ungeheuer herausschaute, in den Händen.

Durch das ganze Foyer hatten sie Daddy immer wieder gegen die Tür trommeln hören, und mit heiserer, böser Stimme hatte er ihnen Strafe angedroht, sie mit Gemeinheiten überschüttet und ihnen hoch und heilig versprochen, daß sie es noch bedauern würden, ihn verraten zu haben, wo er doch jahrelang für sie geschuftet hatte.

Danny glaubte, daß sie es oben nicht so hören würden, aber das Wutgeschrei seines Daddys drang deutlich durch den Schacht des Speiseaufzugs nach oben. Mommy war entsetzlich blaß, und sie hatte häßliche braune Druckstellen am Hals, wo Daddy versucht hatte . . .

Wieder drehte er das Modell um, das Geschenk von Daddy, weil er so schnell lesen gelernt hatte.

(. . . wo Daddy versucht hatte, sie zu fest zu umarmen.)

Mommy legte eine Scheibe auf ihren kleinen Plattenspieler. Ein wenig zerkratzt klang die Platte, und man hörte Flöten und Hörner. Müde lächelte sie ihn an. Er versuchte, zurückzulächeln, aber das mißlang. Selbst wenn die Musik ganz laut eingestellt war, glaubte er, Daddy immer noch toben und an der Tür rütteln zu hören wie ein Tier in einem Zookäfig. Was war, wenn Daddy ins Bad mußte? Was würde er dann tun?

Danny fing an zu weinen.

Wendy drehte sofort die Musik leiser, nahm ihn auf den Schoß und wiegte ihn.

»Danny, Liebling, es wird schon alles gut werden. Bestimmt. Wenn Mr. Hallorann deine Botschaft nicht bekommen hat, dann kommt vielleicht jemand anders. Wenn der Sturm vorbei ist. Vorher kann niemand heraufkommen, weder Mr. Hallorann noch sonst jemand. Aber wenn der Sturm erst vorbei ist, wird alles wieder gut sein. Wir gehen weg von hier, und weißt du, was wir im nächsten Frühling machen? Wir drei?«

Danny schüttelte den Kopf. Er wußte es nicht. Ihm schien es, daß es niemals wieder einen Frühling geben würde.

»Wir werden angeln fahren. Wir mieten uns ein Boot und fahren angeln. Genau wie letztes Jahr auf dem Chatterton-See. Du und ich und dein Daddy. Und vielleicht fängst du dann einen Barsch für unser Abendessen. Auch wenn wir nichts fangen, Spaß werden wir ganz bestimmt haben.«

»Ich hab' dich lieb, Mommy«, sagte er und drückte sie.

»Oh Danny, ich dich auch.«

Draußen heulte und stöhnte der Wind.

Um etwa sechzehn Uhr dreißig, gerade als die Dämmerung einsetzte, hörte das Schreien unten auf.

Sie hatten beide unruhig geschlafen. Wendy hielt Danny immer noch im Arm. Sie schlief noch, aber Danny war wach. Irgendwie war die Stille schlimmer und beklemmender als das Gebrüll und das Trommeln gegen die Tür des Vorratsraums. Schlief Daddy wieder? Oder war er tot? Oder was?

(War er herausgekommen?)

Fünfzehn Minuten später wurde die Stille durch ein hartes, knirschendes metallisches Rasseln unterbrochen. Es gab ein mahlendes Geräusch, dann ein mechanisches Summen. Wendy wurde mit einem Aufschrei wach. Der Fahrstuhl fuhr wieder.

Sie lauschten und rückten noch näher zusammen. Er fuhr von Stockwerk zu Stockwerk. Das Gitter rasselte zurück, die Messingtüren wurden geräuschvoll aufgerissen, und man hörte Gelächter, Rufe von Angetrunkenen, gelegentliche Schreie und das Geräusch von zerbrechendem Glas.

Um sie herum wurde es im Overlook wieder lebendig.

48
Jack

Er saß im Vorratsraum auf dem Fußboden und hatte die Beine vor sich ausgestreckt. Zwischen ihnen hatte er eine Schachtel Crackers stehen, von denen er einen nach dem anderen aß, ohne daß ihn der Geschmack interessierte. Er aß sie nur, weil er irgend etwas essen mußte. Wenn er hier rauskam, brauchte er seine Kraft. Seine ganze Kraft.

In genau diesem Augenblick dachte er daran, daß er sich noch nie in seinem ganzen Leben so elend gefühlt hatte. Sein Geist und sein Körper präsentierten ihm eine lange Liste von Schmerzen. Sein Kopf tat entsetzlich weh, das übliche dumpfe Pochen nach einem schweren Besäufnis. Auch die dazugehörigen Symptome waren vorhanden: im Mund hatte er einen Geschmack, als hätte man ihm einen Mistrechen durchgezogen, in seinen Ohren dröhnte es, sein Herz vollführte lauter Trommelwirbel. Außerdem hatte er starke Schmerzen in den Schultern, weil er sich so oft gegen die Tür geworfen hatte. Seine Kehle war vom nutzlosen Brüllen rauh und wund. An der Sperrklinke hatte er sich die rechte Hand blutiggerissen.

Wenn er hier herauskam, mußte er einem gewaltig in den Arsch treten.

Schmatzend aß er einen Cracker nach dem anderen und weigerte sich, seinem Magen Zugeständnisse zu machen, der alles wieder hochwürgen wollte. Er dachte an die Exedrintabletten in seiner Tasche und beschloß zu warten, bis sich sein Magen ein wenig beruhigt hatte. Es hatte keinen Zweck, ein Schmerzmittel zu nehmen, wenn man es doch gleich wieder ausspuckte. Du mußt deinen Verstand gebrauchen. Den gefeierten Jack-Torrance-Verstand. Sind Sie nicht der Bursche, der von seinem Verstand leben wollte? Jack Torrance, der Bestseller-Autor. Jack Torrance, der anerkannte Dramatiker und Gewinner des Preises der New Yorker Kritiker. Jack Torrance, Literat, hochgeschätzter Denker, dem mit siebzig für seine scharfsichtigen Memoiren *Mein Leben im Zwanzigsten Jahrhundert* der Pulitzerpreis zuerkannt wurde. Was diese ganze Scheiße eigentlich bedeutete, hieß: von seinem Verstand zu leben.

Von seinem Verstand zu leben, bedeutete, immer zu wissen, wo die Wespen sind.

Es lief immer wieder, so glaubte er, darauf hinaus, daß sie ihm nicht vertrauten. Sie glaubten einfach nicht daran, daß er wußte, was für sie alle am besten war und wie man es bewerkstelligen konnte. Seine Frau hatte versucht, ihn zu hintergehen, zuerst mit fairen,

(ziemlich)

dann mit unfairen Mitteln. Als ihre kleinen Andeutungen und ihre kläglichen Einwände durch seine sachliche Argumentation entkräftet waren, hatte sie seinen Jungen gegen ihn aufgehetzt, hatte versucht, ihn mit einer Flasche zu erschlagen, und hatte ihn ausgerechnet in diesem gottverdammten *Vorratsraum* eingesperrt.

Dennoch störte ihn eine kaum wahrnehmbare innere Stimme:

(Ja, aber wo war der Schnaps hergekommen? Ist das nicht tatsächlich der zentrale Punkt? Du weißt, was geschieht, wenn du trinkst, du weißt es aus eigener, bitterer Erfahrung. Wenn du trinkst, verlierst du den Verstand.)

Er schleuderte die Cracker-Schachtel durch den kleinen Raum. Sie prallte gegen ein Regal mit Dosengerichten und fiel zu Boden. Er sah kurz hin, wischte sich mit der Hand die Lippen ab und schaute auf die Uhr. Es war fast achtzehn Uhr dreißig. Er hockte hier schon seit Stunden. Seine Frau hatte ihn eingesperrt, und er hatte hier schon gottverdammte *Stunden* zugebracht.

Langsam hatte er volles Verständnis für seinen Vater.

Jack wußte jetzt, daß er sich eines nie gefragt hatte: warum hatte sein Vater überhaupt je mit dem Trinken angefangen? Und wirklich ... hatte nicht die Frau schuld gehabt, mit der er verheiratet war? Eine Muttertochter, die immer stumm durchs Haus schlich, den Ausdruck ihrer traurigen Märtyrerschaft ständig im Gesicht? Eine Kugel und eine Kette um Daddys Fuß? Nein, keine Kugel und keine Kette. Sie hatte niemals aktiv versucht, Daddy zu einem Gefangenen zu machen, wie Wendy es mit ihm gemacht hatte. Für Jacks Vater mußte es sich eher wie das Schicksal McTeagues ausgemacht haben, des Zahnarztes im Schlußteil des großen Romans von Frank Norris: Durch

Handschellen in der Wüste an eine Leiche gekettet. Ja, das war besser. Die Ehe hatte seinen Vater an eine geistig und seelisch Tote gefesselt. Dennoch hatte Daddy immer versucht, das Rechte zu tun, während er ihre verfaulende Leiche durch das Leben mitschleppte. Er hatte versucht, die vier Kinder so zu erziehen, daß sie Recht von Unrecht zu unterscheiden wußten, daß sie Disziplin lernten und, vor allem, Respekt vor ihrem Vater.

Sie hatten es ihm alle nicht gedankt, er eingeschlossen. Und nun zahlte er den Preis; sein eigener Sohn war abtrünnig geworden. Aber es gab Hoffnung. Irgendwie würde er hier rauskommen. Er würde sie beide bestrafen, und zwar streng. Er würde an Danny ein Exempel statuieren, so daß er, wenn er einmal groß war, besser wissen würde, wie man sich verhalten mußte, als sein Vater es je gewußt hatte.

Er erinnerte sich an das Sonntagsessen, bei dem sein Vater seine Mutter am Tisch mit dem Stock verprügelt hatte ... und wie entsetzt er und die anderen gewesen waren. Jetzt sah er ein, wie notwendig das gewesen war, wie sein Vater nur so getan hatte, als sei er betrunken, wie sein Verstand die ganze Zeit völlig klar gewesen war und er nur auf das geringste Anzeichen von Respektlosigkeit gewartet hatte.

Jack kroch zu den Crackers hinüber und fing wieder an zu essen. Er saß an der Tür, die sie so heimtückisch verriegelt hatte. Er fragte sich, was sein Vater damals wohl gesehen und auf welche Weise er sie erwischt hatte. Hatte seine Frau hinter vorgehaltener Hand über ihn gelacht? Hatte sie ihm die Zunge herausgestreckt? Mit den Fingern obszöne Gesten gemacht? Oder hatte sie ihn nur frech und arrogant angestarrt, weil sie glaubte, er sei zu besoffen, um es zu bemerken? Was immer es gewesen war, Daddy hatte sie dabei ertappt, und er hatte sie streng gezüchtigt. Und erst jetzt, zwanzig Jahre später, wußte er Daddys Weisheit zu würdigen.

Man konnte natürlich sagen, daß Daddy ein Narr gewesen war, eine solche Frau zu heiraten, sich an diese Leiche ketten zu lassen ... noch dazu eine respektlose Leiche. Aber wenn junge Leute übereilt heiraten, müssen sie eben lange bereuen. Und vielleicht hatte schon Daddys Daddy einen ähnlichen Typ geheiratet, so daß es der Sohn unbewußt auch getan hatte, und genauso war es dann Jack ergangen. Außer daß *seine* Frau sich nicht mit der passiven Rolle zufriedengegeben hatte, eine Karriere zu zerstören und eine weitere stark zu beeinträchtigen, sondern nun auch noch den bösartigen Vorsatz gefaßt hatte, aktiv seine letzte und beste Chance kaputtzumachen: Angestellter des Overlook zu werden und möglicherweise eines Tages... bis zum Manager aufzusteigen. Sie versuchte, ihm Danny zu nehmen, und Danny war seine Eintrittskarte. Das war natürlich albern – denn warum sollten sie den Sohn haben wollen, wenn sie den Vater bekommen konnten? –, aber Arbeitgeber hatten oft seltsame Vorstellungen, und diese Bedingung war nun einmal gestellt worden.

Sie war seinen Argumenten nicht zugänglich, das sah er jetzt ein. Er hatte versucht, in der Colorado Lounge mit ihr zu reden, aber sie hatte ihn nicht anhören wollen. Für all seine Mühe hatte sie ihm sogar eine Flasche über den Kopf geschlagen. Aber es würde ein zweites Mal geben, und das bald. Er würde hier rauskommen.

Plötzlich hielt er den Atem an und legte den Kopf schief. Irgendwo wurde auf einem Klavier Boogie-Woogie gespielt, und irgendwelche Leute lachten und klatschten. Die Geräusche wurden durch die schwere Eichentür gedämpft, aber sie waren deutlich hörbar. Das Lied hieß »There'll Be a Hot Time in the Old Town Tonight«.

Hilflos ballte er die Hände zu Fäusten; er widerstand dem Impuls, gegen die Tür zu trommeln. Die Party hatte wieder begonnen. Der Alkohol würde in Strömen fließen. Die Frau, die sich unter ihrem weißen Seidenkleid so erregend nackt angefühlt hatte, tanzte jetzt mit einem anderen.

»Das werdet ihr mir büßen!« heulte er. »Verdammt, ihr zwei, das werdet ihr büßen! Dafür werde ich euch eine gottverdammte Medizin verabreichen, das verspreche ich euch! Ihr –«

»Aber ich bitte Sie«, sagte eine freundliche Stimme genau vor der Tür. »Sie brauchen nicht so zu brüllen. Ich höre Sie sehr gut.«

Jack taumelte auf die Füße.

»Grady? Sind Sie das?«

»Yes, Sir. In der Tat. Man scheint Sie eingesperrt zu haben.«

»Lassen Sie mich raus, Grady. Schnell.«

»Ich sehe schon, daß Sie sich kaum um die Angelegenheit gekümmert haben können, die wir diskutiert haben, die Züchtigung Ihrer Frau und Ihres Sohnes.«

»Sie sind es ja, die mich eingesperrt haben. Um Himmels willen, ziehen Sie den Riegel weg!«

»Sie haben sich von ihnen einsperren lassen?« Gradys Stimme verriet gepflegtes Erstaunen. »Oh je. Eine Frau, die halb so groß ist wie Sie, und ein kleiner Junge? Das läßt kaum darauf schließen, daß Sie aus dem Holz geschnitzt sind, aus dem man Spitzenmanager macht, finden Sie nicht auch?«

In Jacks rechter Schläfe wurde der Puls fühlbar. »Lassen Sie mich raus, Grady. Ich werde mich schon um die beiden kümmern.«

»Werden Sie das wirklich, Sir?« Sein gepflegtes Erstaunen machte einem gepflegten Bedauern Platz. »Es tut mir leid, Ihnen sagen zu müssen, daß ich das bezweifle. Ich – und andere – sind zu der Überzeugung gelangt, daß Sie nicht mit dem Herzen dabei sind, Sir. Daß Sie nicht . . . das Zeug dazu haben.«

»Das habe ich!« schrie Jack. »Das habe ich. Ich schwöre es!«

»Sie würden uns Ihren Sohn bringen?«

»Ja! Ja!«

»Ihre Frau würde dagegen sehr viel einzuwenden haben, Mr. Torrance. Und es scheint, daß . . . sie etwas stärker ist, als wir dachten, sich ein wenig besser zu helfen weiß. *Sie* hat sie jedenfalls hereingelegt.« Grady kicherte. »Vielleicht, Mr. Torrance, hätten wir uns ihrer schon viel früher annehmen sollen.«

»Ich werde ihn bringen, das schwöre ich«, sagte Jack. Er hielt das Gesicht nahe an die Tür. Er schwitzte. »Sie wird nichts dagegen haben, auch das schwöre ich. Sie wird gar nicht dazu in der Lage sein.«

»Ich fürchte, Sie werden sie töten müssen«, sagte Grady kalt.

»Ich werde tun, was ich tun muß. Aber *lassen Sie mich raus.*«

»Geben Sie mir Ihr Wort darauf, Sir?« wollte Grady wissen.

»Mein Wort, mein Versprechen, meinen heiligen Eid. Was, zum Teufel, Sie immer wollen. Wenn Sie –«

Es gab ein leichtes Knacken, als der Riegel zurückgeschoben wurde. Die Tür öffnete sich um ein paar Zentimeter. Jack schwieg und hielt den Atem an. Einen Augenblick hatte er das Gefühl, als stünde der Tod selbst vor der Tür.

Aber das Gefühl ging vorüber.

Er flüsterte: »Danke, Grady. Ich schwöre Ihnen, daß Sie es nicht bereuen werden. Das schwöre ich Ihnen.«

Er bekam keine Antwort. Er merkte, daß alle Geräusche verstummt waren. Nur der Wind heulte um das Hotel.

Er stieß die Tür ganz auf. Die Angeln knarrten leise.

Die Küche war leer. Grady war weg. Im kalten, weißen Glanz der Leuchtstoffröhren lag alles ruhig da. Sein Blick fiel auf den großen Hackblock, an dem sie ihre Mahlzeiten eingenommen hatten.

Ein Martiniglas stand darauf, ein Fünftel Gin und eine Plastikschale mit Oliven.

Am Block lehnte einer der Roque-Schläger aus dem Geräteschuppen.

Er betrachtete ihn sehr lange.

Dann sprach eine Stimme von irgendwoher, viel tiefer und lauter als die Gradys. Sie schien von überall her zu kommen ... aus ihm selbst.

(Halten Sie Ihr Versprechen, Mr. Torrance.)

»Ich werde es halten«, sagte er. Er hörte die kriecherische Unterwürfigkeit in seiner Stimme, aber er konnte nichts dagegen tun. »Ich werde es halten.« Er trat an den Hackblock und legte die Hand an den Griff des Schlägers.

Er hob ihn hoch.

Ließ ihn niedersausen.

Bösartig zischte er durch die Luft.

Jack Torrance lächelte.

49

Hallorann unterwegs in die Berge

Es war dreizehn Uhr fünfzehn, und nach den schneeverklebten Hinweisschildern und dem Kilometerzähler des Buick von der Firma Hertz waren es noch etwa drei Meilen bis Estes Park, als er schließlich von der Straße abkam.

In den Bergen fiel der Schnee schneller und wütender, als Hallorann es je erlebt hatte (was vielleicht nicht viel besagte, da

Hallorann sich in seinem Leben so wenig wie nur möglich mit Schnee befaßt hatte), und der Sturm war völlig unberechenbar – mal von Westen kommend, dann wieder auf Nord drehend, fegte er Wolken von Pulverschnee über sein Gesichtsfeld, und immer wieder war sich Hallorann eiskalt bewußt, daß er keine Wegbiegung verfehlen durfte, wollte er nicht gute fünfhundert Meter tief abstürzen. Daß er, was Winterfahrten betraf, blutiger Amateur war, verschlimmerte alles noch. Es machte ihm Angst, daß der gelbe Mittelstreifen unter dem wirbelnden Schnee begraben war, und es machte ihm Angst, daß die heftigen Böen durch die Bergeinschnitte ungehindert heranfegen konnten und den schweren Buick schlingern ließen. Es machte ihm Angst, daß die Hinweisschilder durch den Schnee unkenntlich waren und man eine Münze werfen konnte, ob der Weg hinter der riesigen weißen Leinwand, die er zu durchfahren schien, nach links oder nach rechts weiterführte. Ja, er hatte Angst. Seit die Berge westlich von Boulder und Lyons erreicht waren, hatte er nur noch geschwitzt und Gaspedal und Bremse wie Ming-Vasen behandelt. Zwischen Rock-and-Roll-Klängen hatte der Diskjockey im Radio ständig gemahnt, die Hauptstraßen zu meiden und auf keinen Fall in die Berge zu fahren, da viele Straßen unpassierbar und alle gefährlich seien. Dutzende von leichteren Unfällen waren gemeldet worden und zwei schwere: eine Skigesellschaft in einem VW-Bus und eine Familie auf dem Weg durch die Sangre de Cristo-Berge nach Albuquerque. Insgesamt hatte es vier Tote und fünf Verletzte gegeben. »Meiden Sie also diese Straßen und hören Sie gute Musik vom Sender KTLK«, beendete der Jockey heiter seine Durchsage und komplettierte Halloranns Elend, indem er »Seasons in the Sun« spielte. »We had joy, we had fun, we had –« schnatterte Terry Jacks fröhlich, und Hallorann schaltete wütend das Radio aus, obwohl er wußte, daß er es in fünf Minuten wieder einschalten würde. Das Programm mochte sein, wie es wollte, es war immer noch besser, als allein durch diesen weißen Wahnsinn zu fahren.

(Gib's zu. Dieser schwarze Junge hat mindestens einen gelben Streifen . . . und der läuft ihm dauernd den Rücken rauf!)

Es war nicht einmal komisch. Er hätte schon aufgegeben, bevor er Boulder hinter sich ließ, wenn er nicht die Gewißheit gehabt hätte, daß der Junge in entsetzlichen Schwierigkeiten steckte. Dennoch riet ihm eine leise Stimme irgendwo im Hinterkopf – eher die Stimme der Vernunft als die der Feigheit –, sich in Estes Park in einem Motel zu verkriechen und dort die Nacht zu verbringen, bis die Schneepflüge wenigstens den Mittelstreifen freigemacht hatten. Die Stimme erinnerte ihn an die harte Landung des Jet in Stapleton, an das Gefühl, mit der Nase zuerst aufzutreffen, so daß die Maschine ihre Passagiere nicht bei Flugsteig 39, Startbahn B, sondern direkt an den Pforten der Hölle abgeliefert hätte. Aber Vernunft vermochte nichts gegen seine Überzeugung. Es mußte heute sein. Der Schneesturm war eben sein Pech. Damit mußte er fertigwerden. Wenn er das nicht schaffte, würde er in seinen Träumen mit weit Schlimmerem fertigwerden müssen.

Wieder Windstöße, diesmal aus Nordost, und wieder war ihm die Sicht auf die verschwommenen Umrisse der Berge völlig versperrt. Er konnte nicht einmal die andere Straßenseite erkennen. Er fuhr durch weißes Nichts.

Und dann leuchteten die hoch angebrachten Sodiumlampen des Schneepflugs aus der Suppe. Sie näherten sich ihm, und er erkannte entsetzt, daß er nicht auf seiner Seite fuhr, sondern daß die Nase des Buick direkt zwischen die beiden Scheinwerfer zeigte.

Der Dieselmotor des Pfluges übertönte mit seinem Röhren den Wind, und der harte, langgezogene Klang seiner Hupe betäubte Hallorann fast.

Halloranns Hoden schrumpften zu einem mit Eissplittern gefüllten winzigen Sack, und seine Eingeweide schienen aus Knetmasse zu bestehen.

Jetzt war im Weiß Farbe zu erkennen, ein schneeverklebtes Orangerot. Er sah das hohe Führerhaus und sogar den wild gestikulierenden Fahrer hinter dem einzelnen riesigen Scheibenwischer. Er sah den V-förmigen Pflug selbst, der Unmengen von Schnee an die Straßenseite fegte.

Wütend bellte die Hupe des anderen auf.

Er drückte das Gaspedal wie die Brust einer geliebten Frau, und der Buick schoß vorwärts und nach rechts. An seiner Seite gab es kein Bankett. Pflüge, die in die gleiche Richtung fuhren wie er, brauchten den Schnee nur über den Abhang zu kippen.

(Der Abhang, oh ja, der Abhang –)

Die Schiebevorrichtung zu Halloranns Linken, über einen Meter höher als das Dach des Buick, flirrte vorbei. Er hatte den Pflug um Zentimeter verfehlt. Bis das Fahrzeug hinter ihm lag, hatte er einen Zusammenstoß für unvermeidlich gehalten. Ein Stoßgebet, gleichzeitig eine Bitte an den Jungen, ihm zu verzeihen, zog ihm durch den Kopf wie ein zerrissener Fetzen.

Dann war der Pflug vorbei, und sein blaues Blinklicht flakkerte in Halloranns Rückspiegel.

Er steuerte gegen, aber nichts lief. Der Buick schlitterte verträumt dem Abgrund entgegen. Schnee stob unter den Rädern hoch.

Er riß das Steuer in die andere Richtung, und Nase und Heck des Wagens tauschten die Plätze. In seiner Panik stieg Hallorann hart auf die Bremse und spürte einen Schlag. Vor ihm gab es keine Straße mehr . . . er schaute in eine bodenlose Tiefe voll wirbelnden Schnees, und in weiter Ferne und tief unten erkannte er vage Umrisse von grünen Tannen.

(Vorbei. Heilige Mutter Maria, alles vorbei.)

In diesem Augenblick stand der Wagen. Er neigte sich im Winkel von dreißig Grad nach vorn, die Stoßstange war links gegen eine Leitplanke geprallt, und die Hinterräder hingen fast in der Luft. Als er versuchte zurückzusetzen, drehten sich die Räder auf der Stelle. Sein Herz trommelte wie ein Schlagzeugsolo von Gene Krupa.

Er stieg aus – er stieg sehr vorsichtig aus – und ging um den Wagen herum nach hinten.

Er stand da und starrte hilflos auf die Hinterräder, als er eine heitere Stimme hinter sich hörte: »Heh, Sie da, Sie sind wohl total verrückt geworden.«

Er drehte sich um und sah den Schneepflug dreißig Meter weiter unten stehen, vom treibenden Schnee fast eingehüllt. Nur der Auspuffqualm und das blaue Blinklicht waren zu erkennen. Der Fahrer stand hinter ihm. Er trug einen langen Lammfellmantel, über den er sich eine Ölhaut gezogen hatte. Auf dem Kopf saß eine blauweiß gestreifte Monteurmütze, und Hallorann konnte kaum glauben, daß sie sich bei dem Wind auf dem Kopf hielt.

(Klebstoff. Er muß sie angeklebt haben.)

»Hallo«, sagte er. »Können Sie mich wieder auf die Straße schleppen?«

»Das werde ich wohl können«, sagte der Fahrer. »Was, zum Teufel, haben Sie denn hier oben zu suchen, Mister? Sind Sie lebensmüde?«

»Dringende Angelegenheit.«

»So dringend kann nichts sein«, sagte der Fahrer langsam und freundlich, als spräche er mit einem Verrückten. »Wenn Sie den Pfahl ein wenig härter getroffen hätten, wäre keiner mehr in der Lage gewesen, Sie hier rauszuholen. Außer vielleicht am ersten April. Sie stammen wohl nicht aus der Gegend, was?«

»Nein. Und ich wäre auch nicht hier, wenn es nicht so wichtig wäre.«

»Tatsächlich?« Der Fahrer tat so gelassen, als führten sie ein belangloses Gespräch auf der Hintertreppe, anstatt in dieser Einöde im Schneesturm zu stehen, während Halloranns Wagen über einem fünfhundert Meter tiefen Abgrund balancierte.

»Wohin fahren Sie? Estes?«

»Nein. Ich fahre zum Overlook Hotel«, sagte Hallorann. »Es liegt noch ein Stück hinter Sidewinder.«

Der Fahrer schüttelte nur traurig den Kopf.

»Das kenne ich nur zu gut«, sagte er, »das alte Overlook werden Sie nie im Leben erreichen. Die Straßen zwischen Estes und Sidewinder sind die Hölle. Wir können schieben, wie wir wollen, die Straßen sind sofort wieder dicht. Ein paar Meilen zurück gab es fast zwei Meter hohe Schneewehen. Und selbst wenn Sie bis Sidewinder kommen, von da sind die Straßen bis Buckland, Utah, unpassierbar. Nein.« Er schüttelte den Kopf. »Das schaffen Sie nicht, Mister. Das schaffen Sie nie.«

»Ich muß es versuchen«, sagte Hallorann und benötigte seine ganze restliche Geduld, um nicht laut zu werden. »Da oben ist nämlich ein Junge –«

»Ein Junge? Nee. Das Overlook macht Ende September dicht. Danach lohnt es sich nicht mehr. Zu viele Scheißstürme wie dieser.«

»Er ist der Sohn des Hausmeisters. Er steckt in Schwierigkeiten.«

»Woher wollen Sie das wissen?«

Ihm riß die Geduld. »Verdammt nochmal, wollen Sie da stehenbleiben und mir bis heute abend denselben Mist erzählen? Ich weiß, ich weiß! Schleppen Sie mich jetzt auf die Straße zurück oder nicht?«

»Bißchen empfindlich, was?« bemerkte der Fahrer, ohne besonders beeindruckt zu sein. »Klar, steigen Sie wieder ein. Ich hab' eine Kette hinter dem Sitz.«

Hallorann setzte sich wieder an das Steuer und fing in verspäteter Reaktion an zu zittern. Seine Hände waren von der Kälte fast gefühllos. Er hatte vergessen, Handschuhe mitzunehmen.

Der Pflug fuhr rückwärts an den Buick heran, und er sah den Fahrer mit einer langen Kette aussteigen. Hallorann öffnete die Tür und brüllte: »Kann ich Ihnen irgendwie helfen?«

»Ja, wenn Sie mir aus dem Weg bleiben«, brüllte der Fahrer zurück. »Dies dauert drei Sekunden.«

Was stimmte. Eine Erschütterung lief durch den Buick, als das Seil sich spannte, und eine Sekunde später stand er wieder auf der Straße, mehr oder weniger in Fahrtrichtung nach Estes Park. Der Fahrer des Schneepfluges trat vor das Fenster und klopfte an die Scheibe. Hallorann drehte das Fenster herunter.

»Danke«, sagte er. »Es tut mir leid, daß ich Sie angeschrien habe.«

»Das ist mir schon öfters passiert«, sagte der Fahrer grinsend. »Wahrscheinlich sind Sie ein bißchen nervös. Nehmen Sie diese.« Er warf Hallorann ein paar blaue Fäustlinge in den Schoß. »Sie werden Sie brauchen, wenn Sie wieder mal von der Straße abkommen. Kalt draußen. Tragen Sie die Dinger, wenn Sie sich nicht Ihr Leben lang die Nase mit einem Haken putzen wollen. Und schicken Sie sie mir zurück. Meine Frau hat sie gestrickt, und ich hänge an den Dingern. Ich heiße übrigens Howard Cottrell. Name und Adresse sind ins Futter eingestickt. Schicken Sie sie zurück, wenn Sie sie nicht mehr brauchen. Und ich will verdammt kein Strafporto darauf bezahlen.«

»Geht in Ordnung«, sagte Hallorann. »Danke. Besten Dank.«

»Seien Sie vorsichtig. Ich würde Sie selbst hinbringen, aber ich bin beschäftigt wie 'ne Katze, die sich in ein Wollknäuel verstrickt hat.«

»Okay. Nochmal vielen Dank.«

Er wollte das Fenster wieder hochdrehen, aber Cottrell stoppte ihn.

»Wenn Sie nach Sidewinder kommen – falls Sie überhaupt hinkommen –, gehen Sie zu Durkins Conoco. Direkt neben der Bibliothek. Sie können es nicht verfehlen. Fragen Sie nach Larry Durkin. Sagen Sie ihm, Howie Cottrell schickt Sie, und Sie wollen eines seiner Schneemobile leihen. Erwähnen Sie meinen Namen und zeigen Sie ihm die Fäustlinge, dann gibt er Ihnen Rabatt.«

»Nochmal schönen Dank.«

Cottrell nickte. »Es ist komisch. Sie können gar nicht wissen, daß da oben im Overlook jemand Schwierigkeiten hat ... das Telefon ist bestimmt ausgefallen. Aber ich glaube Ihnen. Manchmal habe ich so eine Ahnung.«

Hallorann nickte. »Ich auch manchmal.«

»Ja, das weiß ich. Aber seien Sie vorsichtig.«

»Bestimmt.«

Mit einem Winken verschwand Cottrell im wirbelnden Schnee, und immer noch saß die Monteurmütze keck auf seinem Kopf. Hallorann startete, die Ketten wühlten sich in den Schneebelag der Straße und griffen dann genügend, so daß der Buick anfuhr. Hinter ihm drückte Cottrell auf die Hupe. Er wollte ihm Glück wünschen. Eigentlich war das unnötig, denn Hallorann wußte ohnehin, daß Cottrell ihm ein Gelingen seiner Mission wünschte.

Zwei Hellsichtige an einem Tag, dachte er, das sollte eigentlich ein gutes Omen sein. Aber er traute guten Vorzeichen nicht, und auch keinen schlechten. Und an einem Tage zwei Menschen zu treffen, die mit Hellsichtigkeit begabt waren (wo ihm doch sonst höchstens vier oder fünf im Jahr begegneten), mochte ohne jede Bedeutung sein. Dieses Gefühl der Endgültigkeit, ein Gefühl,

(als ob die Dinge verhüllt sind)

das er nicht eindeutig definieren konnte, beherrschte ihn immer noch. Es war –

Der Buick drohte in einer engen Kurve ins Schleudern zu geraten, und Hallorann wagte kaum zu atmen. Aber er meisterte die Situation und schaltete das Radio wieder ein. Es war

Aretha, und Aretha war klasse. Jederzeit hätte er seinen Buick mit ihr geteilt.

Wieder traf eine Bö den Wagen und ließ ihn wegrutschen. Hallorann fluchte und rückte noch enger an das Steuer heran. Aretha beendete ihren Song, und dann war der Diskjockey wieder da und erzählte ihm, daß man leicht sein Leben verlieren könne, wenn man bei so einem Wetter mit dem Fahrzeug unterwegs sei. Hallorann schaltete aus.

Er schaffte es tatsächlich bis Sidewinder, allerdings hatte es von Estes Park noch viereinhalb Stunden gedauert. Als Hallorann den Uplands Highway erreichte, herrschte Dunkelheit, aber der Schneesturm hielt in unverminderter Stärke an. Zweimal hatte er vor Schneewehen anhalten müssen, die höher als die Motorhaube des Buick waren, und er wartete jedesmal, bis Schneepflüge kamen und ihm eine Lücke pflügten. An einer dieser Wehen war ihm der Pflug auf seiner Straßenseite entgegengekommen, und es hatte wieder einen Beinahezusammenstoß gegeben. Der Fahrer war ihm lediglich ausgewichen, ohne die Sache mit ihm zu diskutieren, aber er hatte mit zwei Fingern eine Geste gemacht, die jeder Amerikaner über zehn kennt – das Friedenszeichen war es nicht.

Je näher er dem Overlook kam, umso mehr empfand er einen Zwang, sich zu beeilen. Ständig schaute er auf die Uhr, und die Zeiger schienen zu rasen.

Zehn Minuten nachdem er auf die Upland eingebogen war, tauchten zwei Hinweisschilder auf. Der Wind hatte den Schnee weggefegt, so daß er sie lesen konnte. Auf dem einen stand SIDEWINDER 10. Auf dem anderen las er: STRASSE AUF 12 MEILEN WÄHREND DER WINTERMONATE GESCHLOSSEN.

»Larry Durkin«, murmelte Hallorann vor sich hin. Sein dunkles Gesicht zeigte im schwachen grünen Licht der Instrumente deutlich die Anstrengungen, die er hinter sich hatte. Es war zehn nach sechs. »Das Conoco neben der Bibliothek. Larry –«

Und in diesem Augenblick traf es ihn mit aller Gewalt, der Geruch von Orangen und die Gedankenkraft, brüllend und haßerfüllt. Mörderisch:

(MACH, DASS DU WEGKOMMST, DU DRECKIGER NIGGER! DIES GEHT DICH NICHTS AN. KEHR GLEICH WIEDER UM, ODER WIR WERDEN DICH UMBRINGEN! WIR WERDEN DICH AN EINEN AST HÄNGEN UND IN BRAND STEKKEN, DU SCHEISSNIGGER. SO WERDEN NIGGER VON UNS BEHANDELT. KEHR SOFORT WIEDER UM!)

In der Abgeschlossenheit des Wagens schrie Hallorann laut auf. Die Botschaft kam nicht in Worten, sondern in einer Serie von rebusähnlichen Bildern, die sich brutal in seinen Kopf bohrten. Er nahm die Hände vom Lenkrad, um die Bilder wegzuwischen.

Der Wagen prallte seitlich gegen die Straßenbegrenzung, wurde auf die Straße zurückgeschleudert und stand. Die Räder drehten durch.

Hallorann schaltete auf neutral und schlug die Hände vors Gesicht. Er weinte nicht eigentlich; eher war es ein ungleichmäßiges, lautes Schluchzen. Seine Brust hob und senkte sich. Wenn ihm dies auf einem Straßenstück ohne seitliche Befestigung passiert wäre, könnte er jetzt tot sein. Das wußte er genau. Vielleicht war ihm das sogar vorherbestimmt, und es könnte ihn jederzeit noch einmal treffen. Er mußte sich dagegen schützen. Er war von mächtigen Kräften umgeben, die vielleicht Erinnerungen waren. Er ertrank in seinen Instinkten.

Er nahm die Hände vom Gesicht und öffnete vorsichtig die Augen. Nichts. Wenn da noch etwas war, das ihn abschrecken wollte, dann kam es nicht mehr durch. Er war abgeschirmt.

War das dem kleinen Jungen geschehen? Lieber Gott, war das dem kleinen Jungen geschehen?

Und von allen Vorstellungen, die ihn verfolgten, quälte ihn am meisten dieses dumpf klatschende Geräusch, als ob ein Hammer in dicken Käse fährt. Was hatte das zu bedeuten?

(Oh Jesus, nicht der kleine Junge. Jesus, bitte.)

Er schaltete in den ersten Gang und gab vorsichtig Gas. Die Räder drehten durch, griffen, drehten durch und griffen dann wieder. Der Buick rollte an, und seine Scheinwerfer drangen nur schwach durch den wirbelnden Schnee. Er schaute auf die Uhr. Es war jetzt achtzehn Uhr dreißig. Und er hatte das Gefühl, daß es wirklich schon sehr spät war.

50

Drom

Unentschlossen stand Wendy Torrance im Schlafzimmer und schaute zu ihrem Sohn hinüber, der fest eingeschlafen war.

Vor einer halben Stunde war jedes Geräusch verstummt. Alles auf einmal. Der Fahrstuhl, die Party, die Geräusche von Türen, die sich öffneten und schlossen. Aber die Stille machte die Spannung, die sich in ihr aufgebaut hatte, sogar noch schlimmer; es war wie die tückische Ruhe vor dem gewaltig losbrechenden Sturm. Aber Danny war fast sofort eingeschlafen; zuerst war es ein leichter, unruhiger Schlaf gewesen, und seit zehn Minuten schlief er ganz fest. Selbst wenn sie genau hinschaute, konnte sie kaum erkennen, daß seine schmale Brust sich hob und senkte.

Sie fragte sich, wann er zuletzt eine ganze Nacht durchgeschlafen hatte, ohne diese quälenden Träume oder die langen Perioden des Wachliegens in der Dunkelheit, um auf Geräusche von Trinkgelagen zu lauschen, die für sie selbst erst seit einigen Tagen hörbar – und sichtbar – waren; erst seit die Macht des Overlook über sie und ihre Familie stärker geworden war.

(Wirkliche psychische Phänomene oder Gruppenhypnose?)

Sie wußte es nicht, und sie glaubte auch nicht, daß es eine Rolle spielte. Was hier geschah, war so oder so tödlich. Sie betrachtete Danny noch einmal und dachte,

(Oh Gott, wenn er nur ruhig liegen bleiben kann!)

daß er, wenn jetzt keine Störung kam, vielleicht den Rest der Nacht durchschlafen konnte. Welche Fähigkeiten er auch immer haben mochte, er war ein kleiner Junge und brauchte seinen Schlaf.

Es war Jack, um den sie sich jetzt Sorgen machte.

Plötzlich verzog sie vor Schmerz das Gesicht und nahm die Hand vom Mund. Sie sah, daß sie sich einen Fingernagel abgerissen hatte. Und ihre Nägel waren etwas, um das sie sich immer sorgfältig gekümmert hatte. Sie waren nicht so lang, daß man sie Krallen nennen konnte, aber sie waren schön geformt und –

(was machst du dir ausgerechnet jetzt Gedanken um deine Fingernägel?)

Sie lachte ein wenig, aber es klang zaghaft und freudlos.

Zuerst hatte Jack aufgehört, zu brüllen und gegen die Tür zu schlagen.

Dann hatte die Party wieder angefangen,

(oder war sie gar nicht unterbrochen worden? Spielte sie sich manchmal vielleicht in geringfügiger zeitlicher Verschiebung ab, wenn sie nichts hören sollten?)

und den Kontrapunkt bildete das Krachen und Knallen des Fahrstuhls. Schließlich hatte auch das aufgehört. In der neu eingetretenen Stille, als Danny schon eingeschlafen war, hatte sie sich eingebildet, aus der Küche direkt unter ihnen leise Stimmen, wie die von Verschwörern, gehört zu haben. Zuerst hatte sie es als Windgeräusche abgetan, denn der Wind kann eine ganze Skala menschlicher Laute nachahmen, vom pergamentenen Flüstern auf dem Totenbett, wenn er um Fenster und Türen weht, bis zum Kreischen einer Frau, die vor ihrem Mörder flieht, wenn er um die Dachsparren heult. Und doch, während sie angespannt lauschend neben Danny saß, wurde die Vermutung, daß es sich um Stimmen handelte, mehr und mehr zur Gewißheit.

Jack und jemand anderer diskutierten seine Befreiung aus dem Vorratsraum.

Sie diskutierten die Ermordung seiner Frau und seines Sohnes.

Das wäre in diesem Haus nichts Neues; Morde waren hier schon geschehen.

Sie war an das Heizungsventil gegangen und hatte das Ohr darangehalten, aber genau in dem Moment hatte der Ofen wieder losgeheult, und jedes Geräusch wurde durch das Rauschen der Heißluft überdeckt, die von unten heraufkam. Als der Ofen sich fünf Minuten später wieder ausgeschaltet hatte, war alles vollkommen ruhig. Nur das Heulen des Windes war zu hören, der körnigen Schnee gegen das Gebäude fegte, und gelegentlich knarrte eine Diele.

Sie betrachtete ihren lädierten Fingernagel. Winzige Blutspuren quollen unter ihm hervor.

(Jack ist rausgekommen.)

(Red keinen Unsinn.)

(Ja, er ist draußen. Er hat sich ein Messer aus der Küche geholt,

vielleicht auch das Hackbeil. Und jetzt ist er auf dem Weg nach oben und geht dicht an der Wand, damit die Stufen nicht knarren.)

(Du bist wahnsinnig!)

Ihre Lippen zittern, und einen Augenblick schien es, als hätte sie die Worte laut geschrien. Aber die Stille hielt an.

Sie fühlte sich beobachtet.

Sie fuhr herum und starrte das nachtschwarze Fenster an, und ein scheußliches weißes Gesicht mit dunklen Löchern als Augen stieß seltsame Laute aus, das Gesicht eines monströsen Irren, der sich schon die ganze Zeit in den ächzenden Wänden verborgen gehalten hatte –

Es waren nur die Eisblumen am Fenster.

In einem langen, rasselnden Seufzer der Angst stieß sie den Atem aus, und ihr schien, als hätte sie von irgendwo her, diesmal ganz deutlich, ein belustigtes Kichern gehört.

(Du fährst bei jedem Schatten zusammen. Es war auch ohnedies schon schlimm genug. Morgen bist du reif für die Gummizelle.) Es gab nur eine Methode, diese Ängste zu bekämpfen, und die kannte sie.

Sie mußte hinuntergehen, um festzustellen, ob Jack noch im Vorratsraum hockte.

Sehr einfach. Die Treppe runter. Nachsehen. Wieder raufgehen. Übrigens, dabei gleich das Tablett mitnehmen, das noch neben der Registrierkasse stand. Das Omelett war jetzt wohl ein einziges Fiasko, aber die Suppe konnte sie auf der Heizplatte wärmen, die neben Jacks Schreibmaschine stand.

(Oh ja, und laß dich nicht umbringen, wenn er dort unten mit einem Messer steht.)

Sie ging an den Frisiertisch und versuchte, ihre Angst abzuschütteln. Auf dem Tisch lagen verstreut ein Haufen Wechselgeld, Benzinquittungen und die beiden Pfeifen, die Jack mitgebracht hatte, aber selten rauchte... und sein Schlüsselring.

Sie nahm ihn auf, hielt ihn einen Augenblick in der Hand und legte ihn wieder hin. Sie hatte daran gedacht, die Schlafzimmertür hinter sich abzuschließen, aber das schien nicht ratsam. Danny schlief. Vage Gedanken an Feuer gingen ihr durch den Kopf, und etwas anderes nagte noch mehr an ihr, aber sie verdrängte es.

Wendy durchquerte das Zimmer und blieb eine Weile unschlüssig an der Tür stehen. Dann nahm sie das Messer aus der Tasche ihres Bademantels und schloß die rechte Hand fest um den Holzgriff.

Sie riß die Tür auf.

Der kurze Gang zum Hauptkorridor war leer. Die elektrischen Wandlampen brannten hell und schienen auf den Teppich mit seinem gewundenen schwarzblauen Muster.

(Siehst du? Hier sind keine Gespenster.)

(Nein, natürlich nicht. Sie wollen, daß du rauskommst und etwas Albernes, Weibisches tust, und genau das tust du auch.)

Wieder zögerte sie und fühlte sich auf elende Weise ertappt. Sie wollte Danny und die Sicherheit der Wohnung nicht verlassen, aber gleichzeitig war es dringend erforderlich, sich über den Stand der Dinge zu vergewissern. Sie mußte wissen, ob Jack noch ... sicher untergebracht war.

(Natürlich ist er das.)

(Aber die Stimmen.)

(Es hat keine Stimmen gegeben. Es war nur deine Phantasie. Es war der Wind.)

»Es war nicht der Wind.«

Der Klang ihrer eigenen Stimme ließ sie zusammenzucken. Aber die tödliche Gewißheit, die sie aus ihr heraushörte, ließ sie weitergehen. Sie ließ das Messer an ihrer Seite schlenkern, und das Metall fing das Licht ein und reflektierte es gegen die Seidentapete. Ihre Nerven sangen wie angezupfte Saiten.

Sie erreichte die Abzweigung zum Hauptkorridor und schaute sich um. In Gedanken richtete sie sich auf das ein, was sie dort vielleicht sehen würde.

Es gab nicht zu sehen.

Sie zögerte noch ein bißchen länger, dann bog sie um die Ecke und ging den Hauptkorridor entlang. Jeder Schritt auf die im Schatten liegende Treppe zu vergrößerte ihre Angst und ließ sie deutlicher empfinden, daß sie ihren schlafenden Sohn allein und ohne Schutz zurückgelassen hatte. Das Geräusch ihrer Hausschuhe auf dem Teppich kam ihr immer lauter vor; zweimal schaute sie über die Schulter zurück, um sich zu vergewissern, daß ihr niemand hinterherschlich.

Sie erreichte die Treppenspindel und legte die Hand auf den

kalten Geländerpfosten. Neunzehn breite Stufen führten zur Lobby hinunter. Sie hatte sie oft genug gezählt, um das genau zu wissen. Neunzehn mit Teppich ausgelegte Stufen, und auf keiner von ihnen kauerte Jack. Natürlich nicht. Jack war hinter einem starken Stahlriegel und einer schweren Eichentür im Vorratsraum eingesperrt.

Aber das Foyer war dunkel und, oh, so voller Schatten.

Plötzlich ging ihr Puls rascher, und das Herz klopfte ihr bis in den Hals.

Vor sich sah sie den höhnisch aufgerissenen Messingrachen des Fahrstuhls, der sie zum Eintreten einlud und zur Fahrt ihres Lebens.

(Nein, danke.)

Das Innere der Kabine war mit rosa und weißen Luftschlangen drapiert. Aus zwei länglichen Knallbonbons war Konfetti herausgequollen. Hinten in der linken Ecke lag eine leere Champagnerflasche.

Sie spürte eine Bewegung über sich und fuhr herum, ihr Blick tastete die neunzehn Stufen zum zweiten Stock ab. Sie sah nichts; und doch bemerkte sie aus den Augenwinkeln, daß die Dinge auf beunruhigende Weise in die tiefere Dunkelheit des Korridors zurückgesprungen zu sein schienen, bevor das Auge sie registrieren konnte.

Sie drehte sich um und schaute wieder auf die Treppe nach unten.

Ihre rechte Hand schwitzte gegen den Holzgriff des Messers; sie nahm es in die linke und wischte die andere Hand am rosa Frotteestoff ihres Bademantels ab. Dann trug sie das Messer wieder rechts. Sie war sich kaum bewußt, daß ihr Verstand dem Körper den Befehl gegeben hatte weiterzugehen, aber sie begann den Abstieg. Erst der linke Fuß, dann der rechte und wieder der linke. Ihre freie Hand glitt vorsichtig über das Geländer.

(Wo ist die Party? Laßt euch nicht verscheuchen, ihr muffigen Lakenbündel! Hier ist keine einzige ängstliche Frau mit einem Messer! Musik her! Wir brauchen Leben in der Bude!)

Zehn Schritte hinab, zwölf, dreizehn.

Das Licht aus dem ersten Stock kam als mattes Gelb hier unten an, und sie erinnerte sich daran, daß sie das Licht im

Foyer entweder neben dem Eingang zum Speisesaal oder im Büro des Managers einschalten mußte.

Und doch kam Licht von irgendwo anders, weiß und gedämpft.

Die Leuchtstoffröhren natürlich. In der Küche.

Sie blieb auf der dreizehnten Stufe stehen und versuchte, sich zu erinnern, ob sie sie ausgeschaltet hatte, als Danny und sie nach oben gegangen waren. Sie wußte es einfach nicht mehr.

Unter ihr im Foyer standen die Stühle mit den hohen Lehnen wie in schattigen Teichen. Das Glas der Foyertüren schimmerte weiß von dem dagegengewehten Schnee. Die Messingnieten an den Sofakissen glänzten schwach wie Katzenaugen. Hier konnte man sich an hundert Stellen verstecken.

Vor Angst ging sie wie auf Stelzen, aber sie ging weiter.

Stufe siebzehn, achtzehn, dann neunzehn.

(Erdgeschoß, Madam. Gehen Sie vorsichtig.)

Die Türen zum Festsaal waren weit geöffnet, aber er lag in schwarzer Dunkelheit. Von innen war ein gleichmäßiges Ticken zu hören, wie von einer Bombe. Sie erstarrte, aber dann erinnerte sie sich an die Uhr auf dem Sims, die Uhr unter Glas. Jack oder Danny mußten sie aufgezogen haben ... oder vielleicht hatte sie sich selbst aufgezogen, wie alles andere im Overlook.

Sie wandte sich der Rezeption zu und wollte durch das Büro des Managers in die Küche gehen. Matt sah sie das silberne Tablett schimmern.

Dann fing die Uhr an zu schlagen, leise, klingelnde Töne.

Wieder stand Wendy starr und hob die Zunge an den Gaumen. Dann beruhigte sie sich. Es schlug acht. Das war alles. Acht Uhr.

... fünf, sechs, sieben ...

Sie zählte die Schläge. Es schien plötzlich falsch weiterzugehen, bevor der letzte Schlag verklungen war.

... acht ... neun ...

(?? Neun??)

... zehn ... elf ...

Plötzlich und spät fiel es ihr ein. Unbeholfen drehte sie sich wieder zur Treppe um, obwohl sie wußte, daß es zu spät war. Aber wie hätte sie es wissen sollen?

Zwölf.

Alle Lichter im Festsaal gingen an. Ein gewaltiger Tusch von Blechinstrumenten. Wendy kreischte laut auf, aber ihre Stimme ging unter im Schmettern der Messinglungen.

»Die Masken ab!« Der Ruf fand ein vielfältiges Echo. »Die Masken ab! Die Masken ab!«

Dann schwanden die Geräusche, als ob sie in einem langen Korridor der Zeit verhallten, und sie war wieder allein.

Nein, nicht allein.

Sie drehte sich um, und er kam auf sie zu.

Es war Jack, und doch war es nicht Jack. In seinen Augen war ein mörderisches Glühen, sein ihr so vertrauter Mund zeigte ein zittriges, freudloses Grinsen.

In einer Hand hielt er den Roque-Schläger.

»Du wolltest mich einsperren, was? Das wolltest du doch, nicht wahr?«

Der Schläger pfiff durch die Luft. Sie sprang zurück, stolperte über ein auf dem Boden liegendes Kissen und stürzte auf den Teppich des Foyers.

»Jack –«

»Du Miststück«, flüsterte er. »Ich weiß, was du bist.«

Der Schläger sauste durch die Luft und traf sie in den Leib. Sie kreischte und tauchte in ein Meer von Schmerzen ein. Sie sah verschwommen, wie der Schläger wieder hochfuhr. Trotz ihrer Benommenheit wußte sie plötzlich genau, daß er sie mit dem Instrument, das er in der Hand hielt, totschlagen wollte.

Sie versuchte, auf ihn einzuschreien, ihn zu bitten, um Dannys willen aufzuhören, aber sie brachte kein Wort heraus. Sie konnte nur schwach und fast tonlos wimmern.

»Jetzt. Jetzt, bei Gott«, sagte er grinsend. Er schleuderte mit dem Fuß das Kissen aus dem Weg. »Jetzt bekommst du, was du verdienst.«

Der Schläger sauste nieder. Wendy war nach links gerollt, und ihr Bademantel hing ihr um die Knie. Der Schläger sprang Jack aus der Hand, als er den Boden traf. Er mußte sich bücken, um ihn aufzuheben, und während er das tat, rannte sie zur Treppe, wobei sie schluchzend keuchte. Ihr Leib fühlte sich an wie eine einzige schmerzende Wunde.

»Du Saustück«, sagte er durch sein Grinsen hindurch und

rannte hinterher. »Du stinkige Schlampe, du kriegst jetzt, was du verdienst.«

Sie hörte den Schläger durch die Luft pfeifen, und an ihrer rechten Seite explodierte der Schmerz, als der Hammer des Schlägers sie unterhalb der Brust traf und ihr zwei Rippen brach. Sie sank nach vorne auf die Stufen nieder, und neue Qual durchfuhr sie, als sie auf die verletzte Seite stürzte. Instinktiv rollte sie sich herum, und der Schläger schoß an ihrem Gesicht vorbei und verfehlte es um knapp drei Zentimeter. Mit einem dumpfen Laut fuhr er in den Teppich. In diesem Augenblick sah sie das Messer, das ihr beim Sturz aus der Hand geglitten war. Glitzernd lag es auf der vierten Stufe.

»Saustück!« wiederholte er. Der Hammer sauste herab und traf sie unterhalb der Kniescheibe. Ihr Unterschenkel brannte plötzlich wie Feuer. Blut lief ihr an der Wade herab. Und schon wieder kam der Schläger herab. Sie riß den Kopf weg, und er krachte zwischen ihrem Hals und ihrer Schulter in die Treppe und hobelte ihr dabei einen Fetzen Fleisch vom Ohr. Wieder wollte er zuschlagen, und diesmal rollte sie die Treppe hinunter. Sie schrie laut auf, als die gebrochenen Rippen knirschten, und Jack verlor das Gleichgewicht, denn sie war ihm gegen die Schienbeine gerollt. Mit einem Schrei aus Wut und Überraschung stürzte er zu Boden, und der Schläger flog ihm aus der Hand. Er setzte sich auf und starrte sie erschrocken an.

»Dafür bringe ich dich um«, sagte er.

Er fuhr herum und streckte die Hand nach dem Schläger aus. Mit Mühe stand Wendy auf. Ein grauenhafter Schmerz schoß ihr vom Bein bis in die Hüfte hoch. Ihr Gesicht war aschfahl, aber entschlossen. Als er die Hand um den Griff des Schlägers schloß, sprang sie ihm in den Rücken.

»Oh, mein Gott!« schrie sie in die dunklen Schatten des Overlook und stieß ihm das Küchenmesser bis an das Heft unten in den Rücken.

Jack richtete sich starr unter ihr auf und stieß einen lauten Schrei aus. So grauenhafte Laute hatte sie in ihrem ganzen Leben noch nicht gehört; es war, als ob alle Dielen und Fenster und Türen des Hotels gekreischt hätten. Es schien nicht enden zu wollen, während er steif wie ein Brett unter ihr liegenblieb.

Der Rücken seines rotschwarzkarierten Hemds wurde dunkler, durchweicht von sickerndem Blut.

Dann fiel er auf sein Gesicht und warf sie ab, daß sie auf die verletzte Seite fiel und laut aufstöhnte.

Sie atmete rasselnd und konnte sich eine Zeitlang nicht bewegen. Ihr ganzer Körper bestand nur noch aus quälendem Schmerz. Immer wenn sie einatmete, fuhr es ihr wie ein Dolchstoß in die Lungen, und ihr Hals war naß von dem Blut, das ihr aus dem Ohr tropfte.

Nur ihr Atmen war zu hören, der Wind und das Ticken der Uhr im Festsaal.

Endlich stand sie mühsam auf und hinkte zur Treppe hinüber. Als sie dort war, klammerte sie sich an den Geländerpfosten und hielt den Kopf gesenkt. Sie fühlte sich unendlich schwach und zerschlagen. Als es ein wenig besser war, begann sie, die Treppe hochzusteigen. Dabei verließ sie sich auf ihr gesundes Bein und zog sich mit den Händen am Geländer nach oben. Einmal schaute sie auf, weil sie erwartete, Danny auf der Treppe zu sehen, aber es war niemand da.

(Gott sei Dank, er hat durchgeschlafen. Gott sei Dank.)

Nach sechs Stufen mußte sie sich ausruhen, den Kopf gesenkt. Ihr blondes Haar fiel über das Geländer. Sie konnte nur unter Schmerzen atmen. Es war, als hätte ihr Hals Widerhaken. Ihre rechte Seite war eine einzige geschwollene Masse.

(Komm, Wendy, altes Mädchen. Zieh die Tür hinter dir ins Schloß und verriegele sie. Dann sieh dir den Schaden an. Noch dreizehn Stufen, gar nicht so schlimm. Und wenn du oben im Korridor bist, darfst du kriechen. Du hast meine Erlaubnis.)

Sie atmete so tief ein, wie ihre gebrochenen Rippen es zuließen. Halb zog sie sich, halb stolperte sie die nächste Stufe hoch. Dann noch eine.

Als sie auf der neunten war, fast halb oben, hörte sie Jacks Stimme hinter sich. »Du Sau. Du hast mich umgebracht.«

Mitternachtschwarzes Entsetzen brach über sie herein. Sie schaute über die Schulter zurück und sah, daß Jack langsam aufstand.

Er drehte sich dabei um, und sie sah den Griff des Messers, das in seinem Rücken steckte. Seine Augen schienen sich zusammengezogen zu haben, sie waren nur noch schmale

Schlitze in den grauen Falten der umliegenden Haut. Er hielt den Griff des Roque-Schlägers locker in der linken Hand. Der Bolzen war blutig. In der Mitte klebte ein rosa Frotteefetzen ihres Bademantels.

»Du bekommst deine Abreibung«, flüsterte er und taumelte auf die Treppe zu.

Laut wimmernd zog sie sich weiter am Geländer nach oben. Zehn Stufen, zwölf, dreizehn. Aber dennoch war der Korridor im ersten Stock für sie ein Berggipfel, der nie zu erreichen war. Sie keuchte jetzt, und ihre verletzten Rippen protestierten. Wirr hingen ihr die Haare ins Gesicht. Der Schweiß brannte ihr in den Augen. Das Ticken der Uhr im Festsaal dröhnte ihr in den Ohren, und Jacks heiserer Atem und sein gequältes Keuchen setzten dazu den Kontrapunkt. Er stieg die Treppe hinauf.

51

Hallorann kommt an

Larry Durkin war ein hochgewachsener, hagerer Mann mit einem mürrischen Gesicht und einer gewaltigen roten Mähne. Hallorann hatte ihn gerade noch erwischt, als Durkin die Conoco-Station verlassen wollte, das mürrische Gesicht tief in seinem Army-Parka vergraben. Er hatte wenig Lust, an diesem stürmischen Tag noch Geschäfte zu machen, ganz gleich, wie weit Halloranns Anreise gewesen war. Und noch weniger Lust hatte er, diesem Schwarzen mit den wild rollenden Augen, der unbedingt zum Overlook Hotel wollte, eins seiner beiden Schneemobile zu leihen. Bei den Leuten, die den größten Teil ihres Lebens in der kleinen Stadt Sidewinder verbracht hatten, genoß das Hotel wirklich keinen guten Ruf. Dort oben hatten sich Morde ereignet. Das Hotel hatte einer Bande von Ganoven gehört, und später hatten es ein paar übelbeleumundete Geschäftsleute übernommen. Dort oben waren Dinge geschehen, die nie in die Zeitungen gelangten, denn Geld redet seine eigene Sprache. Aber die Leute in Sidewinder wußten ziemlich genau Bescheid. Die meisten Stubenmädchen stammten von hier, und Stubenmädchen wissen eine ganze Menge.

Aber als Hallorann Howard Cottrells Namen erwähnte und Durkin den in die Fäustlinge eingestickten Namen zeigte, taute der Tankstellenbesitzer auf.

»Er hat Sie also hergeschickt?« fragte er, schloß eine der Garagen auf und führte Hallorann hinein. »Gut zu wissen, daß der alte Himmelhund noch einen Rest Verstand hat.« Er schnippte einen Schalter, und ein paar sehr alte und sehr dreckige Neonröhren blitzten auf. »Aber was, in aller Welt, wollen Sie denn da oben, Mann?«

Halloranns Nerven waren nicht mehr so gut. Die letzten paar Meilen nach Sidewinder hinein waren schlimm gewesen. Einmal hatte ein Windstoß, der eine Geschwindigkeit von hundertzwanzig Stundenkilometern gehabt haben mußte, den Buick um 360 Grad gedreht. Und er hatte noch Meilen vor sich, ohne zu wissen, was ihn am Ende seiner Reise erwartete. Er war um den Jungen in panischer Sorge. Es war schon fast achtzehn Uhr fünfzig, und jetzt fing dieser ganze Tanz von vorn an.

»Jemand steckt dort oben in ernsthaften Schwierigkeiten«, sagte er vorsichtig. »Der Sohn des Hausmeisters.«

»Was? Der Sohn von Torrance? In welchen Schwierigkeiten könnte der wohl stecken?«

»Ich weiß es nicht«, murmelte Hallorann. Daß er hier so viel Zeit brauchte, machte ihn ganz krank. Er sprach mit einem Mann aus der Provinz und wußte, daß solche Leute ihre Geschäfte mit Bedacht erledigten, aber die Zeit drängte, denn jetzt war er nur noch ein Nigger, der Angst hatte, und wenn dies noch lange dauerte, beschloß er vielleicht, einfach wieder abzuhauen.

»Hören Sie«, sagte er. »Bitte, ich muß unbedingt dort rauf, und dazu brauche ich ein Schneemobil. Ich zahle Ihren Preis, aber um Gottes willen, halten Sie mich nicht länger auf!«

»Gut«, sagte Durkin, ohne die Ruhe zu verlieren. »Wenn Howard Sie schickt, geht die Sache in Ordnung. Sie bekommen dieses ArcticCat. Ich gebe Ihnen einen Kanister mit fünf Gallonen mit. Der Tank ist voll. Damit kommen Sie rauf und wieder runter.«

»Danke«, sagte Hallorann, und seine Stimme zitterte ein wenig.

»Ich nehme zwanzig Dollar. Frostschutzmittel inbegriffen.«

Hallorann fummelte einen Zwanziger aus seiner Brieftasche und gab ihn Durkin. Ohne einen Blick darauf zu werfen steckte Durkin den Schein in seine Hemdtasche.

»Wir sollten lieber auch die Jacken tauschen«, meinte Durkin und zog seinen Parka aus. »Ihre wird Ihnen heute abend wenig nützen. Wir tauschen wieder, wenn Sie zurückkommen.«

»Aber das kann ich doch nicht –«

»Keine langen Umstände«, unterbrach ihn Durkin, immer noch freundlich. »Ich werde Sie doch nicht erfrieren lassen. Ich habe zwei Blocks zu gehen und kann mich an meinen eigenen Tisch setzen. Geben Sie schon her.«

Ein wenig verdutzt tauschte Hallorann seinen Mantel gegen Durkins pelzgefütterten Parka. Die Neonröhren summten leise. Sie erinnerten ihn an die Beleuchtung in der Küche des Overlook.

»Der Junge von Torrance«, sagte Durkin und schüttelte den Kopf. »Hübscher kleiner Kerl. Er und sein Vater waren oft hier, bevor es anfing zu schneien. Meistens mit dem Hotellieferwagen. Der Kleine liebt seinen Daddy sehr. Hoffentlich geht es ihm gut.«

»Das hoffe ich auch.« Hallorann schloß den Reißverschluß des Parka und band die Kapuze fest.

»Ich helfe Ihnen, das Ding rauszuschieben«, sagte Durkin. Sie rollten das Schneemobil über den ölverschmierten Betonfußboden nach vorn. »Haben Sie so ein Ding schon mal gefahren?«

»Nein.«

»Kein Problem. Die Anweisung klebt am Armaturenbrett. Einfach nur Stop and Go. Hier ist das Gas. Wie bei einem Motorrad. Die Bremse ist an der anderen Seite. Bei Kurven müssen Sie sich zur Seite lehnen. Dies Baby macht siebzig auf Hartschnee, aber in diesem Pulverschnee fünfzig, und das ist schon hoch gegriffen.«

Jetzt hatten sie den Apparat in den Schnee hinausgeschoben, und Durkin hob die Stimme, um sich im Rauschen des Sturms verständlich zu machen. »Bleiben Sie auf der Straße!« brullte er Hallorann ins Ohr. »Achten Sie auf die Pfosten an den Leitplanken und auf die Hinweisschilder. Wenn Sie von der Straße abkommen, sind Sie tot. Ist das klar?«

Hallorann nickte.

»Einen Augenblick«, rief Durkin und rannte in die Garage zurück.

Während er weg war, drehte Hallorann den Zündschlüssel um und gab ein wenig Handgas. Lebhaft und ein wenig abgehackt hustete der Motor los.

Durkin kam mit einer rotschwarzen Skimaske zurück.

»Setzen Sie sich die unter Ihrer Kapuze auf«, schrie er.

Hallorann zog sie sich über das Gesicht. Sie war ein wenig eng, aber sie hielt den eisigen Wind von Wangen und Stirn ab.

Durkin beugte sich nah an ihn heran, um verstanden zu werden. »Ich glaube, Sie ahnen gewisse Dinge voraus, wie Howie es manchmal tut«, sagte er. »Es spielt keine Rolle, aber das Hotel hat hier nun mal einen schlechten Ruf. Wenn Sie wollen, gebe ich Ihnen ein Gewehr mit.«

»Ich glaube nicht, daß das viel nützen würde«, schrie Hallorann zurück.

»Sie sind der Boß. Aber wenn Sie den Jungen finden, bringen Sie ihn nach Peach Lane Nummer 16. Meine Frau hat immer eine warme Suppe auf dem Herd.«

»Okay. Vielen Dank für alles.«

»Passen Sie auf sich auf!« brüllte Durkin. »Und bleiben Sie auf der Straße!«

Hallorann nickte und drehte vorsichtig am Handgas. Das Schneemobil schnurrte los, und seine Scheinwerfer schnitten einen sauberen Kegel in das dichte Schneetreiben. Im Rückspiegel sah er Durkins erhobene Hand. Hallorann erwiderte den Gruß, dann lenkte er nach links und fuhr die Hauptstraße hoch. Das Schneemobil glitt mühelos im weißen Licht der Straßenbeleuchtung dahin. Der Tacho zeigte dreißig Meilen an. Es war neunzehn Uhr zehn. Im Overlook schliefen Wendy und Danny, während Jack Torrance sich mit dem ehemaligen Hausmeister über Leben und Tod unterhielt.

Fünf Blocks weiter hörte die Straßenbeleuchtung auf. Eine halbe Meile lang sah Hallorann noch kleine Häuser zu beiden Seiten der Straße, die sich gegen den Sturm fest zugeknöpft hatten. Dann nur noch Dunkelheit und das Heulen des Sturms. In der pechschwarzen Dunkelheit, nur durch den schwachen Lichtkegel seiner Scheinwerfer ein wenig gemildert, packte ihn wieder der Schrecken. Er hatte Angst wie ein kleines Kind und fühlte sich elend und entmutigt. Nie hatte er sich so einsam gefühlt. Ein paar Minuten lang, während er Sidewinders letzte Lichter im Rückspiegel verschwinden sah, war der Impuls, zu wenden und zurückzufahren, fast nicht zu beherrschen. Er dachte darüber nach, daß Durkin, trotz seiner Sorge um Jack Torrances Jungen, sich nicht erboten hatte, ihn in seinem zweiten Schneemobil zu begleiten.

(Das Hotel hat hier nun mal einen schlechten Ruf.)

Er biß die Zähne aufeinander, beschleunigte und sah, daß die Nadel über vierzig kletterte, um dann bei fünfundvierzig zu verharren. Das erschien ihm sehr schnell, und doch hatte er Angst, daß er vielleicht nicht schnell genug war. Bei diesem Tempo würde er bis zum Overlook noch etwa eine Stunde benötigen. Aber wenn er schneller fuhr, würde er vielleicht nie ankommen.

Er hielt den Blick auf die vorbeigleitenden Pfosten der Leitplanken und die auf ihnen angebrachten kleinen Reflektoren geheftet. Viele von ihnen waren unter Schneewehen begraben. Zweimal sah er die Kurvenhinweisschilder gefährlich spät und war schon halb auf den Schneewehen, die über dem Abgrund hingen, um dann gerade noch rechtzeitig dahin zu lenken, wo im Sommer die Straße lag. Der Meilenzähler verzeichnete die Meilen viel zu langsam – fünf, zehn, endlich fünfzehn. Selbst hinter der gestrickten Schneemaske wurde sein Gesicht immer starrer, und seine Beine starben langsam ab.

(Für ein paar Skihosen hätte ich jetzt hundert Dollar bezahlt!)

Während er die Meilen langsam abspulte, wurde sein Entsetzen immer größer – als ob das Hotel eine Giftatmosphäre hatte, die dichter wurde, je mehr man sich ihm näherte. Das Overlook hatte ihm noch nie richtig gefallen, und es gab Leute, die seine Meinung teilten, aber so wie jetzt hatte er es noch nie verabscheut.

Er spürte, daß die Stimme, die ihn vor Sidewinder fast hätte verunglücken lassen, immer noch versuchte, zu ihm vorzudringen, durch seine Abwehr hindurch in sein Inneres zu gelangen. Wenn sie fünfundzwanzig Meilen zurück so stark zugeschlagen hatte, welche Kraft würde sie jetzt erst haben? Er konnte sie nicht völlig fernhalten. Etwas von ihr kam durch und überschwemmte sein Gehirn mit finsteren unterschwelligen Bildern. Immer mehr gewann er die Vorstellung einer schwer verletzten Frau in einem Badezimmer, die vergebens die Hände hob, um einen Schlag abzuwehren, und immer deutlicher ahnte er, wer diese Frau sein mußte. Es war –

(Mein Gott, paß doch auf!)

Die Straßenbegrenzung wuchs vor ihm auf wie ein Güterzug. Während er in Gedanken versunken war, hatte er ein Kurvenhinweisschild übersehen. Hart riß er den Lenker herum, und das Fahrzeug gehorchte, legte sich aber gefährlich auf dic Seite.

Die Kufen kratzten über den nackten Fels. Er fürchtete umzukippen, aber das Schneemobil glitt auf die Straße zurück. Dann lag der Abgrund vor ihm. Die Scheinwerfer leuchteten über den Schneerand hinweg in leere Dunkelheit. Er konnte gerade noch den Absturz vermeiden, und ekelhaft spürte er seinen Pulsschlag in der Kehle.

(Bleib auf der Straße, Dicky, alter Junge.)

Er zwang sich dazu, ein wenig mehr Gas zu geben, und jetzt zeigte die Tachonadel auf knapp fünfzig. Der Wind heulte noch wilder, und die Lichtkegel der Scheinwerfer bohrten sich in die Dunkelheit. Unbestimmte Zeit später fuhr er durch eine Kurve und sah vor sich ein Licht, das sofort wieder verschwand. Er hatte es nur so kurz gesehen, daß es ihm wie Wunschdenken schien, aber in der nächsten Kurve sah er es wieder ein paar Sekunden lang, diesmal schon näher. Es gab keinen Zweifel; er hatte das Licht schon zu oft aus diesem Blickwinkel gesehen. Es war das Overlook. Es sah aus, als ob im ersten Stock und im Foyer Licht brannte.

Ein Teil seiner Angst – derjenige, der das Fahren betraf und die Gefahr, von der Straße abzukommen oder in einer nicht rechtzeitig erkannten Kurve zu verunglücken – schmolz völlig dahin. Sicher fegte das Schneemobil in den Anfang einer S-Kurve hinein, von der er jeden Meter kannte, und in diesem Augenblick zeigten ihm die Scheinwerfer

(lieber Gott, was war das?)

auf der Straße vor ihm. Ganz schwarz und weiß gezeichnet, hielt Hallorann es zuerst für einen riesigen, gräßlichen Waldwolf, den der Sturm aus dem Hochland getrieben hatte. Dann, als er näher kam, erkannte er es, und Entsetzen verschloß ihm die Kehle.

Kein Wolf, sondern ein Löwe. Ein Heckenlöwe.

Seine Züge bestanden aus schwarzen Schatten und Pulverschnee, die Lenden waren zum Sprung gespannt. Und er sprang auch. Unter einem Regen von Schneekristallen stieß er sich mit den Hinterbeinen ab.

Hallorann schrie auf und riß den Lenker nach rechts, wobei er sich gleichzeitig duckte. Kratzende, reißende Schmerzen liefen ihm über Gesicht, Hals und Schultern. Die Skimaske wurde hinten aufgerissen. Er wurde aus dem Schneemobil geschleudert. Er schlug auf, durchfurchte den Schnee und rollte auf den Rücken.

Er spürte, wie es auf ihn zukam. In der Nase hatte er den scharfen Geruch von Laub und Stechpalmen. Eine riesige Hekkenpfote traf ihn im Nacken, und er flog drei Meter durch die Luft. Wie eine Stoffpuppe wurde er in den Schnee gewirbelt. Er sah das Schneemobil führerlos gegen die Böschung rasen und sich aufbäumen, daß die Lichtkegel in den Himmel stießen. Mit einem dumpfen Geräusch kippte es um, und der Motor starb ab.

Dann war der Heckenlöwe über ihm. Ein knackendes, raschelndes Geräusch. Irgend etwas zerriß ihm vorn den Parka. Es hätten dornige Zweige sein können, aber Hallorann wußte, daß es Krallen waren.

»Du bist nicht da!« schrie Hallorann den Heckenlöwen an, der ihn knurrend umkreiste. *»Du bist überhaupt nicht da!«* Mit letzter Kraft kam er auf die Füße, aber bevor er den halben Weg zum Schneemobil zurückgelegt hatte, sprang ihn der Löwe an und schlug ihm die Pranke mit den nadelspitzen Krallen über den Kopf. Hallorann sah lautlos explodierende Lichter.

»Nichts da«, sagte er noch einmal, aber es war nur noch ein kraftloses Stammeln. Seine Knie gaben nach, und er sank in den Schnee. Dann kroch er zum Schneemobil, während seine rechte Gesichtshälfte sich vom herunterlaufenden Blut rot färbte. Wieder schlug der Löwe nach ihm und rollte ihn mit Leichtigkeit auf den Rücken, wie eine Schildkröte.

Hallorann unternahm einen neuen Versuch, das Schneemobil zu erreichen. Was er brauchte, stand dort. Und dann war der Löwe wieder über ihm und wollte ihn mit seinen Pranken zerfleischen.

52

Wendy und Jack

Wendy riskierte noch einen Blick über die Schulter zurück. Jack stand auf der sechsten Stufe und klammerte sich genauso krampfhaft an das Geländer, wie sie es vorher getan hatte. Er grinste immer noch, und dunkles Blut quoll langsam aus diesem Grinsen hervor und lief ihm am Kinn herab. Er fletschte die Zähne.

»Ich schlage dir den Schädel ein, daß dein Gehirn nur so spritzt.« Er arbeitete sich noch eine Stufe höher.

Panik beflügelte sie, sie ignorierte die Schmerzen und zog sich höher. Nun war sie oben und warf einen Blick hinter sich.

Jack schien nicht schwächer zu werden, sondern eher an Kraft zu gewinnen. Er hatte nur noch vier Stufen zu bewältigen und maß mit dem Roque-Schläger in der linken Hand schon die Entfernung, während er sich mit der rechten am Geländer nach oben zog.

»Ich bin direkt hinter dir«, keuchte er durch sein blutiges Grinsen, als ob er ihre Gedanken lesen könne. »Direkt hinter dir, du Sau. Dann ist's aus.«

Sie floh stolpernd durch den Hauptkorridor, die Hände in die Seiten gepreßt.

Die Tür zu einem der Zimmer flog auf, und ein Mann in einer grünen Gespenstermaske schoß hervor. »Großartige Party, was?« schrie er ihr ins Gesicht und zog an den Wachsstreifen eines Knallbonbons. Es gab einen Knall, dessen Echo von allen Seiten zurückkam, und plötzlich trieben um sie herum lauter Luftschlangen. Der Mann in der Gespenstermaske kicherte und schlug seine Zimmertür hinter sich zu. Wendy stürzte auf den Teppich. Ihre rechte Seite schien vor Schmerzen zu explodieren, und verzweifelt kämpfte sie gegen eine drohende Bewußtlosigkeit an. Wie von weit hörte sie, daß sich der Fahrstuhl wieder in Bewegung setzte, und unter ihren gespreizten Händen schien das Teppichmuster lebendig zu werden, zu schwanken und sich biegsam zu winden.

Hinter ihr schlug der Hammer dröhnend auf, und sie stürzte weiter. Sie schaute zurück und sah Jack vorwärtsstolpern und zuschlagen, bevor er selbst auf den Teppich krachte und helles Blut auf die Noppen spuckte.

Der Schlag traf sie genau zwischen den Schulterblättern, und der Schmerz war so gewaltig, daß sie nur zucken konnte. Hilflos krampfte sie die Finger zusammen und streckte sie wieder aus. In ihr riß etwas – sie hörte es ganz deutlich, und ein paar Augenblicke lang hatte sie nur ein unklares Bewußtsein. Es war, als ob sie die Dinge durch einen Wolkenvorhang wahrnahm.

Dann kam das volle Bewußtsein zurück und mit ihm Schmerz und Entsetzen.

Jack versuchte aufzustehen, um seine Arbeit zu beenden.

Auch Wendy wollte sich aufrichten, aber sie konnte es nicht. Jeder Versuch schien ihr einen elektrischen Schock durch das Rückgrat zu jagen. Sie kroch seitwärts wie ein Krebs, und Jack kroch ihr hinterher. Dabei benutzte er den Roque-Schläger als Krücke.

Sie erreichte die Ecke und zog sich mit den Händen in den kurzen Gang, der zur Wohnung führte. Büschelweise riß sie Fasern und Noppen aus dem Teppich, während sie sich mühselig weiterarbeitete, und sie hatte den Weg halb geschafft, als sie plötzlich bemerkte, daß die Tür zum Schlafzimmer weit offen stand.

(Danny! Oh, mein Gott!)

Sie hockte sich auf die Knie, und unter Aufbietung ihrer letzten Kräfte stand sie auf. Sie zog sich an der Wand hoch, und während ihre Finger über die Tapete glitten, riß sie mit den Nägeln Streifen davon ab. Sie ignorierte den Schmerz, und halb ging, halb taumelte sie durch die Tür. In diesem Augenblick bog Jack um die Ecke, und auf den Schläger gestützt, torkelte er so schnell er konnte zur Tür. Wendy lehnte sich gegen die Kante des Frisiertischs und hielt sich am Türpfosten fest.

Jack schrie: »Du wirst verdammt die Tür nicht verriegeln! Gottverdammt, das wirst du nicht *wagen*!«

Sie schlug sie zu und schob den Riegel vor. In fliegender Hast wühlte sie zwischen den Gegenständen, die auf dem Tisch lagen, daß die Münzen nach allen Seiten sprangen. Dann hatte sie Jacks Schlüssel gefunden, und in diesem Augenblick sauste der Schläger krachend gegen die Tür. Sie steckte den Schlüssel ins Schloß und drehte um. Bei dem Geräusch schrie Jack auf, und der Schläger donnerte gegen die Tür, daß die Rahmen zitterten. Sie wich vor den dröhnenden Schlägen zurück. Wie schaffte er das nur? Mit einem Messer im Rücken? Woher nahm er die Kraft? Sie wollte gegen die Tür schreien: *Warum bist du nicht tot?*

Statt dessen wandte sie sich ab. Sie und Danny würden in das Badezimmer gehen und auch da die Tür verriegeln müssen, für den Fall, daß es ihm gelang, die Schlafzimmertür zu zertrümmern. Ihr kam kurz der Gedanke, durch den Schacht des Speiseaufzugs zu flüchten, aber sie verwarf ihn sofort. Danny war klein genug. Er würde hineinpassen, aber sie war außerstande, den Seilzug zu bedienen, und er würde bis nach unten stürzen.

Ihnen blieb nur das Badezimmer. Und wenn Jack auch dort die Tür zertrümmerte –

Aber daran durfte sie gar nicht denken.

»Danny, Honey, du mußt aufwachen.«

Aber das Bett war leer.

Als er fest eingeschlafen war, hatte sie ihm noch eine Decke übergelegt, aber die Decken waren jetzt zurückgeschlagen.

»Ich kriege euch!« brüllte Jack. »Ich kriege euch beide!« Jedes Wort unterstrich er durch einen Schlag mit seiner fürchterlichen Waffe. Aber Wendy hörte nichts. Ihre ganze Aufmerksamkeit war auf das leere Bett gerichtet.

»Komm raus! Mach die gottverdammte Tür auf!«

»Danny?« flüsterte sie.

Natürlich ... als Jack sie angegriffen hatte. Da hatte Danny es gewußt. Wie er auch sonst heftige Emotionen ahnte oder wußte. Vielleicht hatte er das alles auch in einem Alptraum gesehen. Er mußte sich versteckt haben.

Unbeholfen sank sie in die Knie und nahm weitere Schmerzen in Kauf, um unter das Bett zu schauen. Aber sie sah nur Staubflocken und Jacks Hausschuhe.

Jack schrie ihren Namen, und als er jetzt wieder den Schläger schwang, sprang ein großer Holzsplitter aus der Tür und prallte gegen die Wand. Der nächste Hieb verursachte ein splitterndes Krachen, als ob mit dem Beil Brennholz gespalten wird. Der blutige Schlägerkopf vergrößerte das Loch und fuhr hindurch, um wieder zurückgerissen zu werden. Splitter spritzten durch das Zimmer.

Wendy kam wieder auf die Füße, wobei sie sich vom Bettrand abstützte, und humpelte zum Schrank. Die gebrochenen Rippen stachen ihr ins Fleisch, und sie stöhnte.

»Danny?«

Aufgeregt fegte sie die Kleider beiseite; einige glitten von den Bügeln und schwebten zu Boden. Er war nicht im Schrank.

Sie quälte sich bis zum Badezimmer, und als sie sich umdrehte, krachte der Schläger noch einmal gegen das Holz. Eine Hand griff durch das Loch und tastete nach dem Riegel. Sie sah entsetzt, daß Jacks Schlüsselbund am Schloß hing.

Die Hand schob den Riegel zurück, wobei die Schlüssel munter klirrten. Jack ergriff sie triumphierend.

Schluchzend schob sie sich ins Badezimmer und knallte die Tür zu, als Jack brüllend in das Zimmer stürmte.

Wendy schob den Riegel vor und drehte das Schnappschloß um. Sie sah sich verzweifelt um. Im Bad war niemand, und als sie ihr blutverschmiertes, entsetztes Gesicht im Spiegel vor der Hausapotheke sah, war sie froh darüber, daß Danny nicht da war. Sie hatte immer schon geglaubt, daß Kinder die kleinen Streitereien ihrer Eltern nicht miterleben sollten. Und was dort draußen jetzt raste und alles zerschlug, würde vielleicht noch zusammenbrechen, bevor es über ihren Sohn herfallen konnte. Vielleicht, dachte sie, würde es ihr möglich sein, dieser Kreatur noch mehr Schaden zuzufügen, vielleicht sogar, sie zu töten.

Rasch glitten ihre Blicke über die Gegenstände im Bad. Sie versuchte etwas zu finden, das als Waffe dienen konnte. Da lag ein Riegel Seife, aber selbst wenn man ihn in ein Handtuch wickelte, wäre er wohl kaum eine tödliche Waffe. Alles andere war festgeschraubt. Mein Gott, konnte sie denn überhaupt nichts tun?

Jenseits der Tür wütete die Zerstörung weiter. Dazu Schreie und Drohungen, daß er »ihnen schon zeigen werde, wer der Boß sei«, und daß sie beide »schäbige kleine Köter« seien.

Es gab einen dumpfen Schlag, als er ihren Plattenspieler auf den Boden warf, und ein hohles Krachen, als den Fernseher das gleiche Schicksal ereilte. Dann folgte das Klirren von Fensterglas, und sofort kam ein kalter Luftzug unter der Tür ins Badezimmer. Ein Klatschen, als er die Matratzen von den zusammengestellten Betten riß, in denen sie so lange Hüfte an Hüfte geschlafen hatten. Dann wiederholtes Dröhnen, als er den Schläger wahllos gegen die Wände sausen ließ.

Diese brüllende, faselnde, böse Stimme hatte allerdings nichts von dem wahren Jack an sich. Manchmal stieg sie zu winselnden Tönen des Selbstmitleids an, dann wieder stieß er wahrhaft gespenstische Schreie aus, wie Wendy sie aus der Zeit ihrer Aushilfsarbeit in der Altenabteilung einer psychiatrischen Anstalt kannte: Dementia Senilis. Das da draußen war nicht Jack. Sie hörte die irre und tobende Stimme des Overlook selbst.

Der Schläger krachte gegen die Badezimmertür und schlug ein großes Stück aus der dünnen Täfelung heraus. Die Hälfte eines irren und beständig zuckenden Gesichts starrte sie an. Mund, Wangen und Hals waren wie in Blut getaucht. Sie sah ein glitzerndes Auge, zusammengekniffen, schweinisch.

»Du kannst nicht mehr weglaufen, du Fotze«, keuchte er sie durch sein Grinsen an. Wieder donnerte der Schläger gegen die Tür und ließ Holzsplitter in die Wanne und gegen den Spiegel der Hausapotheke –

(!! Die Hausapotheke!!)

Sie konnte ein verzweifeltes Wimmern nicht unterdrücken, als sie herumfuhr und, ohne auf ihre Schmerzen zu achten, die Klappe öffnete und in dem kleinen Schrank zu kramen anfing. Hinter ihr brüllte diese heisere, grauenhafte Stimme: »Jetzt komm' ich! Jetzt komm' ich, du Schwein!« Die Kreatur demolierte die Tür mit der Gleichmäßigkeit einer Maschine.

Flaschen und Dosen fielen bei ihrem hastigen Suchen herab – Hustensirup, Vaseline, Shampoo, Benzokain, Wasserstoffsuperoxyd – und zerplatzten im Waschbecken.

Sie fand den Rasierklingenspender mit beidseitig geschliffenen Klingen in dem Augenblick, da sie die Hand nach dem Riegel greifen hörte.

Sie ließ eine Klinge herausgleiten und versuchte, sie günstig in die Hand zu nehmen. Ihr Atem ging kurz und keuchend, und sie schnitt sich in den Daumen. Dann fuhr sie herum und schlitzte die Hand auf, die das Schnappschloß gedreht hatte und nun nach dem Riegel griff.

Jack schrie auf. Mit einem Ruck war die Hand verschwunden.

Schwer atmend hielt sie die Klinge zwischen Daumen und Zeigefinger und wartete darauf, daß er es nochmal versuchte. Er tat es und sie zog die Schneide über seine Hand. Wieder schrie er und versuchte, ihre Hand zu packen, und wieder brachte sie ihm einen tiefen Schnitt bei. Die Klinge drehte sich in ihrer Hand, und sie schnitt sich ein zweites Mal. Sie ließ die Klinge auf die Fliesen fallen und nahm eine neue aus dem Spender.

Sie wartete.

Im Nebenraum bewegte sich etwas –

(?? geht er weg??)

Und ein Geräusch drang durch das Schlafzimmerfenster herein. Ein Motor. Ein hohes, summendes Geräusch, wie von einem Insekt.

Ein Wutgeheul von Jack und dann – ja, ja, jetzt war sie ganz sicher – er verließ die Hausmeisterwohnung, wühlte sich durch die Trümmer und ging in den Gang hinaus.

(?? Kam jemand, ein Ranger, Dick Hallorann??)

»Oh Gott«, murmelte sie, und die Worte kamen aus einem Mund, der voll Sägemehl zu sein schien. »Oh Gott, bitte!«

Sie mußte jetzt gehen, mußte ihren Sohn suchen, damit sie dem Rest dieses Alptraums gemeinsam begegnen konnten. Sie streckte die Hand aus und griff nach dem Riegel. Ihr Atem schien immer länger zu werden, aber endlich ließ sich der Riegel zurückschieben. Sie stieß die Tür auf, und plötzlich hatte sie die grauenhafte Gewißheit, daß Jack nur so getan hatte, als wollte er gehen, und nun irgendwo auf sie wartete.

Wendy sah sich um. Es war niemand im Raum. Überall zerbrochene Gegenstände.

Der Schrank? Leer.

Dann legten sich weiche, graue Schatten über sie, und sie sank auf die Matratze, die Jack vom Bett gerissen hatte. Wendy war nur halb bei Bewußtsein.

53

Hallorann in Schwierigkeiten

Hallorann erreichte das umgestürzte Schneemobil in dem Augenblick, als Wendy durch den kurzen Gang zur Hausmeisterwohnung taumelte.

Er war nicht an dem Schneemobil interessiert, sondern brauchte den Kanister voll Benzin, der hinten mit elastischen Bändern festgeschnallt war. Mit den Händen – er trug noch Cottrells blaue Fäustlinge – löste er das obere Band und riß es weg, als der Heckenlöwe hinter ihm laut brüllte, ein Geräusch, das er mehr im Kopf empfand, als daß es von außen an seine Ohren drang. Er spürte einen harten Schlag, wie von einer Dornenkeule, am linken Bein, und sein Knie brannte vor Schmerz, als er zusätzlich auch noch umknickte. Hallorann stöhnte, die Zähne zusammengebissen. Das Tier war es leid, mit ihm zu spielen.

Jetzt wollte es töten.

Hallorann tastete nach dem zweiten Halteband um den Kanister. Klebriges Blut floß ihm in die Augen.

(Brüllen! Klatschen!)

Diesmal traf der Schlag sein Gesäß und hätte ihn fast wieder in den Schnee geschleudert. Er hielt sich am Schneemobil fest. Es ging um sein Leben.

Dann hatte er das zweite Band gelöst. Er packte den Kanister, als der Löwe wieder zuschlug und ihn auf den Rücken rollte. Hallorann sah ihn als Schatten in der Dunkelheit und im fallenden Schnee, ein Wasserspeier aus einem Alptraum. Hallorann fingerte am Verschluß des Kanisters, als der Schatten sich auf ihn zubewegte, ihn in die Enge trieb und dabei den Schnee aufstieben ließ. Er hatte gerade den Verschluß geöffnet, als der Schatten ihn erreichte. Es roch durchdringend nach Benzin.

Hallorann kniete, und als das Tier auf ihn springen wollte, geduckt und unglaublich schnell, bespritzte er es mit Benzin.

Es zischte und spuckte und zog sich zurück.

»Benzin«, rief Hallorann, und seine Stimme klang schrill. »Ich verbrenn dich, Baby, wart nur!«

Wieder sprang der Löwe auf ihn zu, immer noch giftig spuckend. Wieder bespritzte Hallorann ihn mit Benzin, aber diesmal wich der Löwe nicht zurück. Er sprang. Hallorann ahnte den Kopf des Löwen eher, als daß er ihn sah, und warf sich zurück, um ihm auszuweichen. Dennoch traf der Löwe ihn mit wütender Gewalt am Brustkorb, und Hallorann spürte einen stechenden Schmerz. Kalt wie der Tod ergoß sich Benzin über seinen rechten Arm und seine rechte Hand.

Jetzt lag er rechts vom Schneemobil auf dem Rücken im Schnee, vielleicht zehn Schritte von dem Gefährt entfernt. Der wutschnaubende Löwe stand riesengroß etwas weiter links. Jetzt kam er näher. Hallorann kam es vor, als wedelte er mit dem Schweif.

Er riß sich Cottrells Fäustling von der rechten Hand und roch feuchte Wolle und Benzin. Er zerriß den Saum des Parka und fuhr sich mit der Hand in die Tasche. Dort unten, zwischen Schlüsseln und Wechselgeld, hatte er ein verbeultes altes Zippo-Feuerzeug. Er hatte es 1954 in Deutschland gekauft. Einmal war das Scharnier am Verschluß abgebrochen, und er hatte es an die Firma Zippo geschickt. Wie in der Werbung versprochen, hatten sie es ihm kostenlos repariert.

In Sekundenbruchteilen schossen ihm alptraumhafte Gedanken durch den Kopf.

(Lieber Zippo. Dies Feuerzeug wurde von einem Krokodil verschluckt, es ist schon mal aus einem Flugzeug gefallen, ich habe es im Marianengraben verloren, und während der Invasion hat es eine deutsche Kugel abgehalten. Lieber Zippo, wenn dieses Scheißding jetzt nicht funktioniert, reißt mir der Löwe den Kopf ab.)

Er hatte das Feuerzeug in der Hand und hob die Verschlußklappe. Der Löwe sprang und brüllte. Hallorann drehte am Rad. Funken. Flamme.

(meine Hand)

Sein benzingetränkter rechter Arm stand plötzlich in Flammen, die Flammen züngelten am Ärmel hoch, kein Schmerz, noch kein Schmerz, der Löwe scheute vor der brennenden Fackel zurück, die er vor sich sah, eine widerliche, zappelnde Heckenskulptur mit Maul und Augen. Sie wich vor ihm zurück. Zu spät.

Hallorann zuckte vor Schmerz zusammen und rammte dem Löwen seinen brennenden Arm in die harte, stachelige Flanke.

Sofort stand die Kreatur in hellen Flammen, eine hochaufgerichtete, sich windende Feuersäule. Sie brüllte vor Schmerz und Wut und schien nach ihrem brennenden Schwanz zu haschen, als sie im Zickzack davonrannte.

Hallorann stieß seinen Arm tief in den Schnee und löschte so die Flammen, aber er konnte den Blick von den Todesqualen des Heckenlöwen nicht lösen. Endlich sprang er keuchend auf. Der Ärmel von Durkins Parka war angesengt, aber nicht verbrannt, und dasselbe galt für seine Hand. Zwanzig Meter weiter unten hatte sich der Heckenlöwe in einen Feuerball verwandelt. Funken stoben zum Himmel auf und wurden sofort vom Sturm auseinandergewirbelt. Einen Augenblick lang waren Rippen und Schädel des Tieres von orangeroten Flammen gesäumt, und dann schien alles zusammenzubrechen, auseinanderzufallen und sich in getrennte brennende Haufen zu teilen.

(Es ist nicht wichtig. Nur weiter.)

Er nahm den Kanister auf und kämpfte sich zum Schneemobil durch. Sein Bewußtsein schien sich ein- und auszuschalten, und er nahm nur Filmausschnitte wahr und nie das ganze Bild. In einem dieser Ausschnitte wußte er, daß er das Schneemobil aufrichtete und sich hineinsetzte, eine Zeitlang völlig außer Atem und unfähig, sich zu bewegen. In einem anderen Ausschnitt befestigte er den Benzinkanister wieder hinten und sah, daß der Kanister noch halb voll war. Hallorann hatte Kopfschmerzen von den Benzingasen (und wahrscheinlich auch als Reaktion auf seinen Kampf mit dem Heckenlöwen), und an dem dampfenden Loch neben sich im Schnee erkannte er, daß er sich übergeben hatte, aber er wußte nicht mehr wann.

Das Schneemobil, dessen Motor noch warm war, startete sofort. Er drehte ruckartig am Handgas, und ebenso ruckartig fuhr das Mobil an, so daß seine Kopfschmerzen noch schlimmer wurden. Zuerst schoß das Gefährt wie betrunken von einer Seite auf die andere, aber indem er sich hinstellte und über die Windschutzscheibe hinwegschaute, damit ihm der nadelscharfe Wind ins Gesicht wehte, gelang es ihm, seine Benommenheit abzuschütteln.

Er drehte auf.

(Wo sind die anderen Heckentiere?)

Er wußte es nicht, aber jetzt konnten sie ihn wenigstens nicht mehr überraschen.

Vor ihm ragte das Overlook hoch empor, und die beleuchteten Fenster des ersten Stocks warfen lange Rechtecke in den Schnee. Die Pforte zur Auffahrt war abgeschlossen, und nach einem vorsichtigen Rundblick stieg er aus und hoffte, daß er seinen Schlüssel nicht verloren hatte, als er sein Feuerzeug aus der Tasche holte ... nein, die Schlüssel waren da. Im hellen Licht der Scheinwerfer fand er den richtigen, öffnete das Vorhängeschloß und ließ es in den Schnee fallen. Zuerst fürchtete er, daß er die Pforte gar nicht würde bewegen können; wie wild scharrte er mit den Händen den Schnee zur Seite, ohne Rücksicht auf seine bohrenden Kopfschmerzen zu nehmen oder auf seine Befürchtung, einer der anderen Löwen könnte ihn plötzlich anspringen. Er konnte die Pforte einen halben Meter aufziehen. Dann ging er um den Pfosten herum und schob. Er schaffte einen weiteren Meter. Das reichte für das Schneemobil, und er fädelte sich hindurch.

Vor ihm bewegte sich etwas in der Dunkelheit. Alle Heckentiere standen vor dem Eingang zum Overlook und bewachten ihn. Von ihnen ungesehen konnte niemand hinein oder heraus. Die Löwen strichen umher, und der Hund stand mit den Vorderpfoten auf der ersten Stufe.

Hallorann gab Vollgas, und das Schneemobil machte einen Satz vorwärts und blies den Schnee nach hinten. In der Wohnung des Hausmeisters fuhr Jack Torrance ruckartig mit dem Kopf hoch, als er das wespenähnliche Surren des Schneemobilmotors hörte, und plötzlich bewegte er sich eilig in den Korridor hinaus. Die verdammte Kuh war jetzt nicht wichtig. Das Miststück konnte warten. Zuerst ging es um diesen dreckigen Nigger. Dieser dreckige, neugierige Nigger, der seine Nase in Dinge steckte, die ihn nichts angingen. Zuerst er und dann sein Sohn. Er würde es ihnen zeigen. Er würde ihnen zeigen, daß ... daß er ... daß er aus dem Holz geschnitzt war, aus dem *Manager* gemacht wurden!

Das Schneemobil draußen raste immer schneller. Das Hotel schien sich ihm entgegenzustürzen. Schnee fegte Hallorann ins

Gesicht. Der Lichtkegel des Schneemobils traf das Gesicht des großen Hirten, seine leeren, höhlenlosen Augen. Dann versank es wieder und hinterließ eine Öffnung. Hallorann riß den Lenker herum und steuerte einen engen Halbkreis. Das Fahrzeug schleuderte Wolken von Schnee in die Luft und drohte umzukippen. Das hintere Ende schlug gegen die untere Treppenstufe und prallte zurück. Wie der Blitz war Hallorann aus dem Schneemobil gesprungen und rannte die Treppe hoch. Er strauchelte, fiel und stand wieder auf. Der Hund knurrte – jedenfalls in Halloranns Kopf – dicht hinter ihm. Irgend etwas zerrte von hinten an seinem Parka, und dann stand er in dem schmalen Gang, den Jack freigeschaufelt hatte. Hallorann war in Sicherheit. Die Tiere waren zu groß. Sie paßten hier nicht hinein.

Er erreichte die große Doppeltür, die in das Foyer führte, und wühlte in der Tasche nach seinen Schlüsseln. Während er sie herauszog, faßte er an den Türknopf. Er ließ sich drehen. Er stieß die Tür auf.

»Danny!« schrie er heiser. »Danny, wo bist du?«

Stille.

Seine Blicke wanderten durch das Foyer bis zum Fuß der breiten Treppe, und ihm stockte der Atem. Der Teppich war blutbespritzt, sogar mit Blut vollgesogen. Er sah außerdem einen großen Fetzen rosa Frotteestoffs. Die Blutspur führte die Treppe hoch. Auch das Geländer war blutbeschmiert.

»Oh, mein Gott« murmelte er und rief wieder. »Danny! DANNY!«

Die Stille im ganzen Hotel schien ihn zu verhöhnen, denn er ahnte ein tückisches, kaum wahrnehmbares Echo

(Danny? Wer ist Danny? Kennt hier jemand einen Danny? Danny, Danny, wer hat den Danny? Wer will mit Danny Kreisel spielen? Eins, zwei, drei, wer hat den Ball? Geh nach Hause, schwarzer Junge. Keiner hier kann Danny von Adam unterscheiden)

Mein Gott, hatte er das alles auf sich genommen, nur um zu spät zu kommen? War es schon geschehen?

Er rannte die Treppe hoch in den ersten Stock. Die Blutspur führte zur Wohnung des Hausmeisters. Leise kroch ihm das Entsetzen in die Adern und in das Gehirn, als er sich dem kurzen Gang näherte. Die Heckentiere waren schlimm gewesen, aber dies war entsetzlich. In seinem Innersten wußte er schon, was er vorfinden würde, wenn er ankam.

Er hatte keine Eile, es sich anzusehen.

Jack hatte sich im Fahrstuhl versteckt, als Hallorann die Treppe hoch kam. Jetzt schlich er hinter der Gestalt im schneebedeckten Parka her, ein blutbeschmiertes Phantom mit einem Lächeln im Gesicht. Den Roqueschläger hielt er so hoch, wie der häßliche, reißende Schmerz in seinem Rücken es zuließ.

(?? Hat das Miststück mich gestochen?? Ich weiß es nicht mehr.)

»Schwarzer«, flüsterte er. »Ich werde dich lehren, deine Nase in anderer Leute Angelegenheiten zu stecken.«

Hallorann hörte das Flüstern, drehte sich um und duckte sich, als der Schläger auf ihn niedersauste. Die Kapuze seines Parka schwächte den Schlag ab, aber nicht genug. Eine Rakete explodierte in seinem Kopf und setzte einen Kometenschwanz von Sternen frei... dann nichts mehr.

Er taumelte gegen die Seidentapete, und Jack schlug noch einmal zu, diesmal von der Seite. Er zerschmetterte Hallorann das Jochbein und die meisten Zähne im linken Kiefer. Er sackte zusammen.

»Jetzt«, flüsterte Jack. »Jetzt. Bei Gott.« Wo war Danny? Er hatte mit seinem ungehorsamen Sohn etwas zu regeln.

Drei Minuten später öffnete sich die Fahrstuhltür mit einem Knall im unbeleuchteten dritten Stock. Jack stand allein in der Kabine, sie war auf halber Höhe vor dem Ausgang hängengeblieben, und Jack mußte sich hochwuchten. Er krümmte sich vor Schmerzen. Den zersplitterten Schläger zog er hinter sich her. Der Wind heulte und pfiff um das Dach. Jack hatte Blut und Konfetti in den Haaren.

Sein Sohn war irgendwo hier oben. Irgendwo. Das fühlte er. Wenn man ihn sich selbst überließ, war er zu allem fähig: mit seinen Buntstiften die teure Seidentapete zu bemalen, die Möbel zu ruinieren, die Fenster einzuwerfen. Er war ein Lügner und Betrüger, und er würde ihn bestrafen müssen... hart bestrafen.

Jack Torrance war auf die Beine gekommen.

»Danny?« rief er. »Danny, komm rasch her. Du hast etwas

falsch gemacht, und ich will, daß du herkommst – du hast eine Abreibung verdient. Nimm sie wie ein Mann. Danny? *Danny!*«

54

Tony

(Danny . . .)
(Danny . . .)

Dunkelheit und Korridore. Er wanderte durch Dunkelheit und Korridore, die ähnlich waren wie die des Hotels, und doch irgendwie anders. Die Wände mit der Seidentapete erstreckten sich hoch nach oben, und so sehr Danny sich auch bemühte, er konnte die Decke nicht erkennen. Sie verlor sich hoch oben in der trüben Dunkelheit. Alle Türen waren verschlossen, auch sie verloren sich oben in der Finsternis. Unter den Gucklöchern (an diesen Riesentüren waren sie so groß wie die Visierringe auf den Läufen von Präzisionsgewehren) waren statt der Nummern Totenschädel mit gekreuzten Knochen angebracht.

Und irgendwo rief Tony ihn.

(DANNY!)

Aus weiter Ferne kam das stampfende Geräusch, das er so gut kannte. Dann heisere Schreie. Er konnte nicht jedes einzelne Wort verstehen, aber inzwischen kannte er den Text. Er hatte ihn oft gehört. Wach und in seinen Träumen.

Er blieb stehen, ein kleiner Junge, kaum drei Jahre den Windeln entwachsen, und versuchte zu bestimmen, wo er war, wo er sein könnte. Er hatte Angst, aber es war eine Angst, mit der er leben konnte. Er hatte seit zwei Monaten jeden Tag Angst gehabt. Sie hatte von dumpfer Unruhe bis zu nacktem Terror gereicht. Jetzt, mit dieser Angst, konnte er leben. Aber er wollte wissen, warum Tony gekommen war, warum er in diesem Korridor seinen Namen aussprach. Dieser Korridor war nämlich weder wirklich, noch war er Teil der Traumwelt, in der Tony ihm manchmal Dinge zeigte. Warum, wo –

»Danny.«

Weit unten in diesem riesigen Korridor, fast so winzig wie Danny selbst, stand eine dunkle Gestalt. Tony.

»Wo bin ich?« fragte er Tony leise.

»Du schläfst«, sagte Tony. »Du schläfst im Schlafzimmer von Mommy und Daddy.« In Tonys Stimme schwang Traurigkeit mit.

»Danny«, sagte Tony. »Deine Mommy wird schwer verletzt werden. Vielleicht getötet. Mr. Hallorann auch.«

»Nein!«

Das hatte er fast unbeteiligt gerufen. Und auch das Entsetzen schien von dieser unwirklichen und öden Umgebung ein wenig gedämpft. Dennoch kamen ihm Vorstellungen von Tod: ein wie eine häßliche Briefmarke auf der Straße klebender toter Frosch; Daddys kaputte Uhr im Abfalleimer; Grabsteine, und unter jedem ein toter Mensch; ein toter Eichelhäher; die kalten Essensreste, die Mommy von den Tellern kratzte und in den dunklen Rachen des Müllschluckers warf.

Und doch konnte er diese Symbole mit der wechselnden und komplizierten Wirklichkeit seiner Mutter nicht in Einklang bringen; sie entsprach seiner kindlichen Vorstellung von Ewigkeit. Sie hatte es gegeben, als er noch nicht war. Die Möglichkeit seines eigenen Todes konnte er seit jener Begegnung in Zimmer 217 akzeptieren.

Aber er konnte nicht akzeptieren, daß seine Mutter sterben sollte.

Oder sein Vater.

Niemals.

Er wehrte sich, und die Dunkelheit und die Korridore fingen an zu schwanken. Tonys Gestalt wurde unwirklich, undeutlich.

»Tu das nicht«, rief Tony. »Das darfst du nicht tun, Danny.«

»Aber sie wird nicht sterben! *Das wird sie nicht!*«

»Dann mußt du ihr helfen, Danny ... du bist an einem Ort tief in deinem eigenen Geist. Der Ort, an dem auch ich bin. Ich bin ein Teil von dir, Danny.«

»Du bist *Tony*. Du bist nicht ich. Ich will meine Mommy ... ich will meine Mommy ...«

»Ich habe dich nicht hergebracht. Das hast du selbst getan. Weil du es wußtest.«

»Nein –«

»Du hast es immer gewußt«, fuhr Tony fort, und er ging auf

Danny zu. Zum ersten Mal ging Tony auf Danny zu. »Du bist tief in dir selbst, an einem Ort, in den nichts anderes eindringen kann. Wir sind hier für eine Weile allein, Danny. Dies ist ein Overlook, in das nie jemand hineinkommt. Hier gehen keine Uhren. Keiner der Schlüssel paßt, und sie können nicht aufgezogen werden. Die Türen sind nie geöffnet gewesen, und niemand hat je in diesen Zimmern gewohnt. Aber du kannst nicht lange bleiben. Denn es kommt.«

»Es...« flüsterte Danny ängstlich, und er hatte den Satz kaum angefangen, als das unregelmäßige stampfende Geräusch näher zu kommen und lauter zu werden schien. Sein Entsetzen, eben noch kalt und distanziert, war jetzt unmittelbar. Jetzt konnte man die Worte verstehen. Sie wurden rauh und brutal gesprochen, in grober Nachahmung der Stimme seines Vaters, aber es war nicht Daddy. Das wußte er jetzt.

(Du hast dich selbst hergebracht. Weil du es wußtest.)

»Oh, Tony, ist es mein Daddy?« schrie Danny. »Ist es mein Daddy, der kommt, um mich zu holen?«

Tony antwortete nicht. Danny brauchte auch keine Antwort. Er kannte sie selbst. Hier fand ein langer und alptraumhafter Maskenball statt, und er war schon seit Jahren im Gange. Ganz allmählich waren hier Kräfte entstanden, heimlich und stumm, so wie ein Bankkonto Zinsen trägt. Kraft, Gegenwart, Gestalt, das waren alles nur Worte, und keins von ihnen spielte eine Rolle. Es trug viele Masken, aber es bedeutete alles dasselbe. Jetzt, irgendwo, kam es, um ihn zu holen. Es versteckte sich hinter Daddys Gesicht, es imitierte Daddys Stimme, es trug Daddys Kleidung.

Aber es war nicht sein Daddy.

Es war nicht sein Daddy.

»Ich muß ihnen helfen!« schrie er.

Und jetzt stand Tony direkt vor ihm, und Tony anzusehen war wie in einen Spiegel zu schauen und sich selbst in zehn Jahren zu sehen, mit weit auseinanderliegenden, sehr dunklen Augen, festem Kinn und einem gutgeschnittenen Mund. Das Haar war so blond wie das seiner Mutter, und doch waren es die Züge seines Vaters, als ob Tony – als ob der Daniel Anthony Torrance, der er eines Tages sein würde – eine Mischung zwischen Vater und Sohn war, beider Geist, eine Verschmelzung.

»Du mußt versuchen zu helfen«, sagte Tony. »Aber dein Vater ... er steht jetzt auf der Seite des Hotels. Dort will er sein. Es will auch dich, Danny, denn es ist sehr gierig.«

Tony ging an ihm vorbei und verschwand in den Schatten.

»Warte«, rief Danny. »Was kann ich –«

»Er ist jetzt ganz nahe«, sagte Tony und ging weiter. »Du mußt rennen ... dich verstecken ... dich von ihm fernhalten. Halt dich von ihm fern.«

»Tony, das kann ich nicht.«

»Aber damit hast du doch schon angefangen«, sagte Tony. »Du wirst dich an das erinnern, was dein Vater vergessen hat.«

Tony war verschwunden.

Und von irgendwo aus der Nähe kam die Stimme seines Vaters, kalt und beschwörend: »Danny? Du kannst rauskommen, Doc. Nur eine kleine Tracht Prügel, das ist alles. Nimm es wie ein Mann, und es wird alles vorbei sein. Wir brauchen sie nicht, Doc. Nur du und ich, okay? Wenn wir die paar ... Prügel ... hinter uns haben, sind es nur noch du und ich.«

Danny rannte.

Hinter ihm kam der wahre Charakter der Kreatur durch die Scharade von Normalität zum Vorschein.

»Komm her, du kleiner Scheißkerl! Auf der Stelle!«

Einen langen Korridor entlang, keuchend und schwer atmend. Um die Ecke herum. Eine Treppe hoch. Und während er lief, schrumpften die hohen und weit entfernten Wände; der Teppich, den er nur verschwommen unter seinen Füßen gesehen hatte, nahm jetzt das vertraute schwarzblaue Muster an, dessen Ranken sich geschmeidig ineinander verwoben; die Türen hatten wieder Nummern, und hinter ihnen gingen die Partys weiter, die nur eine einzige Party waren, besucht von Generationen von Gästen. Die Luft um ihn herum schien zu flimmern, und laut hallte das Echo der dröhnenden Schläge wider. Er schien aus dem Schlaf heraus durch irgendeinen dünnen Schleier hindurchzutreten und stand auf dem Teppich vor der Präsidentensuite im dritten Stock; in seiner Nähe lagen wie ein blutiges Bündel die Leichen von zwei Männern in Anzügen und mit schmalen Krawatten. Sie waren durch Schüsse aus einer Schrotflinte getötet worden, und jetzt fingen sie vor seinen Augen an sich zu bewegen, und sie standen auf.

Er atmete tief ein, um zu schreien, aber er blieb stumm.

(!!FALSCHE GESICHTER!! NICHT WIRKLICH!!)

Sie verblaßten vor seinem Blick wie alte Photographien und waren verschwunden.

Aber unter ihm wurde der Schläger immer wieder gegen die Wand gedonnert, und schwach klangen die Geräusche durch den Fahrstuhlschacht und über die Treppe herauf. Die beherrschende Macht des Overlook irrte in Gestalt seines Vaters im ersten Stock herum.

Mit einem leisen quietschenden Geräusch öffnete sich hinter ihm eine Tür.

Eine verfallene Frau in einem verrotteten Seidenkleid stolzierte heraus, die vergilbten, klaffenden Finger voll grünspanüberzogener Ringe. Dicke Wespen krochen ihr träge über das Gesicht.

»Komm herein«, flüsterte sie ihm zu und grinste mit schwarzen Lippen. »Komm herein, dann tanzen wir Tango . . .«

»Falsches Gesicht!« zischte er. »Nicht wirklich!« Sie zog sich mit allen Anzeichen der Bestürzung zurück, verblaßte und war verschwunden.

»Wo bist du?« schrie es, aber immer noch war die Stimme nur in seinem Kopf. Er hörte immer noch das Ding unten im ersten Stock, das Jacks Gesicht trug . . . und noch etwas hörte er.

Das hohe, jaulende Geräusch eines Motors, der sich nähert.

Mit einem leisen Keuchen hielt Danny den Atem an. War das nur noch ein Gesicht im Hotel, noch eine Illusion? Oder war es Dick? Er hätte so gern – so verzweifelt gern – geglaubt, daß es Dick *war*, aber er wagte es nicht.

Er zog sich durch den Hauptkorridor zurück und lief dann in eine der Abzweigungen hinein. Seine Füße huschten über den Teppich. Verschlossene Türen sahen ihn böse an, wie sie es in seinen Träumen und Visionen getan hatten, nur daß dies jetzt die Welt der wirklichen Dinge war, wo man das Spiel ernsthaft spielte.

Er wandte sich nach rechts und blieb stehen. Sein Herz hämmerte. Wärme strich ihm um die Knöchel. Sie kam natürlich aus den Luftklappen. Heute war wohl der Tag, an dem Daddy den Westflügel beheizte.

(Du wirst dich an das erinnern, was dein Vater vergessen hat.)

Was war es? Fast wußte er es. Etwas, das ihn und Mommy retten könnte? Aber Tony hatte gesagt, das würde er selbst tun müssen. Was war es?

Er sank gegen die Wand und versuchte verzweifelt nachzudenken. Es war so schwer... immer wieder versuchte das Hotel, sich in seinem Kopf festzusetzen... das Bild dieser dunklen, gebückten Gestalt, die den Schläger hin und her schwang und die Tapete zerfetzte... daß der Putz stob.

»Hilf mir«, murmelte er. »Hilf mir, Tony.«

Und plötzlich merkte er, daß im Hotel tödliche Stille herrschte. Das jaulende Geräusch des Motors war verstummt

(es kann nicht wirklich gewesen sein)

und die Geräusche von der Party waren nicht mehr zu hören, und da war nur noch das endlose Heulen des Windes.

Plötzlich setzte sich der Fahrstuhl in Bewegung.

Er fuhr nach oben.

Und Danny wußte, wer – was – in der Kabine war.

Er sprang auf die Füße, die Augen schreckgeweitet. Panik ergriff ihn. Warum hatte Tony ihn in den dritten Stock geschickt? Hier saß er in der Falle. Die Türen waren alle verschlossen.

Der Dachboden!

Er wußte, daß es einen Boden gab. Er war mit Daddy an dem Tag hier oben gewesen, als er die Rattenfamilien kontrollieren wollte. Wegen der Ratten hatte Danny nicht mit auf den Boden gedurft. Daddy hatte gefürchtet, daß sie ihn beißen würden. Aber die Klapptür zum Boden war in diesem Flügel, und zwar in der letzten Abzweigung an der Decke. An der Wand lehnte dort eine Stange. Damit hatte Daddy die Tür aufgestoßen, Gegengewichte waren heruntergerasselt und dann war eine Leiter ausgefahren worden. Wenn er dort hinaufsteigen und die Leiter hochziehen konnte...

Irgendwo im Labyrinth der Korridore hinter ihm hielt der Fahrstuhl an. Es gab ein metallisches Rasseln und Klappern, als die Tür sich zurückschob. Und eine Stimme – diesmal nicht in seinem Kopf, sondern schreckliche Wirklichkeit – rief: »Danny? Danny, komm rasch her. Du hast etwas falsch gemacht, und ich will, daß du herkommst. Nimm deine Prügel wie ein Mann. Danny? *Danny!*«

Gehorsam war ihm so in Fleisch und Blut übergegangen, daß er automatisch zwei Schritte auf die Stimme zu ging, bevor er stehenblieb. Er ballte die Fäuste.

(Nicht wirklich! Falsches Gesicht. Ich weiß, was du bist. Nimm deine Maske ab!)

»Danny!« brüllte es. *»Komm her, du kleiner Hund! Komm her und nimm es wie ein Mann!«* Ein lautes, hohles Dröhnen, als der Schläger die Wand traf. Als die Stimme wieder seinen Namen brüllte, hatte sie ihren Standort verändert. Sie war näher gekommen.

In der Welt der wirklichen Dinge begann die Jagd.

Danny rannte. Er rannte an den verschlossenen Türen vorbei und an der Tapete entlang, und seine Schritte waren auf dem weichen Teppich kaum zu hören. Er zögerte und rannte dann in den letzten Gang hinein. An seinem Ende nur eine verriegelte Tür. Von hier aus konnte man nirgends mehr entkommen.

Aber die Stange stand noch da. Sie lehnte an der Wand, wo Daddy sie hingestellt hatte.

Danny packte sie und schaute zur Klapptür hinauf. Am Ende der Stange war ein Haken, den man in einen Ring an der Tür stecken mußte. Man mußte –

Ein nagelneues Yale-Schloß hing an der Tür. Jack Torrance hatte es angebracht, nachdem er die Rattenfallen kontrolliert hatte, für den Fall, daß sein Sohn es sich einfallen lassen sollte, dort auf Entdeckungsreise zu gehen.

Abgeschlossen. Entsetzen packte Danny.

Hinter ihm kam *es* heran, taumelte an der Präsidentensuite vorbei durch den Korridor. Tückisch pfiff der Schläger durch die Luft.

Danny lehnte sich gegen die letzte verschlossene Tür und erwartete *es*.

55

Was man vergessen hatte

Ganz allmählich kam Wendy wieder zu sich, der graue Schleier verschwand, und die Schmerzen stellten sich wieder ein: am Rücken, am Bein und an der Seite... sie würde sich wohl kaum bewegen können. Selbst ihre Finger taten ihr weh, und sie wußte zuerst nicht, warum.

(Die Rasierklinge. Deshalb.)

Ihr blondes Haar, jetzt naß und strähnig, hing ihr in die Augen. Sie strich es sich aus der Stirn, und ihre Rippen stachen ihr wie Dolche ins Fleisch. Sie stöhnte. Nun sah sie, daß die blauweiße Matratze Blutflecken hatte. Ihr Blut, vielleicht auch Jacks. Auf jeden Fall war es noch frisch. Sie war nicht lange weggetreten gewesen. Und das war wichtig, weil –

(Warum?)

Weil –

Es war das Summen des Motors, an das sie sich zuerst erinnerte, dieses Insektengeräusch. Einen Augenblick fixierte sie sich dumpf auf diese Erinnerung, und in einem einzigen schwindelerregenden Wirbel kamen die Gedanken wieder und zeigten ihr alles auf einmal.

Hallorann. Es mußte Hallorann gewesen sein. Warum sonst hätte Jack so plötzlich verschwinden sollen, ohne sie... ohne sie endgültig zu erledigen?

Weil er dazu keine Zeit mehr hatte. Er mußte Danny rasch finden und... mußte *es* tun, bevor Hallorann ihn aufhalten konnte.

Oder war *es* schon geschehen?

Sie hörte den Fahrstuhl jaulend nach oben fahren.

(Oh Gott, bitte nein, das Blut, das Blut ist noch frisch, laß es noch nicht geschehen sein)

Irgendwie kam sie auf die Füße und taumelte durch das Schlafzimmer und das chaotisch aussehende Wohnzimmer an die Tür. Sie stieß sie auf und wankte in den Korridor hinaus.

»Danny!« rief sie und zuckte bei dem plötzlichen Schmerz in ihrer Brust zusammen. »Mr. Hallorann! Ist jemand da? *Niemand?*«

Der Fahrstuhl hatte sich wieder in Bewegung gesetzt und hielt jetzt ein weiteres Mal. Sie hörte das metallische Knarren der Tür, und dann hörte sie eine Stimme. Vielleicht war es nur Einbildung. Bei dem lauten Wind war das schwer zu sagen.

Wendy lehnte sich gegen die Wand und arbeitete sich dann bis zur Ecke des kurzen Gangs vor. Sie wollte gerade um die Ecke biegen, als sie einen Schrei hörte, der ihr das Blut gefrieren ließ.

»Danny! Komm her, du kleiner Hund! Nimm es wie ein Mann!«

Jack. Im zweiten oder dritten Stock. Er suchte Danny.

Sie bog um die Ecke, stolperte und wäre fast gestürzt. Sie hielt den Atem an. Etwas

(jemand?)

lag zusammengekrümmt im Korridor an der Wand, auf halbem Weg bis zur Treppe. Sie beeilte sich, so gut es ging, und schrie jedes Mal leise, wenn sie ihr verletztes Bein aufsetzte. Sie sah, daß es ein Mann war, und als sie näher gekommen war, wußte sie, was der summende Motor bedeutet hatte.

Es war Mr. Hallorann. Er war also doch gekommen.

Vorsichtig kniete sie sich neben ihn und betete unzusammenhängend, daß er nicht tot sein möge. Seine Nase blutete, und er hatte eine Menge Blut gespuckt. Eine Seite seines Gesichts war purpurn angeschwollen. Aber er atmete. Gott sei Dank. Sein Atem ging langsam und rauh, und sein ganzer Körper zitterte.

Als sie ihn sich näher ansah, wurden Wendys Augen ganz groß vor Schreck. Der eine Ärmel seines Parka war schwarz und versengt. Eine Seite des Kleidungsstücks war aufgerissen. Seine Haare waren blutverklebt, und im Genick hatte er einen häßlichen Kratzer.

(Mein Gott, was ist ihm nur passiert?)

»Danny!« brüllte oben die heisere, bösartige Stimme. *»Komm da raus, verdammt nochmal!«*

Aber sie hatte keine Zeit für lange Überlegungen. Sie schüttelte Hallorann und verzog dabei das Gesicht wegen der Schmerzen in der Seite. Sie fühlte sich heiß und dick geschwollen an.

(Wenn sich die Rippen nun bei jeder Bewegung in die Lunge bohrten?)

Aber auch das war nicht zu ändern. Wenn Jack Danny fand,

würde er ihn töten, ihn mit dem gleichen Schläger totprügeln, mit dem er es bei ihr versucht hatte.

Wieder schüttelte sie Hallorann und schlug ihm dann leicht auf die unverletzte Gesichtshälfte.

»Wachen Sie auf«, sagte sie. »Mr. Hallorann, Sie müssen aufwachen. Bitte . . . bitte . . .«

Von oben hörte man pausenlos das Krachen des Schlägers, während Jack Torrance seinen Sohn suchte.

Danny stand mit dem Rücken zur Tür und fixierte die Stelle, wo sich im rechten Winkel die beiden Korridore trafen. Das ständige unregelmäßige Krachen des Schlägers gegen die Wände wurde lauter. Das Ding, das ihn verfolgte, schrie und heulte und fluchte. Traum und Wirklichkeit fielen nahtlos zusammen.

Es kam um die Ecke.

In gewisser Weise empfand Danny Erleichterung. Es war nicht sein Vater. Die Maske von Gesicht und Körper war zerfetzt und zerrissen und zu einem Zerrbild geworden. Das war nicht sein Daddy, dieses Monstrum aus einer Horror Show am Samstagabend, mit den rollenden Augen, den hochgezogenen Schultern und dem blutgetränkten Hemd. Es war nicht sein Daddy.

»Jetzt, bei Gott«, flüsterte Jack. Er wischte sich mit zitternder Hand die Lippen. »Jetzt wirst du lernen, wer hier der Boß ist. Das wirst du schon sehen. Sie wollen nicht dich. Sie wollen mich. *Mich! Mich!*«

Er schlug mit dem beschädigten Hammer zu, dessen Ende von zahllosen Schlägen zerfasert und zersplittert war. Er traf die Wand und riß ein rundes Loch in die Seidentapete. In einer Wolke löste sich der Putz. Es fing an zu grinsen.

»Wir wollen doch sehen, ob du mir wieder einen deiner Streiche spielst«, murmelte es. »Ich bin ja nicht von gestern. Bei Gott, ich bin nicht eben erst vom Heuwagen gefallen. Ich werde meine väterliche Pflicht an dir erfüllen, Junge.«

Danny sagte: »Du bist nicht mein Daddy.«

Es blieb stehen. Einen Augenblick wirkte es tatsächlich so, als sei es nicht ganz sicher, wer oder was es war. Wieder sauste der Hammer herab und traf eine Türfüllung, daß sie hohl dröhnte.

»Du lügst« sagte Jack. »Wer sollte ich sonst sein? Ich habe die beiden Muttermale, ich habe den gleichen gewölbten Nabel, ich habe sogar den gleichen *Schwanz*, mein Junge. Frag deine Mutter.«

»Du bist eine Maske«, sagte Danny. »Nur ein falsches Gesicht. Das Hotel braucht dich nur, weil du nicht so tot bist wie die anderen. Aber wenn es mit dir fertig ist, wirst du nichts mehr sein. Du machst mir keine Angst.«

»Ich werde dir schon Angst machen«, brüllte es. Bösartig pfiff der Schläger durch die Luft und krachte in den Teppich zwischen Dannys Füßen. Danny wich nicht zurück. »Du hast über mich Lügen erzählt! Du steckst mit ihr unter einer Decke! Du hast dich gegen mich verschworen! *Und du hast betrogen! Du hast die Examensarbeit abgeschrieben!*« Die Augen glühten unter den buschigen Brauen hervor. In ihnen lag der Ausdruck irrer Verschlagenheit. »Ich werde es schon finden. Es muß irgendwo im Keller liegen. Ich werde es finden. Sie haben mir versprochen, daß ich überall suchen darf.« Wieder hob es den Schläger.

»Ja, sie versprechen«, sagte Danny, »Aber sie lügen.«

Der Schläger blieb in der Luft hängen.

Hallorann kam langsam zu sich, und Wendy ließ sein Gesicht in Ruhe. Gerade waren durch den Fahrstuhlschacht die Worte *Du hast betrogen! Du hast die Examensarbeit abgeschrieben!* gekommen, undeutlich und bei dem Wind kaum hörbar. Von irgendwo aus dem Westflügel. Wendy war fast überzeugt, daß sie im dritten Stock waren und daß Jack – was immer in ihn gefahren sein mochte – Danny gefunden hatte. Jetzt konnten sie nichts mehr unternehmen.

»Oh Doc«, murmelte sie, und Tränen stiegen ihr in die Augen.

»Der Scheißkerl hat mir das Jochbein gebrochen«, murmelte Hallorann mit belegter Stimme, »und mein *Kopf*...« Mühsam setzt er sich aufrecht hin. Sein rechtes Auge war blutunterlaufen und schwoll an. Aber er konnte Wendy sehen.

»Mrs. Torrance –«

»Psssst«, sagte sie.

»Wo ist der Junge, Mrs. Torrance?«

»Im dritten Stock«, sagte sie. »Bei seinem Vater.«

»Sie lügen«, wiederholte Danny. Irgend etwas war ihm durch den Sinn gegangen, strahlend wie ein Meteor, zu schnell und zu hell, um es festzuhalten. Nur der Rest des Gedankens blieb.

(es muß irgendwo im Keller liegen)

(du wirst dich an das erinnern, was dein Vater vergessen hat)

»Du ... so solltest du mit deinem Vater nicht reden«, sagte Jack heiser. Der Schläger zitterte und senkte sich wieder. »Du machst die Sache für dich nur noch schlimmer. Deine ... deine Strafe. Schlimmer.« Er torkelte betrunken und starrte ihn mit weinerlichem Selbstmitleid an, das sich in Haß verkehrte. Der Schläger hob sich wieder.

»Du bist nicht mein Daddy«, sagte Danny wieder. »Und wenn in dir auch nur ein bißchen von meinem Daddy geblieben ist ... er weiß jedenfalls, daß sie hier lügen. Alles hier ist Lug und Trug. Wie die falschen Würfel, die mein Daddy mir letztes Jahr in den Weihnachtsstrumpf getan hat. Wie die Geschenke, die sie in die Schaufenster legen, und mein Daddy sagt, es ist nichts drin, keine Geschenke, es sind nur leere Schachteln. Du bist *es*, nicht mein Daddy. Du bist das Hotel. Und wenn du bekommst, was du haben willst, gibst du meinem Daddy gar nichts, denn du bist selbstsüchtig. Und mein Daddy weiß das. Du mußtest ihn dazu zwingen, das schlimme Zeug zu trinken, denn nur auf diese Weise konntest du ihn bekommen, du verlogenes falsches Gesicht.«

»Lügner! Lügner!« Die Worte kamen als dünner Schrei. Der Schläger wirbelte wild in der Luft.

»Schlag mich doch. Von mir wirst du nicht bekommen, was du willst.«

Das Gesicht veränderte sich. Es war schwer zu sagen, wie; denn die Züge verschmolzen nicht und liefen nicht ineinander. Der Körper zitterte leicht, und die blutigen Hände öffneten sich wie gebrochene Klauen. Der Schläger löste sich aus ihnen und fiel auf den Teppich. Das war alles. Aber plötzlich *war* sein Daddy da und sah ihn in so tödlicher Qual und so tiefem

Kummer an, daß Danny das Herz blutete. Zitternd verzog sich jetzt der Mund.

»Doc«, sagte Jack Torrance. »Lauf weg. Schnell. Und denke daran, wie sehr ich dich liebe.«

»Nein«, sagte Danny.

»Oh Danny, um Gottes willen –«

»Nein«, sagte Danny. Er nahm eine der blutigen Hände seines Vaters und küßte sie. »Es ist fast vorüber.«

Hallorann kam auf die Beine, indem er seinen Rücken gegen die Wand stemmte und sich hochstieß. Er und Wendy starrten einander an wie die Überlebenden eines bombardierten Krankenhauses. Wie in einem Alptraum.

»Wir müssen nach oben«, sagte er. »Wir müssen ihm helfen.«

Mit traurigen Augen starrte sie ihn aus ihrem kalkweißen Gesicht an. »Es ist zu spät«, sagte Wendy. »Jetzt kann er sich nur noch selbst helfen.«

Eine Minute oder zwei waren vergangen. Drei. Und dann hörten sie es oben schreien, nicht vor Wut oder aus Triumph, sondern in tödlichem Entsetzen.

»Lieber Gott«, flüsterte Hallorann. »Was geht da vor?«

»Ich weiß es nicht«, sagte sie.

»Hat er ihn getötet?«

»Ich weiß es nicht.«

Der Fahrstuhl war wieder zu hören. Er fuhr nach unten, und in der Kabine eingesperrt das schreiende und tobende Ding.

Danny stand reglos. Er konnte nirgends hinrennen, wo nicht auch das Overlook war. Das wurde ihm plötzlich deutlich und schmerzhaft bewußt. Zum ersten Mal in seinem Leben hatte er einen erwachsenen Gedanken, ein erwachsenes Gefühl; es war der Kern seiner Erfahrungen an diesem bösen Ort – ein trauriges Destillat:

(Mommy und Daddy können mir nicht helfen, und ich bin allein.)

»Geh weg«, sagte er zu dem blutigen Fremden. »Los. Raus hier.«

Es bückte sich, und Danny sah den Messergriff in seinem Rücken. Jacks Hände schlossen sich um den Griff des Schlägers, aber statt ihn gegen Danny zu richten, drehte er den Griff und richtete die harte Seite des Roque-Schlägers gegen sein eigenes Gesicht.

Danny begriff.

Dann hob sich der Schläger und sauste wieder herab und zerstörte, was vom Bild des Jack Torrance noch geblieben war. Das Ding im Korridor tanzte eine grauenhafte, schlurfende Polka, und die gleichmäßigen Schläge des Hammers wirbelten dazu den Takt. Blut spritzte an die Tapete. Knochensplitter sprangen durch die Luft wie zerbrochene Klaviertasten. Es war unmöglich zu sagen, wie lange das alles dauerte. Aber als es seine Aufmerksamkeit wieder Danny zuwandte, war Dannys Vater für immer verschwunden. Was von dem Gesicht übrig war, hatte eine seltsame, sich verändernde Zusammensetzung, es waren viele Gesichter, unvollkommen zu einem einzigen zusammengefaßt. Danny sah die Frau aus Zimmer 217; den Hundemann; den hungrigen Jungen, der ihn in der Betonröhre behalten wollte.

»Dann also die Masken ab«, flüsterte es. »Keine weiteren Unterbrechungen.«

Der Schläger hob sich zum letzten Mal. Ein tickendes Geräusch drang Danny in die Ohren.

»Hast du noch etwas zu sagen?« erkundigte es sich. »Bist du sicher, daß du nicht wegrennen möchtest? Alles, was wir besitzen, ist Zeit. Eine Ewigkeit an *Zeit*. Oder sollen wir sie beenden? Könnten wir ebensogut. Immerhin verpassen wir die Party.«

Es grinste mit zerbrochenen Zähnen.

Und es fiel ihm ein. Jetzt wußte Danny, was sein Vater vergessen hatte.

»Der Kessel!« schrie Danny. *»Der Druck wurde seit heute morgen nicht mehr abgelassen! Er steigt! Der Kessel wird explodieren!«*

Ein Ausdruck grotesken Entsetzens und dämmernden Begreifens trat in das zerstörte Gesicht des Dings vor Danny. Der Schläger fiel ihm aus der Faust und schlug harmlos auf dem blauschwarzen Teppich auf.

»Der Kessel«, schrie das Ding. »Oh nein, das darf nicht

zugelassen werden! Ganz bestimmt nicht! Nein! Du gottverdammter kleiner Hund! Bestimmt nicht! Oh, oh, oh –«

»Er wird aber explodieren!« schrie Danny wild. Er sprang vor und drohte der Ruine vor ihm mit der Faust. »Jeden Augenblick! Ich weiß es! Der Kessel, Daddy hat den Kessel vergessen! *Und du hast ihn auch vergessen!*«

»Nein, oh nein, das stimmt nicht. Das kann er nicht, du dreckiger kleiner Bengel. Du sollst deine Abreibung bekommen. Warte, bis ich . . .«

Plötzlich drehte es sich um und watschelte davon. Sein Schatten hüpfte noch einen Augenblick an der Wand auf und ab, wurde größer, dann wieder kleiner. Es zog seine Schreie hinter sich her wie Luftschlangen.

Wenig später hörte man das Lärmen des Fahrstuhls.

Plötzlich sah Danny die Dinge

(Mommy und Mr. Hallorann, meine Freunde nennen mich Dick, beide leben, sie sind am Leben, wir müssen hier raus, der Kessel wird explodieren, wird in die Luft fliegen)

so hell wie ein flammender Sonnenaufgang, und er rannte los. Mit dem Fuß trat er den blutigen, häßlichen Roque-Schläger beiseite. Er merkte es nicht einmal.

Weinend rannte er zur Treppe.

Sie mußten hier raus.

56

Die Explosion

Hallorann wußte später nicht mehr genau, wie sich die Dinge abgespielt hatten. Er erinnerte sich daran, daß der Fahrstuhl heruntergekommen und ohne zu halten weitergefahren war und daß sich etwas in der Kabine befunden hatte. Aber er versuchte nicht, durch das rautenförmige Fenster ins Innere zu schauen, denn was in dem Fahrstuhl war, hörte sich nicht menschlich an. Wenig später hörten sie Schritte auf der Treppe. Zuerst zuckte Wendy zurück und lehnte sich an ihn, aber dann wankte sie so schnell sie konnte durch den Korridor zur Treppe.

»Danny! Danny! Oh, Gott sei Dank! Gott sei Dank!«

Sie riß ihn in die Arme und stöhnte – vor Freude und auch wegen ihrer Schmerzen.

(Danny.)

Danny sah ihn vom Arm seiner Mutter aus, und Hallorann erkannte, wie der Junge sich verändert hatte. Sein Gesicht war blaß und schmal, seine Augen schimmerten dunkel und unergründlich. Er sah aus, als ob er Gewicht verloren hätte. Wenn er die beiden so zusammen sah, fand er, daß es die Mutter war, die trotz der schrecklichen Schläge, die sie hatte einstecken müssen, jünger aussah.

(Dick – wir müssen gehen – rennen – das Hotel – fliegt in –)

Ein Bild des Overlook. Flammen schlagen aus dem Dach. Ziegel regnen in den Schnee. Der Klang von Feuerglocken . . . nicht, daß die Feuerwehr es vor Ende März bis zum Overlook geschafft hätte. Was aber hauptsächlich von Danny zu ihm durchkam, war ein Gefühl, daß es eilte, ein Gefühl, daß es *jeden Augenblick* geschehen konnte.

»Okay«, sagte Hallorann. Er ging auf die beiden zu, und anfangs war es, als ob er durch tiefes Wasser schwamm. Sein Gleichgewichtssinn war gestört, und das rechte Auge schien sich nicht auf ein Objekt einzustellen zu wollen. Sein verletztes Jochbein strahlte fürchterliche Schmerzen bis in Schläfe und Nacken aus, und seine geschundene Gesichtshälfte fühlte sich groß wie ein Kohlkopf an. Aber er wußte, wie recht der Junge mit seiner Eile hatte, und deshalb setzte er sich in Bewegung. Es ging einigermaßen.

»Okay?« fragte Wendy. Ihr Blick ging von Hallorann zu ihrem Sohn, dann wieder zu Hallorann. »Was meinen Sie mit okay?«

»Wir müssen gehen«, sagte Hallorann.

»Ich bin nicht angezogen . . . meine Kleider . . .«

Danny löste sich rasch aus ihren Armen und rannte den Korridor hinunter. Sie sah ihm nach, und als er um die Ecke verschwand, drehte sie sich zu Hallorann um. »Wenn er nun zurückkommt?«

»Ihr Mann?«

»Das ist nicht Jack«, murmelte sie. »Jack ist tot. Dies verdammte Hotel hat ihn umgebracht.« Sie schlug mit der Faust gegen die Wand und schrie auf, als der Schmerz ihr durch die zerschnittenen Finger fuhr. »Es geht um den Kessel, nicht wahr?«

»Yes, Madam. Danny sagt, daß er explodieren wird.«

»Gut.« Sie sagte das Wort mit tödlicher Endgültigkeit. »Ich weiß nicht, ob ich die Treppe hinuntergehen kann. Meine Rippen... er hat mir die Rippen gebrochen. Und etwas in meinem Rücken. Es tut weh.«

»Sie werden es schaffen«, sagte Hallorann. »Wir werden es alle schaffen.« Aber plötzlich dachte er an die Heckentiere und überlegte sich, was sie wohl tun konnten, wenn die den Ausgang bewachten.

Danny kam zurück. Er hatte Wendys Stiefel, ihren Mantel und die Handschuhe. Auch für sich hatte er Mantel und Handschuhe mitgebracht.

»Danny«, sagte sie. »Deine Stiefel.«

»Es ist zu spät«, sagte er. Seine Augen starrten die beiden in einer Art verzweifelter Verrücktheit an. Er sah Dick an, und plötzlich stand vor Halloranns Augen das Bild einer Uhr unter einer Glaskuppel. Es war die Uhr im Festsaal, das Geschenk eines Schweizer Diplomaten aus dem Jahre 1964. Die Zeiger dieser Uhr standen auf einer Minute vor Mitternacht.

»Oh, mein Gott«, sagte Hallorann. »Oh, mein Gott.«

Er legte einen Arm um Wendy und hob sie hoch. Mit dem anderen packte er Danny und rannte zur Treppe.

Wendy kreischte vor Schmerz auf, als Hallorann an den gebrochenen Rippen anfaßte und als sich in ihrem Rücken etwas verschob, aber Hallorann verlangsamte sein Tempo nicht. Er stürzte mit den beiden im Arm die Treppe hinunter, das eine Auge verzweifelt aufgerissen, das andere durch die Schwellung zu einem Schlitz verengt. Er sah aus wie ein einäugiger Pirat, der Geiseln entführt, um später Lösegeld zu kassieren.

Er wurde sogar noch schneller, als er durch das Foyer zu den großen Doppeltüren rannte.

Es eilte durch den Keller und in das schwache gelbe Licht des Kesselraums. Es schlotterte vor Angst. Es war so nahe daran gewesen, so nahe daran, den Jungen zu bekommen, den Jungen und seine bemerkenswerten Fähigkeiten. Es durfte jetzt nicht verlieren. Das durfte nicht geschehen. Es würde den Druck ablassen und dann den Jungen hart bestrafen.

»Das darf nicht geschehen«, rief es. »Oh nein, das darf nicht geschehen!«

Es stolperte durch den Keller zum Kessel, der bis zur halben Höhe dunkelrot glühte. Er schnaufte und rasselte und stieß zischend in alle Richtungen Dampf aus. Die Nadel des Druckmessers hatte das Ende der Skala erreicht.

»Nein, das werden wir nicht zulassen!« rief der Manager/Hausmeister.

Es legte seine Jack Torrance-Hände an das Ventil, ohne auf den aufsteigenden Brandgeruch zu achten oder darauf, daß seine Hände verschmorten, als das glühendheiße Rad in sein Fleisch einsank wie in eine Schlammfurche.

Das Rad gab nach, und mit einem Triumphgeschrei drehte das Ding es weit auf. Brüllend schoß der Dampf aus dem Kessel wie ein Dutzend zischende Drachen. Aber bevor der Dampf die Drucknadel völlig einnebelte, war die Nadel schon deutlich zurückgegangen.

»Ich habe gewonnen!« schrie es. Es vollführte im aufsteigenden heißen Nebel obszöne Sprünge und wedelte mit der schmorenden Hand. *»NICHT ZU SPÄT! ICH HABE GEWONNEN! NICHT ZU SPÄT! NICHT ZU SPÄT! NICHT –«*

Die Worte wurden zu einem Triumphgeschrei, und der Schrei ging in einem donnernden Getöse unter, als der Kessel des Overlook explodierte.

Hallorann stürzte durch die Doppeltüren und trug die beiden durch den in der großen Schneewehe freigeschaufelten Gang. Er sah die Heckentiere deutlich, deutlicher als vorher, und jetzt sah er seine schlimmsten Befürchtungen bestätigt, denn sie standen tatsächlich zwischen der Eingangshalle und dem Schneemobil. In diesem Augenblick explodierte das Hotel. Es schien, als sei alles auf einmal geschehen, obwohl er später wußte, daß das nicht der Fall gewesen sein konnte.

Es gab eine dumpfe Explosion, ein Geräusch, das nur aus einem einzigen, alles durchdringenden Ton bestand,

(WUMMMMMMMM –)

und dann spürten sie einen warmen Hauch im Rücken, der sie ganz sanft zu schieben schien, und dieser Hauch schleuderte sie aus dem Ausgang ins Freie, und ein wirrer Gedanke

(so fühlt man sich als Supermann)

schoß Hallorann durch den Kopf, als sie durch die Luft flogen. Er mußte die beiden loslassen, und dann landete er an einer weichen Stelle im Schnee. Sofort hatte er den Schnee in seinem Hemd und in der Nase, und er empfand vage, daß er sich an seiner zerschundenen Wange angenehm anfühlte. Dann wühlte er sich aus dem Schnee heraus und dachte in diesem Augenblick nicht an die Heckentiere und nicht an Wendy Torrance, nicht einmal an den Jungen. Er rollte sich auf den Rücken, um es sterben zu sehen.

Die Fenster des Overlook platzten. Im Festsaal zerklirrte die Glaskuppel über der Uhr auf dem Sims und brach in zwei Teile auseinander. Die Uhr hörte auf zu ticken: die Zahnräder, die Hebel und das Ausgleichsrad standen still. Es gab ein flüsterndes, seufzendes Geräusch und eine große Staubwolke. In Zimmer 217 platzte die Badewanne, und ein Schwall ergoß sich auf die Fliesen, grünlich und übelriechend. In der Präsidentensuite fing plötzlich die Tapete an zu brennen. Die Türen zur Colorado Lounge sprangen aus ihren Angeln und knallten auf den Fußboden im Speisesaal. Hinter dem Mauerbogen im Keller fingen die Stapel alter Papiere Feuer und flammten zischend auf. Kochendes Wasser ergoß sich über die Flammen, aber es löschte sie nicht. Wie brennende Herbstblätter unter einem Wespennest wirbelten sie auf und färbten sich schwarz. Der Ofen explodierte und zerschmetterte die Deckenbalken des Kellers, die zusammenkrachten wie Dinosaurierknochen. Der Gasbrenner, der den Ofen befeuert hatte, schickte eine Flammensäule durch die geborstene Decke ins Foyer. Der Teppichbelag auf den Treppen fing an zu brennen, und die Flammen rasten in den ersten Stock hinauf, als hätten sie eine gute Nachricht zu überbringen. Eine Salve von Explosionen erschütterte das Gebäude. Der Leuchter im Speisesaal, eine Kristallbombe von zweihundert Pfund, stürzte mit ohrenbetäubendem

Krachen von der Decke und schleuderte die Tische in alle Richtungen. Aus den fünf Schornsteinen des Overlook schossen Flammen in die aufreißenden Wolken.

(Nein! Das darf nicht sein! ES DARF NICHT SEIN!)

Es kreischte; es kreischte, aber jetzt war es ohne Stimme und schrie Panik, Verderben und Verdammnis in die eigenen Ohren, löste sich auf, verlor Gedanken und Willen, das Gewebe fiel auseinander, suchte und fand nicht, ging hinaus, flog, ging hinaus in die Leere, ins Nichts, zerbröckelte.

Die Party war vorüber.

57

Exit

Das Getöse erschütterte die ganze Fassade des Hotels. Glas wurde in den Schnee hinausgeschleudert und glitzerte dort wie gezackte Diamanten. Der Heckenhund, der sich Danny und seiner Mutter genähert hatte, prallte zurück und legte die grünen, schattenmarmorierten Ohren an. Er zog den Schwanz ein, und seine Flanken waren plötzlich lächerlich schmal. Im Kopf hörte Hallorann ihn ängstlich winseln, und in diese Töne mischte sich das jammervolle und wirre Jaulen der großen Katzen. Hallorann kam wieder auf die Beine und wollte zu den andern gehen, um ihnen zu helfen, als er etwas sah, das alptraumhafter war als alles andere: Das Heckenkaninchen, immer noch schneebedeckt, rannte wie verrückt immer wieder gegen den Kettenzaun am anderen Ende des Spielplatzes an, und die Kettenglieder klingelten wie Musik aus einem bösen Traum, wie eine gespenstische Zither. Selbst von hier war das Knacken und Krachen der Äste und Zweige, aus denen der Körper des Tieres bestand, deutlich zu hören. Es war, als würden Knochen zerbrochen.

»Dick! Dick!« rief Danny. Er versuchte, seine Mutter zu stützen und mit ihr das Schneemobil zu erreichen. Die Kleidungsstücke, die er für sie beide herausgebracht hatte, lagen zwischen ihnen und der Stelle, wo sie in den Schnee gefallen waren. Hallorann dachte plötzlich daran, daß die Frau ihre

Nachtkleidung anhatte und Danny keine Jacke trug. Dabei war es mindestens zehn Grad unter Null.

(Mein Gott, sie hat nicht einmal Schuhe an.)

Er kämpfte sich durch den Schnee und sammelte ihren Mantel auf, ihre Stiefel, Dannys Mantel und seine Handschuhe. Dann rannte er zu ihnen zurück, wobei er ein paarmal hüfttief im Schnee versank, aus dem er sich herauspaddeln mußte.

Wendy war entsetzlich blaß. Ihr Hals war an der einen Seite mit Blut bedeckt, das jetzt gefror.

»Ich kann nicht«, murmelte sie. Sie war halb bewußtlos. »Nein, ich . . . kann nicht. Es tut mir leid.«

Danny sah bittend zu Hallorann auf.

»Es wird schon gehen«, sagte Hallorann und hielt sie fest. »Kommen Sie.«

Die drei erreichten die Stelle, an der das Schneemobil sich gedreht hatte und der Motor stehengeblieben war. Hallorann setzte die Frau in den Passagiersitz und zog ihr den Mantel an. Er hob ihre Füße an – sie waren sehr kalt, aber noch nicht erfroren – und rieb sie kräftig mit Dannys Jacke, bevor er ihr die Stiefel anzog. Wendys Gesicht war weiß wie Alabaster. Die Lider lagen halb über den Augen, und ihr Blick war glanzlos, aber sie zitterte jetzt. Das hielt Hallorann für ein gutes Zeichen.

Hinter ihnen erschütterte eine Serie von Explosionen das Hotel. Orangefarbene Blitze beleuchteten den Schnee.

Danny legte den Mund an Halloranns Ohr und schrie etwas.

»Was?«

»Ich sagte, brauchen wir das?« Der Junge zeigte auf den roten Benzinkanister, der schief im Schnee lag.

»Ich denke doch.«

Hallorann nahm den Kanister auf und schüttelte ihn. Es war noch etwas Benzin darin, wenn er auch nicht genau wußte, wieviel. Er befestigte den Kanister hinten am Schneemobil und brauchte dazu mehrere Versuche, denn seine Finger waren steif geworden. Zum ersten Mal merkte er, daß er Howard Cortrells Fäustlinge verloren hatte.

(wenn ich hier heil rauskomme, kann meine Schwester dir ein Dutzend Fäustlinge stricken, Howie)

»Los jetzt!« schrie Hallorann den Jungen an.

Danny zuckte zusammen. »Wir werden erfrieren!«

»Wir müssen zum Geräteschuppen. Da liegt allerhand Zeug... Decken... und ähnliches. Setz dich hinter deine Mutter!«

Danny stieg auf, und Hallorann wandte den Kopf nach hinten.

»Mrs. Torrance! Halten Sie sich an mir fest! *Festhalten!*«

Sie schlang die Arme um ihn und legte ihre Wange an seine Schultern. Hallorann startete das Schneemobil und gab vorsichtig Gas, damit das Fahrzeug ohne Ruck startete. Die Frau hatte keinen festen Griff, und wenn sie zurückrutschte, würden sie und ihr Junge nach hinten kippen.

Hallorann beschrieb einen Kreis, und sie fuhren parallel zum Hotel in westlicher Richtung. Hallorann nahm Kurs auf den Geräteschuppen. Sie hatten jetzt einen guten Ausblick auf das Foyer des Overlook. Die Gasflamme, die durch den geborstenen Fußboden hochschoß, sah wie eine riesige Geburtstagskerze aus, ein giftiges Gelb im Kern und flackerndes Blau an den Rändern. In diesem Augenblick schien sie nur zu beleuchten, nicht zu zerstören. Sie sahen den Schreibtisch in der Rezeption, die silberne Glocke, die altmodische Registrierkasse, die Stühle mit den hohen Lehnen, die Roßhaarkissen. Danny konnte das kleine Sofa erkennen, auf dem die Nonnen gesessen hatten, als er und seine Eltern hier ankamen – bei Saisonschluß. Aber dies hier war erst der richtige Saisonschluß.

Dann nahm ihnen die große Schneewehe vor der Eingangshalle die Sicht. Ein wenig später fuhren sie an der Westseite des Hotels entlang. Es war hell genug, um auch ohne die Scheinwerfer des Schneemobils sehen zu können. Die beiden oberen Stockwerke standen jetzt in Flammen, und Flammen züngelten aus den Fenstern. Die glänzende weiße Farbe war schwarz geworden und abgeblättert. Die Läden vor der Panoramascheibe der Präsidentensuite – Läden, die Jack, laut Instruktionen von Mitte Oktober, stets sorgfältig befestigt hatte – brannten jetzt lichterloh und zeigten die zerstörte Dunkelheit dahinter, wie sich ein zahnloser Mund zu einem letzten stummen Todesröcheln öffnet.

Wendy barg ihr Gesicht an Halloranns Rücken, um den Wind von sich abzuhalten, und Danny schützte sich hinter seiner

Mutter. Deshalb sah nur Hallorann diese letzte Szene, und er sprach nie darüber. Aus dem Fenster der Präsidentensuite löste sich eine riesige schwarze Erscheinung und warf ihre Schatten über die Schneewüste. Für einen Augenblick nahm sie die Gestalt einer riesigen obszönen Darstellung an, dann schien der Wind sie zu fassen, zu zerreißen und zu zerfetzen wie altes, dunkles Papier. Sie zerfiel und wurde in einer schwarzen Rauchsäule fortgewirbelt, und dann war sie verschwunden, als ob es sie nie gegeben hätte. Aber in den wenigen Sekunden, in denen die Lichtpartikelchen dunkel wirbelten und tanzten, erinnerte sich Hallorann an ein Ereignis aus seiner Kindheit... das fünfzig Jahre oder noch länger zurücklag. Er und sein Bruder hatten nördlich von ihrer Farm im Erdboden ein großes Wespennest gefunden. Es hatte im Wurzelwerk eines vom Blitz getroffenen Baumes gesteckt. Sein Bruder hatte im Hutband einen Knallfrosch gehabt, der vom Nationalfeiertag übriggeblieben war. Er hatte ihn angezündet und ihn auf das Nest geschleudert. Er war mit lautem Knall explodiert, und ein wütendes ansteigendes Summen – fast ein tiefer Schrei – war aus dem brennenden Nest aufgestiegen. Sie waren weggerannt, als seien Dämonen hinter ihnen her. Irgendwie glaubte Hallorann, daß es wirklich Dämonen gewesen sein mußten. Genau wie jetzt hatte er an jenem Tage über die Schulter zurückgeschaut und gesehen, daß eine große, dunkle Wolke von Hornissen in die heiße Luft aufstieg, sich verteilte und nach dem Feind suchte, der ihr Heim zerstört hatte.

Dann war die Erscheinung verschwunden, und vielleicht war es nur ein großes Stück von der Tapete gewesen, was er gesehen hatte, und dann war Overlook nur noch ein flammender Scheiterhaufen im brüllenden Schlund der Nacht.

Er hatte einen Schlüssel zum Vorhängeschloß am Geräteschuppen an seinem Schlüsselbund, aber Hallorann sah, daß er ihn nicht brauchte.

Die Tür war angelehnt, und das Schloß lag auf dem Boden.

»Ich kann da nicht reingehen«, flüsterte Danny.

»Schon gut. Du bleibst bei deiner Mutter. Hier lag mal ein Stapel Pferdedecken. Inzwischen wahrscheinlich von Motten zerfressen, aber immer noch besser als erfrieren. Mrs. Torrance, sind Sie noch da?«

»Ich weiß nicht«, antwortete sie müde. »Ich glaube, ja.«

»Gut. Es dauert nicht lange.«

»Kommen Sie so schnell Sie können zurück«, flüsterte Danny. »Bitte.«

Hallorann nickte. Er hatte die Scheinwerfer auf die Tür gerichtet, und jetzt arbeitete er sich durch den Schnee, und sein langer Schatten eilte ihm voraus. Er stieß die Tür zum Schuppen auf und trat ein. Die Decken lagen noch da, neben der Roque-Ausrüstung. Er nahm vier davon – sie rochen muffig und alt, und die Motten hatten sich mit Sicherheit an ihnen gelabt – und blieb stehen.

Ein Roque-Schläger fehlte.

(Damit hat er mich also geschlagen?)

Nun, war es nicht gleichgültig, womit er geschlagen worden war? Trotzdem fuhr er sich mit der Hand ans Gesicht und betastete die gewaltige Schwellung. Zahnarztarbeit für sechshundert Dollar mit einem Schlag ruiniert. Aber schließlich

(vielleicht hat er mich nicht damit geschlagen. Vielleicht ging einer verloren. Oder wurde gestohlen. Oder als Souvenir mitgenommen.)

spielte das eigentlich keine Rolle. Niemand würde im Sommer hier Roque spielen. Und vermutlich auch in der nächsten Zukunft nicht.

Nein, es spielte eigentlich keine Rolle, aber es war faszinierend, die aufgereihten Schläger zu betrachten, von denen einer fehlte. Er mußte an den harten hölzernen Knall denken, mit dem der Schlägerhammer den runden Holzball traf. Ein schönes, sommerliches Geräusch. Zu beobachten, wie der Ball über den

(Knochen. Blut.)

Kies sauste. Es beschwor Vorstellungen herauf von

(Knochen. Blut.)

Eistee, Verandaschaukeln, Damen in weißen Strohhüten, dem Summen von Moskitos und

(bösen kleinen Jungs, die sich nicht an die Regeln halten.)

ähnlichem. Gewiß. Schönes Spiel. Aus der Mode, aber... schön.

»Dick?« Die Stimme war dünn, aufgeregt und drängend. »Alles in Ordnung, Dick? Kommen Sie doch raus. *Bitte!*«

(»Komm raus, Nigger, der Massa ruft dich«)

Seine Hand schloß sich fest um den Griff eines der Schläger. Es fühlte sich gut an.

(Wer seine Kinder liebt, der züchtigt sie.)

In der flackernden, von Feuer durchbohrten Dunkelheit wurden Halloranns Augen ganz ausdruckslos. Wirklich, er würde den beiden nur einen Gefallen tun. Sie war schwer verletzt... hatte Schmerzen... und das meiste

(alles!)

war die Schuld dieses verdammten Jungen. So war es. Er hatte seinen eigenen Vater im Hotel verbrennen lassen. Wenn man es genau betrachtete, kam das einem Mord verdammt nahe. Vatermord nannte man so etwas. Verdammt schäbig.

»Mr. Hallorann?« Die Stimme klang schwach und tief und nörgelnd. Diesen Ton mochte er überhaupt nicht.

»Dick!« Der Junge schluchzte vor Angst.

Hallorann nahm den Schläger wieder aus dem Gestell und trat in das weiße Licht der Scheinwerfer. Seine Füße bewegten sich ruckartig über die Fußbodenbretter des Geräteschuppens, wie die Füße einer Spielzeugpuppe, die man aufgezogen und in Bewegung gesetzt hatte.

Plötzlich blieb er stehen, betrachtete erstaunt den Schläger in seiner Hand und fragte sich mit wachsendem Entsetzen, an was er nur gedacht hatte. Mord? *Hatte er an Mord gedacht?*

Einen Augenblick lang schien sich in seine Gedanken nur eine einzige wütende und gebieterische Stimme zu drängen:

(Tu's doch, du schlapper Eunuch von einem Nigger. Töte sie! TÖTE SIE BEIDE!)

Dann schleuderte er das Gerät weit hinter sich, und sein Schreckensschrei war nur geflüstert. Der Schläger schlug polternd neben den Pferdedecken auf, und sein Hammer zeigte auf Hallorann – wie eine unausgesprochene Einladung.

Er floh.

Danny saß auf dem Sitz des Schneemobil, und seine Mutter hielt ihn zaghaft fest. Tränen glänzten in seinem Gesicht, und er zitterte, als hätte er Schüttelfrost. Seine Zähne klapperten, als er sagte: »Wo waren Sie? Wir hatten *Angst*!«

»Man hat recht, wenn man vor diesem Ort Angst hat«, sagte Hallorann langsam. »Selbst wenn das Hotel bis auf die Grundmauern abbrennt, werden mich keine zehn Pferde auch nur in die Nähe bringen. Ich bleibe mindestens hundert Meilen weit von dem Ding weg. Hier, Mrs. Torrance, wickeln Sie sich darin ein. Ich helfe Ihnen. Du auch, Danny. Gleich wirst du wie ein Araber aussehen.«

Er legte Wendy zwei von den Decken um und formte aus einer eine Kapuze, damit ihr Kopf geschützt war. Dann half er Danny, seine Decke festzubinden, damit er sie nicht verlor.

»Und jetzt gut festhalten«, ermahnte er die beiden. »Wir haben eine lange Reise vor uns, aber das Schlimmste ist überstanden.«

Er fuhr um den Geräteschuppen herum und lenkte das Schneemobil auf die alte Spur zurück. Das Overlook war jetzt eine Fackel. Die Flammen schlugen zum Himmel auf. In den Seiten des Gebäudes klafften große Löcher, und im Innern raste die rote Hölle. Geschmolzener Schnee ergoß sich in dampfenden Wasserfällen in die Abflüsse.

Sie schnurrten über den vorderen Rasen, und ihr Weg war gut beleuchtet. Die Schneewehen glühten scharlachrot.

»Schau!« rief Danny, als Hallorann auf dem Weg zur Pforte die Geschwindigkeit verringerte. Er zeigte zum Spielplatz hinüber.

Die Heckentiere standen in ihren ursprünglichen Positionen, aber sie waren nackt, geschwärzt und versengt. Ihre toten Zweige bildeten in der Gluthelle ein wirres Netz, ihr Laub lag um ihre Füße verstreut wie gefallene Blütenblätter.

»Sie sind tot!« schrie Danny in hysterischem Triumph. *»Tot! Sie sind tot!«*

»Psssst«, sagte seine Mutter. »Es ist ja alles gut, Honey.«

»Heh, Doc«, sagte Hallorann. »Wir fahren dahin, wo es warm ist. Bist du bereit?«

»Ja«, flüsterte Danny. »Dazu war ich schon lange bereit.«

Hallorann fuhr durch die Lücke zwischen Pfosten und Gatter. Wenig später waren sie auf der Straße, die nach Sidewinder führte. Bald wurde das Motorengeräusch des Schneemobils schwächer, es verlor sich im unaufhörlichen Toben des Sturms, der auch durch die nackten, dürren Zweige der Heckentiere fuhr, die öde und verloren raschelten und knackten. Das Feuer flammte auf, sank in sich zusammen, um dann erneut seine

Flammen in den Himmel zu schicken. Sie waren noch nicht sehr weit gefahren, als das Dach des Overlook einstürzte – zuerst über dem Westflügel, dann über dem östlichen und zuletzt in der Mitte. Eine riesige Feuersäule stieg zum Himmel auf, und Funken und brennende Trümmer stoben nach allen Seiten in die heulende Winternacht.

Ein Bündel brennende Schindeln wurden vom Wind in den offenen Geräteschuppen hineingefegt.

Nach einer Weile brannte auch der Schuppen.

Sie waren noch zwanzig Meilen von Sidewinder entfernt, als Hallorann anhielt, um den Rest Benzin in den Tank zu füllen. Er machte sich Sorgen um Wendy Torrance, die ihnen zu entgleiten drohte. Es war noch ein so weiter Weg.

»Dick!« schrie Danny. Er stand auf dem Sitz und zeigte nach vorn. »Dick, sieh doch!«

Es schneite nicht mehr, und wie ein Silberdollar schaute jetzt der Mond durch die sich teilenden Wolken. Weit unten auf der Straße bewegte sich ihnen durch eine Reihe von Serpentinen eine Lichterkette entgegen. Der Wind holte einen Augenblick Atem, und Hallorann hörte das ferne Summen von Schneemobilmotoren.

Fünfzehn Minuten später hatten Hallorann und Danny und Wendy sie erreicht. Sie brachten Kleidung und Brandy und Dr. Edmonds.

Und die lange Dunkelheit war vorüber.

58

Epilog /Sommer

Nachdem er die von seinem Gehilfen bereiteten Salate inspiziert und sich auch die hausgemachten Bohnen angesehen hatte, die in dieser Woche als Vorgericht serviert wurden, band sich Hallorann die Schürze ab, hängte sie an den Haken und huschte zur Hintertür hinaus. Er hatte noch fünfundvierzig Minuten Zeit, bevor er die Vorbereitungen für das Dinner ernsthaft ankurbeln mußte.

Das Restaurant hieß Red Arrow Lodge und lag in den westlichen Bergen von Maine begraben, dreißig Meilen von der Stadt Rangely entfernt. Es war kein schlechter Laden, fand Hallorann. Kein allzu hektischer Betrieb, aber gute Trinkgelder, und bisher war kein einziges Essen zurückgeschickt worden. Wirklich nicht schlecht, wenn man bedachte, daß die Saison schon halb vorbei war.

Er ging zwischen den draußen aufgestellten Tischen und dem Schwimmbad hindurch (es war ihm allerdings schleierhaft, wieso jemand es benutzen sollte, wo doch der See so nahe lag), überquerte eine Grünfläche, auf der vier Leute Krockett spielten und lachten, und stieg einen flachen Hügel hinauf. Hier wuchsen Tannen, in denen der Wind angenehm rauschte und das Aroma von harzigem Holz herübertrug.

Auf der anderen Seite lagen mit Blick auf den See einige Wochenendhäuser, diskret hinter einem Baumbestand verborgen. Das am weitesten gelegene und schönste hatte er für zwei Personen reservieren lassen, als er im April diesen Laden übernahm.

Die Frau saß in einem Schaukelstuhl auf der Veranda und hielt ein Buch in der Hand. Hallorann fiel eine Veränderung an ihr auf. Teils war es wohl die steife Haltung, mit der sie sich in dieser doch legeren Umgebung gab – das lag natürlich an ihrem Stützkorsett. Sie hatte einen zerschmetterten Rückenwirbel, drei Rippenbrüche und innere Verletzungen davongetragen. Der Rücken heilte nur sehr langsam, und deshalb benötigte sie noch das Korsett. Aber das war nicht die einzige Veränderung. Sie wirkte älter, und in ihrem Gesicht lag nur noch selten ihr früheres Lachen. Jetzt, während sie ihr Buch las, erkannte Hallorann an ihr eine Art ernste Schönheit, die ihr, als er sie vor neun Monaten kennenlernte, gefehlt hatte. Damals war sie mädchenhafter gewesen. Jetzt war sie eine Frau, ein Mensch, der in tiefste Dunkelheit gezerrt worden und aus ihr wieder herausgekommen war, um die Trümmer aufzusammeln. Aber, so meinte Hallorann, die Stücke passen nie wieder so zusammen, wie es einmal der Fall war. Nie im Leben.

Sie hörte seine Schritte und sah auf. Gleichzeitig klappte sie das Buch zu. »Dick!« Sie wollte aufstehen und verzog vor Schmerz das Gesicht.

»Nein, bleiben Sie sitzen«, sagte er. »Nur keine Umstände. Wir sind doch nicht auf einer Abendgesellschaft.«

Sie lächelte, als er die Stufen heraufkam und sich neben sie auf die Veranda setzte.

»Wie läuft es?«

»Recht gut«, gab er zu. »Sie müssen heute abend die Krabben à la creole probierten. Die werden Ihnen schmecken.«

»Abgemacht.«

»Wo ist Danny?«

»Gleich da unten.« Sie zeigte hinab, und Hallorann sah eine kleine Gestalt am Ende des Stegs sitzen. Er hatte die Jeans bis zum Knie aufgekrempelt und trug ein rotgestreiftes Hemd. Draußen auf der glatten Wasserfläche trieb ein Schwimmer. Alle Augenblicke holte er ihn ein, prüfte Senker und Haken und warf die Angel wieder aus.

»Er wird braun«, sagte Hallorann.

»Sehr braun.« Sie sah Danny liebevoll an.

Hallorann nahm eine Zigarette heraus, klopfte sie und zündete sie an. Träge trieb der Rauch davon. Es war ein sonniger Nachmittag. »Was ist mit den Träumen, die er sonst immer hatte?«

»Es ist besser geworden«, sagte Wendy. »In dieser Woche war es nur einmal. Vorher träumte er jede Nacht, manchmal zwei- oder dreimal. Die Explosionen. Die Hecken. Und am häufigsten . . . Sie wissen ja.«

»Ja. Das wird schon alles in Ordnung kommen.«

Sie sah ihn an. »Wirklich? Ich weiß nicht recht.«

Hallorann nickte. »Sie und er sind zurückgekommen. Verändert, aber immerhin. Sie sind nicht mehr, was Sie einmal waren, aber das muß nicht schlecht sein.«

Eine Weile herrschte Schweigen, und Wendy schaukelte in ihrem Stuhl.

Hallorann hatte die Füße auf das Verandagitter gelegt und rauchte. Ein leichter Wind kam auf und strich durch die Tannen, aber Wendys Haar bewegte sich kaum. Sie trug es jetzt kurzgeschnitten.

»Ich habe mich entschlossen, Als – Mr. Shockleys – Angebot anzunehmen«, sagte sie.

Hallorann nickte. »Hört sich an, als könnte das ein vernünftiger Job sein. Etwas, das Sie vielleicht sehr interessant finden werden. Wann fangen Sie an?«

»Gleich nach den Feiertagen. Wenn Danny und ich hier abreisen, fahren wir gleich nach Maryland, um eine Wohnung zu suchen. Eigentlich hat mich erst die Broschüre von der Handelskammer so recht überzeugt. Und ich möchte gern arbeiten, bevor wir zu viel von dem Versicherungsgeld ausgegeben. Es sind noch über vierzigtausend Dollar. Das müßte für Dannys Studium und ein Startkapital für ihn reichen, wenn man es gut investiert.«

Hallorann nickte. »Ihre Mutter?«

Sie sah ihn an und lächelte müde. »Ich denke, Maryland ist weit genug.«

»Sie werden doch alte Freunde nicht vergessen?«

»Dafür würde schon Danny sorgen. Gehen Sie doch hin und begrüßen Sie ihn. Er hat den ganzen Tag gewartet.«

»Ich auch.« Hallorann stand auf und zog seine weißen Kochhosen hoch. »Sie beide werden es schon schaffen«, wiederholte er. »Haben Sie nicht selbst das Gefühl?«

Sie sah zu ihm auf, und ihr Lächeln war jetzt sehr viel freundlicher. »Ja«, sagte sie. Sie nahm seine Hand und küßte sie. »Manchmal glaube ich es selbst.«

»Die Krabben à la creole«, sagte er und ging zur Treppe. »Vergessen Sie es nicht.«

»Nein.«

Er ging den Kiesweg entlang zum Steg hinunter und dann über die verwitterten Bohlen bis an das Ende, wo Danny saß und die Füße in das klare Wasser hielt. Weiter hinten wurde der See breiter, und die Tannen an seinen Ufern spiegelten sich in ihm.

Die Gegend war hügelig, es gab sogar größere Berge, aber sie waren nicht schroff, sondern abgerundet und von der Zeit gebeugt. Hallorann gefielen sie.

»Na, fängst du auch was?« fragte Hallorann und setzte sich neben den Jungen. Er zog einen Schuh aus, dann den anderen, und mit einem Seufzer ließ er seine heißen Füße ins kalte Wasser hängen.

»Nein. Aber vorhin hat einer ganz kurz angebissen.«

»Morgen früh reden wir über ein Boot. Man muß in den See

rausfahren, wenn man einen eßbaren Fisch fangen will. Da draußen sind die großen, mein Junge.«

»Wie groß?«

Hallorann zuckte die Achseln. »Oh ... Haie, Speerfische, Wale und ähnliche.«

»Da sind keine Wale!«

»Nein, natürlich keine Blauwale. Diese sind nicht größer als vierundzwanzig Meter. Es sind rosa Wale.«

»Wie kommen die denn aus dem Meer hierher?«

Hallorann fuhr dem Jungen mit der Hand durch das rötlichblonde Haar. »Sie schwimmen stromaufwärts, mein Junge. So machen die das.«

»Wirklich?«

»Wirklich.«

Sie schwiegen einen Augenblick und schauten auf den stillen See hinaus. Hallorann dachte nach. Als er wieder zu Danny hinübersah, hatten sich dessen Augen mit Tränen gefüllt.

Er legte einen Arm um ihn und sagte: »Was ist denn das?«

»Nichts«, flüsterte Danny.

»Du vermißt deinen Vater, nicht wahr?«

Danny nickte. »Sie wissen immer alles.« Eine Träne löste sich aus seinem Augenwinkel und rollte die Wange herab.

»Wir können keine Geheimnisse voreinander haben«, sagte Hallorann. »So ist das nun einmal.«

Danny starrte auf seine Angelrute. »Manchmal wünsche ich mir, ich wäre es gewesen. Es war meine Schuld. Alles ist meine Schuld.«

»Mit deiner Mutter redest du wohl nicht gern darüber?«

»Nein. Sie will vergessen, daß es je geschah. Ich auch, aber –«

»Du schaffst es nicht?«

»Nein.«

»Mußt du denn weinen?«

Der Junge versuchte zu antworten, aber die Worte gingen in Schluchzen über. Er legte den Kopf an Halloranns Schulter und weinte. Die Tränen flossen ihm über das Gesicht. Hallorann hielt ihn fest und sagte nichts. Er wußte, der Junge würde immer wieder weinen müssen, und es war Dannys Glück, daß er noch jung genug war, es tun zu dürfen. Tränen, die heilen, sind auch die Tränen, die brennen und quälen.

Als Danny sich ein wenig beruhigt hatte, sagte Hallorann: »Du wirst darüber hinwegkommen. Jetzt vielleicht noch nicht, aber eines Tages. Du kannst hell –«

»Ich wünschte, ich könnte es nicht«, sagte Danny, immer noch schluchzend.

»Du kannst es aber«, sagte Hallorann ruhig. »Ob du willst oder nicht, kleiner Junge. Aber das Schlimmste ist vorbei. Im übrigen kannst du deine Fähigkeit gebrauchen, um mit mir zu sprechen, wenn es schwierig wird. Dann komme ich.«

»Auch wenn ich in Maryland bin?«

»Auch dann.«

Sie schwiegen wieder und beobachteten den Schwimmer, der zehn Meter weit draußen im Wasser trieb. Dann sagte Danny kaum hörbar: »Willst du mein Freund sein?«

»So lange du willst.«

Der Junge umarmte ihn, und Hallorann hielt ihn fest.

»Danny? Hör mir mal zu. Ich spreche einmal mit dir darüber und dann nie wieder. Es gibt Dinge, die man einem sechsjährigen Jungen nicht erzählen sollte. Aber wie es sein sollte und wie es ist, sind zwei verschiedene Dinge. Die Welt ist grausam, Danny. Sie kümmert sich nicht um uns. Sie haßt uns nicht, dich und mich, aber sie liebt uns auch nicht. In der Welt geschehen entsetzliche Dinge. Gute Menschen sterben schrecklich und qualvoll und lassen ihre Lieben allein zurück. Manchmal scheint es so, als ob nur die bösen Menschen gesund bleiben und Erfolg haben. Die Welt liebt dich nicht, aber deine Mommy liebt dich, und ich liebe dich auch. Du bist ein guter Junge. Du trauerst um deinen Daddy, und wenn du das Gefühl hast, weinen zu müssen über das, was mit ihm geschah, dann tu es. Geh in dein Zimmer oder zieh dir die Decke über den Kopf, bis du dich ausgeweint hast. Das muß ein guter Sohn tun. Aber versuch, für dich selbst das Leben zu meistern. Das ist deine Aufgabe in dieser grausamen Welt. Halte deine Liebe zu ihm am Leben und laß dich nicht unterkriegen, ganz gleich, was geschieht. Nimm dich zusammen und mach einfach weiter.«

»Okay«, flüsterte Danny. »Ich werde dich im nächsten Sommer besuchen, wenn du willst . . . wenn es dir nichts ausmacht. Im nächsten Sommer bin ich schon sieben.«

»Und ich bin dann zweiundsechzig. Und ich werde dich totdrücken, wenn du kommst. Aber erst muß ein Sommer vorübergehen, bevor wir für den nächsten planen.«

»Okay.« Er sah Hallorann an. »Dick?«

»Hmm?«

»Du wirst doch noch lange nicht sterben?«

»Wenigstens bemühe ich mich nicht darum. Du etwa?«

»No, Sir. Ich –«

»Da hat einer angebissen, mein Junge.« Er zeigte aufs Wasser hinaus. Der rotweiße Schwimmer war untergetaucht. Er kam glitzernd hoch und sank dann wieder weg.

»Heh!« schluckte Danny.

Wendy war auf den Steg gekommen und stand hinter Danny. »Was ist das?« fragte sie. »Ein Hecht?«

»Nein, Madam«, sagte Hallorann. »Ich glaube, es ist ein rosa Wal.«

Die Spitze der Rute bog sich. Danny zog sie hoch, und ein großer regenbogenfarbiger Fisch schoß in einer flimmernden Parabel aus dem Wasser und verschwand wieder.

Danny holte wie wild die Schnur ein.

»Hilf mir, Dick! Ich hab' ihn! Ich hab' ihn! Hilf mir!«

Hallorann lachte. »Das machst du doch selbst sehr gut. Ich weiß nicht, ob es ein rosa Wal ist oder eine Forelle, aber es ist ein schöner Fisch. Ganz ausgezeichnet.«

Er legte den Arm um Dannys Schultern, und der Junge holte den Fisch ein. Wendy setzte sich an Dannys andere Seite, und die drei saßen in der Nachmittagssonne am Ende des Stegs.

– ENDE –